Haute-Ville
Basse-Ville

DU MÊME AUTEUR

Un viol sans importance, roman, Sillery, Septentrion, 1998.

La Souris et le Rat, roman, Gatineau, Vents d'Ouest, 2004.

Un pays pour un autre, roman, Sillery, Septentrion, 2005.

L'été de 1939, avant l'orage, roman, Montréal, Hurtubise HMH, 2006.

La Rose et l'Irlande, roman, Montréal, Hurtubise HMH, 2007.

Les Portes de Québec, t. 1, *Faubourg Saint-Roch*, roman, Montréal, Hurtubise HMH, 2007.

Les Portes de Québec, t. 2, *La Belle Époque*, roman, Montréal, Hurtubise HMH, 2008.

Les Portes de Québec, t. 3, *Le prix du sang*, roman, Montréal, Hurtubise HMH, 2008.

Les Portes de Québec, t. 4, *La mort bleue*, roman, Montréal, Hurtubise HMH, 2009.

Jean-Pierre Charland

Haute-Ville
Basse-Ville

Roman historique

Hurtubise

Catalogage avant publication de Bibliothèque et Archives nationales du Québec et Bibliothèque et Archives Canada

Charland, Jean-Pierre, 1954-

Haute-Ville, Basse-Ville

2e éd.

Publ. antérieurement sous le titre: Un viol sans importance. Sillery, Québec: Septentrion, 1998.

ISBN 978-2-89647-208-6

I. Titre. II. Titre: Un viol sans importance.

PS8555.H415V56 2009 C843'.54 C2009-941322-1
PS9555.H415V56 2009

Les Éditions Hurtubise bénéficient du soutien financier des institutions suivantes pour leurs activités d'édition:

- Conseil des Arts du Canada;
- Gouvernement du Canada par l'entremise du Programme d'aide au développement de l'industrie de l'édition (PADIÉ);
- Société de développement des entreprises culturelles du Québec (SODEC);
- Gouvernement du Québec par l'entremise du programme de crédit d'impôt pour l'édition de livres.

Conception graphique: Geai Bleu Graphique
Graphisme: René St-Amand
Illustration de la couverture: Polygone Studio
Maquette intérieure et mise en page: Andréa Joseph [pagexpress@videotron.ca]

ISBN 978-2-89647-208-6

Publié originellement en 1998 par les éditions du Septentrion sous le titre: *Un viol sans importance*. Édition revue et corrigée par l'auteur.

Dépôt légal: 3e trimestre 2009
Bibliothèque et Archives nationales du Québec
Bibliothèque et Archives du Canada

Diffusion-distribution au Canada:
Distribution HMH
1815, avenue De Lorimier,
Montréal QC H2K 3W6
Téléphone: (514) 523-1523
Télécopieur: (514) 523-9969
www.distributionhmh.com

Diffusion-distribution en Europe:
Librairie du Québec/DNM
30, rue Gay-Lussac
75005 Paris FRANCE
www.librairieduquebec.fr

Imprimé au Canada
www.editionshurtubise.com

Liste des personnages

Bégin, Armand : vieil ami du père de Renaud Daigle ; père de Michel Bégin.

Bégin, Michel : étudiant à l'Université Laval, ami d'Henri Trudel.

Berthe : tenancière du bordel *Au Chat*.

Caron, Germaine : amie de Blanche Girard et vendeuse au magasin THIVIERGE.

Daigle, Renaud : avocat ; à son retour d'Angleterre, il devient professeur de droit constitutionnel à l'Université Laval.

Descôteaux, Philippe-Auguste : premier ministre du Québec.

Fecteau, Gérard : gamin de dix ans, il découvre le corps de Blanche Girard au parc Victoria.

Fitzpatrick, Samuel : ministre des Ressources naturelles, père de William.

Fitzpatrick, William : étudiant à l'Université Laval, ami d'Henri Trudel.

Gagnon, Maurice : lieutenant à la police municipale de la Ville de Québec. Il est chargé de l'enquête sur la mort de Blanche Girard.

Gauthier, Alcide : gardien au parc Victoria.

Germain, Euclide : père adoptif de Blanche Girard ; père de Joseph, Hector et Ovide, trafiquants d'alcool.

Germain, Hector : l'un des trois fils d'Euclide et de Joséphine Germain ; trafiquant d'alcool.

Germain, Joseph : l'un des trois fils d'Euclide et de Joséphine Germain ; trafiquant d'alcool.

Germain, Joséphine : mère adoptive de Blanche Girard.

Germain, Ovide : l'un des trois fils d'Euclide et de Joséphine Germain ; trafiquant d'alcool. Client du *Chat*, il est aussi homme de main à l'emploi de certaines personnes.

Girard, Blanche : orpheline, vendeuse.

Girard, Edmond : oncle de Blanche Girard.

Grace, John : commis ; soupirant de Germaine Caron.

Lafrance, Romuald : étudiant à l'Université Laval, ami d'Henri Trudel.

Lapointe, Ernest : membre du Parti libéral du Canada, député libéral fédéral de la circonscription de Québec-Est.

Lara : voir Virginie Sanfaçon.

Lavigerie, Thomas : avocat, membre de la mouvance conservatrice.

Marceau, Jean-Jacques : étudiant à l'Université Laval, ami d'Henri Trudel.

Marion, Marie-Madeleine : sœur de Blanche Girard.

McPhail, Helen : orpheline d'un père irlandais et d'une mère canadienne-française ; étudiante à l'Université McGill.

Neuville, Mgr Louis-Marie : recteur de l'Université Laval.

Richard, Raoul : imprimeur, éditeur de l'hebdomadaire *Franc-Parleur*, auteur de *La Non-Vengée*.

Ryan, Daniel : chef de la police municipale de la Ville de Québec, supérieur hiérarchique direct du lieutenant Maurice Gagnon.

Saint-Amant, Jacques : étudiant à l'Université Laval, ami d'Henri Trudel.

Sanfaçon, Virginie : prostituée du bordel *Au Chat*.

Trudel, Antoine : ministre dans le cabinet Descôteaux, père d'Henri Trudel.

Trudel, Élise : fille d'Antoine Trudel et sœur d'Henri.

Trudel, Henri : fils d'Antoine Trudel ; étudiant à l'Université Laval.

Chapitre 1

Blanche ne sentait presque plus rien. Au début, cela avait été atroce. Elle avait eu tellement honte quand elle avait senti leurs mains sur son corps, sur son ventre, ses fesses, ses seins. Ils avaient commencé dans l'auto. Parfois une main se glissait sous sa robe, lui pinçait les cuisses. Elle se débattait, bien sûr, mais sans trop savoir comment s'y prendre pour leur échapper. En essayant de s'éloigner d'eux, elle avait glissé jusque sur le plancher de la voiture, ils l'avaient alors coincée là avec leurs pieds, continuant de la toucher partout. Ils lui avaient placé un drap sur le visage, pour étouffer ses plaintes. De toute façon, elle n'essayait pas de crier à pleins poumons. Elle aurait eu bien trop honte s'ils s'étaient arrêtés devant des gens: personne ne devait la voir dans cette position. Elle voulait qu'ils s'arrêtent, bien sûr, pour la laisser descendre, pas pour la donner en spectacle.

Sa honte s'était muée en véritable terreur quand les voitures, celle où elle se trouvait et l'autre qui roulait devant, s'étaient arrêtées près d'une maison isolée, située au milieu d'un bouquet de grands arbres. D'autres garçons descendus de la seconde voiture s'étaient joints aux premiers pour se moquer d'elle. En fait, ils étaient quatre à se presser contre elle, à la projeter vers l'un de leurs camarades lorsqu'elle essayait de fuir. Quand l'un la poussait brutalement, lui faisant perdre l'équilibre, un autre la rattrapait juste avant qu'elle ne tombe, toujours en l'agrippant. Bientôt, elle avait entendu le tissu de sa robe craquer, ce qui avait provoqué l'hilarité de ses tortionnaires. Par la suite, en la bousculant, ils ne semblaient plus avoir d'autre objectif que de lui arracher ses vêtements.

D'abord la robe disparut, puis la camisole. Les rires et les cris des quatre garçons couvraient chacune de ses plaintes, de ses protestations, de ses supplications.

«Je dois crier, se dit-elle, on va m'entendre.» Mais elle ne produisit qu'un grognement vite étouffé par la main de l'un des garçons. «Allons dans la grotte», fit celui-là. La poussant, la portant à demi, ils l'amenèrent derrière la maison. Il y avait là une pente abrupte qui débouchait sur une porte en bois découpée dans le talus. Celle-ci s'ouvrit, ils la poussèrent de toutes leurs forces à l'intérieur. Comme la porte était basse, elle se cogna brutalement la tête au linteau. À demi assommée, elle se retrouva sur le plancher de terre battue, dans une assez grande pièce encombrée de quelques caisses, de bouteilles et d'étagères. «Un caveau à légumes», se dit-elle, hébétée. C'était la grotte dont ils avaient parlé.

La soirée ne faisait que commencer.

La veillée mit longtemps à se terminer. Le samedi soir, on trouvait au bordel ces solitaires effrayés à l'idée de retrouver une maison ou un appartement vide. Ils devenaient bavards tout d'un coup; dans un autre contexte, on aurait presque pu dire sentimentaux. Bien après minuit, le *Chat* se vida des derniers traînards. Après plusieurs heures à se faire passer sur le ventre, les filles commencèrent par une toilette en profondeur. Elles se retrouvèrent ensuite dans la grande pièce du rez-de-chaussée, plus ou moins vêtues, pour se détendre un peu avant d'aller dormir. La plupart prirent un grand verre d'alcool, histoire de s'anesthésier.

Lara fut la dernière à descendre, après avoir longuement frotté son sexe et ses seins. À peine sortie de sa chambre, elle entendit grommeler dans la petite pièce située au fond du corridor. Curieuse, elle passa la tête par la porte entrebâillée. Elle aperçut Ovide Germain, étendu en travers du lit, sur le dos. Des taches de sang marquaient le devant de sa chemise noire et sa cravate blanche. Nul besoin d'être médecin pour diagnostiquer une fracture du nez. Le vieux barman essuyait le sang coagulé, alors que Germain l'abreuvait d'injures.

Lara tourna les talons sans faire de bruit et regagna l'escalier. Dans la grande salle du bas, elle se dirigea vers le bar. Berthe servait « ses filles » et échangeait quelques mots avec chacune.

— Qu'est-il arrivé à Ovide ? demanda-t-elle.

— Un client susceptible à qui il a offert les services d'un garçon, expliqua la tenancière en riant.

— Comment cela ? Les clients viennent ici pour baiser.

— Avec des filles. Tu te souviens de ces jeunes gens, cet après-midi ?

Lara acquiesça. À cause d'eux, elle avait dû commencer sa journée de travail bien plus tôt que d'habitude.

— Il y avait un timide avec eux. Il a refusé toutes les filles. Même moi !

Berthe avait dit cela d'un ton dépité, comme s'il n'était pas possible qu'on lève le nez sur ses charmes cinquantenaires.

— Ovide a cru bien faire en lui offrant l'un des gamins de son écurie. L'autre l'a mal pris et lui a dévissé le nez.

— Ce devait être un colosse ?

— Pas du tout. Il ressemblait tout à fait à un séminariste.

— Notre petit caïd serait-il moins terrible que nous le pensons ?

Il y avait à la fois de l'incrédulité et de l'ironie dans la voix de la jeune prostituée.

— Il dit qu'il a été pris par surprise. Le plus drôle, c'est que quelqu'un en aurait même profité pour partir avec son chapeau. Tu sais, ce borsalino dont il est si fier ?

Tout sourire, Berthe examinait Lara attentivement, affichant une sympathie évidente. Elle demanda :

— Et toi, comment vas-tu ?

Lara fit une grimace. Ses yeux rouges témoignaient de ses pleurs récents. Berthe lui proposa le remède habituel pour les idées noires :

— Je te sers un cognac ?

— Un verre de lait, comme d'habitude.

— Tu ne t'y fais pas ? Tu es pourtant ici depuis trois ans.

— Pas trois ans, un peu plus de deux.

Berthe lui tendit le verre de lait qu'elle avait déjà fait chauffer pour elle. Son ton se fit tout à fait maternel quand elle continua :

— Tu ne serais pas mieux dans une manufacture, tu sais. Tu aurais un contremaître après tes jolies fesses, cela pour quelques cents de l'heure.

— Rien ne peut être pire qu'ici.

— Tu lis trop, répondit Berthe en poussant un long soupir. Cesse de rêver, essaie de faire avec ce que tu as. Tu pourrais tenir une maison, d'ici quelques années. Je vais sûrement me retirer dans peu de temps.

— Je ne sais pas si je pourrai endurer cette vie bien longtemps encore.

La tristesse dans la voix de Lara toucha Berthe plus qu'elle ne l'aurait voulu. Elle avait essuyé son épais maquillage et revêtu une vieille robe de chambre. Il n'y avait plus rien de la tenancière chez elle. Seulement une femme vieillissante qui ne savait trop comment gérer le désespoir. Pourquoi Lara n'arrivait-elle pas à se faire une raison ? Après tout, au *Chat*, les filles avaient une existence plutôt agréable.

Lara vida rapidement son verre de lait, puis retourna s'évader dans un livre.

Ils étaient venus le 8 juillet, dès le matin, au moment de l'ouverture des bureaux. Plutôt craintifs, ils s'étaient assis sur un banc en bois, dans un coin, attendant que quelqu'un s'occupe d'eux. Le poste de police de la ville de Québec prenait vie progressivement, les agents allaient et venaient, les officiers interrogeaient les garçons et les filles cueillis pendant la nuit. Les premiers s'étaient rendus coupables de vol ou encore avaient été impliqués dans une bagarre. Les secondes, dans la totalité des cas, s'étaient livrées à la prostitution sans faire preuve de la discrétion nécessaire. En effet, ce vieux commerce n'attirait guère les foudres de la police, s'il se déroulait dans des maisons spécialisées, mais on ne tolérait pas la sollicitation des clients au vu et au su des bonnes gens de la ville.

Il fallut une bonne heure avant qu'un agent ne demande au vieux couple, en passant, s'il attendait quelqu'un. Apprenant qu'ils étaient là parce que leur fille avait disparu, il les conduisit immédiatement au bureau du lieutenant Gagnon. Mis au courant en quelques mots, celui-ci prit un formulaire pour enregistrer la déposition des deux vieux.

— Votre nom, commença-t-il par s'enquérir, et votre adresse?

— Euclide Germain. Elle, c'est ma femme, Joséphine.

Il avait entre soixante et quatre-vingts ans, impossible d'être plus précis. Si l'impression de force donnée par son imposante carrure et ses mains épaisses et larges comme des battoirs laissaient croire à sa verdeur, ses cheveux et l'épaisse moustache lui cachant la lèvre supérieure étaient blancs. Son visage, buriné par le soleil, présentait un impressionnant réseau de rides profondes.

— J'habite à Stadacona. Je suis charpentier.

Gagnon acquiesça. Le bonhomme ne lui était pas tout à fait inconnu. En fait il connaissait surtout ses fils : des oiseaux plutôt turbulents, qui ne reculaient pas à l'idée de se battre. Ils avaient été accusés de divers délits, mais les choses en étaient restées là, faute de preuves suffisantes. Si le vieux semblait se méfier des policiers et vouloir se trouver ailleurs, il n'était pas impressionné outre mesure. Ses yeux gris, froids, cruels même, se dit l'officier, faisaient le tour de la pièce avec ennui. Il n'était pas venu là de sa propre initiative.

À côté de lui, sa femme semblait tout à fait effrayée. Le souffle court d'avoir beaucoup marché – ils devaient être venus à pied de Stadacona et elle n'avait pas encore repris son souffle une heure plus tard –, elle se tordait les doigts nerveusement. Comme elle était restée un peu en retrait, Gagnon voyait ses chevilles enflées au-dessus des chaussures éculées, ses jambes variqueuses, pâles et crasseuses. Sa robe enserrait son corps gros et difforme comme un vieux sac. Ses yeux restaient résolument fixés au sol.

— Madame, vous voulez signaler la disparition de votre fille ? lui demanda le policier.

— Oui. Elle n'est pas revenue à la maison samedi, après son travail.

Elle avait levé les yeux pour lui répondre. Gagnon y lut une grande terreur.

— Samedi dernier ? fit-il. Déjà cinq jours et vous ne venez que maintenant ?

— Il lui arrive d'aller chez l'un de ses oncles, répondit le mari.

— Parfois elle reste chez lui deux ou trois jours, ajouta-t-elle. Il y a aussi sa sœur, Marie-Madeleine, qui demeure dans Saint-Sauveur. On a cru qu'elle se trouvait à une place ou à l'autre. Comme on n'a pas le téléphone, on ne pouvait pas savoir, expliqua-t-elle encore au policier.

— Aviez-vous des raisons de croire qu'elle était allée là ? Elle vous en avait parlé avant ?

— Non. Samedi elle devait revenir à la maison après le travail.

Gagnon ne savait trop que penser. La femme semblait craindre quelque chose, son mari était plutôt d'un calme olympien, comme si l'absence de sa fille ne lui paraissait ni surprenante ni inquiétante. Ce fut donc à lui qu'il adressa la question suivante :

— Monsieur Germain, s'est-il passé quelque chose à la maison susceptible de donner à votre fille le goût de s'enfuir ? Une querelle, des problèmes dans la famille ?

— Non, rien du tout. Elle pense qu'elle sera mieux ailleurs, je suppose.

— Des fois, ses frères sont durs avec elle, glissa sa femme.

D'un regard, le mari la fit taire. Elle s'interrompit, baissa les yeux de nouveau. Elle avait recommencé à se tordre les doigts. Des doigts gros comme des boudins, crevassés par les lessives, aux ongles tellement rongés qu'ils devaient saigner parfois. Avec des parents semblables la vie ne devait pas être rose tous les jours. Des frères dissipés, ajoutés à ce couple, pouvaient bien donner envie de s'envoler.

— Elle s'était disputée avec eux?

La question s'adressait à la mère, mais celle-ci resta muette. Elle savait en avoir trop dit. Le mari, irrité, poussa un soupir avant de lancer:

— Non. Elle a été gâtée par ses parents. Elle voudrait vivre dans la Haute-Ville et être fille unique. Aucune reconnaissance pour tout ce qu'on a fait pour elle.

— Ses parents? Je ne comprends plus.

— Son nom, c'est Blanche Girard, la fille d'un frère de ma femme. Lui et sa femme sont morts de la grippe espagnole en 1918. Nous avons pris les deux filles chez nous. Comme on n'avait que des gars, on croyait qu'elles pourraient aider ma femme…

Il s'arrêta au milieu de sa phrase. Pour Gagnon, l'affaire se simplifiait. Prise entre des parents adoptifs aussi peu accueillants que ceux-là et trois garçons plus ou moins délinquants, la jeune fille avait décidé d'aller vivre ailleurs. Il allait tout de même jeter un coup d'œil pour s'assurer qu'il ne lui était rien arrivé de fâcheux.

— Êtes-vous sûrs qu'elle n'est pas allée chez un parent? Avez-vous vérifié partout?

— Nous avons cherché toute la journée, hier. Son patron ne l'a pas vue depuis samedi dernier, dit le bonhomme. Nous avons fait le tour de toutes nos connaissances. Personne ne l'a vue.

— Bon. Vous allez me donner les noms et les adresses de ces parents. Il me faut aussi l'adresse de son employeur. Elle avait des amies, des filles de son âge chez qui elle pourrait être allée habiter? Un amoureux?

— On ne connaît pas toutes ses amies, elle n'amenait jamais personne à la maison. Pour les garçons, je suis certain qu'elle n'a jamais eu de cavalier. Ce n'était pas son genre, fit le père, de plus en plus ennuyé par l'interrogatoire.

Il avait les fesses au bord de la chaise, prêt à se lever pour partir.

— Le temps de prendre les adresses de sa parenté en note et je vous conduis chez vous en voiture. J'aimerais que vous me donniez une photo d'elle. Vous devez en avoir une ?

Quelques minutes plus tard, avec l'adresse de quelques oncles et tantes en poche, le lieutenant Gagnon se dirigeait vers Stadacona dans une Ford de la police, le vieux couple assis derrière.

~

Renaud Daigle avait quitté Québec en 1914, à bord de l'*Empress of India*. Il était tout juste âgé de vingt ans alors et il venait d'obtenir une bourse pour aller faire des études à l'Université d'Oxford. Il revenait à Québec en 1925, après onze ans d'absence. Il avait passé la majeure partie de sa « vie consciente » à l'extérieur du Québec. Pouvait-il vraiment penser à la province, ou même à la ville, comme à un chez-soi ? D'un autre côté, malgré leur politesse exquise, jamais les Anglais ne l'avaient considéré comme l'un des leurs. En plus de venir d'une colonie lointaine, il avait le mauvais goût de ne pas être d'origine britannique. Qu'il appartienne à l'une des nombreuses populations conquises, incapables de suffisamment de bon sens pour abandonner leur culture et adopter la leur, laissait les Anglais perplexes.

Les voyages en bateau avaient quelque chose d'intéressant par leur lenteur. On se sentait « en état de voyage » : on ne faisait pas que se déplacer, on avait le temps de passer d'un état psychologique à un autre. Il s'était embarqué plutôt troublé. Mais voir la côte anglaise s'éloigner pendant des heures lui avait donné le temps de digérer la rupture, celle avec le pays, et l'autre plus ancienne, avec une jolie blonde. Après quelques jours, l'Angleterre était sortie de lui, comme lui était sorti de l'Angleterre. Il était prêt à passer à autre chose.

La veille, le paquebot était entré dans l'estuaire du Saint-Laurent. Les vingt premières années de sa vie commencèrent alors à compter plus que les dix suivantes. Il s'installa sur le pont, dans une chaise transatlantique, pour regarder défiler la côte sud du fleuve. Il y resta toute la nuit, voyant la lune se refléter successivement sur les toitures de tôle de Matane, Rimouski, Rivière-du-Loup, Kamouraska, Saint-Jean-Port-Joli. Au lever du soleil, le paquebot était déjà devant Saint-Michel-de-Bellechasse. À l'avant, une fois l'île d'Orléans largement dépassée, il vit Québec, en partie sur le cap, en partie aux pieds de celui-ci. Malgré la fatigue d'une nuit blanche, il resta là pour reconnaître les principaux édifices, comme le *Château Frontenac*, l'Université Laval, le bureau de poste, tous à la Haute-Ville. En bas, à la Place-Royale, aucun édifice ne se distinguait vraiment des autres. Il y avait, un peu sur la droite, les maisons de commerce et les banques : le petit quartier des affaires. Plus à gauche, entre la falaise et le fleuve, se trouvait un quartier ouvrier. La vraie Basse-Ville des travailleurs se situait cependant derrière les hauteurs de Québec, sur les deux rives de la rivière Saint-Charles.

Une bien belle ville, Québec, jugea-t-il ; une bien petite ville aussi. Renaud se demanda encore s'il faisait bien de revenir. Il avait allongé ses études même après l'expiration de sa bourse, comptant sur ses parents pour assurer sa subsistance. Il avait voulu revenir en 1918, à la fin de la guerre. Mais une lettre plutôt froide de son père lui avait annoncé la mort de sa mère et de sa sœur, pendant l'épidémie de grippe espagnole. Après cela, il avait sans cesse remis le voyage, de six mois en six mois. Ses relations avec son père n'avaient rien eu de chaleureux quand il était enfant ou adolescent. Ses lettres sèches ne l'incitaient pas à tenter un rapprochement à l'âge adulte.

Si, vivant, son père ne présentait pas une raison suffisante pour revenir, sa mort avait précipité les choses. Renaud avait appris grâce à un télégramme du liquidateur la mort d'Haegédius Daigle, victime d'un infarctus, et l'existence d'un héritage de quelques centaines de milliers de dollars, une fois tous les frais de succession réglés. C'était beaucoup d'argent en 1925, assez pour vivre sans travailler le restant de ses jours. En même temps, Renaud se rendait bien compte qu'un francophone ne pouvait aspirer à une grande carrière dans les services diplomatiques canadiens encore embryonnaires. Au mieux, il resterait attaché d'ambassade toute sa vie. Alors, il avait tout laissé pour revenir à Québec. Il avait des ressources suffisantes pour attendre le temps qu'il faudrait un bon emploi. Sa décision l'angoissait tout de même un peu. La ville paraissait tellement petite, vue de sa chaise transatlantique, quand le paquebot entreprit de doubler l'île d'Orléans.

~

Comme promis, Gagnon s'était rendu jusqu'à Stadacona. Il était entré sur les talons du couple Germain, au grand déplaisir du bonhomme, curieux de voir leur maison. Celle-ci tenait plutôt de la masure, ne présentant pas une bien bonne réclame pour les talents de charpentier de son propriétaire. Il n'osa pas demander de fouiller la chambre de Blanche, quoiqu'il ne renonçât pas à l'idée de revenir, éventuellement. La mère le laissa dans la cuisine, le temps d'aller chercher une photographie de la fille disparue. Le père, lui, s'esquiva en silence, jugeant sans doute avoir déjà trop longuement côtoyé un policier ce jour-là.

La photographie était plutôt floue. Elle avait été prise par un jeune homme, John Grace, membre de la chorale de la paroisse Saint-Roch. Le policier nota le nom, à tout hasard. Blanche avait été photographiée debout, dans un parc. Le lieutenant reconnaissait les chutes Montmorency derrière elle. Elle avait des cheveux bruns assez courts – la mode «à la garçonne» faisait fureur –, un peu ondulés. Le visage était plutôt rond, assez quelconque en autant que la qualité de la photographie permettait d'en juger. Elle ne semblait pas être une jeune femme susceptible de soulever les passions. Mais après dix ans dans la police, Gagnon savait que la passion se trouvait habituellement là où on ne s'attendait pas à la voir.

L'enquêteur pouvait déjà formuler quelques hypothèses pour expliquer la disparition de Blanche. La première, la plus simple, était la plus plausible : lassée de vivre avec ses parents adoptifs, elle était partie. Elle pouvait se trouver chez un parent, une amie, ou encore avoir loué une chambre en ville. Peut-être avait-elle rencontré un homme avec qui aller vivre.

Il allait explorer ces quelques pistes, en commençant par une visite chez son employeur, Jean-Baptiste Tremblay. Celui-ci tenait un commerce rue Saint-Joseph. En plus des journaux, du tabac et des articles pour fumeur, il offrait aux consommateurs un assortiment complet de cafés et de thés. Cela lui permettait d'attirer une clientèle aisée, au goût raffiné, ou désireuse de s'afficher comme telle.

Quand le lieutenant Gagnon poussa la porte du commerce une demi-heure plus tard, il fut accueilli par une vendeuse plutôt gauche. Blanche se trouvait déjà remplacée. Il lui demanda de voir le patron. Celui-ci, un gros homme rougeaud, le fit passer dans l'arrière-boutique quand il sut qu'il était de la police.

— C'est bien votre employée, Blanche Girard ? demanda l'officier en lui mettant la photographie sous le nez.

— Oui. Enfin, il s'agit de mon ex-employée. Elle est absente depuis presque une semaine. Je l'ai justement remplacée ce matin. Il lui est arrivé quelque chose ?

— C'est ce que j'essaie de découvrir. Vous pouvez me dire quelle sorte de personne c'est ?

— Oh ! Une fille timide, tranquille, honnête. Je n'ai jamais eu de problèmes avec elle. Je pouvais lui faire confiance.

Le commerçant semblait sincère. La jeune fille devait être fort dévouée, pour mériter cette appréciation.

— Elle ne vous a pas averti qu'elle quittait son emploi?

— Non, et cela m'a beaucoup surpris. Samedi, elle est partie avec le drap de la vitrine. Je mets une toile blanche pour montrer les pipes, les boîtes de cigares, ces choses-là, parce que cela fait plus propre. Donc elle est partie avec le drap qu'elle lavait tous les dimanches en me disant «à bientôt». Quand je suis arrivé lundi dernier, à onze heures, le magasin était toujours fermé. Elle s'occupait d'ouvrir certains matins. Je n'ai pas reçu un mot de sa part. Je me suis occupé du comptoir en plus de tout le reste pendant deux jours, en espérant la voir revenir. Mais, hier, j'ai décidé de la remplacer.

— Elle ne vous a pas dit qu'elle souhaitait quitter son emploi?

— Non, pas un mot.

L'homme affichait maintenant une mine inquiète.

— Cette jeune fille vous a déjà signifié qu'elle désirait fuir la maison?

— Donc, elle n'est pas revenue chez elle? Depuis quand?

Il attendit un moment, mais le policier semblait plus enclin à poser des questions qu'à répondre aux siennes. Il continua:

— Elle était malheureuse. Elle arrivait souvent les yeux rouges d'avoir pleuré. Je lui ai déjà dit de se chercher une chambre dans les environs, car Stadacona était trop loin. Mais elle répondait que c'était trop cher, que de toute façon elle voulait entrer chez les religieuses. Jamais elle n'a parlé de quitter son domicile autrement que pour évoquer son désir d'aller au couvent.

— Cette histoire de devenir religieuse, c'était sérieux?

Gagnon avait du mal à croire que Blanche avait fui la maison en catastrophe pour entrer en religion.

— Je ne sais pas, expliqua le commerçant. Elle était sûrement très religieuse, elle voyait le curé de sa paroisse au moins deux ou trois fois par semaine, mais j'ai toujours cru que c'était un rêve. Elle n'avait pas assez d'instruction pour enseigner ou s'occuper des malades.

— Savez-vous si elle voyait des garçons, sortait avec quelqu'un ?

— Je ne crois pas. Un gars est venu ici quelques fois pour lui parler, Grace. C'était toujours pour l'avertir des heures de répétition de la chorale de la paroisse Saint-Roch, mais de ce côté-ci je n'entends pas toujours ce qui se discute dans le magasin.

Lui non plus ne croyait pas à l'existence d'un « cavalier » susceptible de se transformer en concubin.

— Elle a des amies ? Quelqu'un qui recevait ses confidences ?

— Sa grande amie, c'est Germaine Caron. Elle travaille dans un magasin de la rue Saint-Joseph. Chez THIVIERGE, je crois. Elle fait aussi partie de la chorale. Elles se voyaient tous les jours, ou presque.

— Vous avez une idée de ce qui a pu arriver à Blanche ?

— Pas du tout. Ça ne lui ressemble pas, de disparaître comme ça. Avec mon drap, par-dessus le marché.

L'homme demeura songeur un instant, encore étonné de cet affront supplémentaire.

— Si vous avez des nouvelles, faites-le-moi savoir, fit Gagnon en remettant dans sa poche le carnet qui lui servait à prendre des notes.

Il était presque rendu à la porte quand Tremblay lui demanda, sincèrement inquiet :

— Vous croyez qu'il lui est arrivé quelque chose ? Un accident ?

— Ses parents ont signalé sa disparition. J'essaie de savoir où elle est.

— Si vous la voyez, dites-lui de revenir si elle veut. Je la reprendrai tout de suite.

Le policier acquiesça d'un mouvement de tête. Blanche devait être une bonne employée. Elle manquait visiblement plus à son employeur qu'à son beau-père.

Renaud Daigle avait regardé la manœuvre d'amarrage, près de la passerelle, un sac de cuir à la main. Ses autres bagages, trois grosses malles, resteraient dans les entrepôts de la compagnie maritime jusqu'à ce qu'il se soit trouvé un logis. Dès que la passerelle fut bien fixée, il s'y engagea l'un des premiers, soulevant quelques remarques des vieilles dames un peu bousculées par sa hâte. Sur le quai, deux officiers de l'immigration examinaient les passeports. Les ressortissants des pays étrangers, arrivés comme immigrants, étaient invités à se ranger de côté. Daigle n'attira qu'un regard rapide et un mot de bienvenue. Les gens rentrant chez eux ne recevaient guère d'attention.

Le débarcadère se trouvait à deux pas de la Place-Royale, où se tenait l'un des marchés aux denrées de la ville. Les cultivateurs proposaient des fruits, des légumes. Certains offraient des volailles vivantes, auxquelles les ménagères devraient tordre le cou avant de les apprêter : c'était encore le meilleur moyen pour elles d'être certaines de la fraîcheur du produit. Les pièces de porc ou de bœuf, tués depuis au moins la veille au soir, brunissaient lentement sous une nuée de mouches. Quant au lait, après environ six heures sous le soleil de juillet, il apporterait sa part de gastroentérites : la province était affectée par un taux de mortalité infantile très élevé, mais la classe politique n'avait pas encore jugé bon de rendre la pasteurisation obligatoire.

Les cultivateurs vendaient leurs marchandises à la criée, tentant d'attirer les badauds. Daigle reconnaissait l'accent guttural et la prononciation paresseuse du Québec. S'il ne voulait pas être considéré comme un étranger, il devrait se débarrasser rapidement de sa prononciation pointue acquise en France et en Suisse. En anglais, il se promettait de conserver jalousement le parler distinctif et distingué d'Oxford : rien de tel pour impressionner les *Canadians* au thé de cinq heures. La bonne société de Québec, présumait-il, quelle que soit son appartenance linguistique, sacrifiait encore au *five o'clock tea*.

Renaud Daigle traversa lentement la place du marché, regardant, écoutant et sentant tout sur son passage. La journée était chaude et humide, la sueur lui mouillait déjà les aisselles. Son complet de lin pâle, et surtout son panama de paille lui donnaient l'air d'un touriste. Il avait desserré un peu sa cravate pour défaire le bouton du col de sa chemise. Le caractère estival, presque négligé de sa tenue, trahissait celui qui n'a rien à faire. Grand, Daigle était encore assez mince – ça n'allait pas durer à en juger par le ventre de son père, passé trente-cinq ans. Ses cheveux châtains commençaient à se raréfier sur le sommet de son crâne. Pour compenser, il s'était laissé pousser une fine moustache. Rien chez lui n'attirait particulièrement l'attention, si ce n'est un front haut et large d'intellectuel. Légèrement myope, il regardait le monde à travers de petits verres ronds, cerclés de métal doré. Il en avait même une paire teintée verte, pour les jours où il était prêt à paraître un peu excentrique.

En quelques minutes, il atteignit l'escalier Casse-cou. Plusieurs dizaines de marches lui permirent d'accéder à la Haute-Ville, sur la terrasse Dufferin. Essoufflé, le dos mouillé de sueur, il se dirigea lentement vers l'hôtel *Clarendon*. L'établissement, construit depuis peu, attirait ceux qui, désirant du confort, n'étaient pas prêts à payer pour le luxe du *Château Frontenac*. Puis l'endroit était tout à fait convenable, avec son style art déco. Le hall était agréablement frais, des ventilateurs aux larges pales agitant doucement l'air. Derrière le comptoir, un commis l'accueillit avec un «*May I help you, Sir?*» au fort accent. C'était dans l'ordre des choses: on parlait anglais spontanément à une personne assez riche pour descendre dans un hôtel de cette catégorie.

Daigle loua une chambre pour trois nuits. Il y monta immédiatement, rangea les quelques chemises, les chaussettes et les sous-vêtements contenus dans son sac. Il se fit un devoir de se laver les mains – une poignée de main moite est toujours d'un mauvais effet sur un banquier – et le visage, puis de se raser. Rafraîchi, il repartit aussitôt.

La vitrine de la librairie Garneau le retint un long moment. Les dernières nouveautés françaises y étaient exposées. Se contenter de l'édifiante littérature canadienne-française signifiait une condamnation au plus grand ennui : les chefs-d'œuvre littéraires des prêtres écrivains, Casgrain, Paquet, Groulx, pouvaient très efficacement anesthésier toute curiosité intellectuelle, tout esprit de contestation et une bonne part du sens esthétique. De nombreux livres ne passaient pas la censure, il les ferait venir directement d'Europe. Il s'attarda aussi devant un magasin de vêtements, puis obliqua, passant sur le parvis de la cathédrale, devant la cour du Séminaire de Québec où il avait terminé ses études classiques douze ans auparavant, pour descendre la rue de la Fabrique, au bout de laquelle se situait l'établissement du photographe Livernois. Il s'engagea ensuite dans la rue Saint-Jean, où s'alignaient encore de nombreux commerces.

Près de la porte Saint-Jean se trouvait une succursale de la *Bank of Montreal*. Quand il eut décliné son identité et expliqué vouloir un compte, le commis s'excusa sagement pour aller avertir le gérant. S'appeler Daigle et s'exprimer avec un curieux accent ne pouvait signifier qu'une chose : il était l'enfant prodigue, héritier d'une fortune appréciable, de retour d'Europe.

— Monsieur Daigle, s'écria le gérant, la main tendue, vous avez fait bon voyage ?

La poignée de main était cordiale et mercantile.

— Venez dans mon bureau, je vais m'occuper de vous, enchaîna-t-il sans attendre la réponse.

Il ouvrit un portillon afin de permettre à Daigle de passer derrière le comptoir, pour ensuite lui désigner la porte de son bureau, grande ouverte. D'un signe, il demanda au commis tous les documents nécessaires pour l'ouverture d'un compte. Pendant ce temps, Daigle tira de son portefeuille une traite bancaire de quelques centaines de livres et ses derniers billets. La somme représentait toutes ses économies des dernières années.

— Vous avez déjà une adresse à Québec ? La maison de votre père ?

— Non, mon notaire s'est chargé de la vendre. Je suis à l'hôtel *Clarendon* pour quelques jours, le temps de trouver où me loger.

Le gérant était à la fois obséquieux et hypocrite. Personne n'ignorait que la maison du notaire Daigle, rue Saint-Cyrille, avait été mise en vente peu après la mort de celui-ci, et qu'elle avait rapidement trouvé preneur. Mais il lui fallait une entrée en matière.

— Vous savez, nos clients nous avertissent quand ils ont une propriété à vendre. Je peux vous donner des adresses...

— Non, j'ai déjà quelque chose en vue, mentit Daigle. Je veux déposer cette traite dans mon compte, et changer ces billets en dollars.

— Très bien. Il faudra nous donner votre adresse quand ce sera réglé. Un coup de téléphone suffira.

Il jeta un œil à la traite. En dollars, cela donnait une jolie somme. Le client en valait la peine. Un banquier savait toujours quel entrepreneur avait besoin d'un peu d'argent frais. Il continua :

— Vous avez été absent pendant... Mais oui, cela fait bien dix ans ! Je pourrais vous donner quelques conseils sur les meilleurs secteurs d'investissement. Par exemple, je connais des manufacturiers de chaussures qui cherchent un partenaire.

— Comme vous le dites, j'ai été absent longtemps. Je vais donc prendre le temps d'évaluer le marché avant de décider quoi que ce soit.

— Oui, bien sûr.

Pendant quelques instants, le banquier se consacra à la conversion des *pounds* en dollars, puis il inscrivit le montant dans un petit carnet blanc qu'il tendit à Daigle. Celui-ci jeta un coup d'œil sur la rassurante colonne des crédits. Conscient qu'il ne ferait pas d'affaires significatives avec lui, le gérant se leva. La main tendue, il lui rappela encore une fois son nom.

Le commis se chargerait de lui remettre un chéquier et environ deux cents dollars, la valeur de ses dernières livres.

~

Le lieutenant Gagnon s'était dirigé vers l'établissement THIVIERGE, un grand magasin où l'on trouvait à peu près de tout, mais surtout des vêtements et des tissus à la verge. Il chercha Germaine Caron un long moment. Puis l'une de ses collègues se souvint qu'elle devait être partie dîner. Il décida d'aller manger aussi dans un petit restaurant de la rue de la Couronne dont il était un habitué.

Moins d'une heure plus tard, il gagnait la rue Langelier. Il se retrouva dans la section commerciale de la Basse-Ville : les magasins se voisinaient dans la rue Saint-Joseph, de la rue Langelier jusqu'à la partie du port donnant sur l'embouchure de la rivière Saint-Charles. Aussi les trottoirs étaient-ils relativement achalandés : des ménagères accompagnées de leur marmaille, des enfants qui profitaient de leur dernier été de liberté – à douze ou treize ans la plupart allaient entrer à l'usine ou dans un commerce pour travailler –, des employés qui se trouvaient une raison quelconque pour interrompre leur travail et mettre le nez dehors. Vers l'ouest se multipliaient les usines, de chaussures souvent, mais aussi de textiles, de matériel d'emballage, de cigarettes, et les logis des travailleurs. Plus au nord, de l'autre côté de la rivière Saint-Charles, se développait lentement Limoilou, une ville-dortoir destinée aux ouvriers ou encore aux modestes employés du gouvernement provincial ou des entreprises de services. Mais il ne fallait pas aller bien loin avant de trouver des champs cultivés. La campagne séparait encore Limoilou du village de Charlesbourg.

Les voies de la rue Langelier étaient séparées par un espace herbeux, assez vaste pour que l'administration municipale y ait mis des bancs publics. On y organisait parfois des courses de chevaux après avoir interrompu la circulation, le dimanche.

Les deux voies parallèles procuraient des droits où pousser les bêtes à leur vitesse maximale, mais aux extrémités les chevaux devaient faire des virages en épingle à cheveux; cela donnait des compétitions enlevées. On assistait, surtout quand on utilisait des chevaux attelés à des *buggies*, à de terribles accidents qui assuraient une grande popularité à ces événements.

Sur le joli boulevard, en direction de Saint-Vallier, se trouvait le logement de l'oncle de Blanche, Edmond Girard. Il habitait un deuxième. Quand l'agent Gagnon sonna, il fallut deux bonnes minutes avant qu'une main ne glisse doucement le rideau de la fenêtre la plus proche, pour vérifier l'identité de ce visiteur inattendu, puis une autre minute pour voir la porte s'ouvrir à demi sur un visage méfiant. On n'avait pas l'habitude de recevoir ainsi, à l'improviste, des inconnus en plein après-midi.

— Lieutenant Gagnon, de la police municipale, fit le policier en montrant sa carte à la dame d'une cinquantaine d'années. Je peux entrer ?

— Il est arrivé quelque chose à Blanche.

Ce n'était même pas une question, mais un triste constat. Gagnon avait l'habitude de ces visites. La conversation se déroulait à mi-voix, comme une confession. Après tout, à la façon d'un curé, il venait fouiller dans les affaires privées d'une famille, attirant souvent des confidences auxquelles même les prêtres n'avaient pas droit.

— Non, il n'est rien arrivé. J'essaie simplement de savoir où elle est passée. Comment savez-vous qu'il s'agit d'elle ?

Il avait pris place dans un fauteuil, en face de lui la dame s'asseyait au bout d'un divan. La pièce, et sans doute tout l'appartement, était relativement bien meublée : ces gens vivaient dans une certaine aisance. Il y avait même un phonographe dans un coin. Aux murs, en plus des photos de famille, pendaient les inévitables illustrations religieuses qui venaient le plus souvent de calendriers ou de revues pieuses. Souvent, ces gravures avaient été peintes à la main avant d'être encadrées.

Gagnon pouvait se faire une idée de cette famille au premier coup d'œil: un père ouvrier qualifié, peu d'enfants. Tous dans la maison devaient être de bons catholiques. Dans un coin de la chambre conjugale, il avait entrevu un petit oratoire: un meuble de coin vitré, une statue du Sacré-Cœur ou une pietà à l'intérieur, deux lampions – bénis, bien entendu – sur le dessus, un chapelet au mur, un ou deux crucifix avec des rameaux coincés entre le bois et les bras des christ de bronze pour faire bonne mesure. Il y avait même deux prie-Dieu pour que le couple se livre à ses dévotions. Dans le petit salon où il avait pris place, la pièce réservée aux visiteurs, une croix de la tempérance montrait que la maisonnée avait banni la «maudite boisson» de ses murs. Évidemment, la bière au retour du travail ne comptait pas.

— Son beau-père est passé hier, expliqua la femme après un moment d'hésitation. Elle n'est pas rentrée depuis samedi. Enfin, c'est ce qu'il m'a dit.

— Et vous, vous ne l'avez pas vue?

— Non, pas depuis une dizaine de jours.

— Elle vient souvent vous voir, je crois?

— Toutes les semaines au moins une fois, plus souvent l'hiver. Quand il fait très froid ou qu'il pleut, elle couche ici. Elle fait la même chose quand il y a une répétition à la chorale. Je préfère ne pas la voir rentrer toute seule à la nuit tombée.

Même si Québec constituait une ville relativement sûre, les jeunes femmes devaient respecter certaines convenances. Circuler seule dans les rues, en soirée, ne se faisait pas.

— Vous croyez qu'elle peut être allée vivre chez un parent? Des amis? Elle ne vous a jamais rien dit concernant son départ de la maison?

— Elle n'a pas d'autres parents que nous. C'est la fille du frère de mon mari. Quand ses parents sont morts, nous aurions dû la prendre ici, mais mon mari venait d'avoir un accident, tous les enfants étaient encore à la maison. Plus tard, j'ai voulu qu'elle vienne, mais alors son oncle a refusé.

Dès qu'elle et sa sœur ont commencé à recevoir un salaire, il a affirmé à tenir à elles. Elles devaient rembourser ce qu'elles lui avaient coûté. Elles l'ont fait plusieurs fois, j'en suis certaine.

Cette femme avait beaucoup à lui dire, mais en même temps elle hésitait, entrecoupait ses phrases de longues pauses. Le père adoptif de Blanche ne méritait visiblement pas sa sympathie. Elle continua d'elle-même, après un silence.

— Plus récemment, j'ai demandé plusieurs fois à Blanche de venir vivre ici. Tous nos enfants sont partis maintenant, il y a de la place. Elle a dit non, même si elle en meurt d'envie. Elle a peur de partir de cette maison.

— Elle a peur de qui ? De quoi ?

— De ce Germain. Vous le connaissez ?

Ce n'était pas vraiment une question. À son ton, elle tenait pour acquis que la police devait le connaître.

— La sœur de mon mari est une bonne personne, il faut la plaindre d'avoir un mari pareil. Elle est terrorisée par cette brute. Il la bat régulièrement. Comme il bat aussi ses enfants et les deux filles qu'il a recueillies. Marie-Madeleine, la plus vieille, s'est mariée toute jeune juste pour pouvoir partir. Blanche veut partir aussi, mais il n'y a pas de garçon pour la prendre. Elle a trop peur de lui pour venir habiter ici, il la trouverait tout de suite.

— Elle n'a pas d'ami ? Aucun garçon avec qui elle peut être partie ?

— Non. Elle a connu quelques gars à la chorale, mais elle n'a jamais fréquenté quelqu'un sérieusement.

Ce sujet faisait l'unanimité. Ces personnes se trompaient-elles toutes ?

— Et des amies de fille ? Personne chez qui elle pourrait être allée vivre ?

— Elle a une seule amie, Germaine. Elle travaille chez THIVIERGE.

Gagnon s'était levé. Ses dernières conversations lui permettaient de conclure que Blanche avait les meilleures raisons du monde de quitter ses parents adoptifs. Il n'était pas nécessaire d'interroger cette dame plus à fond sur le détestable caractère de Germain : son idée sur lui était déjà faite. Éventuellement, il irait voir Marie-Madeleine. Mais il n'espérait pas y découvrir la jeune fille disparue : les Germain devaient y être allés en premier, et ils ne l'avaient pas trouvée. La main sur la poignée de la porte, il demanda encore :

— Tout à l'heure, vous m'avez demandé s'il était arrivé quelque chose à Blanche. Vous avez des raisons de penser qu'un malheur puisse survenir ?

— Ce n'est pas le genre de fille à se sauver. Si elle était arrivée à se convaincre de quitter la maison, elle serait venue ici. Si vous ne la trouvez nulle part, c'est qu'il lui est arrivé quelque chose.

Gagnon sortit. Sur le balcon, il demanda encore :

— Mais vous, vous avez une petite idée de ce qui a pu survenir ?

— Demandez à son beau-père, ou à ses fils. Ce sont des monstres.

Elle avait dit cela d'un jet, très vite et très bas, puis avait fermé la porte. Gagnon avait envie de frapper de nouveau, de lui demander de préciser ses soupçons, mais ce n'était pas vraiment nécessaire. S'ils étaient à l'origine de la disparition de Blanche, pourquoi ses beaux-parents avaient-ils signalé la chose ? L'événement serait passé tout à fait inaperçu sans cette initiative. Peut-être n'était-ce qu'une ruse, pour donner le change. Oui, Germain était suffisamment retors pour signaler la disparition d'une jeune femme dont il connaissait bien le sort.

~

Dans la rue Saint-Jean, après la porte, de nombreux commerces avaient pignon sur rue – librairies, magasins d'alimentation, de disques, de matériel de photographie. Cette section de la ville se situait comme à mi-chemin entre deux mondes, entre la Basse-Ville et la Haute-Ville. La falaise se trouvait à un pâté de maisons à droite. Çà et là des escaliers réunissaient les deux univers; plus rarement des rues permettaient aux véhicules d'aller de l'un à l'autre. C'était le cas à la hauteur de la rue de la Couronne comme de la rue Langelier.

À cette réalité géographique correspondait une réalité sociale: si la Basse-Ville revenait aux ouvriers et la Haute-Ville de la Grande Allée à la bourgeoisie, aux abords de la rue Saint-Jean, c'étaient des travailleurs qualifiés, des employés des administrations municipale et provinciale, des gens des services. Tous ceux qui ne pouvaient payer les loyers – ou les hypothèques – plus dispendieux de la rue Saint-Cyrille ou plus encore de la Grande Allée, mais capables de se procurer mieux que les loyers exigus des rues sans végétation aucune au bas de la falaise, habitaient là.

Daigle parcourut ce quartier avec intérêt. Il pouvait se loger convenablement, à bon compte, dans cette partie de la ville, ou un peu plus loin dans la paroisse Saint-Jean-Baptiste. Quand il atteignit la Grande Allée, ses préjugés de classe prirent le dessus. Ce que Québec comptait de notables y habitait: des hommes d'affaires – très souvent de langue anglaise quand ils étaient vraiment riches –, des ministres, des professionnels qui vendaient leurs services à prix fort et complétaient leurs revenus grâce à des placements judicieux. La fortune dont il venait d'hériter lui permettait de vivre là. Pas dans les maisons victoriennes contenant vingt pièces et dont l'entretien exigeait une importante domesticité, bien sûr, mais dans ces deux ou trois immeubles de dix étages construits depuis la guerre, susceptibles d'accueillir des gens comme lui: prospères et célibataires, ou à tout le moins sans enfants.

En revenant vers la vieille ville, il se rappela ne pas avoir vraiment dormi depuis plus de trente heures ni mangé depuis le petit-déjeuner. La somnolence de la nuit dernière sur le pont du navire ne comptait pas. Mieux valait rentrer à l'hôtel pour se restaurer et se reposer. Au moment de se coucher, peu après sept heures, il se passa la remarque que, si la ville était un peu plus grande, elle restait aussi calme qu'en 1914.

Cette fois, Germaine Caron était là. Le lieutenant Gagnon la trouva dans le rayon des vêtements pour dames. C'était une femme assez grande, brune, plutôt ronde. Elle portait ses cheveux longs attachés sur la nuque, en chignon. Ses yeux étaient presque noirs, sa bouche charnue et mobile. Un peu à l'écart, le policier lui avait montré sa carte. Elle ne semblait guère surprise que la police veuille lui parler de Blanche Girard. Les parents adoptifs étaient passés là aussi.

— Il y a longtemps que vous avez eu de ses nouvelles ? demanda-t-il.

— Je l'ai vue samedi dernier, à la fermeture du magasin. Nous nous sommes arrêtées près de l'église Saint-Roch pour parler. Elle est partie un peu avant sept heures.

— Vous a-t-elle dit où elle allait ? Dans quelle direction est-elle partie ?

— Elle s'en allait à la maison, évidemment. Elle a l'habitude de marcher jusqu'au parc Victoria, puis de suivre les rails du tramway jusque chez elle. C'est plus court qu'en utilisant les rues. Bien sûr, elle ne prend pas ce chemin une fois l'obscurité venue.

— Elle était comment ? Nerveuse, préoccupée ?

Son interlocutrice demeura songeuse, comme pour se remémorer la scène.

— Elle était comme d'habitude. En partant, elle m'a répété qu'on devait se voir le lendemain, à la chorale. Le dimanche, elle ne s'est pas présentée, j'ai cru qu'elle était malade.

— Vous n'avez pas eu l'idée de vous rendre chez elle pour savoir ce qui se passait ?

— Je suis allée une fois à Stadacona pour la voir, et il n'est pas question que j'y retourne. Ses frères sont de vrais fous...

La famille adoptive revenait encore dans la conversation. Il essaierait de voir ce beau monde dès le lendemain. Il demanda encore :

— Blanche peut-elle avoir décidé d'aller vivre ailleurs ? Peut-être même a-t-elle préféré quitter son emploi simplement pour éviter que ses beaux-parents aillent la chercher là ?

— Je lui ai moi-même déjà suggéré de le faire. Elle a refusé.

— Pourquoi cet entêtement, si elle est aussi malheureuse que tout le monde le dit ?

— Je me suis souvent posé la question. Elle a sûrement peur qu'ils la retrouvent, et que ce soit pire qu'avant. En plus, elle aime souffrir, je crois. C'est une occasion de se sanctifier. Elle a de drôles d'idées sur la religion.

Tout le monde à Québec s'abandonnait à des conceptions bizarres en ce domaine. Le détective demanda :

— Comme devenir religieuse ?

— Non. Toutes les filles ont cette envie, tôt ou tard. Ce qui est particulier avec elle, c'est cette idée un peu morbide que la souffrance conduit au ciel. Elle est toujours rendue chez le curé. Plus elle a des problèmes à la maison, plus elle parle de religion, de sainteté, du couvent. Je suppose qu'elle n'a pas encore assez souffert pour tout laisser et se débrouiller seule. Moi, sa tante, même son patron, nous avons essayé de la convaincre de partir, sans succès.

— Selon vous, elle ne peut être partie avec un homme ? On m'a parlé d'un certain Grace.

— Non, fit-elle en souriant. John, c'est un ami de la chorale, sans plus. De toute façon, je l'ai vu dimanche dernier, et encore hier. S'il s'était mis en ménage avec elle, je l'aurais su.

L'idée semblait l'amuser. Gagnon se fit encore confirmer que Blanche n'avait ni d'autres amis ni d'autres parents où elle aurait pu trouver refuge. Il la remercia et quitta le magasin. En se dirigeant vers le poste de police, il entreprit de mettre de l'ordre dans les informations relatives à la jeune fille. Pas très jolie, vraisemblablement timide, peu sûre d'elle, elle avait enduré longtemps une vie familiale que ses proches jugeaient intolérable. Une congrégation religieuse ne pouvait l'avoir accueillie discrètement: mineure, il lui fallait l'assentiment de son tuteur, en l'occurrence son beau-père. Elle ne pouvait même pas, à son âge, aller vivre ailleurs. Ses beaux-parents avaient le loisir de la ramener de force à la maison et de l'y garder jusqu'au jour de ses vingt et un ans.

On se faisait rarement tuer par un inconnu, songea Gagnon. Blanche était disparue depuis trop longtemps pour que l'éventualité du meurtre ne soit pas évoquée. Le plus souvent, si l'on exceptait les assassinats perpétrés pour commettre un vol, c'était un homme qui tuait sa femme; plus rarement, l'inverse. Quand une femme n'avait ni conjoint ni amoureux, il restait le père, les frères comme assassins potentiels. Il devrait pousser l'enquête de ce côté-là!

Une journée passée à s'occuper de Blanche Girard n'avait pas fait avancer le travail de bureau. La journée d'un officier de police se passait au moins pour la moitié dans la paperasse. Gagnon avait donc appelé sa femme pour lui dire qu'il rentrerait dans la soirée, et il s'était assis devant ses rapports. Pourtant, deux heures plus tard, il demeurait immobile, les yeux dans le vague, l'esprit vide. Les agents de police qui passaient devant son bureau détournaient les yeux, mal à l'aise. Rendus plus loin, ils se poussaient du coude, faisaient tourner leur index près de leur tempe en se regardant d'un air entendu et pouffaient de rire. Ces moments d'absence arrivaient de plus en plus souvent et duraient de plus en plus longtemps. On chuchotait dans les couloirs du poste de police que le père et un oncle du lieutenant avaient fini leurs jours à l'asile, complètement lunatiques. Déjà, des collègues bienveillants avaient fait part au chef de police de la situation, et celui-ci s'était promis de le surveiller.

Après ces moments de stupeur, Gagnon sortait lentement de cet état, comme d'un profond sommeil. Ses yeux commençaient par bouger un peu, puis il grommelait, se rappelait où il était, qui il était. Alors, la honte s'emparait de lui : l'avait-on vu, que pensait-on de lui ? Il essuya furtivement la bave sur son menton. C'était ce qui le gênait le plus, cette salive qui, parfois, mouillait le devant de sa chemise, comme chez un bébé, ou un vieillard gâteux, sénile. Après la honte, une peur panique l'envahissait. Au moins, pour son père, c'était venu dans la cinquantaine, pas à trente-cinq ans !

La sonnerie du téléphone le ramena au présent. C'était une bénédiction, un travail urgent à effectuer, pour tout oublier.

Chapitre 2

Même s'il était plus de sept heures, Gérard Fecteau avait néanmoins décidé de venir se baigner dans la rivière Saint-Charles. D'habitude, il allait vers la campagne avec ses amis. Comme sa mère l'enguirlanderait s'il n'était pas à la maison à huit heures précises, mieux valait pour ses fesses ne pas s'aventurer plus loin que le parc Victoria. À dix ans, le moindre retard pouvait encore lui valoir des coups de ceinture : sa mère ne tolérait pas qu'il traîne dans les rues !

De toute façon, le parc était propice à la baignade. Un bosquet très dense, traversé au prix de bien des égratignures, permettait aux gamins de se dévêtir à l'abri des regards. Ils ne voulaient pas montrer à d'autres qu'à leurs amis leurs sous-vêtements taillés dans des sacs de farine, surtout pas à des filles. Des mères plutôt négligentes ne se donnaient même pas la peine de faire tremper ces sacs dans l'eau de Javel avant de les recycler. Gérard trouvait gênant d'avoir encore le mot *flour* bien visible sur le cul – il venait de commencer à utiliser ce mot plutôt que « derrière », et ça le faisait se sentir presque un homme –, en lettres roses puisque l'encre rouge avait pâli à cause d'un premier lavage.

Quand il venait là, seul ou avec ses amis, il entrait toujours avec précaution dans les buissons. Bien sûr, il fallait traiter les framboisiers avec certains égards, mais surtout il arrivait que l'on puisse voir des amoureux qui, après avoir attaché leur barque près de la rive, venaient se bécoter dans une étroite clairière au milieu du bosquet. Selon ses amis, ces couples faisaient parfois « autre chose », mais Gérard avait encore une idée très vague de ce dont il pouvait s'agir. Tout au plus son instinct, ou peut-être des bribes de conversation entendues çà et là, lui faisait penser que cela avait un lien avec la façon dont les enfants venaient au monde. À dix ans, on n'est tout de même plus aussi idiot qu'à huit !

Gérard avançait donc doucement, enregistrant inconsciemment une odeur pressante, douceâtre. Puis, il distingua une forme blanche. Sa progression se fit encore plus lente, et il s'accroupit. Les enfants savent bien que si l'on se penche assez, pour regarder sous les feuilles, on peut voir loin dans un bosquet, seuls les minces troncs des arbustes faisant écran. Et les troncs des framboisiers sont vraiment tout petits.

Une femme gisait au milieu de la clairière. Gérard devinait son sexe même si elle était enveloppée d'une sorte de drap, car il distinguait les courbes sous le tissu. Après quelques secondes, l'enfant se dit qu'elle ne dormait sans doute pas. Un lien se faisait dans son esprit entre l'odeur et son immobilité : elle était sans vie. Gérard se redressa et continua d'avancer, toujours aussi silencieusement, même s'il ne craignait plus de l'alerter. Il voyait ses cheveux bruns, un peu le visage. Le reste se perdait sous le drap : la poitrine, le ventre un peu rond. Le drap s'arrêtait à la moitié de ses cuisses. Celles-ci étaient blanches, grasses, à demi ouvertes. Il s'approcha tout près, à pas lents.

Gérard savait devoir courir pour avertir le gardien du parc, les policiers. Il resta là, figé. Malgré sa curiosité, il hésitait. C'était péché, mais cela ne ferait pas de mal à une morte. Il regarda autour de lui, personne ne venait. Puis il s'agenouilla vivement, pencha la tête près du sol, pour voir entre les cuisses. Comment ne pas profiter de l'aubaine pour enrichir ses connaissances, car il pouvait se passer dix ans avant qu'il n'ait l'occasion de regarder « là » une nouvelle fois ? Il vit d'abord les cuisses blafardes faisant comme un « V », au fond des poils bruns. Là, ses camarades lui en avaient déjà parlé, il y avait un trou. Il essayait de le voir, mais tout se perdait dans une grande tache noire. Du sang coagulé, comme sur une grande plaie déjà ancienne et de petits points blancs.

Gérard commença par hurler, puis vomit. Cela ne troubla nullement les vers concentrés sur leur festin.

Le cri fit sursauter Alcide Gauthier, le gardien du parc.

— Ces satanés gamins jouent encore à se lancer dans la vase chacun leur tour, grommela-t-il.

Non, se corrigea-t-il aussitôt. Un cri comme celui-là, c'était du sérieux. Il se précipita – enfin, il se dirigea aussi vite que le lui permettaient ses soixante-dix ans et sa jambe folle – vers le bosquet d'où Gérard Fecteau venait d'émerger, pâle comme un cadavre.

— Il y a une morte là-bas ! Une morte ! hurlait l'enfant.

Au ton de celui-ci, il ne s'agissait pas d'un mauvais tour, comme les enfants lui en jouaient parfois.

— Va au kiosque demander qu'on appelle la police, fit-il tout en marchant.

Le parc Victoria était le seul espace vert digne de ce nom dans la Basse-Ville. Le soir et les dimanches, des centaines d'ouvriers, d'employés des deux sexes, venaient s'y promener. Certains amenaient avec eux de quoi pique-niquer sur l'herbe. Les autres pouvaient toujours s'acheter un Coca-Cola ou une glace au petit restaurant situé dans le kiosque. Pour ajouter à l'attrait de l'endroit, des orchestres venaient jouer des airs légers. Une scène couverte, surélevée, avait été construite à cette fin, sous les arbres.

Comme Gérard Fecteau avait hurlé la nouvelle, bien des badauds avaient emboîté le pas à Gauthier. Ce fut tout juste s'il put entrer le premier dans les buissons. Il se dirigea vers la rivière, certain de ne pas manquer le corps : ce bouquet d'arbres n'était pas assez grand pour passer sans le voir. De toute façon, en approchant des buissons, il perçut l'odeur de pourriture. Si le vent l'avait poussée dans l'autre direction, vers le parc, elle aurait attiré l'attention depuis un bon moment. Il n'avait qu'à suivre cette puanteur.

Il se trouva rapidement près du corps, des curieux sur les talons. Blanche Girard ! Il la connaissait bien : depuis des années elle traversait une partie du parc, au moment de rentrer chez elle. Une bouffée de tristesse fit monter des larmes aux yeux du vieil homme. Une jeunesse comme ça, mourir de la sorte ! Au moins si cela avait été un accident : en entendant Fecteau, il avait pensé à une noyée. Tous les ans un cadavre échouait au creux de l'un des méandres de la Saint-Charles. Celle-là avait été violée et tuée. Une tache brune, du sang coagulé, marquait le drap qui la couvrait à la hauteur du sexe. Il se pencha prestement pour baisser la toile sur les cuisses et les genoux de la jeune fille, ce qui eut pour effet de déplacer cette tache à un endroit moins intime de son anatomie. Il se déplaça ensuite vers le haut du corps, tirant encore le drap pour cacher le visage. En même temps, il faisait en sorte que le tissu n'épouse pas aussi bien la courbe des seins.

Car les curieux accouraient, et le vieil homme rageait de voir des regards égrillards sur la jeune fille.

— Tassez-vous, tassez-vous, disait-il, essayant de faire une barrière avec ses bras.

Mais les hommes se pressaient pour profiter du spectacle. Quelle aubaine, se repaître de chair, même plus très fraîche à en juger par l'odeur. Ou peut-être n'était-ce que la fascination face à la mort, surtout celle d'une personne jeune, qui ne devait rien à la maladie ou à un accident. Certains semblaient compatir. D'autres allaient vomir dans les framboisiers. La pestilence devenait intenable après quelques secondes.

En faisant le tour du corps, pour empêcher que quelqu'un ne cherche à soulever le drap – beaucoup d'entre eux l'auraient fait s'ils avaient été seuls, il n'en doutait pas –, Gauthier vit un carnet dépasser sous un pli de celui-ci. Il le ramassa et, indentifiant un livret de banque où sont notés les dépôts et les retraits d'un compte, il le mit dans sa poche. Ce pouvait être un indice laissé par le tueur. Trente ans dans la police lui avaient au moins appris cela.

Après quelques minutes, pendant lesquelles la foule ne cessait de grossir, deux agents arrivèrent sur les lieux. Fecteau les avait vus passer dans la rue et ils les avaient hélés. Ils purent convaincre les badauds de reculer de quelques pieds, poussant du bout de leur matraque les plus têtus. Mais le mal était fait : ils avaient piétiné tout l'espace de l'orée du bosquet jusqu'à la rivière. Il ne serait plus possible de savoir où le tueur était passé, ou d'apprendre, par exemple, grâce à ses traces de pas, la pointure de ses chaussures. Aucune chance non plus de trouver des indices, comme un mégot de cigarette, un bout d'allumette, quelques fibres arrachées à un vêtement. Cinquante personnes au moins étaient entrées dans le bosquet, il ne restait plus rien.

À son arrivée sur les lieux, le lieutenant Gagnon évalua le gâchis. Il n'eut même pas à prendre garde aux épines des framboisiers, ceux-ci étaient aplatis au sol. Son air taciturne, comme la déférence qu'affichaient envers lui les agents en uniforme, incitèrent les badauds à s'éloigner un peu.

— C'est un petit gars qui l'a trouvée, expliqua Gauthier en s'approchant du lieutenant.

— Oui, je sais. Il est venu au-devant de moi. Je lui ai payé un Coca-Cola et je lui ai dit de m'attendre au restaurant. Je lui parlerai tout à l'heure.

— Il s'agit de Blanche Girard. Elle traversait le parc tous les jours. Je lui ai caché le visage.

Gagnon n'avait pas douté une seconde de l'identité de la victime, dès qu'on lui avait dit au téléphone avoir trouvé le cadavre d'une femme. Il alla tout de même soulever un coin du drap pour voir son visage, lançant en se relevant un regard courroucé aux curieux s'étant approchés pour voir aussi.

Il fallait attendre les employés de la morgue. Un collègue du poste devait les appeler. En fait, les employés de Lépine, un directeur de pompes funèbres, viendraient chercher le corps pour le placer dans une chambre froide au sous-sol de l'entreprise. On poserait simplement quelques gros blocs de glace dans une pièce minuscule, particulièrement bien isolée, pour empêcher les ravages de la décomposition de se poursuivre. Cela pouvait convenir pendant quelques jours, mais mieux valait ne pas ajourner l'enterrement trop longtemps.

Cinq minutes plus tard, il entendit un petit camion reculer dans le bosquet. Il servait tout aussi bien à transporter les malades ou les blessés vers l'hôpital que les cadavres chez le croque-mort, si les médecins ne s'étaient pas montrés à la hauteur. Deux hommes en descendirent, ouvrirent toutes grandes les portes à l'arrière du véhicule pour prendre une longue planche de contreplaqué munie de poignées et se diriger vers le cadavre. Les badauds formaient deux haies parallèles devant eux.

Ils posèrent la planche tout près du corps, interrogèrent du regard l'officier qui fit un signe d'assentiment. L'un par les pieds, l'autre par les épaules – tous deux portaient des gants et plissaient le nez –, ils soulevèrent le corps. Gauthier s'accroupit pour passer sa main sous les reins en prenant bien soin de mettre un pan du drap entre sa paume et la peau. Il put ainsi les aider à glisser le cadavre sur le brancard. Les deux hommes prirent le temps de poser un autre drap sur lui avant de le transporter vers le véhicule. Les curieux les suivirent, formant comme un cortège funèbre précoce. Il n'y avait plus rien à voir, ils partaient.

Gagnon s'assit sur ses talons près de l'endroit où avait été le corps. Au gré de la décomposition, des liquides s'en étaient échappés, laissant la terre moite. Le fait de l'avoir déplacé avait soulevé une véritable puanteur. Il ne restait rien, pas un indice, là où elle avait été, seulement de la terre, des brindilles et des herbes écrasées, et des vers. Gauthier avait arraché quelques feuilles aux arbres pour s'essuyer la main. Comme cela ne lui paraissait pas suffisant, il marcha jusqu'à la rivière pour se laver. Pourtant, il aurait pendant une bonne semaine l'impression de garder l'odeur du cadavre sur lui. Revenant en s'essuyant la paume sur son uniforme, il dit :

— Lieutenant, il y avait ceci près du corps.

Il lui tendit le carnet. Celui-ci était tout à fait sec et propre, mais depuis une semaine pas une goutte de pluie n'était tombée.

— L'un de ces maudits curieux a pu le perdre, expliqua-t-il encore.

Gagnon l'ouvrit pour voir le nom.

— Jésus-Christ ! laissa-t-il tomber. Vous avez vu à qui il appartient ?

— Non, je n'ai pas regardé, mentit Gauthier.

Lui aussi était tout de même un peu curieux. Toutefois, mieux valait feindre l'ignorance.

— Vous dites qu'il était près du corps ?

— Oui, tout près. Sous un bout du drap posé sur elle, en fait. Mais comme je l'ai déplacé pour mieux cacher Blanche, je peux l'avoir couvert par inadvertance.

Foutu hasard ! S'il était arrivé le premier, Gagnon aurait su si le carnet avait été perdu par le meurtrier. Cela aurait été le cas, par exemple, s'il s'était trouvé sous le drap ou juste à côté du corps, puisque personne d'autre n'aurait pu le perdre après coup sans avoir découvert le cadavre. Le papier demeurait en trop bon état pour avoir été là depuis bien longtemps. Il pouvait aussi bien être tombé de la poche de quelqu'un quinze minutes plus tôt.

— Vous restez dans le parc toute la journée ?

— De neuf heures à neuf heures, pendant la belle saison. Je vais manger à la maison, cependant.

— Quand avez-vous vu Blanche pour la dernière fois ?

— Samedi dernier.

Donc, le jour où son patron lui avait parlé pour la dernière fois, elle empruntait le chemin habituel pour rentrer à la maison.

— Elle était seule ?

— Oui.

— Personne ne la suivait, même de loin ?

— Vous savez, fit Gauthier après un moment de réflexion, il y avait beaucoup de monde. Quelqu'un a pu avoir l'œil sur elle sans que cela ne se remarque.

Déjà, le détective doutait qu'elle ait été tuée ce jour-là. Le cadavre se serait trouvé dans un bien plus piètre état, après une aussi longue durée.

— Vous n'avez vu personne rôder autour du boisé ? Ou bien une barque transportant quelque chose de volumineux, qui aurait pu être le cadavre ?

— Bien des personnes viennent ici, des enfants pour se baigner, des amoureux pour se bécoter. Parfois, je les vois arriver, d'autres fois non. Je n'ai eu connaissance de rien de spécial ces derniers jours. On ne m'a rien signalé non plus.

La jeune femme pouvait avoir été amenée dans le bosquet la nuit quand les environs étaient déserts, comme elle pouvait y avoir été conduite en plein jour, devant tout le monde, ne sachant pas ce qui l'attendait. Gagnon prit le chemin du restaurant en compagnie du vieux gardien. Ce dernier alla s'enfermer dans les toilettes pour laver plusieurs fois sa main droite. L'officier de police, lui, devait interroger son témoin de dix ans. Fecteau était assis au comptoir, essayant d'aspirer avec sa paille les dernières gouttes de Coca-Cola qui restaient au fond de la bouteille. Le bruit de succion énervait tout le monde. Gagnon lui en commanda un autre.

L'enfant commença par en avaler un bon tiers avant de déclarer :

— Je dois rentrer à la maison, sinon ma mère…

— Viens, je vais te conduire, dit Gagnon, heureux d'échapper à quelques curieux collés à lui pour tout entendre.

Quelle soirée ! Une morte, deux Coca-Cola aux frais de la police, une balade en voiture ! Le gamin en aurait pour tout un mois à être le centre d'attraction de ses copains. Gagnon attendit d'être avec lui dans l'auto avant de demander :

— Tu te retrouves souvent dans ces buissons ?

— Bien oui, avec les autres, je vais me baigner. Là, personne ne nous voit. Enfin, je veux dire les grands.

— Tu t'y rends avec tes amis ?

L'enfant fit signe que oui.

— Tu y es allé dans la journée, aujourd'hui ? demanda le policier. Ou hier ?

— Non, pas aujourd'hui. Avec les gars je suis allé à la pêche, près du fleuve. Hier, on est restés à la salle paroissiale. Le curé avait organisé des compétitions sportives. C'était plate.

— Alors, quand es-tu allé jouer là pour la dernière fois ?

— Avant-hier, dans l'après-midi. J'y suis aussi retourné une autre fois seul, à la même heure que ce soir.

Donc, il n'y avait pas de corps dans le parc le 6 juillet, en début de soirée, et Blanche était disparue depuis le 3. Il avait hâte de savoir depuis quand elle était morte. Le médecin légiste pourrait au moins donner une approximation. Fecteau avait terminé sa boisson et recommençait à produire de nouveau ces « slurppp » agaçants avec sa paille.

— Quand tu as vu le corps, qu'as-tu fait ? demanda le policier, surtout pour le faire cesser.

Si Gagnon n'avait pas été occupé à conduire, il aurait vu le garçon rougir. Il hésita un peu avant de déclarer :

— Bien, j'ai couru le dire au gardien.

— Rien d'autre ?

— Non, fit-il. Si, j'ai vomi, précisa-t-il après un moment.

— Mais tu n'as rien vu de particulier ?

Cette fois, Fecteau se sentit vraiment inquiet. Le policier savait donc qu'il avait regardé « là » ? Il ne répondit rien, gardant les yeux fixés devant lui, les lèvres crispées sur la paille.

— Par exemple, des traces de pas près du corps ? précisa l'officier.

— Non, je n'ai rien vu, fit l'enfant, soulagé. Mais je n'ai pas regardé non plus, ajouta-t-il.

Gagnon ramena le garçon à sa mère. Il lui reparlerait peut-être plus tard. La situation se révélait trop délicate pour ne pas vouloir en discuter immédiatement avec son supérieur. Le policier prit la direction de la Haute-Ville.

Le chef de police habitait une petite maison à l'ouest de la rue Cartier, rue Saint-Jean. Ce n'était d'ailleurs plus vraiment la rue Saint-Jean, mais le chemin Sainte-Foy. Là, on se trouvait à la campagne. Gagnon y arriva en moins de vingt minutes. Le chef mit du temps à venir répondre. Il était en camisole, ses bretelles battant sur les fesses. Gros, joufflu, roux comme seuls les Irlandais peuvent l'être, Daniel Ryan dirigeait la force de police de la Ville depuis la guerre.

— Qu'est-ce qui se passe ? fit-il en reconnaissant le lieutenant.

Il désigna un banc dans la cour en précisant :

— On va rester dehors, ma femme est couchée, malade.

— On a trouvé le corps d'une fille dans le parc Victoria. Blanche Girard.

— Oui, je sais. Un journaliste du *Soleil* vient de m'appeler.

Le ton trahissait son impatience. Même si les meurtres étaient rares à Québec, ce n'était pas une raison suffisante pour venir interrompre la soirée qu'il avait prévue passer seul à seul avec une bouteille de Glenfiddich. Elle avait été saisie sur un navire soupçonné de vouloir passer sa cargaison en contrebande aux États-Unis, toujours aux prises avec la prohibition de la vente de l'alcool. Des policiers comme des employés des douanes trouvaient un intéressant complément de revenu soit en laissant passer ces cargaisons contre argent sonnant, soit en les confisquant pour les vendre eux-mêmes.

« Vraiment, réfléchit Ryan, les hommes ont raison, Gagnon déraille. Venir me déranger pour une affaire de routine. »

— Il y avait ceci près du cadavre, dit le lieutenant en lui tendant le livret de banque.

— *Goddamn !*

C'était l'un des rares mots du vocabulaire de ses ancêtres que Ryan utilisait encore tous les jours.

— Henri Trudel ? Le fils du ministre de la Voirie ?

— En tout cas, c'est bien son adresse.

— Ça veut dire que ce serait lui…

Le chef de police n'osa pas terminer sa phrase. Si c'était le cas, ce serait le plus gros scandale politique de l'histoire du pays, bien pire que ces histoires de pots-de-vin susceptibles de faire perdre une élection. Impossible de prévoir jusqu'où iraient les événements. Le fils du ministre le plus populaire du gouvernement aurait tué une jeune fille ! Devinant le cours de ses pensées, Gagnon se fit un devoir de lui expliquer les circonstances de la découverte du livret, insistant sur l'impossibilité de tirer une conclusion ferme.

— Donc, conclut Ryan, ce document ne nous conduira pas nécessairement au meurtrier.

— C'est possible, surtout si ce Trudel était là ce soir, parmi les curieux. D'un autre côté, le gardien l'a trouvé sous le drap.

Ryan réfléchit un moment avant de déclarer :

— D'abord, garde un silence absolu. Je vais dire à Gauthier de se taire aussi. C'est un ancien policier, il connaît la discipline. Si les journaux savent que nous avons seulement pensé à Trudel, ils vont le condamner. Il nous serait impossible de réparer les dégâts plus tard, même si nous découvrions une tonne de preuves démontrant son innocence. Demain, nous nous rendrons tous les deux chez les Trudel. Autant ne pas enquêter seul chez ces gens-là. D'ici là, je garde le livret.

Gagnon reprit le volant après les salutations d'usage. Il lui fallait maintenant aller avertir les Germain de la découverte du corps de leur fille adoptive. Le détour chez le chef de police lui avait fait perdre une bonne heure, il s'en voulait un peu. Dans ces circonstances, mieux valait joindre la famille au plus vite. Par délicatesse, bien sûr, pour éviter qu'elle apprenne la nouvelle par des curieux ou, pire, des journalistes. Puis, il n'était pas sans intérêt d'analyser la réaction de proches apprenant la découverte du cadavre. L'un d'eux pouvait toujours se trahir sous le coup de l'émotion.

Évidemment, ce qui devait arriver était arrivé. Trois voitures se trouvaient déjà chez les Germain, dont l'une portait une publicité du *Soleil* peinte sur les portières. Le vieux bonhomme, debout dans l'embrasure de la porte pour en interdire l'accès aux journalistes, semblait sur le point d'exploser. Pas tellement de douleur, semblait-il à Gagnon, mais de colère. Peut-être était-ce une réaction normale pour quelqu'un qui apprenait de la bouche de journalistes la mort de sa fille adoptive.

~

Ryan avait calé un grand verre de Glenfiddich avant de remettre la chemise de son uniforme. C'était trop sérieux, il lui fallait prendre conseil. Il se mit au volant de sa Ford en maugréant. Dix minutes plus tard, le fonctionnaire stationnait devant une imposante demeure en pierre de la Grande Allée. Il lui en fallut presque autant pour convaincre le domestique venu lui ouvrir de l'autoriser à voir le propriétaire de la maison. Évidemment, un chef de police sentant le whisky passait difficilement la porte du procureur général de la province de Québec à neuf heures du soir, sans être annoncé. À plus forte raison si ce procureur était Philippe-Auguste Descôteaux, aussi titulaire du siège de premier ministre.

Descôteaux arborait son air habituel d'aristocrate hautain. Cette morgue tenait à son héritage. Sa famille avait donné à la province un cardinal et un juge en chef de la Cour suprême. Maigre et sec, ses cheveux comme sa moustache étaient poivre et sel. Il ne portait pas un complet comme tout le monde, mais une redingote noire et un pantalon de laine gris. Des guêtres cachaient ses chaussures. Une cravate blanche rayée de gris, visiblement en soie, serrait son col de celluloïd aux coins cassés. Suivre toujours la mode de 1900 ajoutait à sa distinction.

L'hôte conduisit le policier dans la pièce qui lui servait de bureau, au dernier étage de la tourelle flanquant le coin gauche de sa maison. Assis derrière un lourd meuble de chêne, il écouta religieusement l'histoire du policier. Le livret de banque se trouvait devant lui.

— J'ai demandé à mon officier de venir avec moi chez Trudel, tôt demain matin, termina-t-il.

— Vous avez bien fait. Mieux vaut tirer cela au clair tout de suite. Mais demeurez très discret. Je connais ce jeune homme, il ne peut pas avoir commis un crime comme celui-là. Une parole de trop et vous ruineriez sa carrière, tout comme celle de son père. On va faire une autopsie du cadavre ?

— Bien sûr. Chez Lépine, on a dû faire appel au docteur Grégoire. D'ailleurs, s'il se trouvait à la maison ce soir, il y a des chances pour qu'il ait déjà terminé. Je vais téléphoner demain matin pour avoir les résultats.

— Parfait, fit le premier ministre en rendant le livret au policier. Selon moi, Trudel n'a rien à faire dans cette histoire, mais venez me faire un rapport demain, après l'avoir vu.

Il le reconduisit lui-même jusqu'à la porte.

Au grand soulagement de Ryan, le premier ministre avait demandé de tirer l'affaire au clair. Il avait craint qu'il ne lui ordonne de l'étouffer. Il aurait accepté sans doute, mais couvrir une action aussi crapuleuse que le viol et le meurtre d'une jeune fille lui aurait répugné. Il se serait pourtant soumis, même si le premier ministre avait été conservateur, bien qu'il appuyât chaudement les libéraux depuis trente ans. Une histoire comme celle-là était bien trop importante pour y mêler la partisannerie. Dans un monde où les bolcheviques étaient partout, un drame de cette ampleur pouvait amener la révolution !

Ses réflexions sur la Politique – celle avec un grand « P » – se poursuivirent, de plus en plus brumeuses à cause du Glenfiddich, jusqu'à minuit. En se couchant, Ryan n'était pas loin de penser que sa rencontre avec Descôteaux avait sauvé le Québec catholique de la menace du communisme.

~

Après douze bonnes heures d'un sommeil réparateur, Renaud Daigle s'était levé avec le soleil. En se rasant, il prit une décision : il n'allait pas chercher à acheter une propriété, ses chances de rester à Québec pour une longue période étant trop minces. La ville était jolie, mais la vie risquait d'y devenir rapidement étouffante. Il voulait voir à l'usage. Aussi, mieux valait louer un appartement pour la prochaine année et se donner le temps de réfléchir.

Il n'était pas encore sept heures lorsqu'il se rendit au restaurant de l'hôtel. À la réception, il acheta un exemplaire des trois quotidiens de la ville, *Le Soleil*, *L'Action catholique* et *L'Événement*. Dans *Le Soleil*, l'« organe du Parti libéral », assurait-on dans un coin de la page éditoriale, un titre attira son attention. Il se mit en devoir de lire l'article qui l'accompagnait :

UN MEURTRE EFFROYABLE COMMIS À QUÉBEC

Hier soir, un jeune garçon âgé d'une dizaine d'années, Gérard Fecteau, a découvert le cadavre de Blanche Girard, une jeune femme de Stadacona à la réputation sans tache. Le fait que le cadavre était dépouillé de ses vêtements laisse croire qu'elle aurait subi les derniers outrages avant d'être assassinée sans pitié.

Selon de nombreux témoins, le corps se trouvait dans un état de décomposition avancé. La jeune femme a été vue vivante pour la dernière fois samedi dernier. Même si les autorités religieuses de la ville ont souvent condamné avec insistance le manque de surveillance au parc Victoria, ce qui autorise une certaine jeunesse à se livrer à des excès condamnables sous le couvert des buissons, on comprend mal comment la victime a pu être agressée et tuée en un lieu aussi fréquenté. On s'explique encore plus difficilement pourquoi on a si tardivement trouvé son corps. Les autorités devront adopter des mesures afin qu'un événement semblable ne se répète plus jamais.

Par ailleurs, il nous a été donné d'apprendre du gardien du parc, Alcide Gauthier, que la police a entre les mains un document trouvé sur les lieux du crime. Cela lui permettra de mettre rapidement la main sur le coupable. Au poste de police on s'est refusé à tout commentaire, mais nous espérons tous que le coupable de ce forfait monstrueux connaisse bientôt toutes les rigueurs de la loi.

Renaud avait lu l'article en attendant qu'on lui apporte du thé et un copieux petit-déjeuner. « Tout ennuyeuse qu'elle soit, Québec n'est pas épargné par les histoires d'horreur de ce genre », se dit-il en soupirant. Le corps devait avoir été trouvé bien près de l'heure de tombée pour que les journalistes n'aient pu trouver plus de détails sur cette affaire. Sans doute la seconde édition du journal allait-elle l'exploiter plus à fond. Une curiosité morbide l'incita à regarder tout de suite l'article de *L'Événement*, qui donnait encore moins de détails. Journal du Parti conservateur, il périclitait au même rythme que cette organisation politique. Il ne devait pas lui rester une bien grande équipe de reporters. Quant à *L'Action catholique*, un journal dont la mission consistait à tuer toutes les idées, sauf celles de l'Église catholique, en fait, il exploitait l'affaire dans une veine toute particulière :

NOUS VOICI DANS SODOME ET GOMORRHE

Une jeune fille qui se destinait à la vie religieuse a été retrouvée sans vie, hier, au parc Victoria. Tout porte à croire qu'elle a été brutalement violée avant d'être tuée. C'est au prix de sa vie que Blanche Girard a défendu sa vertu. Nul doute que son martyre lui vaudra la vie éternelle.

Le curé de Stadacona, l'abbé Melançon, confesseur de cette âme pure, nous a parlé avec beaucoup d'émotion de sa paroissienne, soulignant sa discrétion, son grand dévouement et surtout son extrême piété. Depuis des années, il fréquentait assidûment cette âme d'élite, guidant ses efforts vers la sainteté. Il nous a confié que Blanche Girard caressait depuis longtemps le rêve de se joindre à une communauté religieuse et se préparait attentivement à ce grand destin dans la prière et le recueillement. Un lâche assassin a détruit ce projet.

Voilà ce que nous sommes devenus. Les films, les journaux et la musique des États-Unis matérialistes et protestants ont sapé chez nous les vertus de piété, de chasteté et de soumission qui caractérisaient il y a encore peu de temps notre race. Ne souille-t-on pas même les dimanches en maintenant les cinémas ouverts ce jour-là ?

Ces temples du péché détruisent chez le peuple tout sentiment chrétien et proposent les veaux d'or de la prospérité et de la luxure. Et que dire de ces musiques barbares et de ces danses lascives qui conduisent si systématiquement aux débordements de la chair ?

Faudra-t-il d'autres événements de ce genre avant que nos gouvernements ne ferment ces lieux de débauche que sont les cinémas et les salles de danse ? S'ils se décident enfin à agir selon les recommandations de Nos Seigneurs les Évêques, le martyre de Blanche Girard n'aura pas été inutile.

— Quelle grossière récupération, murmura Renaud.

Ce credo ne présentait rien de nouveau, mais pendant son absence, l'Église avait ajouté la presse à son arsenal dans la lutte contre le péché. Comme ses ouailles avaient déjà accès aux quotidiens à grand tirage abonnés aux agences de presse internationales, l'Église devait se doter de moyens de communication tout aussi efficaces. Avec *L'Action catholique*, elle pouvait proposer une relecture des nouvelles, tant nationales qu'internationales, respectueuse de l'orthodoxie catholique. Cela devenait nécessaire si elle voulait que son message atteigne ses fidèles. Les autres moyens de communication de masse faisaient découvrir des conditions d'existence moins ascétiques. Quoique la défaite de l'Église fût prévisible – le cinéma, par exemple, représentait pour elle un adversaire bien trop redoutable –, elle allait s'accrocher longtemps et se chercher de nouvelles tribunes pour débiter son discours moralisateur.

Renaud Daigle termina son repas en feuilletant les journaux, pour se faire une idée des débats politiques et de l'actualité économique dans la province. Il prit aussi grand plaisir à parcourir la rubrique « Notes sociales » du *Soleil*. Il apprit que madame Une telle était allée passer l'été à la maison de campagne de la famille à Pointe-au-Pic, que monsieur Chose, en visite dans la ville, logeait au *Château Frontenac*, que mademoiselle Machin, de Chicoutimi, passerait quelques semaines chez sa tante, rue Crémazie. Il s'agissait de potinage, en quelque sorte une version très provinciale du carnet mondain des grandes villes. Il perdit son sourire quand il posa les yeux sur cet entrefilet :

Dans la liste des passagers descendus hier de l'Empress of India, *on trouve le nom de Renaud Daigle. On se rappellera que celui-ci s'était classé premier à l'examen du baccalauréat de l'Université Laval en 1914 : cela lui avait valu une bourse d'étude à l'Université d'Oxford. Après de brillantes études de droit et quelques années de travail au Haut-Commissariat canadien à Londres, monsieur Daigle a été ramené au pays par le décès soudain de son père, Haegédius Daigle, notaire et homme d'affaires avantageusement connu dans cette ville.*

Il ne jouirait pas de son anonymat bien longtemps. À huit heures, trouvant qu'il était trop tôt encore pour visiter des appartements, il se décida pour une longue marche en ville. Sans y penser, il se dirigea vers la Basse-Ville.

~

De sa table au *Grey Owl*, le lieutenant Gagnon avait une vue parfaite du *Château Frontenac*. À gauche, il pouvait obsrver une partie de la terrasse Dufferin. Il avait pris la liberté de téléphoner au médecin Charles Grégoire dès six heures du matin, afin de lui demander quelles étaient ses conclusions. Le praticien lui avait expliqué avec humeur avoir terminé l'autopsie du cadavre vers deux heures du matin et qu'en conséquence il aurait bien aimé profiter d'au moins la moitié d'une nuit de sommeil avant de faire son rapport. Pourtant, il se laissa convaincre de prendre son petit-déjeuner avec l'officier de police, après que celui-ci lui eut assuré être sur une piste sérieuse, nécessitant une action très rapide.

— En fait, je n'ai pas de grandes découvertes à coucher sur papier, expliquait maintenant le médecin légiste. Le corps était dans un état de décomposition assez avancé.

— Mais vous avez bien dû voir si elle a été violée ?

Le policier parlait à voix basse, car le sujet était scabreux. Heureusement, les nombreux touristes américains ne comprenaient rien à leur conversation. Le médecin grimaça avant de dire :

— Impossible d'être plus violée que cela. Elle était complètement déchirée. Je suppose qu'on a utilisé un objet, un bâton ou une bouteille. Tout ce qui tombe sous la main est bon pour ces malades.

— Elle est morte de cela ?

— C'est possible. Je n'ai pas vu de traces de projectiles ou de coups de couteau. Elle a été sévèrement battue, assez pour avoir une large ecchymose sur le crâne, mais ça ne l'a pas tuée. Elle peut aussi avoir été étouffée. Cela ne laisse pas de traces visibles, si le tueur utilise quelque chose pour couvrir à la fois la bouche et le nez. Mais elle peut tout simplement être morte de l'hémorragie consécutive aux sévices sexuels.

— Elle était vierge ?

Dans l'affirmative, aux yeux de tous les Québécois le crime deviendrait infiniment plus affreux.

— Comment voulez-vous que je le sache ? Défoncée comme elle l'était, en état de putréfaction, je n'étais pas en mesure de m'intéresser à ces détails.

Le médecin mangeait de bon appétit, mais le policier avait du mal à combiner ce récit, les œufs et le bacon. Il regrettait de ne pas s'être contenté d'un simple café. Comme il s'y attendait, le médecin ne lui apprenait pas grand-chose.

— Vous savez quand elle est morte ?

— Si le corps est en bon état et que la mort n'est pas trop lointaine, on peut se fier à la température ou à la rigidité. Mais là, il est très difficile de se prononcer. Depuis dix jours la température se révèle anormalement chaude, elle était dans un endroit assez humide, ce qui accélère la décomposition. Je dirais deux jours. Pas plus de trois, il me semble, par cette chaleur.

— Elle est disparue depuis samedi dernier.

— C'est trop loin. Elle ne peut être morte depuis aussi longtemps. Mais je vous l'ai dit, on ne peut pas vraiment juger de l'âge des cadavres par leur degré de pourrissement.

Le lieutenant grimaça tout en révisant les mots griffonnés dans son carnet:

— Le corps n'était pas là dans la soirée du 6. Elle a pu être retenue prisonnière et tuée ailleurs, et son corps déposé là.

— Je ne crois pas qu'elle était morte le 6 au soir, ou cela venait tout juste d'arriver. Le tueur a pris la précaution de lui remettre ses vêtements tant bien que mal. Elle avait sa robe à l'envers, ramassée autour du cou, de même qu'une camisole. Elle portait aussi sa culotte, même si celle-ci n'était plus qu'un lambeau autour de la taille.

— Si elle a été tuée sur place, pourquoi le tueur a-t-il essayé de lui remettre une partie de ses vêtements? Pourquoi avoir pris la peine d'enrouler le corps dans un drap? Pourquoi avoir emporté avec lui les bas et les souliers? Un souvenir plutôt macabre.

Gagnon écrivait dans son carnet tout en prononçant ces mots. Il releva la tête afin de poursuivre son résumé:

— Je ne vois pas pourquoi on aurait habillé le corps, si ce n'est pour le transporter. Peut-on imaginer qu'une fois le forfait accompli un violeur se donne la peine de recouvrir le cadavre, comme pour protéger la pudeur de la jeune fille?

— Vous savez, fit le médecin, c'est bien possible. Les fous obéissent à une logique bien à eux, incompréhensible pour les autres.

— Ces vêtements, le drap, vous les avez avec vous?

— Les voilà, répondit-il en lui passant un sac en papier brun par-dessus la table. Le drap porte l'inscription JBT, à l'encre de Chine. Elle avait aussi un mouchoir dans son poing fermé, avec les lettres EG.

— La première inscription réfère à Jean-Baptiste Tremblay. C'est une toile qu'elle apportait à la maison pour la laver, afin de rendre service à son employeur. EG, ce sont les initiales de son oncle. Elle allait chez lui chaque semaine. Selon toute probabilité, elle avait emprunté ce mouchoir.

— Bon, je m'en vais, fit le médecin en se levant. Vous aurez mon rapport écrit en fin de journée.

Resté seul, Gagnon se perdit dans ses pensées. Blanche pouvait avoir été séquestrée pendant quelques jours avant d'être tuée, et son corps déposé ensuite dans le parc. Comme personne n'avait signalé un enlèvement, peut-être était-elle allée chez quelqu'un de ses connaissances, après tout. Cette personne l'avait tuée pour une raison mystérieuse. Une question surtout lui tournait dans la tête : comment avait-on pu déposer le cadavre dans un endroit tellement fréquenté ?

Maintenant, les journaux allaient s'emparer de l'affaire. De nombreuses personnes s'adresseraient à la police pour dénoncer les comportements louches observés chez des voisins. Peut-être serait-il possible de découvrir ainsi quelques pistes. L'une d'entre elles conduirait éventuellement au meurtrier. Cela, bien sûr, si le carnet de banque ne le conduisait pas tout droit au coupable.

~

À neuf heures, Gagnon rejoignit Daniel Ryan devant la maison de Trudel. Il s'agissait d'une construction cossue, en brique, rue Moncton, tout près du chemin Saint-Louis. Le chef de police se sentait visiblement très mal à l'aise, même s'il avait pris la précaution de téléphoner pour demander un rendez-vous avec Henri Trudel. Les deux policiers n'eurent même pas le temps de frapper à la porte. Le ministre Antoine Trudel les attendait. Il leur ouvrit dès qu'ils eurent mis le pied sur le perron. Le notable ne voulait pas qu'une domestique sache que la police voulait voir son fils. Les enquêteurs perdaient l'effet de surprise, un élément souvent déterminant dans la collecte de témoignages. Pouvait-il en être autrement avec des gens si haut placés ?

Grand et gros, des cheveux blancs coupés ras sur le crâne, dans la cinquantaine, le politicien en imposait.

— Venez dans mon bureau, dit-il, mon fils vous attend.

Ils pénétrèrent dans une pièce aux murs couverts de livres. Au milieu trônait l'habituel meuble «ministre», en chêne. Devant, trois fauteuils formaient un demi-cercle. Le fils, une copie conforme du père trente ans plus jeune, occupait l'un d'eux.

— Rien n'oblige mon fils à répondre à vos questions, puisque, si je ne me trompe, aucune accusation n'est portée contre lui. Il est cependant plus simple de classer cette histoire tout de suite. Asseyez-vous. Je vais rester ici pour conseiller Henri. J'agis à titre d'avocat.

Ce n'était ni une demande ni une suggestion, mais un ordre. Les deux policiers firent un signe d'acquiescement.

— Alors que pouvons-nous faire pour vous? continua le père.

«Curieux interrogatoire, se dit Gagnon, où le père du suspect, avocat de surcroît, mène les choses.» Son travail ne serait pas du tout facile, dans cette affaire. Il y eut un long silence. Comme le chef de police ne se décidait pas, il commença:

— Hier, le corps d'une jeune femme a été découvert au parc Victoria.

— Nous avons vu cela dans les journaux du matin, fit le ministre. Une bien triste histoire, en vérité, qui horrifie nos concitoyens. Vous allez trouver les coupables bien vite, j'espère.

Gagnon jeta un coup d'œil à Ryan, qui possédait la pièce à conviction. Celui-ci la produisit:

— Monsieur le ministre, le lieutenant Gagnon m'a remis ceci. On l'a trouvé près du corps.

Mal à l'aise, il tendit le livret au père. Celui-ci l'ouvrit pour regarder le nom du propriétaire, puis il le passa à son fils en disant:

— C'est bien le tien?

— Oui, répondit ce dernier d'une voix mal assurée en l'ouvrant à la première page.

Il continua plus fermement:

— Je me le suis fait voler la semaine dernière, dans mon auto. Je l'ai justement fait remplacer hier.

Il sortit de la poche de sa veste un autre livret de la Bank of Montreal pour le montrer à Gagnon, assis juste à côté de lui. Celui-ci constata que l'adresse était écrite de la même main que dans l'autre carnet. Une seule entrée, le solde, avait été inscrite la veille par le commis de la banque. Il passa le document au chef de police, qui le regarda à peine avant de le remettre à son propriétaire. Henri Trudel empocha les deux documents, mine de rien. Gagnon voulut protester mais le chef Ryan l'interrompit, demandant avec soulagement:

— Il ne vous manquait rien d'autre, après le vol?

— Ça et d'autres papiers sans importance. Des prospectus de compagnies dans lesquelles j'investirai peut-être. Ces documents étaient restés sur la banquette de ma voiture, alors que j'étais au *Château Frontenac*. Je les avais placés dans une chemise cartonnée. Quand je suis revenu, elle avait disparu.

— Vous n'avez pas déclaré le vol à la police? demanda Gagnon.

— Non, puisque tout cela était sans valeur.

— La perte du livret devait vous inquiéter. Quelqu'un aurait pu faire un retrait à votre place. Pourquoi avoir tellement tardé à avertir la banque?

— Je n'ai pas eu le temps avant-hier. De toute façon, on me connaît bien, dans cette banque. Personne n'aurait pu se faire passer pour moi, expliqua Henri Trudel, de plus en plus assuré.

Le policier se méfiait des témoins possédant toutes les réponses. Il insista:

— On aurait pu faire des chèques à débiter sur votre compte. Des blancs de votre succursale bancaire, ce n'est pas difficile à trouver.

— C'est vrai, mon fils a été négligent, lieutenant Gagnon, intervint son père. Hier, je lui ai dit de régler cette question, et je lui ai conseillé de changer son numéro de compte. Mais vous savez, les risques sont minces : personne n'accepte de chèque sans vérifier l'identité de celui qui le lui présente. De toute façon, il n'est rien arrivé de fâcheux.

— Vous aviez averti quelqu'un de la disparition du livret ? demanda encore Gagnon.

Même s'il avait questionné le fils, le père répondit encore :

— Évidemment, il m'avait parlé de ça au début de la semaine, quand je suis revenu de Charlevoix.

Était-ce vrai ? En tout cas, l'assurance et la position sociale du père séduiraient n'importe quel jury. Quant au fils, aurait-il été plus facile à ébranler dans un interrogatoire serré ? Lui aussi était avocat, ou à tout le moins il étudiait pour le devenir et il était le fils d'un procureur dont les plaidoyers étaient au programme d'étude des facultés de droit. Ces gens-là se révélaient difficiles à convaincre d'un crime, à moins d'avoir été pris sur le fait. Et encore, il leur restait le loisir de plaider la folie passagère, avec tous les psychiatres amis de la famille prêts à témoigner pour la défense.

— Où étiez-vous, dans l'après-midi et la soirée du 3 juillet ? demanda encore Gagnon.

Henri Trudel prit quelques secondes pour se rappeler, puisqu'il y avait plusieurs jours de cela.

— Je suis demeuré ici avec des amis pendant une bonne partie de l'après-midi, puis nous sommes sortis en ville avant d'aller à une maison que je possède à Château-Richer.

— Vous avez votre propre maison ? Vous n'habitez donc pas ici ?

— Henri l'a achetée pour inviter ses amis étudiants, intervint encore son père. Cela nous évite d'avoir à endurer leur vacarme quand ils veulent faire la fête. Il y va souvent, mais c'est ici sa résidence.

— Vous êtes sortis en ville, dites-vous. À quelle heure exactement, et où ?

— De trois à six heures, environ. J'aimerais mieux ne pas dire où.

Le politicien se déplaça sur sa chaise, toussa avant de s'écrier d'une voix sévère :

— Henri, tu n'as pas vraiment le choix : où étiez-vous ?

— Au *Chat*.

Cela ne méritait pas d'explications supplémentaires, les policiers connaissaient bien l'endroit. Le père prit son air le plus misérable : quelle humiliation son fils ne lui imposait-il pas, devant des étrangers ! Il lança au policier un regard signifiant quelque chose comme « Il faut bien que jeunesse se passe ».

— Vous avez des témoins, je suppose ? continua Gagnon.

— Mes amis, bien sûr. Nous sommes restés ensemble la journée de samedi. Nous sommes allés à Château-Richer pour y passer toute la nuit et la majeure partie de la journée de dimanche.

— Le nom de vos amis ?

— Je ne sais pas… murmura le jeune homme.

Il paraissait honteux, sur le point de rougir.

— Nomme-les ! tonna le père. La police doit déjà connaître les ivrognes que tu fréquentes.

Les richards de la ville occupaient en effet une bonne place dans les conversations un peu admiratives et jalouses des policiers. Il fallait couvrir leurs frasques : soûleries, bagarres, désordres sur la voie publique, conduite dangereuse, déprédations diverses. Jamais rien de vraiment grave, juste les mauvais coups de garnements disposant du temps et des moyens de s'amuser. Les parents s'empressaient toujours de rembourser tous les dégâts, ajoutant au coût de ceux-ci une bonne somme pour bien disposer les victimes. Celles-ci finissaient généralement par retirer les plaintes, face à ces parents généreux et surtout si « haut placés ». Ainsi, aucune poursuite ne s'ensuivait, ni pour des dommages et intérêts, ni devant la cour criminelle. Les choses étaient ainsi depuis toujours, et elles le resteraient.

— Jean-Jacques Marceau, Jacques Saint-Amant, Romuald Lafrance, Michel Bégin, William Fitzpatrick, énuméra bientôt le jeune homme.

Six. Ils étaient six à être allés au bordel, à avoir continué la fête à Château-Richer. Parmi eux se trouvaient des fils de ministres, de députés et d'hommes d'affaires, membres éminents du Parti libéral. Ils n'avaient pas dû passer inaperçus, toutefois chacun pouvait servir d'alibi aux autres. Sauf dans le cas où quelqu'un les avait vus en présence de Blanche Girard, ou si l'un d'eux conservait dans son placard les bas et les souliers de la jeune femme, on ne pourrait jamais rien contre eux. « Tiens, se dit Gagnon, je me demande s'il serait possible d'obtenir un mandat pour fouiller leurs domiciles. » Il insista encore :

— Et qu'avez-vous fait pendant les journées du 6, du 7 et du 8 ?

— Du mardi au jeudi ? Un tas de choses, j'en ai bien peur. J'ai un peu révisé mon anglais car je vais aller étudier aux États-Unis en septembre. Je me suis occupé d'affaires financières et de politique. Ma mère et les domestiques peuvent témoigner des heures où j'étais ici. Pour le reste du temps il y a les partenaires commerciaux, les amis, les connaissances. Mais il serait difficile de trouver des témoins de mes activités pour chaque minute de ces trois jours.

— Et les soirées ? Les nuits ?

— À ce sujet, je peux aider, déclara le ministre. Ces trois soirs, Henri a travaillé avec moi et des collègues aux affaires du Parti libéral. Parfois, cela se déroulait ici, d'autres fois à la résidence du premier ministre. La nuit, il était dans son lit, évidemment. Les soirées de désordre, les sorties, c'est réservé aux fins de semaine, alors que sa mère et moi sommes à la campagne.

Antoine Trudel s'était levé :

— Vous nous excuserez, mais nous devons justement nous rendre chez le premier ministre. De toute façon, vous avez sûrement épuisé toutes vos questions.

Le chef de police s'était levé aussi, visiblement soulagé que ce soit enfin terminé. S'il devait y avoir des représailles, Gagnon avait mis assez de précipitation à poser ses questions pour toutes les attirer sur lui. Ryan se rassurait en se disant qu'on ne lui tiendrait pas rigueur de cette visite.

Henri Trudel quitta aussi son siège. Gagnon ne pouvait rester assis et poser encore des questions sans paraître bien malpoli. Il imita donc les autres, mais demanda tout de même :

— Le carnet bancaire…

Antoine Trudel l'interrompit au milieu de sa phrase :

— Chef Ryan, nous vous remercions de nous avoir rendu le livret. Comme vous connaissez maintenant les activités de mon fils, en retrouvant le voyou qui l'a volé vous mettrez sans doute la main sur le meurtrier. Mais laisser ce document dans les dossiers de la police pourrait menacer la paix sociale. Imaginez qu'un individu mal intentionné le voie et se mette à répandre des rumeurs ! Évidemment, si un jour vous vous sentez autorisé à porter des accusations contre mon fils, un ordre de la cour vous permettra de le récupérer.

— Bien sûr… vous avez raison. Nous sommes désolés de vous avoir dérangé.

Le chef de police avait atteint la porte. Le lieutenant devait lui emboîter le pas. Derrière eux, Antoine Trudel les raccompagnait en disant d'un ton trahissant sa colère :

— Mais non, ne vous excusez pas, Ryan. Vous faites votre devoir.

Il referma la porte sur eux sans un mot de plus.

Sur le trottoir, près de la voiture du chef Ryan, les deux enquêteurs demeurèrent immobiles un moment. Gagnon ne put s'empêcher de dire :

— Il aurait fallu reprendre le carnet. C'est une pièce à conviction.

— Pour convaincre qui ? Ce garçon n'a rien à voir là-dedans. Pourquoi lui as-tu demandé ce qu'il avait fait pendant ces soixante-douze heures ? Personne ne peut avoir un alibi solide pendant trois jours de suite, à moins d'être en prison.

Gagnon lui expliqua que selon le médecin légiste, la mort ne pouvait remonter à plus de trois jours. Le chef de police vit tout de suite ce que cela signifiait :

— Son alibi n'est pas très fort pour samedi, mais tu le vois enlever une fille en sortant du bordel ? Comme nous ne connaissons pas la date, encore moins l'heure de la mort, sur quelle base pourrions-nous l'accuser ? Ce n'est évidemment pas lui qui a fait ça !

— Mais le carnet...

— *Goddamn !* Gagnon, tu es vraiment devenu lunatique ? Il se l'est fait voler. Tu lui fous la paix et tu cherches un vrai coupable, quelqu'un avec un motif, ou un maniaque. Questionne les gens. Quelqu'un a vu quelque chose, sûrement.

Ryan était monté dans sa voiture. Il claqua la portière, démarra et partit en trombe. Encore un peu et il écrasait les deux pieds du lieutenant.

Chapitre 3

— Papa, croyez-vous qu'ils nous ont crus ?

De la fenêtre, Antoine Trudel avait regardé les deux hommes discuter de façon animée, puis l'auto du chef de police s'en aller. Gagnon était parti aussi quelques secondes plus tard. Le politicien revint à son bureau en soupirant :

— Ils ne savent pas quand elle est morte. Ils voulaient tes activités pour trois jours ! Aucune accusation ne pourrait tenir sur ces bases.

Il avait ouvert le premier tiroir de son bureau pour en tirer une lettre. Elle venait du premier ministre. Il la relut rapidement :

Antoine,

Le chef de police de Québec sort tout juste de chez moi. On a trouvé le corps d'une jeune femme, et près d'elle le carnet de banque de votre fils. La police n'est pas certaine s'il a été perdu là par le meurtrier ou par l'un des curieux accourus sur la scène. J'ai peine à croire que votre fils soit mêlé à cela. Mais vous devinez le tort qu'une simple rumeur pourrait faire non seulement au gouvernement, mais aussi au Parti.

Veuillez donc agir pour le mieux dans les circonstances.

Philippe Auguste Descôteaux

Un domestique avait porté ce mot, dont le père entendait bien disposer maintenant :

— Donne-moi ton vieux carnet bancaire.

Il se pencha devant le foyer qui ornait un mur de la pièce, craqua une allumette pour mettre le feu aux deux documents.

Il attendit de voir les flammes bien hautes avant de les poser sur les bûches. Il les regarda se consumer et dispersa les cendres avec un tisonnier. Personne ne pourrait en retrouver le moindre fragment.

— Tu n'as rien à voir dans cette macabre affaire ? demanda-t-il en se relevant. Tu peux me le jurer ?

— Papa, je vous l'ai déjà dit cent fois cette nuit, je n'ai ni violé ni tué cette fille.

— Mais tu étais là et tu n'as rien empêché.

— J'avais fumé de l'opium, laissa tomber le jeune homme. Je n'étais pas seulement soûl. Quand je suis revenu à moi, le dimanche, elle était morte. Il n'y avait plus rien à faire.

— Cela ne te sauverait pas devant un tribunal.

Le politicien secoua la tête, dépité, puis il enchaîna :

— Le seul fait d'avoir été là, même drogué, fait de toi un coupable. Et puis comment sais-tu qu'il n'y avait plus rien à faire pour elle ? En la conduisant chez un médecin, peut-être aurais-tu pu la sauver.

— Non. Ses blessures étaient horribles. Elle était morte.

— Mais vous êtes des monstres ! explosa le père.

Antoine Trudel mit un moment pour se calmer. Il ne servait à rien de crier, et il serait bien imprudent d'alerter la maisonnée. Il dit enfin d'une voix sourde :

— Si l'un des autres parle, tu vas te retrouver dans de sales draps. Cinq personnes sont au courant ! Crois-tu pouvoir leur faire confiance ?

— Tous ont juré de se taire. Ils savent bien quels risques ils courent. Nous nous sommes entendus pour dire que nous ne savions rien d'elle. La maison de Château-Richer est située à l'écart des autres et entourée d'arbres. Personne n'a pu la voir.

— Mais, chemin faisant, quelqu'un a pu la reconnaître dans l'auto ?

— Non, elle s'est retrouvée sur le plancher, entre les deux banquettes. Je te le répète, personne n'a pu la voir, ni dans l'auto, ni à Château-Richer. Ils me l'ont assuré.

Le ministre doutait que deux autos pleines de jeunes gens ivres n'aient pas attiré l'attention. Il fallait espérer que la police limite ses efforts. Il serait toujours possible d'en aviser Daniel Ryan. Celui-ci semblait tenir à son poste et à ses relations privilégiées avec le Parti libéral. Quant à ce lieutenant Gagnon, même s'il faisait un peu de zèle, il serait facile de le ramener à l'ordre.

— Tu ne m'as pas encore dit comment tu as fait pour mettre le corps à cet endroit, remarqua le père.

— Dans la nuit du 6 au 7, je suis sorti par la fenêtre de ma chambre. J'avais garé ma voiture dans la rue, un peu plus loin, pour pouvoir partir sans éveiller les domestiques, ou vous et maman. J'ai pris Bégin chemin faisant, et nous sommes allés chercher le corps à Château-Richer. J'ai parcouru un grand bout de chemin les phares éteints pour ne pas attirer l'attention. Nous nous sommes rendus près du cimetière de la rivière Saint-Charles, là où les habitations sont rares. Nous avons volé une chaloupe, mis le corps dedans, et j'ai ramé vers le parc. Bégin a pris ma voiture pour aller m'attendre près de l'embouchure de la rivière.

— Et pourquoi n'est-il pas allé dans la chaloupe ? À t'entendre, il est bien plus coupable que toi ! Tu dormais !

— Il avait peur de la morte. Il se mettait à brailler au moment de s'en approcher. Il aurait tout fait échouer.

L'homme secouait la tête, découragé par ce gâchis. Il insista :

— Mais sûrement, quelqu'un t'a vu, sur la rivière.

— Oh ! J'ai croisé une bonne douzaine d'embarcations, des pêcheurs au fanal. Comme il y en avait un aussi dans la chaloupe, je l'ai allumé et mis devant, très près des flots. Il ne pouvait éclairer mon visage. J'avais l'air d'un pêcheur parmi les autres, désireux d'aller s'ancrer près du fleuve, là où il y a des éperlans. Le corps n'était pas visible, nous l'avions mis au fond de l'embarcation, avec une toile sombre par-dessus.

— Pourquoi ne pas l'avoir lesté et jeté à l'eau ? Il n'aurait sans doute jamais été découvert.

— C'est ce que je voulais faire, mais Bégin avait oublié d'amener la corde et le bloc de ciment que je lui avais demandés. Il aurait fallu se reprendre une autre nuit, et multiplier ainsi les risques d'être découverts. Nous étions pressés de nous débarrasser d'elle.

Revivant en pensée les événements, Henri parlait d'une voix blanche, hésitante.

— Vous auriez pu aller la déposer dans les forêts du lac Beauport, ou du mont Sainte-Anne. Pourquoi dans ce parc ? insista le père.

— C'était mon idée. Il y a deux ans une femme a été tuée dans ce bosquet, et il avait fallu longtemps pour la découvrir. Mais, surtout, il circule tellement de monde dans ce parc, les suspects se compteraient par centaines. Si on la découvrait tout de suite, comme le corps n'avait pas encore commencé à se détériorer, on allait croire que le crime avait été commis cette nuit-là. Alors, même si quelqu'un nous avait vus avec elle samedi, cela aurait paru s'être produit bien avant le meurtre. Tellement de vagabonds passent dans ces parages, des inconnus à l'air louche...

— Pourquoi le corps n'avait-il pas encore commencé à se décomposer ? Quand tu l'as déplacé, il devait empester.

— Ils avaient mis la fille dans le caveau à légumes. C'est là qu'elle est morte. La température y est très basse, à cause de la glace.

Antoine Trudel essayait de se figurer les événements. Le viol d'abord, tellement violent que la fille était morte. Puis son fils, la nuit, sorti secrètement disposer du cadavre. Il avait volé une embarcation, joué au pêcheur pendant une bonne heure peut-être, touché terre dans le parc pour déposer le corps. Ensuite, il était allé accoster plus bas, afin que Bégin puisse le ramener en ville. C'était là son fils ? Oui, bien sûr. Lui aussi, dans ces circonstances, aurait eu cette audace, plutôt que de risquer de se voir impliqué dans une affaire de ce genre. L'autre solution aurait été d'aller à la police, afin de dénoncer les autres. Avec de la chance, il aurait pu se faire acquitter en convainquant le jury qu'il était bel et bien drogué, inconscient. Au pire, il aurait écopé d'un bref emprisonnement.

Mais cela aurait été la fin de toutes ses ambitions, de celles de ses frères et de sa sœur. Antoine Trudel n'aurait eu d'autre choix que de démissionner. Au siècle dernier, John A. Macdonald, au fédéral, et Honoré Mercier, au provincial, avaient perdu le pouvoir pour des histoires de pots-de-vin. Pourtant, ces pratiques étaient bien inscrites dans les mœurs politiques du pays. Dans le cas d'une histoire de viol et de meurtre, on ne pouvait même pas imaginer jusqu'où serait allée la débandade des élites politiques.

Antoine Trudel croyait son fils – il voulait absolument le croire – quand il disait n'avoir participé ni au viol ni au meurtre. Après coup, il avait adopté la seule attitude raisonnable : pourquoi tout risquer pour le seul plaisir de livrer ces pervers à la justice ? Toutefois, si ceux-ci finissaient par être découverts, il serait maintenant accusé de complicité après le meurtre et d'entrave à la justice. Jamais la police ne devait trouver les coupables.

Une larme coulait lentement sur la joue de madame veuve Jules Marceau.

— Quelle affreuse histoire, ce meurtre…

Elle posa l'édition du *Soleil* sur la table. Comme son fils avait parcouru les journaux du matin avant elle, il était inutile de préciser davantage.

— Oui, en effet.

Lui aussi avait des larmes aux yeux. « Oh ! Comme il est sensible ! » se dit-elle. Ils se trouvaient tous les deux dans une cuisine inondée de soleil, un bol de céréales vide devant eux, une deuxième ou une troisième tasse de café à portée de la main. Ils n'avaient pas les moyens d'avoir une bonne. Cela valait mieux ainsi, aucune étrangère ne s'immisçait entre eux, personne ne troublait cette délicieuse intimité. Elle ne reprit pas sa lecture, garda les yeux sur lui. Depuis un moment, il faisait semblant de s'absorber dans une revue littéraire absconse. Elle voyait pourtant bien qu'il ne lisait plus, ses pupilles n'avaient pas ce mouvement, presque imperceptible, pour suivre une ligne. Elle le connaissait si bien, rien ne lui échappait.

Depuis des jours, elle s'inquiétait terriblement de le voir si morose. Bien sûr, il n'affichait jamais une bien grande gaieté. Cette langueur, cette moue un peu dédaigneuse sur ses lèvres bien ourlées, cette façon bien méfiante de tenir la tête un peu penchée vers l'avant, de façon à regarder le monde à travers la lourde mèche de cheveux qui lui tombait sur les yeux, faisaient partie du personnage longuement élaboré pendant l'adolescence. Cependant, depuis une bonne semaine, il affichait les yeux enflés et rougis de quelqu'un qui pleure à chacun de ses moments de solitude. Surtout, elle entendait son pas léger dans la maison la nuit, chaque fois que le sommeil la désertait.

Madame veuve Marceau s'était préoccupée toute sa vie de ses pauvres ressources financières. Ce souci devait hanter aussi son fils, au point de le torturer.

— Nous ne mènerons pas cette vie encore bien longtemps. Dans un an, tu auras ton diplôme et un bon emploi. Tu pourras partir aussi.

Les journaux ne tarissaient pas sur les belles excursions offertes aux étudiants, à Saint Andrew ou au lac Louise, par exemple. D'autres n'allaient pas si loin. Ils se retrouvaient à la maison de campagne de leurs parents. Ne venait-elle pas de lire dans les « Notes sociales » qu'un bon ami de Jean-Jacques, Henri Trudel, s'apprêtait à rejoindre sa mère à La Malbaie ? Comme il fallait être prétentieux, pour faire en sorte que les journaux évoquent ainsi ses déplacements !

Quand son fils leva sur elle un regard interrogateur, elle ajouta :

— Toutes ces publicités de voyage te font envie. Heureusement, bientôt tu recevras un salaire de professionnel. Nous ne compterons plus chaque cent.

— Les bons emplois ne sont pas si nombreux, alors que les jeunes avocats se multiplient.

— Ne parle pas comme cela. Avec tous tes amis importants, tu trouveras sûrement une niche dans un ministère.

Elle ne le voyait pas s'escrimer dans une cour de justice, mais rêvait pour lui de quelque chose au Secrétariat provincial, une occupation liée aux arts. Que faire pour dissiper un peu la morosité de Jean-Jacques ? Elle en venait à s'inquiéter.

— Tu n'es pas allé à la chorale, cette semaine ?

— Non. Je ne crois d'ailleurs pas y retourner. Finalement, ce n'est pas si amusant de faire chanter une trentaine d'ouvriers.

— Tu ne t'es pas disputé avec ton bon ami Pierre, j'espère ? dit-elle avec une nouvelle crainte dans la voix. Il est si gentil.

— Bien sûr que non. Personne ne peut se disputer avec notre petit vicaire. Toutes les femmes de la chorale croient que c'est un ange.

C'était son tour maintenant de la regarder à la dérobée au moment où elle posait *Le Soleil* sur la table pour parcourir des yeux une publicité du magasin PAQUET couvrant toute une page. « Se peut-il qu'elle ne sache pas ? » se demanda-t-il pour la millième fois. « Elle ne peut pas ne pas savoir. Elle a sans doute su avant moi, se répondit-il, même si elle ne peut pas se l'avouer. » La situation ne la révoltait pas. Pour la première fois, il comprit que cela devait être tout le contraire : personne ne le lui enlèverait, son « grand garçon ». Il serait là jusqu'à son dernier souffle, le meilleur fils du monde.

De toute façon, son manque d'imagination devait lui donner une perception bien mièvre des « amitiés particulières ». Une seule chose importait vraiment pour elle : le silence, la discrétion. Pas seulement pour que personne ne le sache en dehors de ces murs, mais de façon à ce qu'elle-même continue de savoir, sans jamais savoir vraiment.

Il sentit monter en lui une légère nausée. Il se leva de table après des excuses murmurées. Elle lui saisit la main au passage, embrassa les doigts fins et demanda :

— Il n'y a rien, n'est-ce pas ? Tu parais si triste depuis quelques jours.

La question contenait la réponse.

— Il n'y a rien. Ce doit être la chaleur.

— Essaie de voir tes amis, de te changer les idées, de profiter un peu de l'été.

Elle le laissa reprendre sa main. Il hâta le pas vers sa chambre, se sentit un peu mieux après avoir fermé la porte et mis le verrou. Sur la commode, il y avait le borsalino noir. Lafrance et Fitzpatrick l'avaient récupéré dans les toilettes, juste après la bagarre.

Comment cela avait-il pu arriver ?

Renaud Daigle descendit la rue de la Fabrique puis il suivit la rue Saint-Jean jusqu'à la porte. De là, une longue côte permettait d'atteindre la rue de la Couronne, dans la Basse-Ville. Au passage, il apprécia le nouvel édifice du journal *Le Soleil*, dont la taille à elle seule témoignait du soutien du parti au pouvoir, car avec deux autres quotidiens francophones qui lui disputaient le marché de la région, le tirage et le volume des annonces devaient être bien petits. Un peu plus loin, il croisa l'intersection de la rue Desfossés puis, tout de suite après la rue Saint-Joseph, l'artère commerciale. Il décida de remonter celle-ci vers l'est tout en faisant du lèche-vitrines. Il lui faudrait bien s'acheter un peu de mobilier, à moins de trouver un meublé.

Il réussit très bien à perdre son temps. Il était plus de dix heures au moment où il atteignit la gare. Le badaud revint sur ses pas à un rythme plus rapide, poussa jusqu'à la rue Dorchester et descendit celle-ci vers le nord. Un peu machinalement, animé par une curiosité malsaine, il se dirigeait vers le parc Victoria. Chemin faisant, il s'interrogea sur l'étrange fascination que cette affaire exerçait sur lui. Il se trouvait tout à fait normal, c'est-à-dire pas du tout susceptible de violer et de tuer une jeune femme, mais il avait pourtant lu tous les articles sur Blanche Girard avant de regarder les autres informations. Pourquoi céder à cette curiosité ?

Savoir qu'un homme puisse enlever, violer et tuer une jeune fille l'ébranlait, comme cela devait troubler tous ses contemporains. Comment ne pas se demander « Pourrais-je en arriver là ? » Évidemment, on répond toujours « non » à cette question. Celui qui avait tué Blanche avait sans doute déjà conclu la même chose, lui aussi. Il devait maintenant se dire « Comment cela a-t-il bien pu se produire ? » Renaud Daigle secoua la tête en arrivant au parc Victoria. « Foutue ville, se dit-il en souriant. Voilà une journée que je suis ici et je me questionne déjà sur le bien et le mal. »

Il se souvenait d'être venu assez souvent dans ce parc, avant son départ pour l'Europe. Comme tous les adolescents de la Haute-Ville, il avait préféré faire ses mauvais coups dans la Basse-Ville. En réalité, ses frasques demeuraient bien innocentes. Pourtant, si ses professeurs avaient su qu'il venait lire ici Victor Hugo et Émile Zola, en cachette, il aurait risqué d'être mis à la porte du Séminaire de Québec. La rivière Saint-Charles faisait presque une boucle et le parc présentait la forme d'un grand ovale auquel on pouvait avoir accès par une étroite bande de terre, ou deux petits ponts. Plus tard, on percerait cet isthme et assécherait la grande boucle formée par la rivière.

Renaud reconnut tout de suite Alcide Gauthier, le gardien traînait sa patte folle dans le parc depuis 1910. Tout au plus semblait-il un peu plus lent maintenant, mais pas vraiment plus vieux. Sa peau brûlée par le soleil le faisait déjà paraître sans âge quinze ans plus tôt.

— Bonjour, monsieur Gauthier, fit-il en se dirigeant vers le vieillard pour lui serrer la main.

Le gardien avait une poigne que des hommes de trente ans plus jeunes auraient pu lui envier. Il plissa les yeux, examinant soigneusement le nouveau venu. Puis son visage s'illumina d'un sourire.

— Le jeune qui venait lire de gros livres sous les arbres. Daigle, c'est ça ? Tu… vous êtes parti pour l'Angleterre avant la guerre.

Gauthier l'avait tutoyé gamin, mais le « vous » s'imposait avec ce « monsieur ».

— Je viens juste de revenir. De votre côté, vous êtes devenu une célébrité maintenant. J'ai vu les journaux ce matin, on y parle de vous.

— Ah oui ! Pauvre fille, elle avait vingt ans à peine.

— Vous la connaissiez ?

— Pas vraiment, mais elle me saluait tous les jours en revenant du travail. Je la voyais aussi à l'église. Elle faisait partie de la chorale, à Saint-Roch.

Il s'était mis à marcher lentement vers le bosquet, pour suivre le jeune homme. Tous les arbustes avaient été écrasés, et des gens allaient et venaient, cherchant sans doute sur le sol des traces de l'événement.

— C'est arrivé là ? fit-il en montrant l'endroit du doigt.

— C'est là qu'on l'a trouvée, mais ce n'est pas certain qu'elle y a été tuée. On l'aurait découverte plus tôt.

— Selon le journal, la police mettra rapidement la main sur le coupable.

— Oui. J'ai trouvé quelque chose près du corps. Un livret de banque…

Un tintamarre l'interrompit. Un gros homme courtaud, les cheveux roux mêlés de blanc, klaxonnait rageusement tout en se stationnant à l'entrée du parc. Quand Gauthier se retourna pour voir l'énergumène, celui-ci lui fit signe de venir de la main.

— Bon, qu'est-ce qu'il me veut encore, celui-là ? maugréa le vieux gardien en prenant la direction de la rue.

Daigle demeura planté là un moment, puis il reprit sa promenade sous les arbres.

~

Décidément, Gauthier était de plus en plus vieux, constata Daniel Ryan. Il était temps de le remplacer, quitte à lui accorder une petite pension. Le gardien vint le rejoindre en tirant sur sa jambe folle. Quand il fut à sa hauteur, il lui dit sans autre préambule :

— J'ai vu *Le Soleil* ce matin. C'est toi qui as parlé du livret ?

— Oui. Un jeune journaliste est venu me voir hier soir, pour obtenir des informations.

— Il ne faut plus parler de cela. Plus jamais, m'entends-tu ?

Le chef de police n'entendait pas à rire, Gauthier le voyait bien. Comme chaque fois qu'il était en colère, il retrouvait son accent irlandais. Encore un peu et il commencerait à jurer en anglais. Il retrouva son calme avant de demander :

— Tu as regardé à qui ce carnet appartenait ?

Le ton de l'interrogation dictait une seule réponse :

— Non, je l'ai remis au lieutenant, mentit le gardien.

— C'est bien. Nous venons de chez son propriétaire. Nous avons la preuve qu'il n'a pas été mêlé au meurtre, une preuve absolue. Mais comme c'est quelqu'un d'important, si son nom est mêlé à cette affaire, les journalistes vont lui faire beaucoup de tort juste pour vendre leur papier.

Gauthier fit signe qu'il comprenait. Le chef de police était allé lui-même voir le propriétaire du livret, comme il convenait avec ces gens-là. Autant obéir sans poser de question, il ne voulait pas s'en faire un ennemi. Ryan demanda encore :

— Le type à qui tu parlais, c'est un autre journaliste ?

— Non, un curieux, sans plus. Quelqu'un qui arrive de voyage.

— Ne parle à personne du carnet. Encore mieux, ne dit rien du tout de cette affaire, ce sera mieux. Tout finit par se savoir, dans cette ville.

Gauthier comprit tout de suite la menace voilée. S'il ouvrait la bouche, Ryan finirait bien par savoir qu'il avait parlé de la morte à quelqu'un. Il acquiesça d'un mouvement de la tête et reprit sa ronde du parc, les yeux au sol.

Daigle vit le vieux gardien revenir dans le parc tout en évitant de regarder dans sa direction. Bien plus, il semblait soucieux de s'éloigner de lui. Visiblement, leur conversation était terminée. Nul besoin d'être devin pour comprendre que ce petit gros venait d'ordonner à Gauthier de ne plus faire la conversation avec les badauds, ou alors, plus spécifiquement, de ne plus parler de Blanche Girard. Ce devait être un haut gradé de la police : son uniforme comptait plus de dorures que celui d'un général.

Renaud fit comme les autres et entra de nouveau dans le bosquet. Les curieux devant lui semblaient savoir exactement où le corps avait été trouvé. Ils allaient vers une étroite clairière. Nulle trace ne subsistait cependant. Le soleil avait eu tôt fait d'effacer l'empreinte humide du corps sur le sol, et déjà les herbes comme les brindilles s'étaient redressées. Daigle se rappelait que les ronces et les framboisiers rendaient l'accès à cet endroit du parc difficile. Maintenant tout était écrasé. D'ailleurs, sensible aux articles des journaux du matin, le maire avait déjà décidé de tout faire arracher, sauf les arbres, « de façon à ce qu'on puisse voir ce qui se passait là ». Renaud s'assit sur une grosse pierre et regarda l'eau qui coulait doucement, songeur.

Après un moment, il se décida à passer aux choses sérieuses : dénicher son logement. Il adressa un salut du doigt à Gauthier en passant, sans tenter de lui parler, ce dont le vieil homme lui fut reconnaissant. Il acheta un Coca-Cola au kiosque du parc et entreprit de rejoindre le boulevard Langelier. Le promeneur apprécia au passage la belle architecture de l'École technique de Québec. À l'extrémité du boulevard Langelier se trouvait une côte plutôt raide donnant accès à la rue Saint-Jean. Essoufflé, le dos mouillé par l'effort, Daigle gagna ainsi la Haute-Ville. Il emprunta la rue Cartier pour se rendre rue Grande Allée.

Il entreprit alors de visiter quelques appartements. En après-midi il se décida enfin pour le plus dispendieux : un logement de trois pièces comprenant une cuisine dînette où il ne pourrait accueillir plus de trois visiteurs. Il y avait une salle d'eau complète, un luxe rare dans un logis de cette taille. Il se trouvait au huitième étage de l'édifice Morency, la vue sur le fleuve et la rive sud était magnifique. L'édifice venait tout juste d'être terminé et il faisait la fierté des promoteurs. Rien de plus moderne ne se trouvait dans la ville. Renaud allait payer soixante dollars par mois le privilège de vivre là, mais de grands appartements allaient chercher un loyer de plus de cent soixante dollars : une fortune ! Il ne manquait à son domicile qu'un balcon pour prendre l'air. Le locataire en serait quitte pour descendre sur les plaines d'Abraham, situées sous ses fenêtres.

Coûteux, l'endroit offrait tout le confort moderne. Il s'y trouvait une cuisinière et un réfrigérateur électriques – il en voyait pour la première fois ailleurs que dans un grand magasin –, une table de cuisine et des chaises, une causeuse et deux fauteuils, un lit double et une commode assortie. Même le téléphone était déjà installé et en état de marche. Il demanderait à la compagnie Cunard d'apporter tout de suite ses malles, le gardien de l'édifice se chargerait de les recevoir.

Vers seize heures, un bail en poche, Daigle décidait d'aller manger au *Château Frontenac*. Il rentrerait ensuite « chez lui ».

Jean-Jacques Marceau hésitait à se rendre au *Château Frontenac*. En fait, il mettait le pied dehors pour la première fois depuis dimanche. Ce jour-là, Fitzpatrick l'avait déposé chez lui à la sauvette, en fin d'après-midi. Il avait béni le ciel que sa mère se trouvât chez une parente, tellement il était défait. Quoiqu'il eût répandu sa bile sur les planchers de la maison de Château-Richer, le cœur lui montait dans la gorge. Quand elle était revenue en fin de soirée, la femme avait détourné les yeux de son air de déterré. Elle avait patienté jusqu'à mercredi avant de déclarer :

— Si l'alcool te met dans cet état, il faut t'abstenir d'en boire.

Quand le jeune homme entra dans le hall du grand hôtel, il se dirigea immédiatement vers la grande salle de bal. Elle était plutôt achalandée, compte tenu de l'heure. Le *Château* donnait des thés dansants la fin de semaine, vers cinq heures. Cela permettait de réunir une clientèle aux intérêts à la fois diversifiés et complémentaires. Rassemblées autour d'une cinquantaine de petites tables, des dames d'âge mûr papotaient en sirotant du bout des lèvres de minuscules tasses de darjeeling, de ceylan, de keemun, ou plus prosaïquement de Earl Grey. De plus, des jeunes gens venaient danser au son d'un orchestre de quatre musiciens jouant en sourdine. Cela permettait de tenir une personne de l'autre sexe dans ses bras, de parler avec elle, sous les yeux d'une armée de rombières capables de témoigner qu'il ne se passait rien de répréhensible.

Marceau se trouva un moment debout près de l'entrée de la salle, à côté d'un grand type dégingandé qui tenait dans une main un prospectus de l'immeuble Morency et dans l'autre, son canotier. Bien vêtu, son costume témoignait de son aisance, de son élégance et de son non-conformisme. Ce fut du moins les informations que Marceau voulut déduire du choix du tissu, de la coupe et des couleurs. Il se surprit même à lui jeter des regards obliques avant de se rendre compte que l'autre, le regard errant dans la salle, détaillait toutes celles qui, jeunes et belles, portaient une robe de crêpe et présentaient des jambes droites.

Renaud Daigle ne s'aperçut pas de l'intérêt soulevé chez son voisin. Il eut un moment envie de se risquer dans une valse avec l'une des jeunes femmes présentes en ces lieux. Cependant, une partie de la clientèle dans la salle s'exprimait trop fort dans un anglais traînant. Que ces Américains ne reconnussent, comme seul attrait à Québec, que l'alcool y fût en vente libre n'en faisait pas des voisins agréables. Plutôt éviter de se trouver sur la piste de danse parmi des « Jerry » et des « Gladys » s'interpellant à tue-tête. Le curieux ajourna le moment de se dégourdir les jambes et choisit d'aller prendre un apéritif dans le bar aux boiseries sombres, en attendant l'heure du souper.

Marceau le regarda sortir, pour voir entrer Michel Bégin au même moment. Ils convinrent tous les deux de prendre une tasse de thé à une table placée un peu à l'écart des autres. En traversant la piste de danse pour s'y rendre, le jeune homme fit un effort pour marcher d'un pas « masculin ». Il avait cette préoccupation chaque fois qu'il se sentait observé. Il gardait un souvenir pénible du moment où, alors qu'il traversait le hall du Cercle universitaire, un camarade lui avait lancé très fort à travers la pièce : « Tu te tortilles le cul comme un pédé. » À la fin, ses efforts rendaient sa démarche plus affectée encore.

— Comment vas-tu ? demanda Bégin.

Il eut envie d'ajouter : « Tu n'as pas fait de bêtise, au moins ? Tu étais dans un tel état, dimanche dernier ! »

— Pas trop mal.

Il y eut ensuite un long silence gêné. Tous deux, comme leurs camarades, ressassaient une seule question, sans cesse : « Comment avons-nous pu faire cela ? » Ils ne se sentaient pas le courage de la formuler à haute voix. Michel Bégin préféra demander :

— Tu la connaissais ?

— Je la voyais aux répétitions de la chorale de la paroisse Saint-Roch.

— Pourquoi l'as-tu fait monter dans la voiture ?

Il y eut un autre long silence. Ce samedi-là, ils prenaient place dans deux voitures. Marceau se trouvait avec Fitzpatrick et Lafrance, de son côté Bégin se trouvait avec Saint-Amant et Trudel.

— Je pensais que nous pouvions la conduire chez elle. Surtout, cela me donnait l'occasion de me montrer avec une fille.

— C'était si important pour toi ? De donner le change, je veux dire.

Marceau venait presque de faire une confidence. Jamais il n'avait été aussi prêt d'un aveu d'homosexualité. Après avoir violé une jeune fille ensemble, ces deux-là n'étaient-ils pas devenus plus proches que des amis intimes ?

— Tu sais comment les autres me traitent ? Certains se moquent de moi ouvertement, et tous les autres pensent en silence que je suis un vicieux, un pervers. Je voulais tellement être comme les autres.

En le disant, il se surprit du fait d'en parler au passé.

— C'est sans doute pour la même raison que j'ai participé à ça... murmura le garçon, dépité.

Ce n'était pas une conversation, seulement des silences brisés par quelques mots.

— Moi aussi, sans doute, je voulais faire comme les autres, finit par concéder Bégin. Quand j'y pense, je n'arrive pas à y croire.

— Alors imagine combien c'est étrange pour moi !

Il y avait tout le dépit imaginable dans sa voix. Il continua, sur le même ton :

— Tu sais qui a pu faire ça ? Elle était bien vivante quand Fitzpatrick a refermé sur elle la porte du caveau, au moment d'aller dormir.

Il y avait « ça », le viol, dont seul Trudel était innocent, et « ça », le meurtre.

— Tu ne crois pas à l'histoire de Lafrance, sur un étranger de passage…

À son ton, Marceau comprit que Bégin avait terriblement envie d'y croire.

— Non, pas du tout.

Il ne voulait pas s'engager de nouveau dans cette discussion. Il enchaîna :

— Nous aurions dû aller à la police.

— Tu imagines la souffrance pour ta mère, pour mes parents ? Nous aurions dû, bien sûr. D'un autre côté, pense à ces vies ruinées.

Ils se répétaient cela tous les six. Ils cherchaient à justifier ainsi leur banal instinct de préservation. Leur silence permettait moins de sauver leur famille que leurs cous de la corde de chanvre. Bégin avait demandé à le voir pour une raison bien précise. Il arrivait enfin à sa préoccupation première :

— Tu vas te taire, n'est-ce pas ? Jure-moi que tu vas te taire. Jure-le sur la tête de ta famille.

Il y avait une trace de panique dans sa voix.

— Je te le jure sur la tête de ma mère.

Bégin sentit un poids énorme quitter ses épaules. Il fit le même serment. Ils restèrent face à face sans rien dire pendant de longues minutes, puis se quittèrent après des salutations timides. Ni l'un ni l'autre n'avait touché au thé ou aux biscuits.

~

La journée du lieutenant Gagnon prit une tout autre tournure, comparée à celle de ces jeunes bourgeois. Il était resté longtemps derrière son volant, à rager. L'histoire de Trudel pouvait être vraie, mais le chef de police l'avait acceptée trop rapidement à son goût. Celui-ci ne tenait pas à avoir des ennuis avec les autorités, même si cela conduisait à une certaine complaisance à l'égard de quelqu'un qui, à tout le moins, devait être traité comme un suspect sérieux.

S'il insistait, Ryan pouvait lui retirer cette enquête en invoquant ses « égarements », ou plus simplement le congédier. Que devait-il faire, sinon s'intéresser à d'autres suspects ? Avant la découverte du corps et de ce fameux livret, les soupçons de Gagnon étaient allés en direction du beau-père et de ses fils. Le mieux était de pousser dans cette voie, car si Trudel n'avait véritablement rien à voir dans cette histoire, il n'existait pas vraiment d'autres pistes.

Auparavant, mieux valait tout de même faire authentifier le contenu du sac brun. Il se rendit donc rue Langelier pour trouver la femme Girard inconsolable. Oui, le mouchoir marqué EG appartenait bien à son mari. Ce dernier n'était pas là pour confirmer, à cause de son travail, mais de toute façon elle l'avait remis en main propre à Blanche dix jours plus tôt. Celle-ci avait trouvé le moyen de s'enrhumer en plein été. Gagnon quitta les lieux déterminé à revenir en soirée pour voir la tête de ce Girard, afin de savoir si ce dernier avait l'air d'un type capable de violer et de tuer sa nièce.

— Comme si cela se voyait à la tête des gens ! murmura le policier en retournant à son véhicule.

Si cela avait été le cas, pensait-il, il n'y aurait jamais de crime, puisque les coupables potentiels ne feraient aucun des gestes répréhensibles que leur physionomie trahirait aussitôt.

En rentrant au poste de police, il s'arrêta encore pour montrer le drap au commerçant Jean-Baptiste Tremblay. Celui-ci le reconnut comme son bien, mais n'exprima aucun désir de le récupérer : les taches brunes de sang coagulé, comme la faible odeur de pourriture, lui en enlevaient toute envie. La nouvelle vendeuse passa même tout prêt de s'évanouir à la vue de la pièce de tissu. Gagnon laissa au marchand le soin de lui faire retrouver ses couleurs avec un petit verre de gin, et il regagna son bureau.

Le lieutenant ne voulait pas voir encore une fois la mine ravagée par les pleurs de madame Girard. Il se stationna donc en face de son domicile et attendit le retour d'Edmond. Celui-ci n'était pas homme à s'arrêter à la taverne après le boulot. À dix-huit heures dix, il était là. Gagnon le héla, se présenta et lui demanda de monter dans son automobile.

— Vous savez ce qui est arrivé à votre nièce ? demanda-t-il.

— Oui, oui ! Il n'a été question que de cela au travail.

— C'est bien à vous ? demanda le policier, en lui montrant le mouchoir marqué EG.

— Oui. Ma femme le lui avait prêté. Elle vient... elle venait régulièrement à la maison.

Le policier remit le mouchoir dans le sac en papier brun, puis demanda encore :

— Où étiez-vous le 3 juillet dernier ?

— Oh mon Dieu ! C'est le jour où elle est disparue ? Vous ne pensez tout de même pas que c'est moi !

En effet, Gagnon ne le pensait pas vraiment. Edmond Girard était un petit homme chauve, affublé de lunettes métalliques. Il l'imaginait sans difficulté agenouillée aux côtés de sa femme dans le petit oratoire aménagé dans un coin de la chambre conjugale. Il le soupçonnait d'être une véritable grenouille de bénitier, allant à la messe tous les matins de la semaine, avant de se rendre au travail, puis tous les dimanches, sans compter les vêpres, les fêtes disséminées toute l'année, les grandes manifestations comme les quarante heures, les retraites fermées, les pèlerinages à Sainte-Anne-de-Beaupré. Une petite croix dorée pendait à son cou et, plus bas, à cause de la chemise entrouverte, on voyait un scapulaire et trois ou quatre médailles attachées à sa camisole avec une épingle de nourrice : il devait y avoir là un saint Joseph, une Vierge, une sainte Anne, un saint Christophe, la panoplie du dévot.

Le policier ne connaissait pas ce Girard, mais il connaissait ce genre d'homme. Il devait avoir rêvé de se faire prêtre, mais ses parents n'avaient pas pu payer le séminaire. Pusillanime, timoré, la religion devait procurer un sens à sa vie. Si d'autres se tournaient vers la boisson, lui donnait dans la religion : elle lui apportait une certaine contenance dans les moments d'émotion, l'oubli devant les difficultés. Il tétait sa religion comme les enfants sucent leur pouce.

— Oh mon Dieu ! répétait-il.

Après un moment, il continua :

— Mais comment pouvez-vous même penser... Je jure que je n'ai rien à voir là-dedans. J'aimais bien Blanche, jamais je ne lui aurais fait de mal.

— Je dois poser ces questions à tout le monde, le rassura Gagnon. Où étiez-vous samedi le 3 juillet ?

— Au travail, bien sûr. Je suis à l'emploi du Canadien National, aux élévateurs à grain. Tout le monde vous le dira. Après je suis rentré à la maison, comme aujourd'hui, directement. J'ai passé la soirée avec ma femme.

— Et dans les jours suivants, rien de spécial ne s'est produit ?

L'autre fouilla un moment dans ses souvenirs, avant de préciser :

— Non. Le dimanche, les enfants sont venus dîner. Nous sommes allés à l'église. J'ai travaillé tous les jours de la semaine. Et le soir, je suis rentré à la maison.

— Aucune absence, aucune sortie ?

— Non. Sauf mercredi soir, où je suis allé à l'église avec ma femme. Nous y allons tous les mercredis soirs.

« Cela doit être vrai, se dit Gagnon : personne ne s'inventerait une vie aussi ennuyeuse. »

Il allait vérifier, bien sûr. Il fallait toujours le faire. Mais, dans quatre-vingt-dix-neuf pour cent des cas au moins, sa première impression était la bonne. Pour mentir à la police, il fallait l'habitude des grands mensonges : les criminels – les vrais, pas ceux qui font une bêtise sous le coup d'une émotion trop vive et se trouvent ensuite soulagés de tout avouer – comme les politiciens se montraient experts en grands mensonges. Cette pensée fit sourire Gagnon : les Trudel lui étaient rapidement venus à l'esprit.

Il secoua la tête pour chasser ces réflexions inopportunes et continua :

— Vous avez une idée de ce qui est arrivé ? Qui a pu faire ça à votre nièce ?

Ce fut au tour de Girard de se perdre un court instant dans ses réflexions. L'image des Germain vint immédiatement à son esprit. Il en avait discuté avec sa femme dès que la nouvelle de la disparition de sa nièce leur était parvenue. Mais comment aborder un sujet aussi scabreux ?

— Je ne voudrais pas médire de mes semblables, surtout des membres de la famille, commença-t-il.

Son interlocuteur connaissait très bien la différence entre la médisance et la calomnie, songea Gagnon. Il devait pouvoir citer les commandements de Dieu, ceux de l'Église, la liste des péchés capitaux et tous les autres, de même que des chapitres entiers du catéchisme, de mémoire. Même Gagnon, pas du tout religieux, savait la différence. On calomniait quelqu'un quand on l'accusait d'avoir commis une faute dont il était innocent. Médire était tout autre chose : c'était dire une vérité que la discrétion, la charité chrétienne, devait nous inciter à taire. Girard recommença après une pause :

— Je n'aime pas médire des autres, surtout des membres de la famille, même si ce n'est que par alliance, mais les Germain !

Puis il s'arrêta encore, effrayé d'aller plus loin.

— Selon vous, les Germain savent quelque chose ? Le père ? Les fils ?

Comme la réponse ne venait pas, Gagnon ajouta encore :

— C'est votre devoir de citoyen, mais aussi de chrétien, de donner toutes les informations que vous possédez à la police. Pensez à cette pauvre jeune fille, votre nièce.

Ce langage de curé leva quelque peu les hésitations de Girard. Il cherchait ses mots, cela rendait les confidences laborieuses :

— Tous, le père, les fils. Ils... ils traitaient très mal Blanche, tout comme sa sœur Marie-Madeleine, d'ailleurs. Ils...

— Ils la battaient? essaya de compléter le policier.

Il insista après un silence:

— Ils étaient brutaux avec elles?

— Oui, ça aussi. Mais surtout, ils... Vous savez, ce sont des personnes tellement vicieuses. La pudeur, la chasteté, cela les fait rire!

L'homme se tenait recroquevillé sur le siège du passager de la voiture de police. S'il avait pu se mettre à genoux, comme au confessionnal, il se serait senti plus à l'aise.

— Il y avait quelque chose de sexuel, fit Gagnon en baissant la voix sur le dernier mot.

— Oui, c'est ça. C'est ça.

— Qui? insista le policier. Le père? Un des fils? Je dois savoir qui exactement. Cessez de tourner autour du pot.

— Oh! Tous, pour autant que je sache.

Dans quelle mesure cet être veule projetait-il ses propres peurs, ou ses propres envies, dans ces accusations?

— Et comment savez-vous cela? Blanche vous l'a dit?

— Pas à moi, à ma femme. C'est elle qui m'en a touché mot ensuite.

— Blanche a dit à votre femme qu'ils la violaient, tous les quatre?

Girard rougit jusqu'aux oreilles en entendant un mot aussi sale. Même en pensée, il n'utilisait jamais de termes aussi explicites. Il préférait les périphrases. Il s'efforça d'être plus clair:

— Elle ne l'a pas dit comme cela, bien sûr. Mais il lui arrivait de sonner à notre porte tard le soir, en pleurs et essoufflée d'avoir couru depuis Stadacona. Là, elle disait à ma femme qu'ils... qu'ils l'avaient touchée, qu'ils étaient venus dans sa chambre ou qu'ils l'avaient forcée à aller dans la leur. Comme elle s'enfermait avec ma femme, je n'entendais pas tout. Je saisissais quand même ce dont elles parlaient. Ensuite, ma femme me demandait de m'agenouiller avec elle et de prier pour la pauvre petite.

Pour Girard, c'était là un très long discours, sur un sujet très désagréable. Il ne semblait pas enclin à continuer. De toute façon, que pouvait-il ajouter? Deux jeunes filles avaient été accueillies dans une famille de gens grossiers, ignares, avec une solide réputation de violence. N'étaient-elles pas des victimes toutes désignées? Un mélange de honte et de peur les incitait sans doute à se taire toutes les deux, la plupart du temps. Quand elles se plaignaient, du moins quand Blanche se plaignait, c'était à des gens timorés, faibles, incapables d'assurer sa protection. Edmond Girard ne pouvait faire le poids devant les quatre Germain, pas même devant un seul.

Blanche ou même son oncle Edmond n'étaient pas venus à la police. Ces secrets gisaient dans les familles, soigneusement celés, niés si quelqu'un les évoquait, niés même dans le for intérieur de chacun, comme si ces choses n'existaient pas. Même si Blanche s'était présentée au poste pour le rencontrer, pour porter plainte, Gagnon n'aurait pas fait grand-chose. L'intimité familiale avait un caractère sacré. Le père de famille, le *pater familias*, avait un pouvoir presque absolu sur la maisonnée. Si un homme battait sa femme ou ses enfants, dans la maison, sans déranger les voisins, c'était une affaire privée, sans rapport avec l'ordre public, à moins que les effets ne soient absolument dramatiques: décès, blessures graves. Dans ces cas seulement la police faisait quelque chose.

Ces réflexions plongeaient Gagnon dans un long silence. Edmond Girard attendit qu'il sorte de sa rêverie. Une première fois, il tenta un «Monsieur?» timide, à peine articulé. Il voyait sa femme, à la fenêtre de leur appartement, qui les surveillait tous les deux. Il toussa une ou deux fois et risqua encore, plus fort cette fois:

— Monsieur l'officier, est-ce que c'est tout?

Gagnon sursauta, puis bougonna:

— Merci… Merci d'avoir répondu à mes questions. Ne vous éloignez pas de Québec, je peux avoir besoin de vous parler.

Girard, dont la vie entière s'était déroulée dans les rues des quartiers Saint-Roch et Saint-Sauveur, se demanda bien où l'autre imaginait qu'il pouvait aller.

Chapitre 4

Tout sceptique qu'il fût sur les questions religieuses, le dimanche suivant Gagnon se trouvait à l'église Saint-Roch pour la grand-messe. S'il pouvait douter de Dieu impunément, c'était à la condition de ne pas le montrer. Les règles lui étaient familières : aller à l'église tous les dimanches, communier parfois, ne pas rater l'occasion de confesser quelques péchés imaginaires deux ou trois fois par année. Il gardait prudemment secrets ceux vraiment commis, mais il se faisait une liste plausible de fautes pour le confessionnal. Cela ne lui faisait pas de bien, sans lui faire de mal non plus. Ainsi, il présentait l'image du catholique moyen de la province de Québec, bien moins enthousiaste qu'Edmond Girard – moins naïf aussi, aimait-il à penser –, mais tout de même l'un des membres du troupeau.

D'habitude, il se retrouvait à l'église de la paroisse Saint-Jean-Baptiste, aux côtés de sa femme. Les besoins de son enquête l'amenaient cette fois dans l'immense église de la Basse-Ville, érigée en plein quartier ouvrier, mais affectant des allures de cathédrale. L'édifice portait un saint Roch accompagné de son chien, tous deux dorés, bien haut sur la devanture. Le lieutenant suivait l'office plutôt distraitement, souvent tourné à demi pour voir le jubé. La chorale dont Blanche avait fait partie s'y trouvait. Une dizaine d'hommes, le double de femmes, dont les plus jeunes avaient moins de vingt ans et les plus vieilles, la cinquantaine. Ils chantaient les cantiques sous la direction d'un jeune abbé, sans doute l'un des nombreux vicaires de cette grosse paroisse. Dans l'ensemble, cette chorale d'ouvriers et d'ouvrières endimanchés ne s'en tirait pas mal. Moins bien que leur contrepartie de la Haute-Ville, bien sûr : mais sur ce plateau dominant le fleuve, tout était tellement mieux que dans la la Basse-Ville, y compris les chants d'église !

— *Tantum ergo Sacramentum*, entonnait-on.

Gagnon avait un peu oublié les quelques notions de latin d'église que les frères des Écoles chrétiennes lui avaient apprises dans sa jeunesse : pas le vrai latin de Cicéron enseigné au cours classique, bien sûr, seulement les quelques phrases de la messe destinées aux élèves du cours commercial. Il voyait Germaine Caron à l'une des ailes de la chorale : cette belle grande femme devait assurer l'assiduité de quelques-uns des hommes, plutôt que l'amour de la musique.

— *Ite missa est.*

De ça aussi Gagnon se souvenait : enfin, cela se terminait.

Il s'empressa de quitter la nef pour attendre au pied de l'un des escaliers conduisant au jubé. Sans doute les membres de la chorale parlaient-ils musique, car l'église eut le temps de se vider avant que les premiers d'entre eux n'apparaissent. Gagnon harponna le jeune abbé, absorbé par une conversation sur des arpèges avec une vieille dame, pour lui demander de lui désigner John Grace. Le prêtre fut un peu troublé : il devinait avoir affaire à un détective. Il avait eu un mal fou à faire travailler son monde à la répétition de la veille. Blanche était dans toutes les pensées, sur toutes les lèvres. Cette jeune femme timide avait été peu appréciée de son vivant, et ils ne la pleuraient pas à chaudes larmes maintenant. Mais les circonstances de sa mort étaient tellement exceptionnelles, elles mettaient tous les chanteurs, hommes et femmes, dans un état d'agitation excessive.

L'abbé lui désigna un homme à la peau très pâle, jeune encore mais avec un début de calvitie, qui passait la porte. Gagnon le remercia et emboîta le pas au garçon pour le rejoindre au moment où celui-ci atteignait tout juste le perron de l'église, mettant son chapeau pour se protéger du soleil. Ce paroissien cherchait quelqu'un des yeux, et ce n'était pas un policier. Il ne cacha pas sa déception quand Gagnon s'identifia et exigea de lui parler quelques minutes. Germaine Caron sortait justement, devisant avec ses camarades.

— Excusez-moi un instant, fit Grace à voix basse.

Il alla vers Germaine, lui dit quelques mots. Celle-ci acquiesça, salua Gagnon d'un signe de tête, et lui tourna le dos pour continuer sa conversation. Revenu près de lui, Grace murmura :

— Je suis à votre disposition. Où pouvons-nous parler ?

C'était un garçon de vingt-cinq ans environ, de petite taille, timide. Il portait un habit bleu sombre, sans doute acheté dans l'un des grands magasins de la rue Saint-Joseph. Tout en lui clamait le petit commis : sa mise respectable et sérieuse – bleu foncé, par cette chaleur ! –, ses mains blanches et fines, son souci de s'exprimer correctement.

— Le mieux serait de monter dans ma voiture, ce sera plus confortable et plus discret que de rester ici, fit Gagnon.

Comme il marchait vers son véhicule avec le jeune homme, il remarqua que celui-ci boitait un peu. La semelle de sa chaussure gauche avait une épaisseur de trois bons doigts : sa jambe devait être atrophiée, mais il faisait tous les efforts possibles pour en diminuer l'effet sur sa démarche.

Ils prirent place dans le véhicule stationné rue de la Couronne. Gagnon conclut tout de suite que ce n'était pas une bonne idée : avec ce soleil, sous leur feutre sombre, le cou serré par une cravate et portant un veston, la chaleur les accabla tout de suite. Le détective démarra en disant :

— Autant se trouver un coin à l'ombre.

Machinalement, il se dirigea vers les rives plus fraîches de la rivière Saint-Charles. Grace glissa :

— Mon avocat m'a dit que vous ne pouviez pas m'arrêter.

— Vous avez un avocat ? répondit Gagnon, intrigué. Pourquoi donc ?

— C'est-à-dire... Comme vous avez interrogé Germaine, qu'elle vous a parlé de moi, je me suis dit que ce serait rapidement mon tour. J'ai voulu savoir ce qui risquait d'arriver... Je suis allé voir maître Lavigerie. Il est souvent question de lui dans *L'Événement*. Ce journal insiste sur sa compétence.

« Cet énergumène de Lavigerie va faire quelques dollars facilement, se dit Gagnon, s'il pense seulement à les réclamer. »

En ouvrant la portière, il demanda :

— Si vous préférez, je peux vous poser mes questions devant lui. Nous pourrions même aller à son domicile tout de suite.

Les policiers se montraient rarement si accommodants quand il était question de la présence d'un avocat, mais Gagnon s'amusait à l'idée de gâcher le dimanche de l'une des vedettes des prétoires de Québec.

— Non, fit Grace en rougissant. Selon lui cela fait partie du travail habituel du policier d'interroger les connaissances d'une victime d'un meurtre.

— Ah, il connaît bien notre travail, cet avocat ! blagua le policier.

Gagnon immobilisa son véhicule tout près du parc Victoria. Le choix de la destination n'était guère innocent. Il repoussa son chapeau en arrière sur son crâne, desserra un peu sa cravate, enleva son veston pour le jeter négligemment sur son épaule tout en marchant vers la rivière. N'ayant pas d'autre choix, Grace lui emboîta le pas. Le policier s'arrêta sous un arbre, près de la rive. Il faisait presque frais à cet endroit. Il s'appuya sur le tronc, tout en demandant :

— Vous connaissiez Blanche Girard depuis longtemps ?

— Environ deux ans, fit l'autre après avoir dégluti.

Ça se passait ainsi, un interrogatoire. Son trac diminua un peu.

— Depuis qu'elle s'est jointe à la chorale, compléta-t-il.

Il regardait les buissons, pas très loin d'eux, là où avait été trouvé son corps.

— Saint-Roch, c'est pourtant loin de chez elle.

— Selon elle, cela lui donnait une occasion de sortir. Elle estimait que la chorale de sa paroisse ne valait rien. Mais, en fait, la présence de Germaine l'amenait là.

— C'étaient de grandes amies ?

— Oui, je suppose. En tout cas, Blanche se tenait toujours près d'elle lors des répétitions ou à l'église. Elles se voyaient aussi régulièrement ailleurs. Presque chaque jour, elle l'attendait à la fin de son travail pour jaser un peu.

— Vous aussi, vous voyiez Blanche assez souvent, je pense ?

— Non, pas vraiment.

Grace rougissait, se troublait. Boutonné, cravaté, la sueur coulait sur son visage. La nervosité devait y être pour quelque chose, en plus de la canicule.

— Pourtant, vous êtes parfois allé la voir à son travail. Vous lui avez donné des photos. Vous n'étiez pas des amis ?

— Sans doute. Nous sommes tous des amis, à la chorale. Je lui apportais des feuilles de musique ou je venais lui dire quand des répétitions s'ajoutaient à l'horaire habituel. Ses parents n'ont pas le téléphone et moi, je travaille tout près, au magasin PAQUET, à la comptabilité. Alors je rendais service. Et puis comme je suis l'un des rares à la chorale à avoir un appareil Kodak, c'est moi qui prends les photos souvenirs. Je fais toujours finir des copies supplémentaires pour les personnes désireuses d'en avoir.

— Mais rien de plus ? J'avais eu l'impression que c'était votre petite amie.

— Non. Qui vous a dit cela ? Germaine ?

Grace devenait très mal à l'aise.

— Vous avez une petite amie ?

Gagnon s'entêtait. Pourtant, quel intérêt cela pouvait-il avoir dans l'affaire Blanche Girard ? Grace se posait assurément la même question. C'était sa vie privée. Mais, dans une affaire de meurtre, peu de choses demeuraient privées. Il jetait des regards rapides au bosquet. Il finit par déclarer tout d'un coup :

— Non, je n'ai pas de petite amie. Enfin, je voudrais… je suis amoureux de Germaine depuis longtemps, mais elle ne s'intéresse pas à moi.

— Elle a quelqu'un d'autre dans sa vie ?

— Pas que je sache. Seulement, elle vise plus haut, mieux que moi. Je suis un petit commis, infirme…

Grace se trouvait au bord des larmes. Gagnon s'en voulait un peu maintenant. Il essayait de connaître Blanche le mieux possible, en interrogeant ses amis, tout en doutant que ce soit utile. Grace avala la boule d'émotions formée dans sa gorge. Il dit encore :

— Comme elle ne voulait pas de moi, elle m'a présenté Blanche. À l'entendre, elle serait parfaite pour moi, gentille, dévouée, travailleuse. Alors, quand j'essayais de me rapprocher d'elle, elle mettait Blanche entre nous. Quand nous nous promenions tous les trois, Blanche était au milieu. Quand nous voulions nous asseoir sur un banc, elle se mettait rapidement à un bout, désignait à Blanche la place près d'elle et je me retrouvais à côté de Blanche. C'est comme pour les photos, au pique-nique de la chorale : j'ai dit à Germaine « J'aimerais te prendre en photo. » Elle a répondu : « Non, je ne suis pas coiffée. Prends plutôt Blanche. » Pourtant, elle est toujours mieux coiffée que Blanche.

Il se tut, surpris d'en avoir tellement dit. Jamais auparavant il n'avait parlé de ses sentiments pour Germaine, et surtout du mépris qu'il sentait chez elle. Il aurait eu bien trop honte. Tous se seraient moqués de lui. Avec le policier, ce n'était pas la même chose. Cet homme s'occupait d'un meurtre, alors les petites histoires d'amour frustré, cela ne devait pas l'impressionner beaucoup. Il le voyait comme une sorte de médecin : il devait en avoir entendu tellement, ces petites révélations se perdaient sans doute dans les détails de toutes les autres histoires, sûrement plus terribles, qu'on lui avait déjà racontées. Le commis se sentait même plutôt soulagé d'avoir formulé tout cela.

— Et Blanche ? Que pensiez-vous de Blanche ? demanda encore Gagnon tout doucement.

— Elle était laide, ennuyeuse. Comme elle ne savait pas trop de quoi parler, elle pouvait rester là, sans rien dire, des heures durant. Elle me faisait penser à un chien. Vous connaissez les beagles ? Ces chiens aux grandes oreilles, avec des grands yeux tristes ?

Gagnon fit signe que oui, un peu intrigué du changement de sujet. Grace continua :

— Elle était comme un beagle : immobile devant moi, les yeux tristes, attendant une caresse. Je détestais cela.

Ce gars-là n'avait pas pu tuer Blanche, comme il n'aurait pu tuer un beagle. Peut-être le pousser du pied pour l'éloigner, certainement pas le tuer. Sa victime de prédilection aurait été Germaine – après le vol, les amours déçus motivaient de nombreux meurtres –, mais pas Blanche. Pourtant, il demanda encore :

— Que faisiez-vous samedi, le 3 juillet, en fin d'après-midi ?

— J'ai quitté le travail après cinq heures, comme d'habitude, pour aller chez moi. Je ne mène pas une vie très exaltante.

— Vous avez des témoins capables de dire où vous avez passé la soirée ?

— Je ne sais pas. Je vis dans une maison de chambres. Les autres locataires m'ont peut-être vu dans la soirée. Nous échangeons souvent quelques mots. Mais de là à me rappeler après huit jours qu'à telle heure nous avons parlé entre voisins de la température, je ne le puis pas.

— Et le reste de la semaine, rien de particulier ?

— Le dimanche, je vais à la messe, parfois ensuite je vais dîner chez ma mère. C'est ce que j'ai fait la semaine dernière. Je travaille tous les jours de la semaine, je vais manger dans un petit restaurant pas trop cher, puis je rentre. Quand il n'y a aucune activité de la chorale, j'écoute la radio et je lis. Cette semaine, il y a eu une répétition mercredi soir. C'est ce jour-là qu'on a commencé à se demander où Blanche se trouvait, Germaine et moi. Elle n'avait pas donné signe de vie, ni à la chorale ni chez Germaine, depuis samedi.

— Ça ira, fit Gagnon. Je peux vous reconduire quelque part en voiture ?

Grace le regarda un moment, surpris que cela se termine de cette façon. Il fit non de la tête et retourna rapidement vers l'église Saint-Roch. Gagnon resta un bon moment sous son arbre, près de la rivière, profitant de la relative fraîcheur. Puis il se secoua : sa femme allait encore lui dire qu'il avait épousé la police, et qu'elle profitait seulement de sa présence lorsque son travail lui laissait un moment de libre.

Grace retrouva Germaine sur un banc, à deux pas de l'église Saint-Roch. Avoir su que ce serait si long, elle aurait refusé de l'attendre, quand il le lui avait demandé tout à l'heure. D'un autre côté, la curiosité la tenaillait. Elle lui demanda dès qu'elle le vit, assez fort pour être entendue à dix pas :

— Ça s'est passé comment ?

— Bien, je pense, dit Grace en s'asseyant près d'elle, heureux de reposer un peu sa patte folle. Comment savoir exactement ? J'aurais aimé lui donner plus de précisions sur mes occupations. Ils appellent cela un alibi, je crois.

— Des précisions sur quoi ?

— Oh ! « Qu'avez-vous fait le 3 juillet, de telle heure à telle heure ? » fit-il en imitant la voix de Gagnon assez bien. Comme si on prenait en note toutes nos activités, juste au cas où un meurtre viendrait à se produire.

— C'était la même chose pour moi. C'est tout ?

— Il a aussi demandé comment était Blanche, depuis quand je la connaissais, des choses comme cela.

John Grace n'évoquerait jamais avec personne les questions plus personnelles posées par le policier, surtout le long moment où Germaine était devenue le sujet de conversation. Il demanda, plein d'espoir :

— Tu m'accompagnes ? Je vais dîner au *Cartier*.

— Non, je dois aller chez ma mère. Je suis d'ailleurs en retard. Le repas va être froid, et elle va encore me demander un compte rendu détaillé de mes activités depuis la fin de la messe. Elle devrait entrer dans la police.

Elle se leva, un peu mal à l'aise de voir sa mine dépitée. « Il ressemble à un chien, se fit-elle la remarque, l'un de ces beagles aux yeux tristes, qui quête toujours une caresse. » Devant ce laissé-pour-compte, le même animal était spontanément apparu dans son esprit. Prise d'un peu de pitié, elle lui dit :

— Tu devrais faire la même chose. Je veux dire : aller manger chez ta mère.

— En tête-à-tête avec le beau-père ? Je préfère écouter de la musique.

Grace avait quitté la maison peu après le remariage de sa mère avec un représentant de commerce, après un long veuvage. Il avait entendu cet homme dire à l'un de ses parents, en parlant de lui, l'« infirme ». Il n'avait pas eu de réaction sur le moment, mais il s'était trouvé une maison de chambres après avoir fini de payer sa radio, achetée à crédit un peu plus tôt. Le déménagement ne s'était pas fait sans heurts, sa mère lui répétant qu'il allait la « faire mourir de chagrin ». Depuis, elle se portait fort bien, avec son nouveau mari. Grace allait la voir quand celui-ci s'absentait pendant de longues périodes pour placer les chaussures fabriquées par l'entreprise Duchaîne chez les détaillants du Bas-du-Fleuve, du Saguenay ou de la Mauricie.

~

L'officier regardait l'enfer devant lui, des kilomètres et des kilomètres de boue, sans autre relief que les cratères laissés par les obus. Çà et là, il y avait des troncs d'arbre noircis, dressés contre le ciel gris. Il régnait une odeur douceâtre, mélange de merde et d'urine, dans les tranchées. Beaucoup de ses hommes maîtrisaient mal leurs intestins ce matin, les excréments ne se trouvaient pas qu'au sol, mais aussi dans les fonds de pantalon – et de nombreux cadavres pourrissaient sous leurs yeux. Dans cette guerre, seuls les rats prospéraient. Ils engraissaient grâce à cette réserve sans cesse renouvelée de nourriture.

À six heures, une fusée éclairante déchira le ciel. Renaud commença tout de suite à crier à ses hommes :

— *Out! Out!* À l'attaque.

Il entendait leurs grognements. Les jurons sonores émaillaient leurs longues imprécations contre l'état-major. Quelques hommes du peloton sortirent de la tranchée boueuse. Les autres regardaient autour d'eux. Toujours le même jeu : c'était à qui ne sortirait pas le premier, n'offrirait pas la première cible au feu des Allemands. Car ils les attendaient, prêts à décimer la ligne des uniformes kaki.

— Dehors ! Dehors !

Renaud s'énervait, poussait dans le dos des hommes de son peloton sans ménagement, donnant même des coups sur leurs épaules avec la crosse de son revolver. Son devoir était de les faire sortir de la tranchée, de les faire marcher sous le feu, vers les lignes ennemies. S'il ne le faisait pas, tout le monde le dirait indigne de porter des galons d'officier. Après une ou deux minutes, plus de la moitié des hommes étaient sortis. Il frappait dans le dos d'un soldat, criait dans ses oreilles. Celui-ci se retourna et dit seulement :

— Non.

Timmy Jordan, se rappela Renaud.

— Avance, cria-t-il encore.

Il reçut la même réponse. La terreur se lisait sur le visage du soldat de vingt ans. Il pouvait le faire fusiller pour cela. Plus simplement, il pouvait lui mettre une balle entre les deux yeux. C'était à cela que servaient les revolvers des officiers : ils n'auraient pu atteindre les lignes ennemies avec cette arme.

L'officier devait agir, sinon la panique de ce soldat se communiquerait aux autres. Déjà, ceux qui étaient sortis se retournaient vers eux. En dix secondes, ils risquaient de revenir dans la tranchée. Renaud appuya le canon de son arme contre le front de Timmy.

— Avance !

Il ne bougea pas.

Le lieutenant n'eut pas le courage de tirer. Il l'accrocha d'une main par le col de son uniforme et sortit de la tranchée, le tirant derrière lui. À cause de la profonde excitation du moment, il arrivait à le traîner, littéralement. Timmy avait laissé son arme au fond de la profonde coupure dans la terre. Il commença bientôt à marcher comme un enfant récalcitrant remorqué par son père. Tous les retardataires leur emboîtèrent le pas. Ils progressaient vers les lignes ennemies, dans une attaque parfaitement inutile, décidée par quelques officiers d'état-major incompétents, cachés bien loin des lignes, désireux de voir leurs noms dans les annales militaires et dans les journaux.

Renaud sentait la douleur dans sa cuisse : on ne traînait pas dans les hôpitaux militaires. Dès qu'une blessure cicatrisait bien, il fallait revenir au front. Affublé d'un pansement crasseux sur des chairs à vif, on l'avait déclaré « Bon pour le service ». Tout autour de lui, l'officier voyait les hommes tomber, très nombreux. Ils offraient une cible parfaite. Pourtant ils continuaient, une longue ligne de silhouettes hésitantes, fragiles. Çà et là, des commandants hurlaient l'ordre d'avancer, le jeune Canadien parmi eux. Les balles bourdonnaient à ses oreilles.

Bientôt, il entendit le bruit soutenu d'une mitrailleuse. Elle faucha près du tiers de son peloton. Tous les autres se jetèrent au sol. Il entendit Timmy pousser un hurlement. Le lieutenant se retourna pour le voir retenir ses tripes de ses deux mains. Une balle lui avait ouvert le ventre, alors que Renaud, la main toujours accrochée à son col, restait indemne. Dans une espèce de cuvette, le peloton, offert au feu de l'ennemi, dut reculer d'une trentaine de mètres. Les hommes s'aplatirent bientôt dans des trous d'obus. Seuls les morts et les blessés restèrent là, dont Timmy. Il hurlait sans cesse :

— Venez me chercher ! Venez me chercher, les gars ! Je vous en supplie.

Le lieutenant se mit à vociférer lui aussi :

— N'y allez pas, il est à découvert.

Deux hommes sortirent de leur trou, pour être immédiatement terrassés par les tirs en rafales. Tous déchargeaient leurs armes dans la direction de leurs exécuteurs, sans succès. Enfouis dans le sol, abrités derrière des sacs de sable, les servants de la mitrailleuse demeuraient hors d'atteinte. Il se passa deux minutes sans que personne n'essaie de récupérer Timmy. Quand les cris de celui-ci se calmèrent, des lignes ennemies on lui tira dans un genou. Il hurla, une longue plainte, atroce.

— Maman ! Maman ! Venez me chercher !

— Sur la gauche, cria Renaud. Il faut prendre la mitrailleuse à revers, sur la gauche.

Ses hommes le regardaient, interdits. Tout près de Renaud, un autre soldat se leva pour aller vers Timmy. Il n'eut pas le temps de faire trois pas, une rafale de plomb le coupa en deux. Tous les survivants du peloton restaient figés, les yeux sur Timmy. Il était le garçon le plus populaire parmi eux, l'ami de tout le monde, toujours souriant, avec un bon mot pour chacun. Doté d'une voix très juste, il chantait pour eux tous les soirs. Il venait de recevoir une lettre d'une petite domestique. Elle lui annonçait être enceinte. Timmy avait immédiatement répondu qu'il l'épouserait à la prochaine permission. Ce ne serait pas le cas : son enfant serait orphelin et bâtard. Il hurlait, pleurait, suppliait. Renaud s'époumonait de son côté pour faire bouger ses hommes. Ils restaient là, hypnotisés en quelque sorte.

Finalement, il se tourna vers le soldat le plus près de lui pour dire :

— Tue-le.

L'autre tourna de grands yeux vers lui, interloqué.

— Tue Timmy. Il va crever de toute façon, ses tripes traînent dans la boue. Mets un terme à ses souffrances.

Le soldat le regarda un long moment, écœuré. Puis il jeta son arme à ses pieds, se leva, courut vers son camarade en zigzaguant. Une volée de balles le faucha lui aussi.

Renaud ne pouvait atteindre sa cible avec son revolver. Il prit la carabine abandonnée et mit Jordan en joue. Celui-ci ne criait presque plus maintenant, mais il pleurait bruyamment. Des larmes plein les yeux, l'officier pressa la détente. La balle perça le cœur du blessé. Il cessa de sangloter tout d'un coup, dans un hoquet, ouvrit de grands yeux surpris, puis s'affaissa.

— Suivez-moi, hurla Renaud en se levant à demi.

Il se dirigea vers la gauche, plié en deux, indifférent aux balles qui sifflaient autour de lui, jusqu'à ce qu'un repli du terrain le mette à l'abri du tir de la mitrailleuse. Tous ses hommes encore vivants suivaient.

~

Renaud se dressa tout d'un coup dans son lit, haletant, le cœur cognant dans sa poitrine. Il lui fallut deux ou trois minutes pour bien se rappeler que ces événements s'étaient déroulés neuf ans plus tôt. Ce jour-là, il avait conduit le reste de son peloton dans un repli du sol pour prendre la mitrailleuse à revers et la détruire. À la fin de la journée, moins du quart des hommes entraînés hors de la tranchée demeuraient valides. Parmi les pertes, plusieurs étaient blessés, les autres commençaient à régaler les rats. Ce soir-là, il avait passé des heures à écrire des lettres aux parents des victimes. Il avait insisté sur le courage de Timmy dans la lettre envoyée à son père. Quelques semaines plus tard, le lieutenant Daigle recevait une médaille pour son courage sous le feu ennemi. Depuis, Jordan hantait ses rêves au moins une fois par semaine. Il avait espéré laisser ses fantômes derrière lui en quittant l'Angleterre. Ils l'avaient suivi.

Le lendemain était un dimanche : ce jour passait en général deux fois plus lentement que les autres. Quoique Renaud comprît ses compatriotes d'aller à la messe, même aux vêpres, pour tromper leur ennui, il espérait ne jamais devoir se résoudre à cet expédient. Aussi les heures s'écoulèrent à classer ses livres sur les étagères – cela aurait pu se faire plus rapidement, mais l'homme les ouvrait sans cesse pour lire des passages plus ou moins longs –, à ranger ses innombrables photos dans de grandes chemises brunes. Il avait de nombreux bibelots : petites statuettes de l'Antiquité, peut-être fausses, trouvées dans des bazars, reproductions de pièces célèbres réalisées avec un soin appliqué par les grands musées européens. Certains objets étaient moins rassurants. Il possédait toujours son arme de service d'officier de l'armée britannique, un .38, et un Luger Parabellum allemand pris sur un cadavre, après une bataille dont il avait été tout surpris de sortir vivant. Il les rangea soigneusement dans la garde-robe de sa chambre à coucher.

À quatre heures de l'après-midi, il se trouvait bien installé. Son seul regret serait de dormir encore ce soir-là sur son matelas, son imperméable en guise de couverture, car les draps manquaient toujours. Ce dimanche, il inaugura un rituel qui ferait de lui un familier de tous les petits restaurants de Québec : il alla souper dehors, un livre sous le bras. C'était une habitude propre aux vieux garçons. L'homme avait du mal à prendre ce dernier repas de la journée seul dans son appartement.

Le lendemain, il put régler les derniers détails de son installation. Il lui fallait compléter sa literie bien sûr, mais aussi trouver une radio d'excellente qualité, un phonographe et une série appréciable de disques 78 tours. Avec cela, les longues soirées d'hiver ne seraient pas trop monotones. Cette pensée le réconciliait un peu avec son retour à Québec.

~

Gagnon se résolut à rendre visite au père le lundi matin. La Ford noire du policier s'attarda dans les rues de Stadacona.

L'endroit ressemblait plus à un village qu'à un quartier ouvrier, même si le tramway se rendait jusque-là. Les lieux paraissaient déserts sous le soleil. Après être resté un moment dans le véhicule immobile, le policier descendit en soupirant. Affronter ce paroissien-là représentait une rude besogne.

Il ne se trompait pas. Le « Qui est là ? » sonore du bonhomme n'avait rien d'invitant. Germain entrouvrit la porte juste un peu, jura un bon coup, fit mine de la refermer. Gagnon avait eu la précaution de glisser son pied dans l'entrebâillement.

— Nous avons à parler, dit-il. Cela peut se passer ici, ou au poste de police.

Germain continua de grommeler des jurons, des paroles pas très amènes sur les enfants de chienne qui venaient le déranger dans un moment pareil, mais il ouvrit la porte. Le vieux fit signe à sa femme de disparaître : elle obtempéra sans protester. Il s'assit sur une chaise berçante, dans un coin de la cuisine, et attendit.

Gagnon tira l'une des chaises branlantes rangées autour de la table, sortit son carnet de la poche de son veston de même qu'un court crayon, et s'assit bien en face du charpentier. Tous les deux avaient les yeux verrouillés dans ceux de l'autre, comme des enfants qui se défient, pour forcer l'autre à détourner le regard le premier. Le policier prit bien son temps avant de demander :

— Que faisiez-vous samedi soir, le 3 juillet, après 17 heures ?

— Rien, fit l'autre après un moment de silence.

— J'ai tout mon temps, vous savez, dit Gagnon. Si vous ne répondez pas à mes questions aujourd'hui, on vous préparera un lit au poste de police. Je mettrai les efforts nécessaires. On aura peut-être fini à Noël, avec un peu de chance.

Germain marmonna un « Va chier », juste assez bas pour que le policier devine, plutôt qu'il n'entende. Pourtant la réponse vint tout de suite à la question suivante.

— Où étiez-vous ?

— Ici, dans la maison.

— Quelqu'un peut confirmer que c'est vrai ?

— Ma femme.

Gagnon posa exactement les mêmes questions sur la journée du 4 juillet, la divisant en trois sections :

— Que faisiez-vous dans la matinée ? Où étiez-vous ? Qui peut confirmer cela ?

Il recommença pour l'après-midi, pour la soirée. Il reçut exactement les mêmes réponses, accompagnées des mêmes murmures scatologiques. Il prenait son temps, comme s'il lisait les questions une à une dans son carnet, et faisait mine de prendre les réponses en note, afin d'avoir le mot à mot de celles-ci. L'autre fulminait. Il recommença le même manège pour le lundi. Il en était à l'après-midi quand Germain perdit tout à fait patience :

— Christ d'imbécile ! Je ne travaille plus. Tous les jours, je suis ici à me tourner les pouces. Tous les jours, ma femme est ici, matin, midi et soir, dimanche, lundi, mardi. Toute la christ de semaine.

Le policier eut un petit sourire, comme envers un enfant boudeur qui se décide enfin à répondre à ses interrogations.

— Vous ne sortez jamais, vous n'allez nulle part ? insista-t-il.

— À la messe, le dimanche. Pas tous les dimanches, répondit le vieil homme.

— Mais il n'y a personne d'autre que votre femme pour confirmer cela ?

— Nous vivons dans la même maison, elle et moi. Il y avait bien Blanche, mais elle ne confirmera plus rien, maintenant. Les gars viennent parfois nous rendre visite.

Gagnon saisit l'occasion pour se renseigner sur les habitudes des rejetons :

— Le dimanche ?

— Pas nécessairement. Ils ne travaillent pas à des heures régulières, ni à des jours fixes.

— Qu'est-ce qu'ils font, comme travail ?

— Va leur demander.

— Justement, quelle est leur adresse ?

Le vieux retrouva son air furibond. Répondrait-il cette fois ? Gagnon tenait son crayon en l'air, au-dessus du carnet, souriant. Il aurait pu être un commis en train de prendre une commande d'épicerie. Le vieux donna bientôt une adresse, une petite impasse dans le quartier Saint-Sauveur.

— Ils vivent tous ensemble ? demanda Gagnon.

— Ouais, c'est ça.

— Vous pouvez me rappeler leurs prénoms ?

Bien sûr, Gagnon les connaissait, et le vieux le savait. Mais il voulait l'entendre les nommer. C'était une petite victoire sur l'entêtement, la résistance de son témoin.

— Joseph, Hector et Ovide, finit-il par murmurer.

— Blanche avait une sœur. Vous l'avez adoptée aussi. Où habite-t-elle ?

Le père Germain donna une autre adresse, cette fois dans le quartier Saint-Roch, et alla même jusqu'à ajouter :

— Qu'est-ce que vous leur voulez ? Leur poser les mêmes questions stupides ?

— Oui, c'est exactement cela. Je reçois un salaire de la Ville pour venir poser des questions stupides aux gens dont une parente a été stupidement massacrée. Cela permet d'apprendre beaucoup de choses, pas très belles, parfois. Vraiment, vous êtes resté ici seul avec votre femme, tous les jours de la semaine dernière ? De samedi jusqu'à la découverte du corps ?

— On est allés à l'église dimanche. La femme y tenait. Pour le reste, vous le savez bien : nous avons commencé à chercher la fille mercredi. On a parlé à toutes ses connaissances. On vous a rencontré jeudi.

« La fille » ? Il ne l'appelait pas « ma fille », ou Blanche. « Bon, se dit encore Gagnon, au pire, je vais recevoir un mauvais coup. Allons-y. » Il enchaîna en se penchant vers le vieil homme :

— En posant toutes mes questions à gauche et à droite, j'ai entendu de drôles de choses sur vous, sur vos fils. Il semble, monsieur Germain, que vous avez violé votre fille…

Malgré son âge respectable, Germain sauta sur ses pieds comme un ressort qui se détend. Il serrait les poings, les jointures blanchies sous l'effort. « S'il se donne un coup de poing sur la gueule ici, ce matin, je vais le recevoir », songea encore Gagnon. Le bonhomme tremblait de fureur. Il marmonna entre ses dents :

— Le christ d'Edmond. La queue entre les jambes toute l'année, mais il parle dans le dos des autres. Si jamais je lui mets la main dessus…

Il s'arrêta juste à temps. Gagnon crut tout de même utile d'affirmer :

— Si quelqu'un porte la main sur n'importe laquelle des personnes interrogées dans cette enquête, cher monsieur, vous serez en prison si vite que vous n'aurez pas le temps de cligner de l'œil. Et je vais m'assurer que, là-bas, quelqu'un s'occupe de vous. Il arrive de ces accidents bêtes, dans les cellules. Vous seriez surpris des résultats.

Il se tenait à quelques pouces de Germain, les yeux rivés dans les siens. Il ne doutait pas de la brutalité de ce type. Cette menace aiderait à conserver ses témoins en bonne santé, et dans de bonnes dispositions.

— Dehors ! hurlait maintenant le vieux, un filet de bave coulant sur son menton. Sors de ma maison, sale cochon !

Il pouvait bien hurler, baver, trembler de rage, le message pénétrait dans son cerveau de brute. Gagnon lui tourna le dos, se dirigea vers la porte. Avant de sortir, il se retourna pour dire encore :

— On se reverra, cher monsieur Germain. On se reverra. Profitez bien de votre lit. Les paillasses sont humides en prison. Très mauvaises pour les vieux affligés de rhumatismes.

Il était encore sur le perron quand il entendit le vieux briser la chaise sur laquelle il se trouvait quelques secondes plus tôt en la frappant sur la table. Il entendit la voix plaintive de sa femme, en pleurs, s'écrier :

— Arrête, arrête ! Tu vas tout casser.

Il ressentit de la peine pour elle. Elle avait dû écouter la conversation derrière une porte. Le policier, un peu déçu de la tournure de la rencontre, se consola bientôt en se disant à mi-voix :

— Tu ne t'attendais tout de même pas à le voir se jeter à tes pieds, en larmes, pour te faire une confession.

Non, ce gars-là ne devait pas être du genre à se confesser. Il l'aurait pris sur le fait en train de violer sa fille que le vieux aurait tout nié.

Cette référence au sacrement de pénitence lui fit penser au curé. Qui connaissait mieux tous les habitants de Stadacona que le bon curé François Melançon ? En effet, si par hasard l'un de ses paroissiens ne lui confiait pas tous ses péchés, les chances étaient bonnes que celui ou celle avec qui il les avait commis se livre sans retenue. Le père Germain ne devait pas aller battre sa coulpe au confessionnal très souvent, mais Blanche était une habituée du presbytère.

Il monta dans son auto – il avait trop peur de trouver tous les pneus crevés s'il la laissait là – et se mit à la recherche du presbytère. Ce ne fut pas difficile : la belle demeure se dressait à côté de l'église, et le clocher se voyait de tout le village. C'était une grande résidence blanche, une de ces maisons canadiennes capables d'offrir le gîte à une famille de dix-huit enfants. Pourtant, l'abbé Melançon vivait là seul avec sa vieille mère, qui lui servait de « ménagère ». Gagnon eut à peine le temps de donner son identité qu'elle tourna les talons en disant :

— Je vais chercher monsieur le curé.

Ce n'était même pas une formule réservée aux visiteurs : seule à seul, elle appelait son fils « monsieur le curé », et elle frétillait de plaisir quand, dans le village, on l'appelait

« madame Curé ». Elle avait à cet égard une coquetterie de jeune épouse.

— La police est là pour te parler, l'entendit-il annoncer dans une autre pièce.

Elle devait être sourde pour parler si fort. Il l'entendit dire encore :

— Je n'ai pas bien compris son nom.

Un instant plus tard, le curé apparut à son tour dans l'embrasure de la porte. Il avait l'air... d'un curé ! Dans la jeune cinquantaine, onctueux, il frottait ses mains l'une contre l'autre, comme s'il avait froid en pleine canicule. Cet ensoutané avait le sourire satisfait de quelqu'un en totale harmonie avec Dieu et les saints : une sorte d'image d'extase béate longuement cultivée. Comme ses ambitions de séminariste, devenir évêque et tout le tralala, ne s'étaient pas concrétisées, il s'appliquait à devenir le parfait curé de village.

Melançon lui fit répéter son nom et lui demanda de le suivre dans son bureau. Quand tous les deux furent assis de part et d'autre d'un lourd bureau en chêne, que le curé eut loué Dieu pour ce magnifique mois de juillet, son visage, non, toute sa personne incarna l'ange de la commisération – en admettant qu'il y ait au ciel un ange de cette sorte, Gagnon n'en était pas sûr. Il laissa tomber :

— C'est un drame tellement affreux. Mon cœur saigne rien que d'y penser.

Il avait posé les mains sur le devant de sa soutane, comme s'il devinait le scepticisme de Gagnon et voulait vraiment lui montrer le muscle sanguinolent. Mais non, il recommença à se frotter les mains l'instant d'après. Le policier acquiesça et demanda :

— Parlez-moi de Blanche. Vous la connaissiez très bien je crois.

— Ah ! Mon enfant, c'est mon travail de connaître tout le troupeau que Dieu m'a confié. Mais c'est vrai que je connaissais Blanche particulièrement bien. Que voulez-vous savoir ?

— On m'a parlé d'elle comme d'une personne très pieuse.

— Monsieur Gagnon ! Une piété sans égale, parfaite, insista l'ecclésiastique. Le croirez-vous, elle venait à l'église tous les jours. Elle arrivait tard de son travail, vers les sept heures du soir, mais elle réussissait à se rendre quand même à l'église avant de se mettre au lit, quelle que soit la saison, par tous les temps. Pour elle, l'église représentait vraiment la maison du Père.

« Surtout, se dit Gagnon, dans la maison du Père elle mettait ses fesses à l'abri du bonhomme Germain et de ses fils. » Avant d'obtenir le moindre renseignement utile, il en serait quitte pour entendre toutes les bondieuseries mielleuses que l'Église catholique du Québec distillait depuis les vingt dernières années. Il se cala dans sa chaise et écouta.

— Oui, une jeune femme tellement pieuse. C'est un grand malheur pour la paroisse, elle était un exemple. Une sainte, je dirais, si j'osais… Enfin, de là-haut, elle pourra guider les jeunes paroissiennes moins sages qu'elle…

Il y eut une pause recueillie, puis Melançon reprit :

— Vous savez sûrement qu'elle voulait se faire religieuse ?

« Oui, songea le policier, je le sais depuis jeudi dernier parce que vous avez tenu le même sermon à tous les journalistes de la ville. » À haute voix, il indiqua plutôt :

— Je sais. C'était, heu… sans doute un peu naïf de sa part. Les congrégations religieuses ne font pas de place aux jeunes filles sans instruction.

Il ajouta en vitesse en voyant la mine du curé se renfrogner :

— Elles doivent donner la préférence aux plus instruites, pour qu'elles puissent enseigner, soigner les malades. Leur sacerdoce est si exigeant.

— Apostolat. On dit plutôt apostolat dans le cas du travail des congrégations de femmes. Dieu a réservé le sacerdoce aux hommes. Mais vous avez raison : notre amie Blanche caressait là un bien beau et bien grand rêve, sans doute inaccessible pour elle. Quoique, pensez au frère André, l'humble portier à peu près analphabète à qui Dieu a fait une si belle place dans son Église. Elle aurait pu devenir sœur converse.

« Bon, pensa Gagnon, me voilà encore englué dans son sermon. Il doit répéter pour dimanche prochain. S'il me dit que Blanche était une guérisseuse, je me lève et je pars. » Comment allait-il présenter son affaire à ce grand bavard ? Il ne pouvait pas amener la question de l'inceste de la même manière qu'avec le père Germain. Il fallait y mettre la manière. Il se mit en tête d'essayer de donner aussi dans l'obséquiosité :

— Vous savez, mon métier fait en sorte que je suis exposé aux côtés les plus sombres de l'âme humaine. On m'a dit que dans sa famille…

Gagnon s'empêtrait. Comment allait-il terminer ? Il se risqua :

— Elle semble avoir été placée dans des circonstances où sa vertu… Vous me comprenez, monsieur le curé. Je ne sais comment dire… Sa vertu…

Il laissa la phrase en suspens. Dommage, il ne pouvait se commander à lui-même de rougir.

Pendant un moment, le curé n'ouvrit pas la bouche. Gagnon le regarda par en dessous, pour voir s'il ne l'avait pas choqué. Melançon brûlait plutôt de continuer, mais il cherchait aussi ses mots, la meilleure façon de dire les choses, de frapper ses ouailles, dimanche prochain, en parlant de sexualité à mots couverts du haut de la chaire. Son visage s'éclaira : il avait trouvé !

— Mon fils !

L'ecclésiastique avait presque échappé « Mes très chères sœurs, mes très chers frères » et s'était retenu juste à temps.

— Mon fils, répéta-t-il, la mort de Blanche témoigne éloquemment que sa vertu était intacte. S'il en avait été autrement, elle aurait fait ce que l'on attendait d'elle, et aujourd'hui elle serait vivante.

Cette formule allait faire sa renommée. Dans toutes les retraites fermées où il serait en présence de jeunes femmes, il la reprendrait. Il présenterait Blanche comme une sainte, la proposerait comme un modèle à toutes les jeunes filles.

— Personne n'a mis en doute devant moi le fait que cette jeune fille désirait de toutes ses forces rester chaste et pure, murmura le policier. Toutefois d'après certains témoignages formulés, dans la maison où elle habitait, puisque sa force physique était moins grande que sa force morale, elle a pu être obligée…

Encore une fois, il s'arrêta avant de dire l'indicible. De nouveau le curé chercha un moment les mots justes : les vierges martyres étaient une denrée rare, il n'allait pas laisser des commérages la lui faire perdre. Il put bientôt continuer :

— Vous savez, je suis tenu au secret de la confession. Aussi, entendons-nous bien : j'ai parlé de multiples fois à Blanche en dehors du sacrement du pardon. J'ai parlé aussi plusieurs fois à ceux auxquels vous faites allusion, en dehors du tribunal de la confession. Sans trahir, donc, le secret auquel je suis tenu, je peux vous affirmer que Blanche a bien été l'objet des tentatives vicieuses de ses tourmenteurs. Je ne les nommerai pas, mais nous les connaissons tous les deux. Ils ont fait de sa vie sur Terre un véritable enfer. En conséquence, je n'en doute pas, Blanche a déjà été accueillie auprès de Dieu. Sa force de caractère était telle qu'elle a pu conserver sa vertu. Une sainte, vraiment.

Traduit en clair, débarrassé de tout ce fatras, cela voulait dire : ils ont bien essayé, ces Germain, de la violer. Ils lui ont sans doute tout fait subir, sauf mettre leur sexe dans son vagin. Ils étaient peut-être allés jusqu'au bout, le curé n'allait jamais en convenir. Mais ce prêtre savait, il avait toujours su. Il avait sans doute reçu – en confession, et sans doute aussi dans des conversations à bâtons rompus, quand elle venait se réfugier à l'église ou au presbytère – le récit au jour le jour de leurs tentatives et de sa résistance. À mots couverts, bien sûr, comme l'exigeait la pudeur.

Le détective ne pouvait faire autrement que de penser à un fait divers récent: une petite fille, Aurore Gagnon, à Sainte-Philomène-de-Fortierville, était morte des suites des sévices infligés par sa belle-mère, sans que les voisins ou le curé n'interviennent. Là aussi, tout le monde savait.

— N'avez-vous pas pensé avertir quelqu'un de la police? Vos informations auraient pu servir de base à une mise en accusation. Vous auriez pu la sauver, avec notre aide.

Le sourire disparut de la figure ronde du curé. Son onctuosité disparut, ses mains se posèrent, crispées, sur les bras de son fauteuil. L'ecclésiastique avait perçu là un blâme. Aucun laïc ne pouvait faire des reproches à un prêtre! Gagnon devina, plus qu'il ne les entendit, les explications, l'effort de justification. Pas des excuses, un prêtre n'avait pas à s'excuser. Il parlait en phrases courtes, entrecoupées de silences:

— Le secret de la confession si impératif... Elle ne voulait pas voir exposer sa souffrance et sa honte... Le scandale... Le tort fait à l'institution familiale...

Le lieutenant donnait un sens à tout cela, interprétait. En clair, le curé, même si c'était bien triste pour Blanche, désirait préserver l'image que l'on cultivait de la famille québécoise. Le respect dû au rôle et à l'image du père auraient trop souffert de la publicité inévitable accompagnant une mise en accusation. Et puis, de plus, et peut-être surtout, on ne devait pas parler de ces choses-là.

Melançon n'avait plus rien d'accueillant quand il fixa longuement son regard sur l'horloge de son bureau. Gagnon se leva, le remercia sans aucune chaleur dans la voix et partit. Il sentit en regagnant l'entrée l'odeur du bon repas que servait déjà madame Curé.

Renaud Daigle s'installait confortablement. Une fois réglée la question de son intérieur, il entendait se donner quelque mobilité. Il commença dès le matin à se chercher un véhicule automobile. Il n'y connaissait pas grand-chose, et les vendeurs faisaient exprès pour qu'il comprenne encore moins.

— Quelle race de gens détestables, ces marchands de moteurs, pestait-il encore des heures plus tard.

Il voulait juste un véhicule assez joli – la Ford T, par exemple, faisait un peu trop spartiate à son goût – capable de le transporter avec une certaine fiabilité. Il avait trop vu en Europe de ces belles mécaniques en panne au moins une journée sur deux. Eux lui parlaient de carburateur ou d'autres organes mystérieux qui ne lui disaient rien, ne mentionnaient jamais clairement le prix, comme s'il s'agissait d'un secret d'État, essayaient de donner l'impression d'être là pour tout autre chose que leur commission.

Vers la fin de la journée, de toutes les explications savantes qu'on lui avait assénées, Renaud avait retenu une chose : il voulait une voiture avec un démarreur électrique, pour ne pas avoir à se battre avec la manivelle. Cet équipement serait tout de même là pour qu'il puisse actionner le moteur si la batterie était à plat, une éventualité improbable, lui avait affirmé le vendeur. Quand il lui avait dit que si cela n'arrivait pas, le manufacturier ne se donnerait pas la peine d'équiper l'auto d'une manivelle, le marchand l'avait regardé d'un drôle d'air. Le sens commun échappait tout à fait à ces gens-là.

N'ayant pas de meilleur argument pour appuyer sa décision, Daigle téléphona au commerçant le moins détestable et lui demanda à quel montant devait être fait le chèque visé de la banque. Bientôt, il sortit d'un garage avec une belle Chevrolet rouge de la série K Superior, rien de moins ! Comme il voulait le véhicule tout de suite, on lui avait donné l'un de ceux de la salle de montre. Il s'agissait d'un petit cabriolet doté de deux places. Cela ne convenait pas au climat du Québec : mais quelles souffrances n'était-on pas prêt à endurer pour parader en plein soleil trois mois par année, quitte à geler le reste du temps. Puis le véhicule ne comptait pas tout à fait deux places : quand on laissait ouvert le coffre arrière, on trouvait là un *rumble seat*. L'utiliser exigeait de réduire les bagages au minimum.

Renaud parcourut la Grande Allée en pétaradant. Il s'arrêta devant l'édifice Morency, coupa le moteur. Comme il était fier ! Il ne venait pas de se procurer un simple véhicule, il se donnait un moyen d'afficher sa prospérité. Pas plus d'un ménage sur dix arrivait à se payer une voiture dans le Québec de 1925. Le jeune homme clamait aussi sa modernité en domptant une technologie avancée. Puis il y avait la griserie liée à la liberté : il pourrait aller où il voulait, sans être limité par la force de ses jambes ou par l'horaire des transports en commun. Il pourrait y aller seul ou emmener une personne choisie !

Renaud se grisait de tout cela. Il ne put se résoudre à descendre tout de suite. Il remit en marche – ah ! la magie du démarreur électrique – et erra dans les rues de Québec.

~

Mis en appétit par l'odeur du repas de madame Curé, Gagnon alla manger. Ensuite, il chercha dans le village quelqu'un capable de lui parler de façon à la fois intelligente et terre à terre des Germain. Cela existait sûrement : l'encens n'embrumait certes pas la tête de tous les habitants de Stadacona. Il trouva, à l'atelier du forgeron.

L'artisan se trouvait seul dans sa boutique. Le policier se présenta donc au gros homme occupé devant son feu de charbon. Dans la soixantaine avancée, la peau noircie par la fumée et la poussière, la sueur traçait des ruisseaux sur son visage et ses bras nus. Bien que vieux, les années passées à manier des masses de fer lui permettaient d'afficher encore une grande force. Il le reçut en s'essuyant les mains sur son tablier de cuir tout en disant :

— Pauvre petite, c'est une pitié.

Gagnon n'avait pas à faire connaître la raison de sa visite : tout le monde ne parlait que de cette affaire, et sa présence dans le village devait être commentée dans toutes les demeures. Il demanda pour la énième fois depuis la découverte du cadavre :

— Vous la connaissiez ?

— Pas plus que n'importe qui dans le village. Tout le monde se connaît ici.

— Comment était-elle ?

— Silencieuse comme une souris, timide aussi. Tellement que certains la trouvaient un peu sotte. Elle restait toujours dans un coin, sans rien dire. Selon moi, cela tenait beaucoup plus à la frayeur qu'à la sottise.

La description paraissait plus sensée que celle offerte par le curé.

— Effrayée ? De quoi pouvait-elle bien avoir peur ?

— Comme elle a fini par se faire tuer, elle avait de très bonnes raisons d'avoir peur, ne croyez-vous pas ?

Le forgeron avait retiré les fers qui rougissaient dans les braises, pour ne pas gâcher son travail. Le policier comprit que cet interlocuteur avait envie de parler, de lui raconter ce que tout le monde répétait dans le quartier.

— Alors, de quoi avait-elle peur ? demanda-t-il encore.

— Vous devez connaître sa famille ? fit l'autre d'un air entendu. Ils étaient toujours après elle. Les voisins les entendaient rire et crier, elle, ils l'entendaient crier et pleurer.

— Qui ça, ils ?

— Le vieux d'abord, au début, puis les jeunes. Ils sont comme lui était à leur âge : des salauds. Ça, il leur a bien transmis les traditions de la famille.

Un rire mauvais souligna ce constat.

— Et les voisins savaient ?

— Les maisons sont proches les unes des autres, dans le village, et ils n'étaient pas particulièrement silencieux. Quand le vieux faisait maison nette, sa femme se promenait dans le village des nuits complètes, avec les enfants, en attendant qu'il dégrise. L'hiver, il lui fallait même cogner aux portes pour trouver un endroit où se réchauffer. Elle a passé deux ou trois nuits ici. Je mettais un peu de charbon dans le foyer, pour les tenir au chaud jusqu'au matin.

Faire maison nette : une expression connue dans toute la province. De temps en temps, dans un délire éthylique, ou alors en proie à une colère gratuite, un homme jetait brutalement dehors femme et enfants. Ou encore, l'épouse fuyait d'elle-même pour sauver sa peau et celle des enfants, avant d'y être invitée. L'homme, le maître, nettoyait sa maison des indésirables. Seul à détenir l'autorité, seul propriétaire de la maison et des biens, il pouvait jeter ses proches à la rue et les réduire à la plus extrême misère, s'ils ne faisaient pas ses quatre volontés.

— Et les garçons dans tout cela ? demanda le policier.

— Jeunes, ils erraient dans les rues du village avec leur mère. Plus vieux, vers quinze ou seize ans, ils étaient assez forts pour donner une raclée au bonhomme, quand celui-ci s'excitait trop.

Le forgeron s'était mis à rire : il voyait là, sans doute, l'effet d'une certaine justice. Il continua :

— Cela a été plus calme dans la maison, pendant un certain temps. Puis les gars ont grandi. Ils se sont mis à boire eux aussi. Ils ont commencé à faire maison nette à leur tour. Il est arrivé au bonhomme de se retrouver dans la rue avec sa femme, deux ou trois fois au moins.

Le forgeron s'esclaffa.

— Personne ne faisait rien ?

Le forgeron le toisa, se demandant s'il venait d'un autre pays. Comme s'il ne savait pas comment les choses se passaient. Il lui expliqua, un peu impatient :

— Ce sont des histoires de famille. Cela se règle en famille. Un conseil de famille doit s'occuper de ces affaires-là. Pas les voisins.

« Bien sûr, se dit Gagnon. Chaque tribu doit régler ses affaires privément. On se réunit, oncles, tantes, neveux, nièces, surtout frères et sœurs, et on essaie de régler la difficulté. On commence par des avertissements bien sentis. À la limite, on peut le faire interner dans un asile si le trouble-fête est un adulte, à l'école de réforme ou même dans un orphelinat s'il s'agit d'un adolescent turbulent. »

Gagnon savait aussi que, dans la plupart des cas, les familles arrivaient à gérer ces difficultés, écartant, neutralisant d'une quelconque façon les éléments perturbateurs. Mais certains ménages n'y arrivaient pas. Dans les municipalités, des services étaient en train de naître, dont les employées, les travailleuses sociales – on ne trouvait pas beaucoup d'hommes là-dedans –, s'efforçaient de policer les comportements, de faire disparaître les abus trop visibles. Personne n'était venu discipliner les Germain.

— Pour ses filles ? Personne n'est intervenu pour aider les filles ? demanda Gagnon.

Le forgeron montrait sa surprise de devoir expliquer ces évidences au policier. Il répéta :

— Ce sont des affaires privées.

Il ajouta, après un moment :

— Bien sûr, je ne les ai jamais laissés approcher de mes filles, ou des amies de mes filles.

Depuis un moment, le forgeron jouait avec une grosse masse en fer. Il la lançait en l'air, la faisait tournoyer, puis la rattrapait par le manche. Ce jeu mettait en évidence un réseau impressionnant de muscles sur ses vieux bras. Ses filles à lui avaient dû se promener en toute sécurité dans le village.

Blanche n'avait personne parmi ses proches capable de voir à sa sécurité. Aussi se trouvait-elle la victime toute désignée. Elle le savait, elle se faisait discrète, silencieuse. C'était sans doute à Dieu, à la Vierge qu'elle demandait protection. Cela s'était montré bien moins efficace que les gros bras d'un forgeron. Gagnon lui demanda encore :

— Les fils Germain, que font-ils dans la vie ?

Le forgeron hésita un moment.

— Vous ne le savez pas ? commença-t-il. Il paraît qu'ils ont un petit commerce bien prospère, entre Lac-Mégantic et des petits villages des *States*. Il y a plein de chemins discrets, ouverts par les compagnies forestières, pour passer d'un côté à l'autre de la frontière.

Bien sûr, Gagnon savait, ou à tout le moins se doutait. Les États-Unis vivaient toujours sous le régime de la prohibition. Alors, toutes les petites routes mal surveillées entre les deux pays, de l'Atlantique au Pacifique – sans compter les cours d'eau –, étaient susceptibles de servir à la contrebande d'alcool. C'était une mine d'or pour tous les mauvais garçons, qui transportaient aux États-Unis les alcools fabriqués en Europe, mais aussi ceux des respectables distilleries canadiennes. C'était illégal, mais on ne pouvait mettre un policier à tous les mètres le long de la frontière. La vente de l'alcool était encore prohibée au Canada anglais. Cela ouvrait d'autres marchés aux audacieux petits entrepreneurs du Québec.

Quant à la belle province, elle avait mis fin dès 1921 à la prohibition décrétée par le fédéral en 1917 pour favoriser l'effort de guerre. Depuis, la Commission des liqueurs étanchait la soif des Québécois et rapportait de l'argent au gouvernement provincial, sous forme de taxes. L'absence de prohibition au Québec avait aussi donné un bon coup de main à l'industrie touristique : les Américains pouvaient siroter leur scotch en toute légalité, assis à la terrasse du *Château Frontenac*, tout en admirant le point de vue offert sur le fleuve et la rive sud. Voulant profiter de l'aubaine, le gouvernement du Québec facilitait la venue de ces touristes : les routes les plus carrossables de la province reliaient les assoiffés à des lieux plus cléments. Merci aux bons offices du ministre Trudel !

Gagnon échangea encore quelques mots avec le forgeron, le remercia, et retrouva son véhicule.

Chapitre 5

Gagnon s'était dit que, tant qu'à avoir commencé la journée avec un Germain, autant la terminer avec les autres. Il se rendit donc dans le quartier Saint-Sauveur. La rue de la Petite-Hermine était une courte impasse, où se trouvaient quelques hangars, mais aucune maison digne de ce nom. Tout au fond, un hangar un peu plus grand – un petit entrepôt en fait – servait de logis aux trois frères. La plupart des fenêtres étaient aveuglées avec des feuilles de papier journal jaunies. Gagnon doutait que ce fût pour protéger l'intimité domestique de ces trois lascars. Ils avaient d'autres choses à cacher. Un petit camion Ford se trouvait devant la porte.

Il frappa, faiblement d'abord, puis de plus en plus fort. Il vit la feuille de journal de la fenêtre la plus proche se soulever un peu, puis il entendit tirer les trois verrous de la porte. Elle s'ouvrit, lui permettant de voir un véritable capharnaüm. Il y avait là des caisses en grand nombre, plusieurs boîtes en carton aussi, pas très grosses, celles où on pouvait mettre huit, le plus souvent douze bouteilles d'alcool. La présence de quelques fauteuils défoncés, d'une table branlante, de quelques chaises et d'un poêle témoignait que l'endroit servait aussi de logis. Des assiettes contenant des vestiges de repas – certains visiblement vieux de quelques jours – sur la table, mais aussi sur des caisses, ne laissaient aucun doute là-dessus. L'endroit d'une saleté repoussante dégageait une odeur de nourriture avariée, de vomissures et d'excréments. De grosses trappes avaient été posées çà et là sur le plancher fait de madriers grossièrement équarris. L'une avait même fait une victime : un rat d'assez jolie taille.

— C'est joli chez vous, dit Gagnon à l'homme venu lui ouvrir la porte. Il manque peut-être une présence féminine, pour ajouter un peu de chaleur, de couleur dans ces lieux.

Il avait fait quelques pas dans l'entrepôt, regardant autour de lui. «Je peux les boucler pour possession d'alcool, car ces boîtes ne viennent pas de la Commission, réfléchit-il, et je ne serais pas surpris si ces caisses contenaient des marchandises volées.»

— Qui êtes-vous, et qu'est-ce que vous voulez? demanda son hôte, hargneux.

— Lieutenant Maurice Gagnon, de la Police municipale.

— Nous connaissons pas mal de monde, dans la police, mes frères et moi. Au conseil municipal aussi, tout comme chez les députés, nous avons des amis. Nous sommes en quelque sorte protégés.

— Mieux protégés sûrement que votre sœur Blanche ne l'était, répondit Gagnon en examinant de la tête aux pieds son interlocuteur. Vous êtes lequel des trois frères?

L'homme portait un complet noir. Il avait une vilaine peau, sans doute un souvenir d'une acné juvénile purulente, et le visage marqué de cicatrices. On voyait surtout les marques d'une bagarre récente: la lèvre inférieure fendue sous une grosse gale de sang coagulé noirâtre et surtout les deux yeux au beurre noir. À l'enflure et aux os un peu de travers, on devinait que son nez avait absorbé le choc.

— Ovide, fit-il après un moment d'hésitation.

— J'aimerais savoir ce que vous faisiez samedi dernier, le 3. Et aussi les jours qui ont suivi.

— Je me souviens bien de ce samedi: j'ai attrapé un coup sur le nez, répondit-il.

L'homme glissa entre ses dents d'une voix à peine audible:

— Le petit merdeux qui a fait ça, si je lui mets la main dessus…

Il enchaîna un ton plus haut:

— Après, je suis resté ici à me soigner. Ce n'est pas bon pour ma réputation, me promener dans les rues arrangé comme ça.

— Où cela vous est-il arrivé ?

— Dans un bordel. Au *Chat*, si vous devez tout savoir. Mais ne craignez rien pour le salut de mon âme, j'étais là pour affaires, pas comme client.

Il allait vérifier, bien sûr, mais Gagnon devinait que c'était vrai. Il avait entendu ses collègues parler d'une bagarre au *Chat*. Ovide Germain préférait l'évoquer sans hésiter : il devait y avoir de nombreux témoins. Cela lui fournirait-il un alibi ?

— C'est arrivé vers quelle heure ?

— Je ne sais pas trop. En fin d'après-midi, en tout cas, car la place commençait tout juste à se remplir de clients.

À peu près au moment où Germaine Caron avait quitté Blanche, donc. Était-il possible que ce voyou se soit précipité pour enlever la jeune femme avec son nez cassé ? À en juger par les marques encore visibles, le coup avait été sévère, mais ce gaillard ne devait pas être resté longtemps sur le carreau. Selon l'hypothèse du docteur Grégoire, la jeune fille avait été tuée aussi tard que le mardi, peut-être même le mercredi. Blanche pouvait-elle avoir séjourné quelques jours dans ce hangar, de gré ou de force ? L'endroit était discret et il devait posséder un certain nombre de recoins fermés à clé.

— Quand avez-vous vu Blanche pour la dernière fois ? dit le policier.

— Il y a sûrement trois bonnes semaines, quand je suis allé voir les vieux.

Le contrebandier s'arrêta, puis reprit cette fois avec véhémence :

— Oh ! Mais n'essayez pas de me relier à cette histoire ! Je n'ai aucune idée de ce qui a pu lui arriver.

— Vraiment ? On m'a pourtant dit que vous aviez une certaine expérience du viol. Certains présentent cela comme une espèce de tradition familiale, en quelque sorte. Blanche était aussi mêlée à cette tradition, en tant que victime. L'une des victimes.

— Qui a dit ça ? tonna-t-il.

Le témoin s'empressa d'enchaîner tout de suite, sur un ton plus mesuré :

— Ce sont des commérages. La ville est pleine de commères. Des racontars, ce ne sont pas des preuves.

— Et maintenant, Blanche ne témoignera plus contre vous, n'est-ce pas, si nous allons devant un tribunal ?

Ovide secoua la tête, puis déclara encore :

— Je n'ai rien à voir là-dedans. J'ai passé la semaine à me soigner ici.

— Et vos frères, où se trouvaient-ils ?

— Ils ont été absents toute une semaine. Ils ne sont revenus que jeudi dernier. Ils étaient… partis faire des livraisons, précisa l'homme après une hésitation.

Il ajouta à la suite d'une pause, amusé par la formule :

— Ils étaient en voyage d'affaires, en quelque sorte.

— Ils ont des témoins de cela ?

— Il faudra le leur demander. Mais ils ont sûrement vu leurs clients.

Son interlocuteur affichait une parfaite assurance. Ses paroles seraient confirmées, il n'en doutait pas.

— Qu'est-ce que vous faites, au juste, comme travail ? insista l'enquêteur.

— Nous avons un camion, vous l'avez vu dehors. Nous faisons des livraisons, je viens de vous le dire.

— Qu'est-ce que vous livrez ?

— N'importe quoi. Nous ne regardons pas dans les boîtes. Nous les prenons quelque part, nous les amenons à un autre endroit. C'est tout.

Même sous la menace, celui-là ne déclarerait jamais autre chose. Bien plus, il clamerait ignorer le contenu des boîtes amoncelées autour de lui.

— Où sont vos frères ?

— Je ne sais pas. Sans doute en train de courir les filles en ville.

— Vous leur direz de passer me voir au poste de police demain matin. Sans faute, sinon nous viendrons les chercher.

Heureux de quitter cet endroit infect, Gagnon tourna les talons et sortit, sans un mot de plus. Il entendit fermer les verrous dans son dos. Le policier prit une grande bouffée d'air frais, et décida de rentrer chez lui sans attendre. La journée avait été éprouvante.

L'auto ronronnait comme un gros chat. Telle était du moins son impression. Renaud parcourait les rues de la Basse-Ville de Québec depuis un bon moment quand il se retrouva au coin des rues Dorchester et Desfossés. Il vit bien un attroupement de travailleurs avec des pancartes, de même que les voitures de police. Il continua son chemin jusqu'au moment où il se retrouva immobilisé entre deux groupes d'adversaires. Les écriteaux de ceux qui formaient un piquet devant la manufacture de chaussures Ludger Duchaîne lui firent comprendre l'essentiel du conflit: «Mort aux *scabs*», «Mort aux voleurs de jobs», et d'autres phrases du même genre.

Le peloton des grévistes se massait devant l'entreprise. À la sortie du grand bâtiment en brique, le groupe des ouvriers embauchés pour les remplacer hésitait. Entre les deux, une douzaine de policiers tentaient d'empêcher un affrontement physique. Les manifestants vociféraient contre ceux qui occupaient leurs emplois. Leurs familles se trouvaient acculées à la famine; Renaud reconnaissait le désespoir dans leurs voix. En face d'eux se tenait un groupe de prolétaires obligés de travailler pour assurer la subsistance des leurs.

La jolie Chevrolet rouge se trouva immobilisée par les grévistes qui traversaient la rue pour aller défier les *scabs*. En plus des insultes, les protagonistes commencèrent à se lancer des pierres. Les policiers choisirent ce moment pour entrer en scène, une matraque à la main. Stupéfié, Renaud regardait l'affrontement devant lui. Il demeura impassible jusqu'au moment où une pierre, lancée par un travailleur, rebondit sur la chaussée pour venir frapper l'aile de sa magnifique petite voiture. Il eut l'impression de ressentir une douleur physique.

— Vous voulez porter plainte ? cria un policier en se précipitant vers le gréviste qui avait lancé la pierre.

L'homme d'une quarantaine d'années fut rapidement saisi au collet, à demi assommé de quelques coups de matraque. Renaud descendit, examina un moment la peinture écorchée sur l'aile et répondit au policier :

— Non ! Laissez-le tranquille.

À regret, le policier lâcha prise. L'ouvrier s'éloigna sans demander son reste. Ses camarades lançaient des cailloux vers les fenêtres de la manufacture de chaussures. Quand il entendit les premiers bruits de verre brisé, le spectateur embraya la marche arrière pour s'éloigner. Dans les jours suivants, il apprendrait par les journaux que des manifestants devraient faire plusieurs mois de prison pour avoir attenté à la propriété de leur employeur. Le juge ne lésinerait pas sur les sentences.

Il était bien dix heures du soir quand il revint au Morency. Il releva soigneusement la capote – la rosée du matin ne devait pas abîmer le cuir de ses sièges –, fit mine de rentrer chez lui, mais se retourna encore pour admirer son bijou, s'attardant sur la blessure faite à la peinture rouge. Après un moment, il se raisonna :

— Laissons-là le jouet, demain matin des choses sérieuses m'attendent.

~

Le lendemain matin, en arrivant au poste de police, Gagnon vit les deux frères Germain qui attendaient sagement, sur un banc en bois. Ils avaient dû se résoudre à régler cette histoire tout de suite. Ils ne semblaient pas du tout intimidés de se trouver là. D'ailleurs, de temps en temps, des policiers venaient leur faire la conversation. Ils étaient connus, ces petits truands. Plusieurs policiers considéraient leurs activités comme des services nécessaires dans une grande ville. Ils acceptaient de tourner les yeux pour ne pas voir la prostitution, le jeu ou la contrebande d'alcool, tout en tendant la main pour obtenir une petite obole. Les salaires versés par la Ville demeuraient bien chiches, et aucun agent n'avait fait vœu de pauvreté.

Gagnon jugea utile de mettre leur patience à l'épreuve. Il s'absorba dans la rédaction de son rapport sur les interrogatoires de la veille, tout en levant de temps en temps les yeux sur ses deux lascars. À dix heures seulement il fit signe à l'un d'eux, Joseph, de venir à son bureau. Il recommença ses questions, toujours les mêmes :

— Où étiez-vous le samedi 3 juillet ?

— En dehors de la ville. Avec mon frère je faisais des livraisons.

— Des livraisons de quoi ?

— Ça, je ne sais pas. Nous déplaçons des boîtes, c'est tout.

Ovide leur avait fait la leçon, leur disant comment répondre. Cet homme répétait sans hésitation des phrases convenues.

— Où vous trouviez-vous ?

— Saint-Georges de Beauce, Beauceville, Lac-Mégantic.

— Et vous avez été absents toute la journée de samedi ?

— Oui. Nous sommes partis la veille, vendredi au petit matin, et nous sommes revenus à Québec seulement jeudi dernier.

L'homme croisa les jambes, se cala sur sa chaise. Son visage trahissait son ennui, mais aucune crainte.

— Vous pouvez donner les noms des personnes rencontrées pendant votre tournée ?

— C'est personnel, vous savez, les noms des clients. C'étaient des personnes importantes. Le genre qui n'aiment pas se faire embêter par les petites « polices ». D'habitude, ils donnent plutôt des ordres aux « polices ».

Gagnon insista bien un peu pour savoir les noms de ces clients, mais l'autre reprit la même explication, en d'autres mots. Il insistait surtout pour souligner qu'il travaillait pour des gens importants, trop importants pour les nommer en ces lieux, et surtout trop importants pour que Gagnon ose aller les importuner. Il fut tout aussi évasif quand il lui demanda où ils avaient couché toutes ces nuits :

— Dans le camion, dit-il, dans des cabanes construites dans les bois.

Bref, il ne lui donna aucun nom d'individus capables de confirmer leur absence de Québec. Cela pouvait signifier qu'ils n'avaient pas quitté la ville, ou témoigner de la résolution de Joseph Germain de demeurer discret sur l'identité de ses partenaires commerciaux.

— Et Blanche, enchaîna Gagnon, il y a longtemps que vous l'avez vue ?

— Peut-être trois semaines, à Stadacona.

— Savez-vous que, même si c'était votre sœur, c'était quand même un crime de la violer ? risqua le policier.

— D'abord, il s'agissait seulement de notre sœur adoptive. En fait, c'était notre cousine. On ne l'a jamais touchée. Vous croyez que mes frères et moi ne pouvions pas nous trouver de plus belles filles qu'elle ? Nous ne sommes quand même pas si moches.

Son assurance écœura Gagnon.

— Ce n'est pas ce que plusieurs personnes ont déclaré.

— Des racontars, des histoires de bonnes femmes.

Joseph Germain répondait tout de suite, avec un petit sourire ironique. Le lieutenant lui fit signe de partir, puis appela son frère Hector. Il posa exactement les mêmes questions, et il reçut exactement les mêmes réponses, dans les mêmes termes. Les frangins avaient eu la nuit pour convenir de leur histoire et l'apprendre par cœur.

Le mieux aurait été de les isoler les uns des autres et de les interroger à fond, pendant des jours si nécessaire. Mais il aurait fallu à Gagnon une raison de les arrêter : jusqu'à preuve du contraire, ils étaient seulement les frères de la victime.

~

Il restait encore une personne que le policier devait rencontrer avant de se faire une idée définitive: Marie-Madeleine, la sœur de Blanche. Il avait retardé ce moment, sachant combien cet interrogatoire serait pénible. Il trouvait difficile d'évoquer l'inceste devant ceux qu'il soupçonnait d'en être coupables, mais cela était plus délicat encore avec une victime. Chemin faisant, il regretta l'absence de policières à la municipalité, à qui confier cette corvée. Il eut l'idée d'aller chercher l'une des quelques travailleuses sociales logées dans les bureaux de l'hôtel de ville, pas très loin des locaux du poste de police, d'ailleurs. Il se retint, car le procédé aurait paru peu orthodoxe à ses collègues.

«Assez hésité», se dit-il en arrivant devant le numéro 98 de la rue de la Reine, dans le quartier Saint-Roch. Le père Germain lui avait dit 98 A. Cela pouvait signifier deux choses: un sous-sol obscur, ou une cabane au fond d'une cour. Pour rentabiliser au maximum leur capital immobilier, certains propriétaires transformaient en logements les hangars, parfois les écuries se trouvant à l'arrière de leurs édifices locatifs. Ils finissaient par trouver preneurs pour ces taudis, car il arrivait tous les jours à Québec une horde de personnes des campagnes de l'est de la province, à la recherche d'un emploi.

Ces familles d'agriculteurs déracinés, attirées par les lumières et le confort de la ville, se retrouvaient au moins pour un temps – le temps de chercher des emplois pour tous les membres de la famille âgés de plus de douze ans – dans des arrière-cours répugnantes. Les ménages dont le père était décédé, malade, infirme ou autrement rendu incapable d'assurer la subsistance de ses proches, se trouvaient là aussi sans espoir d'en sortir un jour. La rue de la Reine avait toute une rangée de ces logements, derrière les maisons décentes qui donnaient sur le trottoir.

Le 98 A était une bâtisse branlante de deux étages, couverte de tôles. Çà et là, afin de boucher des trous sans doute, on avait déroulé la tôle de grosses boîtes de conserve pour la clouer sur les cloisons. On pouvait encore voir les marques de commerce, dont les couleurs étaient délavées par les intempéries. Cela donnait aux murs un étrange effet de courtepointe. De même, on avait placé des morceaux de prélart goudronné sur le toit, pour le rendre à peu près étanche. Des guenilles aux rares fenêtres, en guise de rideaux, étaient les seuls indices permettant de voir que des gens habitaient là.

Le policier frappa à la porte branlante. Un cri vint de l'intérieur pour lui dire d'entrer. Il se trouva dans une cuisine crasseuse. Les quelques meubles – une table, des sièges dépareillés – devaient avoir été récupérés à la décharge publique. Une femme, assise sur une chaise défoncée, le regardait, un peu effrayée. Il lui déclina tout de suite son identité, pour soulager sa crainte d'avoir affaire à un quelconque créancier. Il n'eut pas l'impression de la voir calmée qu'il soit de la police.

Elle pouvait avoir vingt ans tout juste, mais aussi quarante. Il s'agissait d'une femme déjà déformée par les grossesses successives. Obèse, sa robe délavée retenait mal ses chairs molles. Le corsage était ouvert, une mamelle pendait jusqu'à la bouche du bébé qu'elle tenait dans ses bras. Il y avait un autre enfant d'une vingtaine de mois sur le plancher, à demi affalé, cul nul dans ses excréments. Sa peau grisâtre et sa respiration haletante faisaient douter qu'il traîne encore longtemps dans ce monde. Il y avait sans doute d'autres enfants dans les pièces voisines, ou dehors.

Peut-être se trouvait-elle de nouveau enceinte. Si ce n'était pas le cas, dans six mois tout au plus un curé viendrait lui dire de faire son devoir, soucieux de dénoncer le péché épouvantable « d'empêcher la famille ». Il ne lui parlerait pas de la revanche des berceaux, de l'obligation de contrecarrer la mise en minorité des francophones avec le plus haut taux de natalité du monde. Ces choses-là se discutaient entre hommes. Tout ce qui concernait les femmes, c'était la conscription des utérus. Il ne lui parlerait pas non plus des sérieux arguments théologiques permettant la condamnation de tous les moyens contraceptifs, en toutes circonstances. Cela aussi se discutait entre hommes, des hommes revêtus de soutane. Il suffirait au curé de lui rappeler que, pour assurer son salut, elle devait avoir un enfant tous les quinze ou vingt mois environ, cela même s'il devait venir donner l'extrême-onction à plus de la moitié d'entre eux. On ne faisait pas dans le détail, on visait la production de masse.

— Vous êtes bien Marie-Madeleine Girard ? demanda le policier.

— Marie-Madeleine Marion. Je suis mariée depuis plusieurs années.

— Votre mari est ici ?

Comme elle tardait à répondre, il essaya :

— Il est sans doute à son travail.

— Il travaille à la construction d'une usine d'aluminium, dans le Saguenay.

— Oh, c'est loin ! Il ne doit pas venir souvent voir sa petite famille.

Le policier essayait de se faire jovial, sans grand succès.

— Il vient régulièrement, tous les deux ou trois mois, dit-elle.

Elle aurait pu ajouter : « Juste assez longtemps pour me mettre enceinte, puis il repart. »

— Il vous envoie donc de l'argent par la poste ?

— Des fois. Quand il en a. Il a promis que, s'ils l'embauchaient dans cette usine, il nous ferait tous monter.

« Bien sûr. Compte là-dessus, ma pauvre », se dit Gagnon. Le Marion en question devait avoir un autre usage pour sa paie que le soutien d'une femme et de rejetons. Quant à elle, les paniers de provisions apportés par les charitables membres de la Société Saint-Vincent-de-Paul suffisaient tout juste à assurer sa survie. Le policier soupira, secoua la tête comme pour chasser ces réflexions moroses :

— Est-ce que vous voyiez votre sœur Blanche très souvent ?

— Elle passait ici de temps en temps. Avec les enfants, je ne peux pas aller à Stadacona.

Elle avait ramassé son sein et l'avait fourré dans sa robe tout en parlant. L'enfant laissa échapper une plainte de frustration, mais ne bougea pas. Il resta là, les yeux révulsés, immobile. Elle ne se donna pas la peine de se reboutonner.

Toute cette misère révoltait Gagnon, mais il ne trouvait personne à qui parler de sa colère. Ce genre de situation semblait normal à tous ceux qui l'entouraient. Il risqua finalement :

— Les fils de vos parents adoptifs, et aussi sans doute votre père adoptif, ont violé Blanche.

Elle le regarda, les yeux sans expression. Il ajouta, en se disant que peut-être le mot « violé » ne figurait pas à son vocabulaire :

— Ils ont couché avec elle.

Elle garda son air abruti. Il fallut un bon moment avant qu'elle ne dise :

— Cela ne regarde personne. De toute façon, elle est morte.

Elle voulait maintenant de toutes ses forces le voir ailleurs. Qu'il la laisse tranquille !

L'enfant sur le plancher s'était étendu sur le côté, montrant ses fesses et ses couilles couvertes de croûtes. « Il doit s'être endormi, mais il peut tout aussi bien être mort », se dit Gagnon. Il se trouvait là tout au bas de l'échelle sociale, face à la misère abjecte, dans un de ces logis où l'on mourait encore de faim, de froid et de honte. Rien de commun avec les ménages impeccablement propres et dignes des ouvriers de la chaussure, qui trimaient soixante heures par semaine, plus longtemps dans les périodes d'intense activité, pour assurer à leur famille le nécessaire.

Il n'attendait aucune réponse quand il laissa tomber :

— Vous aussi, vous avez été violée.

Elle le regardait toujours, comme si elle ne comprenait pas en quoi cela pouvait l'intéresser. Le policier affirma encore :

— Je crois que ce sont eux qui l'ont tuée.

Cette fois, une émotion passa sur son visage : la peur. Tous les autres sentiments ne devaient plus vraiment l'atteindre, mais celui-là, oui. Ou peut-être était-ce seulement le souvenir des peurs passées, à l'évocation de son père, de ses frères. Ce fut un bref moment, puis son expression se figea encore. Gagnon en acquit alors la certitude, cette femme partageait ses soupçons. « Non, se dit-il, pour elle ce ne sont pas des soupçons, c'est une certitude. »

Il chercha bien un moment des paroles de réconfort, ne trouva rien. Il se leva de la chaise qu'il avait tirée, murmura quelques salutations et se dirigea, non, se précipita vers la porte. Dehors, il put respirer à peu près bien. Il décida de téléphoner à une travailleuse sociale dès l'instant où il rentrerait au poste.

— C'était sûrement en sortant d'ici, murmura-t-il, que Blanche parlait avec le plus d'enthousiasme de se faire religieuse.

Gagnon passa une bonne heure à concocter un court rapport sur les résultats de son enquête. Les pièces trouvaient leur place tout naturellement. Ces types avaient abusé de la jeune fille. Ils étaient violents. Ils possédaient un véhicule fermé, avec lequel transporter quelqu'un, mort ou vivant, ne posait pas de problèmes. Leur entrepôt aux murs épais, à l'entrée assez discrète, avait pu servir de prison à la jeune femme. À la fin de l'après-midi, il déposait un texte succinct sur le bureau du chef de police, Daniel Ryan, et s'asseyait devant lui pour dire :

— Je suis certain que les Germain ont tué Blanche Girard.

Comme Ryan soulevait les sourcils en guise d'interrogation, il expliqua :

— Ce sont les parents adoptifs de Blanche et de sa sœur. Le père et ses fils couchaient avec les deux filles. Les trois frères, de petits trafiquants d'alcool, ont sans doute fait le coup. Peut-être avait-elle menacé de les dénoncer, tout simplement.

Daniel Ryan parcourait le rapport. Une première lecture lui prit quelques minutes, puis il recommença plus lentement. Avec un air évident de satisfaction, il déclara bientôt :

— Tu as sans doute raison, mais tu n'as pas de preuve. Les déclarations d'Edmond Girard ou du curé, ce sont au mieux des ouï-dire, sinon des spéculations. C'est la même chose pour les voisins de Stadacona. On ne sait même pas s'ils répéteraient tout cela devant un tribunal. Et je ne parle ici que de la question de l'inceste. Pour le meurtre, tu n'as aucun élément.

— Mais nous en savons assez pour obtenir un mandat de perquisition. En passant la maison de Stadacona et l'entrepôt de la rue de la Petite-Hermine au peigne fin, le camion aussi, on risque de trouver des choses. Par exemple, l'assassin a gardé les souliers et les bas de Blanche, car ils ne se trouvaient pas avec le corps. Si nous les interrogeons sérieusement, peut-être que l'un d'eux va craquer.

— Nous allons demander à un juge un mandat de perquisition. Quant à un interrogatoire serré de ce beau monde, ce ne sont pas des enfants de chœur. Si on ne trouve rien lors de la perquisition, il sera impossible d'aller devant un tribunal.

Ce constat tout à fait raisonnable révolta l'enquêteur. Il s'insurgea :

— Ce sont des contrebandiers d'alcool. On peut au moins les coincer pour cela.

— Tu sais comme moi que, pour les gens en haut lieu, ce n'est pas un bien grand péché. Au bureau du procureur général de la province, ils ne vont pas lancer une croisade à ce sujet, crois-moi. Si ça se trouve, des gens de ce service et même de la Police provinciale doivent figurer sur la liste de paie des contrebandiers. C'est cette police-là, après tout, qui s'occupe des crimes de la route, comme transporter de l'alcool aux États-Unis.

Le chef de police répétait les hypothèses souvent émises par la population. Cette contrebande, tout le monde prenait ça un peu à la blague au Québec. Personne ne percevait cela comme un vrai crime, juste un peu de commerce, rendu possible parce que les Américains étaient trop puritains pour mettre fin à la prohibition. Toutes les autres provinces du Canada étudiaient la loi qui régissait la Commission des liqueurs québécoise, et chacune allait en adopter une semblable bientôt, si ce n'était déjà fait.

— Et même si tu les amènes devant un tribunal pour contrebande, continua Ryan après une pause, même si tu obtiens leur condamnation – tu vois combien c'est improbable –, tu ne seras pas plus avancé dans ton affaire d'assassinat. On perquisitionne, je te l'accorde, puis on décide ensuite si l'on peut aller plus loin.

Au regard de la question du meurtre, son intime conviction n'était pas une preuve, le lieutenant devait en convenir. Un peu dépité, il déclara :

— Mais ils ont aussi violé Marie-Madeleine. On peut les avoir avec cela.

— Elle a porté plainte ?

Non seulement Marie-Madeleine n'avait jamais porté plainte, mais cette femme n'avait même pas confirmé les accusations formulées par Gagnon. Il commençait à être sérieusement déprimé au moment de répondre :

— Non, elle n'a pas porté plainte. Je vais aller la voir demain et essayer de la convaincre.

Sa voix trahissait si bien son découragement que le chef Ryan se leva, fit le tour de son bureau et vint lui poser la main sur l'épaule.

— Rentre à la maison tout de suite et repose-toi. Demain, tu essaieras encore. Moi, je m'occupe du mandat de perquisition.

Sa voix se fit presque paternelle quand il ajouta :

— Tu as effectué un excellent travail. Tu sais, nous ne sommes pas toujours capables d'aller jusqu'au bout, même après avoir trouvé les coupables. Il faut prouver hors de tout doute.

Gagnon acquiesça, fit un effort pour retrouver un semblant d'entrain et sortit. Sa femme allait être surprise de le voir de si bonne heure

Il n'eut pas sitôt fermé la porte derrière lui que Ryan se mit au travail. Il ne lui fallut que quinze minutes pour jeter quelques notes sur une feuille, au sujet du mandat de perquisition. Il la donna à un secrétaire qui s'occuperait de dactylographier le tout et de faire acheminer la demande au palais de justice. Puis il se mit à la machine à écrire qui trônait dans un coin de son bureau et entreprit, avec ses deux index, de faire une copie du rapport de Gagnon. Cela lui prit un peu plus d'une heure. Quand il eut fini, il tapa encore une courte lettre. Il mit ensemble les deux documents dans une enveloppe, qu'il cacheta soigneusement. Il prit même la précaution de signer en travers du rebord, et d'ajouter un gros « confidentiel » sur l'enveloppe.

Cela fait, il sortit de son bureau pour chercher un policier en vêtements civils, discret, sur qui il pouvait absolument compter. Il trouva son homme et lui confia la précieuse enveloppe en lui murmurant à l'oreille le nom et l'adresse du destinataire.

Antoine Trudel retournait l'enveloppe dans ses mains. Il apprécia la discrétion de Ryan : elle ne portait aucun nom de destinataire, et le policier en civil avait insisté pour la lui remettre en main propre plutôt que de la confier à un domestique. Il devrait penser à dire un bon mot au maire au sujet de ce fonctionnaire zélé. Il appréciait surtout que celui-ci agisse de sa propre initiative, sans attendre les ordres. Il pourrait rejeter sur lui toute la faute si jamais les choses se gâtaient.

Il déchira le rebord de l'enveloppe et commença par lire la lettre qui, apprécia-t-il de nouveau, ne portait ni nom ni signature :

Monsieur,

Le lieutenant Gagnon a trouvé les auteurs probables du meurtre de Blanche Girard. Ce sont de petits contrebandiers d'alcool ; ses demi-frères en fait. J'ai cru que vous apprécieriez recevoir une copie de son rapport.

Votre tout dévoué,

[...]

Trudel parcourut des yeux le rapport de Gagnon. Le tout se révélait bien construit, plausible. Il ne se soucia pas vraiment que des innocents puissent être poursuivis pour ce crime. D'abord, ces personnes n'étaient pas vraiment innocentes. L'inceste n'était pas le crime le moins sévèrement puni du Code criminel, loin de là. Et même si on n'arrivait jamais à les amener devant un tribunal, la rumeur publique désignerait en eux des coupables bien plausibles. Elle n'en chercherait plus d'autres. Même condamnées à l'échec, des poursuites devant une cour de justice se révéleraient fort utiles.

Oui, somme toute, c'était une assez bonne nouvelle. Il se pencha devant le foyer de son bureau, alluma un coin de l'enveloppe et des quelques feuilles. Après quelques minutes, il ne subsistait aucune trace de ces mots.

~

Mercredi matin. Gagnon était un peu rasséréné. D'abord, il avait dormi d'un bon sommeil, chose plutôt rare depuis quelques mois. Mais, surtout, il avait vu des équipes de policiers quitter le poste pour aller fouiller la maison de Stadacona et l'entrepôt du quartier Saint-Sauveur. Son humeur changea du tout au tout quand il se résolut à retourner chez Marie-Madeleine Marion. Il repassait dans sa tête ses arguments, insistant surtout sur son devoir d'aider à punir les meurtriers de sa sœur, la seule vraie famille qui lui restait. Il doutait cependant de pouvoir la convaincre avec de pareils arguments.

Dans la rue de la Reine, presque devant le numéro 98, il vit un camion Ford, celui des frères Germain. Ils avaient dû venir au moment où les policiers avaient forcé leur porte, une demi-heure plus tôt. Ces truands n'étaient sûrement pas là pour échanger des politesses. Gagnon se dirigea vers l'arrière-cour en regrettant de ne pas avoir d'arme sur lui. Il trouvait son revolver de service plutôt encombrant, et tout à fait inutile la plupart du temps.

En approchant de la masure, des cris parvinrent à ses oreilles. À deux pas de la porte, il put entendre distinctement Ovide Germain crier :

— Si tu dis un mot aux chiens, il va t'arriver la même chose qu'à Blanche. Tu as compris ?

Le bruit de grandes gifles succéda à ces paroles. Quand Gagnon poussa rudement la porte, ce fut pour apercevoir, sur la table, Marie-Madeleine couchée sur le dos. Ovide se tenait entre ses jambes écartées, le pantalon aux genoux. Il avait déchiré sa robe et il lui donnait des claques pour la soumettre à sa volonté.

« Mon Dieu, se dit Gagnon, il s'apprête à la violer. »

L'irruption du policier jeta tout le monde dans une immobilité complète. Joseph et Hector Germain se tenaient près de la porte. Ils le regardaient comme une apparition divine. Ovide lança une volée de jurons. Pendant un moment, le policier se demanda s'ils n'allaient pas lui faire éclater la tête. Eux aussi se posaient la même question. Puis, comme à un signal invisible, ils se précipitèrent vers la porte, bousculant

Gagnon au passage. Celui-ci se retrouva sur le dos au milieu de la cuisine. Il n'essaya pas de les retenir, ou de courir après eux. Seul et désarmé, il n'était pas de taille.

Quand il se releva, un sourire flottait sur ses lèvres. Il les aurait, les mandats d'amener ! Marie-Madeleine Marion s'était redressée. Elle saignait du nez, avait les deux lèvres fendues et enflées. La malheureuse sanglotait et cherchait des yeux ses marmots, qu'elle entendait geindre dans une pièce voisine. Gagnon essaya de la calmer, répétant :

— Vous allez témoigner contre eux ! Il faut les punir pour tout le mal qu'ils vous ont fait, à vous et à votre sœur !

Elle ne répondait rien. Comprenait-elle au moins ses paroles ? Rien n'était moins certain. Comme ses sanglots se faisaient de plus en plus déchirants à mesure qu'il parlait, l'homme finit par se taire, et partir.

Il s'empressa de se diriger vers le poste de police. Avec des accusations de coups et blessures et de menaces de mort – la promesse de lui faire la même chose qu'à Blanche –, il les ferait mettre en prison.

~

Avant de quitter l'Angleterre, Renaud avait envoyé une lettre polie au recteur de l'Université Laval, accompagnée d'une copie de son *curriculum vitæ* et de ses diplômes. Le recteur examinait le tout de nouveau.

— Très impressionnant, commenta le prélat. Vous avez un doctorat en droit de l'Université d'Oxford.

— Oui, monseigneur, fit Renaud d'une voix modeste.

Il ne se sentait pourtant pas du tout modeste à ce propos. Il pouvait bien être le seul Canadien français à détenir un diplôme de ce niveau de cette prestigieuse université. Il était parti en 1914 pour faire un premier cycle, s'était pris au jeu des études, les étirant jusqu'en 1921, 1922 s'il comptait les derniers délais relatifs à sa thèse.

Renaud était un familier de l'Université Laval, car il s'agissait d'une excroissance du Séminaire de Québec. On l'avait créée dans les années 1850, quand le diocèse s'était trouvé suffisamment riche pour relever le défi. L'Église catholique du Québec avait ressenti l'impérieux besoin de former elle-même les élites de langue française, de peur de les voir contaminées par toutes les idées politiques et sociales nouvelles de cette période.

Depuis, l'Université Laval, logée dans un édifice voisin du Séminaire, voyait toujours à leur formation. Elle produisait une fournée annuelle de prêtres, bien sûr, pour encadrer la population, puis des avocats, des médecins, des notaires. Poussée par la force des choses, il lui fallait aussi, pendant cette décennie de progrès, faire de la place pour de nouveaux professionnels. Des écoles de commerce, de chimie, de foresterie voyaient le jour. Des écoles, pas des facultés de plein droit: ces nouvelles disciplines n'apparaissaient pas comme assez respectables pour cela. Elles préparaient des employés – qualifiés et bien payés, il est vrai, mais des employés tout de même –, pas des prêtres ou des membres des professions libérales.

L'Église gardait la main haute sur l'institution. Elle fournissait d'abord le recteur, tout le personnel enseignant de la faculté de théologie – cet effectif de prêtres venait d'ailleurs habituellement du Séminaire, où il avait fait ses premières armes dans l'enseignement –, la plupart des doyens des facultés. Les enseignants laïques se trouvaient dans les domaines où l'évêché ne pouvait fournir de spécialistes. Un avocat prestigieux, un médecin renommé venait donner un cours à l'université, puis retrouvait ensuite sa pratique privée. Il ne se faisait pas ou peu de recherche. C'était un emploi faiblement rémunéré, mais prestigieux, que Daigle venait quémander.

— Vous venez tout juste de revenir d'Angleterre? demanda le recteur, Mgr Louis-Marie Neuville.

C'était un homme affable, souriant, dans la jeune quarantaine. Il portait sur le milieu du nez des lunettes à monture en écaille de tortue. On le disait terriblement ambitieux – Daigle le connaissait pour l'avoir subi comme professeur en classe de philosophie, au Séminaire, il y avait douzaine d'années –, il était sûrement habile et intelligent. Sa question était toute rhétorique, l'ecclésiastique savait où Renaud était un mois plus tôt, il contemplait sa lettre sur son bureau. Mais il voulait l'entendre parler de ses projets. Le candidat s'exécuta :

— J'ai travaillé quelques années pour le Haut-Commissariat à Londres. Quand mon père est décédé il y a quelques semaines, j'ai décidé de revenir. De reprendre ses affaires, en quelque sorte.

— Mais votre père était notaire, vous êtes un spécialiste du droit constitutionnel.

— Son étude ne l'occupait plus guère : elle avait été reprise par ses associés dès 1918. Il ne se consacrait plus qu'aux placements. Ce sont là les affaires auxquelles je faisais allusion.

Le prélat acquiesça d'un signe de tête, puis remarqua encore :

— Si ce que l'on m'a dit est vrai, vous jouissez en effet de quelques moyens.

— J'ai cette chance.

Renaud se demanda si son interlocuteur allait lui en faire reproche.

— Les honoraires que nous payons à nos professeurs laïques ne permettent pas le train de vie auquel vous êtes habitué.

Mgr Neuville voulait dire un train de vie bourgeois : habiter la Haute-Ville au milieu de gens très respectables, être à l'abri du besoin. Renaud fit un signe de tête pour indiquer qu'il comprenait bien cela. Au Québec, il valait mieux être riche avant d'entrer dans l'enseignement, car les chances de le devenir en exerçant cette activité étaient nulles. Les questions financières ne risquaient pas de faire obstacle à son embauche. Sans surprise, il entendit Neuville rappeler :

— Quand je vous ai eu dans ma classe de philosophie, vous étiez un excellent élève. Je me souviens aussi que déjà vous aviez un intérêt pour les livres présentant un certain danger. Le genre d'ouvrages à ne pas mettre entre les mains de tous les séminaristes.

Le souvenir de ces années amena un sourire sur le visage du candidat. Le recteur conserva tout son sérieux au moment de continuer:

— Nous avons fait preuve d'une certaine tolérance, mes collègues et moi, car nous reconnaissions chez vous une grande maturité. Je me suis permis de chercher parmi les travaux que vous m'avez remis à l'époque.

L'homme d'Église avait sorti d'une chemise trois ou quatre cahiers d'écolier jaunis par le temps. Renaud aurait aimé les récupérer afin de plonger dans la prose produite à dix-huit ans. Si jamais les relations avec ce prélat devenaient empreintes de cordialité, une éventualité qui lui semblait lointaine à ce moment, il tenterait sa chance.

— Il s'y trouvait des idées déjà fort audacieuses, continuait-il. Pas condamnables, certes, mais audacieuses.

— J'avais déjà un penchant pour la spéculation intellectuelle, expliqua Daigle, comme en s'excusant.

— Sans doute. Ce penchant vous a vraisemblablement permis de mener de très longues études, avec un succès remarquable.

Ces mots contenaient un reproche implicite. Être trop savant rendait suspect.

— Vos résultats à Oxford en témoignent, continua Neuville. Cependant, le Canada français n'a pas une bien longue tradition de spéculation intellectuelle. L'Université Laval est un établissement modeste. La fonction de notre faculté de droit est de préparer des notaires et des avocats, dont la majorité exerceront leur profession en milieu rural. Ils s'occuperont d'achat et de vente de terres, de chicanes de clôtures. Quelques-uns se trouveront bien sûr impliqués dans des opérations plus complexes. Aucun ne se livrera cependant à la spéculation intellectuelle. Je me fais bien comprendre ?

— Je ne suis pas sûr de vous suivre, répliqua Daigle, qui comprenait pourtant très bien.

— L'enseignement que nous dispensons doit répondre aux besoins de notre clientèle : il serait inutile d'amener nos futurs juristes dans des questionnements oiseux. Ensuite et surtout, l'Église trace les frontières très nettes de nos spéculations. Pour les hommes d'Église, ces frontières englobent les questions morales, les questions de dogme, la plupart des questions éthiques. Je n'accepterais pas, en tant que recteur, qu'un membre laïc du personnel empiète sur les questions réservées aux prêtres. Est-ce clair ?

Il y eut un silence un peu trop lourd.

— Et cela vous convient-il ? précisa l'ecclésiastique.

Répondre autrement que « oui » aurait signifié la fin de l'entrevue. Renaud acquiesça. Neuville sortit d'une autre chemise un petit texte imprimé et le remit à son vis-à-vis en continuant :

— Notre sainte mère l'Église a aussi produit une liste des idées, des doctrines ou des auteurs que tous les catholiques doivent rejeter. Comme vous le savez, on réfère à cette liste en parlant de l'*Index*. Voici la liste des auteurs et des conceptions défendus.

Le candidat prit l'*Index* des mains de Neuville. Il le connaissait bien pour avoir passé ses années de séminaire à braver cet interdit. Tous les bons livres lui avaient semblé être à l'*Index*. Celui-ci était en quelque sorte devenu son programme de lecture, à la fin de ses études classiques, au point de chercher passionnément les livres défendus. Cette petite brochure innocente, affublée d'une couverture bleue, contenait les noms des philosophes Voltaire, Rousseau, Marx, Engels et bien d'autres, des romanciers comme Zola et Hugo, des scientifiques comme Darwin. Les noms de tous les intellectuels un peu stimulants se trouvaient là. Le recteur continuait :

— Beaucoup de ces ouvrages à l'*Index* vous sont déjà familiers. Le contraire serait surprenant pour quelqu'un qui se livre à l'étude. Dès vos années de séminaire, il n'était pas difficile de trouver la trace des lectures défendues dans vos travaux.

Le recteur dit cela en souriant, comme s'il ressentait soudainement de l'indulgence pour ces écarts anciens. Il se fit très sérieux au moment d'ajouter :

— Cependant, il serait inacceptable qu'un professeur laïque de notre institution fasse la promotion de ces livres, de ces auteurs et surtout des idées qu'ils défendent, dans nos murs ou ailleurs. L'Université Laval est un cadre de travail plutôt contraignant, comparé à celui auquel vos années en Europe vous ont habitué. Ce que l'on appelle ailleurs la liberté académique, ou la liberté intellectuelle, dans une université catholique comme la nôtre, cela s'appelle la liberté de l'erreur. Nous avons fait le choix de la vérité. Croyez-vous pouvoir travailler dans ce contexte ?

Encore une fois, Renaud se trouvait dans l'inconfortable position de se faire poser une question pour laquelle il n'y avait qu'une bonne réponse. Il glissa un « Oui, je le crois bien » plutôt timide. L'homme savait en quittant l'Angleterre dans quel univers intellectuel il revenait. La perspective le remplissait d'appréhension. Surtout, le recteur avait une façon bien à lui de mettre les points sur les « i ». À la première incartade, si incartade il y avait, ce serait la porte : l'avocat ne pourrait invoquer l'ignorance. L'évocation de ces interdits devait précéder son embauche.

— Bien sûr, fit Neuville d'un ton plus léger, dans un cours sur la propriété il est bien possible d'aborder les écrits de Marx ou de Proudhon, pour souligner la folie de leurs théories. Il serait tout de même mieux de vous entretenir du contenu de leçons comme celles-là avec votre doyen, avant de les donner. Cela vous semble-t-il acceptable ?

— Oui, bien sûr, fit Daigle.

Il lui devenait de plus en plus facile d'acquiescer à tous les interdits. Ou il devenait plus docile, ou plus hypocrite, à mesure que les secondes passaient. Aucune de ces deux éventualités ne le réjouissait vraiment.

— Une autre chose pour terminer: vous devez avoir passé trente ans, et vous êtes toujours célibataire.

— J'ai trente et un ans. Je suis célibataire en effet. C'est plus le résultat d'un concours de circonstances que celui d'un choix délibéré. J'accepterai volontiers de remédier à cette situation, si l'occasion se présente.

Cette fois, il était très sincère, l'image d'une blonde Anglaise lui venant à l'esprit.

— Pour un laïc, c'est un état qui prête à la calomnie. Il faudra absolument éviter de faire des gestes pouvant nuire à votre réputation. Je ne vous recommande évidemment pas une union précipitée, quoique je sois certain que les mères des meilleures familles de Québec pensent à vous, si elles ont une fille à marier.

La figure de Renaud laissa transparaître une surprise totale. Le prélat s'expliqua avec un demi-sourire:

— Votre retour n'est pas passé inaperçu. Il a été commenté dans les gazettes.

L'entrefilet dans *Le Soleil*, bien sûr. Tout de même, quel culot! Un peu plus et cet ensoutané lui suggérait des noms.

— Je vous le répète, continuait le recteur, faites en sorte qu'aucune rumeur, qu'aucun commérage sur votre vie privée ne vienne jusqu'à nous.

Il changea tout à fait d'allure, devint presque jovial quand il sortit de l'un de ses tiroirs un document de format légal. Il le lui tendit en disant:

— Ceci est un contrat d'embauche. Il concerne le cours de droit constitutionnel de notre programme. Personne ne l'a donné depuis trois ans, depuis que le juge Fortin a pris sa retraite, en fait. Il est prévu pour le mercredi matin, de septembre à avril prochain. Tout ce dont je viens de vous entretenir est précisé dans le contrat, mais je tenais à vous rappeler ces éléments de vive voix. Ainsi, il n'y a aucun risque de malentendu.

Daigle prit le document, un peu décontenancé. Le recteur avait fait mettre son nom et le titre du cours sur un contrat type, imprimé. Il avait même signé les deux copies. Si la rencontre ne s'était pas déroulée à sa convenance, le prélat l'aurait simplement laissé dans son tiroir, sans y faire allusion. Le candidat fit mine de commencer à lire, mais le recteur se leva, affecta de se sentir peiné de le bousculer, puis le congédia simplement en disant :

— Il n'est pas nécessaire de décider tout de suite si vous acceptez cette offre. Prenez connaissance de tout cela à tête reposée, et retournez-moi l'une des copies de ce contrat avec votre signature. Comme mon instinct me dit que vous allez accepter, je vous souhaite déjà la bienvenue parmi nous.

Il lui tendit la main. Renaud la serra, se laissa raccompagner à la porte. Le recteur se donna la peine de lui dire, pour expliquer pourquoi il le chassait ainsi :

— Je dois me rendre à l'archevêché. Vous connaissez l'état de santé de Son Éminence.

Chapitre 6

Le contrat était beaucoup moins bavard que Mgr Neuville. Pour une somme ridicule, Daigle donnerait un cours de quatre-vingt-dix minutes, tous les mercredis matin, pendant les huit mois de la prochaine année académique. Chacune des heures enseignées demanderait une journée de préparation, et il faudrait compter aussi du temps pour les corrections, les examens, etc. N'importe quel avocat vivant à la campagne se méritait un meilleur taux horaire. Le contrat serait reconduit à moins que l'une des deux parties ne donne un avis contraire à ce sujet avant le 1er mars prochain. Toutes les invitations à la prudence serinées par l'évêque se résumaient en un serment « antimoderniste » : en signant, le professeur acceptait de se soumettre aux enseignements de « notre sainte mère l'Église » et de renoncer à « toutes les fausses doctrines » condamnées par celle-ci.

Renaud apposa son paraphe avant même de sortir de l'Université Laval, et il laissa une copie du contrat au secrétaire du recteur. Si tous ces interdits lui avaient donné une sensation d'étouffement, il ne se voyait pourtant pas passer toute la prochaine année à écouter la radio ou se promener en voiture. Puis le titre de « professeur à l'Université Laval » sur son papier à lettres ou ses cartes professionnelles lui vaudrait sans doute quelques engagements. Ce cours, ce serait de la réclame, en quelque sorte.

Il en était là dans ses réflexions en rentrant chez lui à pied. Il s'était fait violence et avait décidé de ne pas prendre l'auto pour se rendre à l'université. Devant l'hôtel du Parlement, il entendit un « Daigle » sonore derrière lui. Il se retourna pour voir un gros homme joufflu essayer de courir dans sa direction. Essayer seulement, car il n'était pas du genre à se livrer à un exercice physique pendant plus de dix secondes consécutives. C'est donc en marchant qu'il parcourut les vingt derniers mètres le séparant du jeune homme. Il lui tendit la main, disant :

— Oui, c'est bien toi. Il y a pourtant longtemps, plus de dix ans, mais tu n'as pas vraiment changé.

Daigle serra la main tendue, sans le reconnaître. L'autre le constata tout de suite, et dit, plutôt amusé :

— Tu ne me replaces pas ? Rappelle-toi les personnes qui venaient à la maison de la rue Saint-Cyrille.

Daigle essayait justement de mettre des noms sur les visages des visiteurs familiers. Puis cela lui revint :

— Bégin. Monsieur Armand Bégin. Quelle bonne surprise !

Elle n'était pas si bonne, mais cela fit plaisir au vieil homme. Il devait bien avoir passé soixante ans maintenant. Il ajouta, pour montrer qu'il demeurait toujours un garçon bien élevé :

— J'espère que vous et votre famille allez bien.

— Oui, oui, très bien. Tu dois te souvenir de mes filles. Trop tard maintenant, elles sont mariées toutes les deux, et elles m'ont fait grand-père. Tu as trop tardé dans les vieux pays. Il ne reste que Michel à la maison.

Douze ans plus tôt, ses parents lui parlaient souvent en termes très élogieux d'Alice Bégin. Ils espéraient que leur seul fils unisse par un mariage les destinées de ces deux familles alliées en affaires. Mais Renaud gardait un bien vague souvenir de la jeune fille.

— Tu n'as pas changé, répétait l'autre. Non, ce n'est pas cela. Tu ressembles tellement à ton père, quand il était jeune.

Armand Bégin laissait la nostalgie s'emparer de lui. À son âge, il passait maintenant le plus clair de ses journées à ressasser son passé. La perte de son meilleur ami, au début de l'été, l'avait fait vieillir d'un coup. Il précisa, ému :

— J'étais là, tu sais, aux derniers moments. Il a connu une telle solitude, toutes ces années.

Bégin se ressaisit bientôt, prit Renaud par le bras et lui fit faire demi-tour.

— Allons manger. Il est encore tôt, mais cela ne fait rien. On bavardera en attendant.

Renaud ne se sentait pas soulevé d'enthousiasme à cette idée. D'un autre côté, en revenant à Québec, il acceptait de renouer avec sa vie passée. Le vieil homme avait été placé sur sa route par hasard. Ce serait largement par son intermédiaire que les retrouvailles allaient avoir lieu. L'autre s'accrochait à son bras, il ne le laisserait plus partir.

Tous les deux marchèrent quelques centaines de mètres pour revenir vers le *Château Frontenac*. Daigle se trouva bientôt à une table de la salle à manger, devant un apéritif. Ils étaient les seuls clients, à cette heure.

— Tu es resté parti tellement longtemps, cela ressemble à un exil. Tu aurais dû revenir quand tu as été blessé, quitte à aller finir tes études au Canada anglais, ou même aux États-Unis, si l'Université Laval ne te convenait pas.

— Mon père m'avait expressément défendu de revenir, fit Renaud plutôt froidement.

— Je m'excuse si j'ai l'air de te faire des reproches. Je sais bien qu'il t'a écrit de ne pas revenir avant la fin de la guerre. Tous les jours, dans les journaux d'ici, il était question des damnés U-boats allemands qui coulaient impunément les navires alliés. Ces nouvelles l'inquiétaient tellement.

Le vieil homme s'interrompit, un peu perdu dans ses souvenirs. Il renifla bruyamment avant de reprendre :

— Quand tu as été blessé, et qu'ici on a commencé à réaliser toute l'horreur des tranchées, il a été bouleversé. Haegédius affirmait que tu avais épuisé ta réserve de chance. Il tenait pour acquis que, si tu risquais encore ta vie pour la traversée, tu allais mourir. Dans son esprit, c'était mathématique : chacun avait une part de chance, tu avais gaspillé la tienne sur les champs de bataille. Il avait de drôles d'idées…

Son jeune interlocuteur acquiesça. Que son père, qu'il avait toujours connu froid et calculateur, fasse des équations de ce genre ne le surprenait pas.

— Je me souviens de cette lettre, continuait Bégin, celle à laquelle tu as fait allusion. Il l'avait refaite plusieurs fois. Il la voulait assez ferme pour que tu n'oses pas désobéir. Tu sais, mon vieil ami m'a montré d'autres lettres dans lesquelles il te demandait de revenir. En deux ans, le pauvre en a peut-être écrit une dizaine, et ta mère autant, qu'elle lui montrait. Ton père finissait par tout déchirer en disant: «Ce serait trop égoïste de notre part de lui faire courir ce risque. Et puis il va revenir tellement savant dans un an ou deux.» Alors, il jetait ces lettres, pour t'en envoyer d'autres à la place, où il te disait d'étudier, de lui faire honneur.

Renaud avala la moitié de son verre de whisky pour se donner une contenance, avant de commenter d'une voix changée:

— Ses lettres sont restées les mêmes à la fin de la guerre. Non, elles étaient même plus froides, je crois.

— Il y a eu la grippe espagnole. Je ne sais pas comment c'était en Europe, mais ici nous avons connu l'enfer. On ne faisait pas trop attention au début. Puis la situation a dégénéré au point de prendre des proportions effrayantes. On voyait un enfant malade dans une classe et, une semaine plus tard, lui et dix de ses trente camarades étaient confinés chez eux. On a fermé les écoles, les collèges, les couvents. Un employé dans un service l'attrapait et, la semaine suivante, plusieurs de ses collègues se trouvaient aux prises avec une pneumonie. Les gens ont arrêté d'aller travailler.

Le vieil homme secouait la tête, au bord des larmes. Cette épidémie de 1918-1919 avait tué au moins deux fois plus de monde que la guerre, et ce conflit avait pourtant été de très loin le plus meurtrier de l'histoire. Des dizaines de millions de personnes étaient mortes de la grippe espagnole, sur tous les continents.

— Nous nous enfermions dans nos maisons, continuait Bégin. On ne laissait plus personne entrer, pour éviter la contamination. Les meilleurs amis refusaient de se voir. La maladie entrait dans une maison aussi soigneusement close que les autres, mais pas chez les voisins. Elle est entrée chez toi, affectant d'abord ta jeune sœur. Tes parents l'ont veillée eux-mêmes jour et nuit. Il était difficile d'avoir des soins de l'extérieur : certains médecins avaient peur de la contagion et restaient simplement chez eux, les autres, plus courageux, étaient surchargés. Puis ta mère tomba malade. Ton père était seul pour s'en occuper, car les domestiques s'étaient envolés dès l'apparition de la maladie. Il est venu cogner à notre porte pour obtenir de l'aide. Bien sûr, je ne l'ai pas laissé entrer. Je ne voulais pas qu'il empoisonne toute ma famille. Discrètement, j'avais relevé un bout du rideau d'une fenêtre, pour le regarder. Il m'a aperçu. Si tu avais vu son regard ! Ta mère est morte ce soir-là.

De grosses larmes coulaient sur les joues rebondies de Bégin. Après un moment, il continua en reniflant :

— Après, il n'a plus jamais été le même. Haegédius se détestait d'être encore en vie, je pense. Il ne désirait plus qu'une chose, faire de l'argent pour toi.

Armand Bégin termina son apéritif, fit signe au garçon de lui apporter la même chose. Celui-ci hésita bien un peu. Un braillard dérangeait bien assez la quiétude des lieux, l'employé ne voulait pas se retrouver avec un braillard soûl sur les bras. Il obtempéra pourtant. Bégin tint à ajouter encore :

— Pendant un long moment, je l'admets, il t'a détesté d'être en vie. Pourquoi elles, et pas toi et lui, demandait-il souvent. Quand sa rage s'est calmée, il ne savait plus comment rétablir le contact. Je peux cependant te dire qu'il a toujours été très fier de tes réalisations. Combien il nous embêtait, à répéter sans cesse que tu étais devenu savant !

En face de lui, Renaud sentait l'émotion l'étreindre aussi. Il s'astreint à vider un second apéritif avant de redevenir un peu loquace. Il demanda bientôt à Bégin, pour relancer la conversation sur un sujet plus léger :

— Vous m'avez dit que vos filles sont mariées. Mais que devient Michel ? Quand je suis parti il allait tout juste entrer au collège des jésuites, si je me souviens bien.

Le visage d'Armand s'éclaira d'un grand sourire :

— Il est étudiant à la faculté de droit. Il a déjà deux ans de fait.

— Je viens tout juste de signer un contrat avec le recteur. Je vais donner le cours de droit constitutionnel.

— C'est donc vrai, que tu es devenu savant.

Les deux éclatèrent de rire. Le personnel de la salle à manger respira mieux : la clientèle commençait à se faire nombreuse, elle n'aurait pas à se tordre le cou pour essayer de surveiller deux braillards tout en faisant mine de ne rien remarquer. Quand ils se quittèrent, tous les deux étaient heureux de cette rencontre. L'Europe avait du bon, se disait Bégin : ce gamin était revenu savant, cultivé et très poli. Quant à Daigle, il trouvait que ce vieil homme était bien sympathique, malgré ses idées absolument rétrogrades sur tous les sujets importants. Il ne s'inquiéta qu'à la toute fin, quand l'autre lui confia en le quittant :

— Je vais t'arranger une rencontre avec les gens importants du Parti libéral… Tu es bien libéral, comme ton père ? De cette façon tu auras l'occasion de te faire un avenir.

Il se trouvait embrigadé, en quelque sorte.

~

Le lendemain matin, Daigle se trouvait à la porte d'une petite salle du palais de justice. Selon les journaux, l'enquête du coroner sur la mort de Blanche Girard devait se tenir ce jour-là. Cette procédure fournissait l'occasion, pour l'appareil judiciaire, de faire le point sur une mort suspecte et de tirer ses premières conclusions. Il n'était pas le seul à ressentir une curiosité malsaine, à en juger par la foule massée dans le corridor avec l'espoir d'avoir une place sur les banquettes de la petite salle.

Quand les portes s'ouvrirent enfin vers neuf heures, il devint clair que tout le monde ne trouverait pas à entrer. Renaud insista pour se présenter auprès du portier comme « maître Daigle, professeur à la faculté de droit de l'Université Laval ». Bien que son visage fût encore tout à fait inconnu dans les couloirs du palais de justice, cela suffit à lui valoir d'entrer parmi les premiers, avec d'autres avocats. Il se trouva d'ailleurs parmi eux d'un côté de la salle : il put serrer plusieurs mains et distribuer quelques-unes de ses cartes professionnelles. Il devait expliquer qu'il habitait au Morency : il n'avait pas encore reçu ses dernières cartes, portant son numéro de téléphone et son adresse. Ses nouveaux « collègues » le regardaient un peu de travers, supputant les dangers que pouvait faire courir un avocat formé en Angleterre sur leur clientèle déjà peu abondante.

Le reste de la salle s'emplit en quelques minutes. La préséance allait aux personnes les plus richement vêtues, dans lesquelles les portiers reconnaissaient spontanément des personnes de la bonne société. Il y eut bien plusieurs « Mais j'étais là avant ! » – comme au moment où Renaud était entré d'ailleurs –, mais le rang dans la file d'attente ne l'emportait pas sur celui de la hiérarchie de la petite ville. Quand quatre-vingts personnes se furent entassées dans la salle, il en restait encore autant dans le corridor. Bons princes, les portiers décidèrent de leur permettre de rester là : si elles avaient l'oreille fine, elles pourraient entendre ce qui se passait à l'intérieur. Sinon, des volontaires répéteraient les paroles prononcées jusqu'aux derniers rangs.

Quand le coroner, un vieux monsieur grisonnant, entra, tout le monde se leva. Le magistrat attendit que le silence revienne. Puis chacun put se rasseoir et la procédure commença. Pendant la présentation des faits relatifs à l'affaire par le coroner, Renaud examina les curieux autour de lui. Il y avait une bonne moitié de femmes, allant de la jeune couventine à la vieille rombière. Quant aux hommes, ils se partageaient équitablement entre les jeunes gens et les vieillards, si l'on exceptait la brochette d'avocats. Les personnes entre ces deux extrêmes devaient être au travail.

Le premier témoin à se présenter fut le père de la jeune fille assassinée. Tout le monde prit d'abord pour une peine immense la rage sourde étouffant le vieillard. Puis vint du corridor, dans un murmure, la nouvelle que ses trois garçons avaient été arrêtés la veille. Les soupçons de la police pesaient sur eux. Le capital de sympathie des spectateurs à l'égard du bonhomme fondit aussitôt. On le reconnut pour ce qu'il était : non pas un parent en pleurs, mais une brute étouffée par sa furie, et probablement inquiet. Il raconta en phrases brèves comment sa fille adoptive n'était pas rentrée le samedi 3 juillet. Il décrivit encore les démarches entreprises par sa femme et lui le mercredi suivant, la visite à la police le jeudi. Le vieillard répondait lentement à chacune des questions, devait répéter souvent car ses paroles, à peine articulées, étaient inaudibles. En conséquence, il était plus de dix heures quand il put laisser le siège des témoins.

Un gamin de dix ans lui succéda. Gérard Fecteau affichait sa fierté de se trouver là, tout en étant fort impressionné. Sa mère obtint la permission de s'asseoir avec lui. Le garçon était endimanché, avec un petit nœud papillon rouge sur sa chemise blanche. Il tenait sa casquette à la main. Au début, la salle s'esclaffa en entendant sa voix chantante et ses « m'sieur » à l'intention du coroner. Puis le silence s'imposa quand il raconta comment il avait trouvé la « dame » enveloppée dans un drap. Le coroner lui posa quelques questions sur ses motifs de se trouver dans les buissons. Tout le monde se tordit de rire quand il expliqua se baigner « pas d'maillot » et son souci d'éviter « qu'on le weille ». Sa mère rougissante lui donna une petite claque derrière l'oreille, fit un « Excusez-le, m'sieur le juge », car elle ne comprenait pas la différence entre la procédure d'aujourd'hui et un véritable procès.

Le sérieux revint dans la salle au moment où le vieil Alcide Gauthier vint prendre place à son tour. À une question du coroner, il répondit :

— J'ai vu Blanche Girard samedi en fin d'après-midi. Quand elle est passée près du parc elle m'a salué, comme d'habitude. C'était une jeune fille bien polie.

Cela la rendit tout de suite sympathique à tout le monde. Personne ne la suivait, précisa le gardien. Elle passait là tous les jours pour rentrer chez elle à Stadacona, à pied. Pour arriver plus vite à la maison, elle empruntait ce raccourci en suivant les rails du tramway. Puis Gauthier passa à la découverte du corps. Il ne dit pas un mot de l'odeur, des curieux ou du livret de banque. Il se contenta de préciser qu'il était resté là, près d'elle, après avoir envoyé le petit Fecteau au restaurant du parc demander que l'on appelle la police.

Quand Gagnon prit place à son tour, on sentit en lui l'homme habitué à ce genre de procédure. Il décrivit l'endroit où le corps avait été découvert, expliqua qu'il se trouvait bien dissimulé aux regards à cause des buissons. Il émit quelques hypothèses quand le coroner lui demanda son avis : la jeune fille avait peut-être été tuée sur place, comme « son ou ses assassins » pouvaient avoir déposé son corps après le forfait. Dans cette éventualité, précisa-t-il, le criminel devait être venu par la rivière. Il s'agissait de la façon la plus facile et la plus discrète d'arriver dans la petite clairière. Le lieutenant admit cependant ne pouvoir l'affirmer avec certitude, puisque les curieux avaient tout piétiné. Impossible de chercher des traces de pas, après leur passage.

Tôt ce matin, Daniel Ryan avait pris Gagnon à part pour l'avertir de ne pas souffler mot de la découverte du livret de banque : ce serait faire tort à des personnes innocentes. Le lieutenant avait acquiescé. La loi n'exigeait pas de divulguer tous les indices au moment de l'enquête du coroner. Surtout, comme ses trois suspects étaient déjà sous les verrous, l'histoire du carnet n'avait plus vraiment de rapport avec son enquête.

Le coroner ajourna pour le repas du midi. Daigle laissa sur sa chaise son chapeau de paille, un beau panama tressé à la main. Le spectateur voulait marquer sa place, toutes les personnes bien élevées le comprendraient. Tous ces curieux se dirigeaient vers leur domicile, ou encore vers les petits cafés et les restaurants, nombreux autour du palais de justice. Il atteignait la porte quand quelqu'un l'interpella :

— Monsieur Daigle, nous n'avons pas été présentés, je crois.

Il se retourna sur un grand gaillard venu s'asseoir à la dernière minute dans le coin des avocats, trop tard pour participer à la petite séance d'introduction du matin.

— Je m'appelle Thomas Lavigerie, ajouta-t-il en tendant la main.

Il avait la poigne solide. Renaud reconnaissait le personnage, maintenant âgé de près de cinquante ans. Sa tignasse impressionnante lui donnait l'allure d'un poète du siècle précédent, même si elle tirait déjà sur le gris. Il portait de grosses moustaches, elles aussi d'avant-guerre. Sans doute voulait-il se rappeler son heure de gloire. Avec Henri Bourassa, le fondateur du journal *Le Devoir*, il s'était révélé l'un des principaux animateurs d'un groupe nationaliste lors des élections fédérales de 1911. Ce regroupement avait contribué à la défaite de Wilfrid Laurier, le héros des Canadiens français, mettant fin à la carrière de celui-ci comme premier ministre du pays. Beaucoup faisaient une interprétation freudienne des interventions politiques de Lavigerie, qui mettait une énergie et un talent considérables à embêter les libéraux. La rumeur en faisait le fils illégitime de Laurier. Quoiqu'il se montrât plus antilibéral qu'autre chose, on classait Lavigerie parmi les conservateurs.

— Je m'appelle Renaud Daigle, fit le nouveau venu dans la ville en acceptant la main tendue, mais je me rends compte que vous le savez déjà.

— Il est rare que l'on reste bien longtemps un inconnu à Québec. Votre retour a été largement commenté déjà.

Les yeux de son interlocuteur furent suffisamment éloquents pour inciter Lavigerie à ajouter avec un sourire entendu :

— Quand votre père est mort, on s'est souvenu de votre existence. Depuis ce temps, aux heures creuses, vos réalisations ont meublé les conversations.

— Je ne savais pas avoir accompli quoi que ce soit méritant la moindre considération, remarqua Renaud.

— Vous êtes modeste. D'abord, un bel héritage, bien que vous n'ayez guère de mérite en cette affaire, crée toujours une bonne impression. Ensuite, votre doctorat en droit fait de vous une sommité dans la province. Quelques personnes ont prétendu que l'Université Laval était votre place naturelle. D'autres, proches de l'archevêché, ont même ajouté que vous étiez aussi de cet avis.

Le fait que sa vie privée devienne l'objet de spéculations donnait un peu le vertige à Daigle. Désormais, il aurait souvent l'impression de vivre dans une maison de verre.

— Vous semblez surpris, reprit Lavigerie. L'existence dans une petite ville présente de bons et de mauvais côtés. Nous ne pouvions ignorer que l'un des nôtres s'illustrait dans la fière Albion. Des études à Oxford, un poste au Haut-Commissariat canadien à Londres ! Ce sont des éléments dignes de mention.

— Il est plutôt inconfortable d'être celui sur lequel on sait tout, et de ne rien savoir des autres, fit sèchement Daigle.

Ils étaient seuls maintenant dans la salle du palais de justice. Tous les autres devaient déjà être à table.

— Cet inconfort ne durera pas. Quelques invitations chez vos amis libéraux viendront bien vite… Enfin, je tiens pour acquis que vous rejoindrez ce parti. Quelques invitations, et vous saurez tout ce qu'il y a à savoir sur tout le monde comptant un peu à Québec. Sur moi, par exemple, bien que je n'aie pas la prétention de compter beaucoup.

Ils avaient regagné le corridor, sans presser le pas. Lavigerie le suivait de près. Sans doute pour finir la conversation sur un terrain plus neutre, il ajouta :

— Même si notre ville est petite et que tout finit par s'y savoir, elle n'est pas aussi sûre et sereine que nos élites voudraient le laisser croire. Des jeunes filles peuvent y mourir dans des circonstances particulièrement atroces.

— C'est vrai. Mais la rumeur venue de l'arrière de la salle cet avant-midi nous a appris que la chose serait rapidement tirée au clair : les frères de la jeune fille n'ont-ils pas déjà été arrêtés ?

— En réalité, ses cousins. Elle avait été adoptée, à la mort de ses parents. Les policiers, et d'autres habitants de cette ville peut-être, sont heureux d'avoir trouvé si rapidement des coupables convenables. Cependant, il y a loin entre une arrestation et une condamnation, croyez-moi.

Lavigerie avait un petit sourire en coin, affectant celui qui en savait beaucoup. Il conclut enfin après un moment :

— Bon, je ne vous retarderai pas plus longtemps. Bon appétit, maître Daigle.

Sur ce, l'incroyable personnage s'éloigna à grands pas.

~

Le témoin suivant avait été fort heureusement convoqué après le dîner. Malgré cette précaution, il allait bouleverser quelques estomacs avec ses conclusions. Le docteur Grégoire devait en effet rendre compte des résultats de son autopsie. Les femmes furent à peu près épargnées. Le coroner expliqua avec beaucoup de délicatesse que la nature des informations devant être dévoilées pouvait avoir le plus mauvais effet sur le sexe faible. Aussi pria-t-il les dames de sortir. Il y eut quelques protestations à demi formulées, de nombreuses hésitations, mais elles durent finalement quitter les lieux.

Le magistrat leur donna l'assurance de retrouver leur place aussitôt l'exposé du docteur terminé. En conséquence, personne parmi les hommes se massant dans le corridor ne s'élança pour s'emparer des chaises laissées vacantes. Cela leur fut peut-être une mince consolation.

Quoique la rumeur publique avait permis de connaître l'état du cadavre, la manière clinique dont le docteur décrivait les choses ajoutait peut-être à l'horreur :

— La victime a été battue, répondit-il à la question du coroner. Elle portait de nombreuses ecchymoses. Ces coups ont pu la plonger dans l'inconscience, mais il est peu probable qu'ils aient été mortels. Elle semble avoir rendu l'âme au bout de son sang. Son sexe et son anus ont été déchirés par un objet volumineux, d'un diamètre de huit centimètres peut-être. Bien sûr, elle est morte des suites de tous ces mauvais traitements. Toutefois, l'état de putréfaction avancé du cadavre m'empêche d'être catégorique sur la cause du décès.

Le coroner insista pour savoir quand la jeune femme était décédée. Encore une fois, le docteur Grégoire ne put être aussi précis qu'il l'aurait voulu :

— Au moins vingt-quatre heures avant le moment de la découverte du corps. Cela nous ramènerait au mercredi, dans l'après-midi. Mais cela peut tout aussi bien être quarante-huit heures. Je me fie à son état de putréfaction. Vous vous rappelez sans doute combien il faisait chaud au milieu de la semaine dernière.

Que ce soit à propos des sévices infligés – la pointe des seins déchirés vraisemblablement avec les dents avait suscité les murmures les plus dégoûtés –, les endroits du corps où se trouvaient les ecchymoses et les abrasions, la description de l'état du sexe et de l'anus, le docteur y allait de détails précis. Puis vint la question la plus importante, celle qui hantait les esprits de toutes les bonnes gens présentes : la jeune fille avait-elle été violée ?

— Dans l'état où se trouvait le cadavre, comment voulez-vous que je le sache ? fit le docteur d'une voix bourrue. Son entrejambe n'était plus qu'une seule grande plaie béante, sans compter l'effet de la putréfaction. Il y a eu rapport sexuel cependant, car il y avait des traces de sperme, ajouta-t-il plus doucement.

On le remercia de son compte rendu, puis les femmes purent revenir dans la salle. Elles étaient un peu plus pâles qu'en sortant. Reléguées à l'autre bout du couloir, elles avaient eu droit aux informations transmises de bouche à oreille. Aux violences réelles s'en ajoutaient d'autres, dues à l'imagination de ceux par qui transitaient les renseignements : comme elles se trouvaient à la toute fin de ce réseau, elles recevaient les échos d'une boucherie effroyable.

Les témoignages suivants ne semblaient pas d'une absolue nécessité. On vit d'abord l'ineffable curé Melançon livrer un témoignage touchant sur la moralité sans reproche de la victime. Il insista lourdement sur son rêve de se faire religieuse, ce qui, tout de suite après la description détaillée des tortures subies, frappait encore plus les esprits. Tout le monde dans la salle eut bientôt l'intime conviction que le Québec verrait une sainte s'ajouter aux martyrs canadiens, ces religieux victimes des infidèles au XVIIe siècle. Le prêtre ne put s'empêcher, malgré un énorme effort de volonté, de terminer en disant :

— Certains parmi vous doutent peut-être de son caractère. Soyez assurés que, si elle n'avait pas été chaste et pure, elle aurait cédé et serait encore vivante aujourd'hui. Sa mort, après des sévices épouvantables, témoigne avec éloquence de sa vertu.

Le lieutenant Gagnon se sentit écœuré de cette réédition du sermon entendu au presbytère. Il serait repris par tous les journaux pendant les jours à venir.

Encouragé par de nombreux signes de tête de l'avocat, le jeune commis put enfin venir dire qu'il n'était pas l'ami de cœur de la victime. Il la connaissait car ils étaient membres de la même chorale. Le commis précisa ne pas avoir vu la jeune fille le jour de la disparition, ni les jours suivants, évidemment.

— Je n'ai aucune idée du cours de ces tristes événements, mais moi, John Grace, insista-t-il, je n'ai absolument rien à me reprocher.

À la fin de son témoignage, qui avait pris la forme d'un long monologue, tout le monde dans la salle en convenait : ce jeune homme timide, infirme, sanglé dans un habit de confection bleu foncé, ne pouvait évidemment pas avoir commis un acte aussi horrible. Comme des rumeurs circulaient sur son compte, Lavigerie avait obtenu du coroner qu'il puisse ainsi venir se justifier.

La journée se termina tôt, par la déposition de Germaine Caron. Daigle apprécia sa beauté tranquille. Étant la seule femme appelée à témoigner, on avait eu la gentillesse de la faire venir en dernier pour déranger le moins possible sa journée de travail. De toute façon, elle n'avait pas grand-chose à déclarer. Elle décrivit le caractère vertueux de Blanche de façon à la fois moins emphatique et plus crédible que le curé. Elle confirma qu'elle n'avait pas d'ami de garçon. Comme elle était la meilleure amie de Blanche, qu'elle la voyait à peu près tous les jours, elle était plutôt certaine de son affirmation.

Surtout, elle put décrire sa dernière rencontre avec la victime, le samedi 3 juillet en fin d'après-midi. Elle raconta par le détail ce dont elles avaient discuté alors : leur journée au magasin, les activités de la chorale. Elle précisa qu'elles s'étaient quittées en se disant « À demain ». Ce détail émut beaucoup l'assistance : on était peu de chose, les projets des humains comptaient pour rien face à la volonté de Dieu, etc. Il y avait là matière à quelques pensées pieuses. Le coroner lui demanda encore si elle avait remarqué quoi que ce soit de particulier chez la jeune fille, une nervosité, une inquiétude suspecte, un inconnu qui l'aurait surveillée à distance, n'importe quoi.

— Non, fit-elle, tout était exactement comme d'habitude.

Après un préambule résumant un peu la journée, le coroner n'eut aucun mal à conclure que « Blanche Girard avait été assassinée lâchement par un ou des inconnus ». C'était la formule consacrée. Il souhaita même que la police puisse bientôt amener les coupables devant les tribunaux.

— Pour qu'ils reçoivent un châtiment à la mesure de leur crime affreux...

La salle se vida lentement, comme si chacun s'attendait à une révélation de dernière minute. Parce qu'il avait eu le privilège de rentrer parmi les premiers pour regagner les chaises réservées aux avocats, Daigle fut l'un des derniers à sortir. Il se retrouva coude à coude avec Germaine Caron. Pour meubler le silence, en quelque sorte, il lui murmura :

— Quelle expérience affreuse.

S'il faisait allusion aux traitements infligés à la victime, c'était dramatiquement en dessous de la vérité. Il ajouta en rougissant un peu :

— Je veux dire, venir ici afin de raconter votre dernière rencontre. Cela a dû être très difficile.

Il ne faisait pas preuve du plus grand tact. Germaine Caron, déjà impressionnée d'être en ces lieux, replongée dans toute l'horreur des derniers événements, fit la seule chose qu'elle pouvait faire dans les circonstances : elle pleura.

Daigle chercha un mouchoir dans ses poches, essaya de se rappeler s'il était d'une propreté irréprochable avant de se décider à le lui donner. Elle essayait de se déplacer pour être un peu à l'écart, lui l'accompagnait pour s'excuser. Trois minutes plus tard, ils étaient seuls dans la salle, et elle retrouvait son calme tout en se tamponnant les yeux.

— Je m'excuse, put-il enfin dire avec son petit sourire timide. Parfois, je parle trop.

Elle le vit rougir, se mordre la lèvre inférieure, et le trouva charmant pour la première fois.

— Ne vous excusez pas, fit-elle. Je suis plutôt dépaysée par tout cela et encore bouleversée par ce qui est arrivé.

Ils se dirigèrent ensemble vers la sortie. Elle cherchait comment enchaîner, ce qui lui donnait un air absent. Lui songea qu'elle devait encore être sous le coup de l'émotion.

Dans les circonstances, ce ne serait pas gentil de la laisser là toute seule :

— Écoutez, si vous n'avez pas mieux à faire, j'aimerais vous inviter à prendre une bouchée. J'ai à peine eu le temps de manger ce midi, et je ne voudrais pas vous laisser l'impression que je suis toujours aussi maladroit.

Non, elle n'avait pas vraiment mieux à faire. Germaine avait carrément sauté le repas du midi, afin que son patron la laisse partir plus tôt pour témoigner. Autrement, tout sympathique que fût ce dernier, son salaire de la semaine aurait été coupé d'autant, ce qu'elle ne pouvait pas se permettre.

Aussi marchèrent-ils jusqu'au *Grey Owl*. Elle prit bien son temps avant de choisir dans le menu : elle ne fréquentait pas souvent des endroits aussi chics – pour elle, tout était chic à la Haute-Ville –, elle ne voulait pas gaspiller l'occasion. Après avoir commandé un repas plutôt copieux, elle fut un peu mal à l'aise quand elle se rendit compte que Daigle allait se contenter d'un thé et d'un gâteau.

Dans les minutes suivantes, elle enregistra des éléments disparates de sa biographie : c'était un avocat incapable de pratiquer au Québec, mais il entendait passer l'examen bientôt. Sa présence à l'enquête du coroner visait justement à le familiariser avec l'application de la justice. Ces paroles n'avaient pour elle aucun sens précis. Comment une employée d'un magasin à rayons pouvait-elle soupçonner qu'après des études coûteuses à l'université, il fallait encore réussir l'examen du barreau ? Elle ne le savait pas, et le savoir n'aurait rien changé à son existence. Ils vivaient dans des mondes parallèles, séparés par une pente abrupte.

Ils en vinrent donc à parler de la seule chose qu'ils avaient en commun : leur intérêt pour Blanche Girard. Daigle profita de l'occasion pour essayer de corriger la maladresse commise un peu plus tôt :

— Ce que j'ai dit tout à l'heure était terriblement déplacé. Vous avez perdu votre meilleure amie et moi, je...

— J'étais sa meilleure amie, l'interrompit-elle, mais quoique j'aie beaucoup de peine, elle n'était pas ma meilleure amie.

Des paroles comme celles-là pouvaient sembler cruelles, mais Germaine tenait à s'expliquer sur la nature de ses relations avec Blanche. Que ce soit devant une personne inconnue, qu'elle ne verrait sans doute plus jamais, rendait la chose plus facile.

— Là, je ne comprends pas ce que vous voulez dire, fit-il.

— Blanche était une bonne personne. Tout ce que j'ai dit sur elle est vrai. Mais c'était aussi une personne… limitée. J'ai habité à Stadacona. Quand elle est arrivée à la chorale, elle s'est accrochée à moi : elle était timide et j'étais sa seule connaissance dans ce groupe. Et moi, j'avais un peu pitié… une grande pitié en réalité. Elle n'avait personne, je pouvais m'occuper un peu d'elle.

— Vous étiez la personne la plus importante pour elle, mais elle n'était pas la personne la plus importante pour vous, fit Renaud d'un air entendu.

— C'est exactement cela, répondit-elle avec un grand sourire.

L'employée était heureuse de rencontrer quelqu'un capable de comprendre tout de suite la véritable nature de leurs relations.

Cette précision établie, Daigle ne craignit plus d'aborder le sujet de la jeune femme. Il ne remuait pas un fer dans une plaie vive, comme il l'avait cru d'abord. Quand il demanda pourquoi Grace était venu dire avec tellement d'insistance qu'il n'était pas le petit ami de Blanche, elle répondit :

— À son travail, les gens commençaient à murmurer dans son dos à propos des crimes commis par des amoureux déçus. Alors, il tenait à ce que les journaux rapportent la vérité sur leur relation. Blanche était une connaissance de la chorale, rien d'autre.

— Elle chantait bien ?

— Non, pas vraiment, fit Germaine après avoir ri de bon cœur.

Daigle arqua les sourcils pour exprimer sa surprise devant sa réaction. Elle lui expliqua :

— L'abbé qui dirige la chorale disait souvent : « Mademoiselle Girard, pourriez-vous chanter moins fort. » Elle ne chantait pas vraiment mal, mais pas très bien non plus.

— Que faisait-elle dans une chorale alors ?

— Son oncle Edmond était venu demander à l'abbé de la prendre avec lui. Cela lui permettait de sortir, de voir des gens, de se changer les idées. On disait souvent qu'elle chantait comme un poisson : elle remuait les lèvres, mais aucun son ne sortait de sa bouche. Puis elle était toujours prête à rendre service, elle s'efforçait de ne déranger personne. Tout le monde l'aimait bien. En plus, elle nous donnait l'impression de faire une bonne action.

La vie de Blanche, tout comme sa mort, n'avait rien eu d'enviable, conclut l'avocat. Leur conversation dériva sur l'existence de la jeune femme. Germaine travaillait dans un grand magasin, THIVIERGE, elle espérait monter en grade et devenir responsable du rayon du tissu « à la verge ». La chorale permettait de participer à de nombreuses activités sociales, sans compter que la messe passait bien plus vite au jubé à chanter que dans la nef. Là-dessus, elle rougit un peu : elle ne voulait pas donner l'impression d'être irréligieuse. Elle en était au thé quand un grand gaillard s'arrêta près de leur table. Daigle leva les yeux et reconnut Lavigerie. Celui-ci dit d'un air entendu :

— Monsieur Daigle, Québec est une petite ville. Je vous ai vu de la rue, et je n'ai pas pu résister à la tentation de venir vous donner les dernières nouvelles. Le policier Gagnon n'a pas attrapé les bons poissons.

— Pardon ? répondit Renaud, interdit.

— Oh ! Je continuais notre conversation de ce midi. Vous m'avez fait remarquer que la rumeur publique désignait les coupables du meurtre, les cousins de la victime. Cette même rumeur affirme maintenant qu'il est fort improbable que ce soient eux les coupables. Ils étaient ailleurs, semble-t-il.

Les yeux levés sur l'intrus, Daigle ne cherchait pas à dissimuler son agacement.

— Je suis sidéré, articula-t-il avec ironie. Si vous ne m'aviez pas déjà prouvé que vous étiez bien informé, je pourrais vous prendre à la légère. Maintenant, cela m'est impossible.

— Vous verrez, il n'est pas difficile d'en faire autant. Il s'agit d'écouter, et on finit par tout savoir, répondit l'autre sur le même ton. Je m'excuse de vous avoir dérangé de façon bien cavalière. Monsieur Daigle, mademoiselle Caron, bonne fin de repas et bonne soirée.

Il s'inclina, et partit.

— Quel drôle d'homme, remarqua Germaine. Je ne suis pas sûr que je l'aime.

Renaud se dit qu'ils avaient cela en commun. Ils parlèrent encore un moment, surtout de la température. Puis, il lui offrit de la reconduire chez elle. Elle accepta avec empressement. Cette jeune vendeuse fut donc la première personne à monter dans la première voiture de l'avocat. Cela créait des liens. Il stationna dans le quartier Saint-Roch, devant une maison de chambres visiblement bien tenue. Rendu sur le pas de la porte, il dit :

— Ce fut un plaisir, mademoiselle Caron. Si vous me le permettez, je serais heureux de répéter l'expérience.

Ses paroles venaient-elles seulement de sa bonne éducation ? Au moment de lui serrer la main, elle répondit sur le même ton :

— Dans ce cas, je suis certaine que vous saurez où me trouver.

~

À Québec comme à La Malbaie, les villégiateurs venus de la Haute-Ville se visitaient en voisins. Armand Bégin n'avait pas vraiment besoin de s'annoncer. Il se présentait à la porte des Trudel, demandait à voir Antoine. Si celui-ci ne pouvait pas le recevoir, il repartait simplement, quitte à revenir le lendemain. Ce jour-là, Antoine se trouvait dans le grand jardin, à l'arrière de la maison. Il sirotait un whisky tout en parcourant la pile de journaux entassés à côté de sa chaise. Ses occupations ne lui permettaient pas de les lire au jour le jour. Il profitait du moindre moment d'inactivité pour combler son retard.

Armand Bégin vint le rejoindre. Madame Trudel et la seule fille de la famille, Élise, se trouvaient là aussi. Ces femmes se contentaient de limonade. Après les salutations d'usage et quelques échanges sur les derniers événements politiques, il demanda :

— Tu te souviens que Haegédius Daigle avait un fils en Angleterre ?

Il n'avait pas besoin de présenter le personnage, ils avaient assisté à ses funérailles sur des bancs voisins à l'église, au début de l'été.

— Oui. Je me souviens même de lui. Un grand collégien avec des boutons.

— Il a toujours l'air un peu collégien, sans les boutons. Je l'ai rencontré rue Grande Allée.

— Je pense qu'il a fait des études assez remarquables, intervint madame Trudel.

— Oui, à Oxford. Il a travaillé pour le Haut-Commissariat canadien à Londres. Il est revenu définitivement, je crois. Il s'est fait embaucher à l'Université Laval, pour le cours de droit constitutionnel.

Le visiteur semblait mousser un produit. Son hôte souhaita réduire un peu cet enthousiasme.

— Un domaine plutôt rébarbatif. Heureusement son père lui a largement laissé de quoi vivre.

Antoine Trudel allait tout de suite à l'essentiel : combien valait l'homme. Armand Bégin ne sut d'abord comment enchaîner. Il opta pour un long détour :

— J'étais très proche de son père.

Pendant de longues minutes, il évoqua leurs débuts en affaires, pour conclure sur le drame de la grippe espagnole.

Le ministre se permit quelques remarques tout au long de ce monologue, tout en se demandant bien où son vieil ami voulait en venir. Il le sut bientôt:

— Je me sens une vague responsabilité à l'égard de Renaud Daigle. Ce garçon est seul au monde. Je me suis mis en tête de lui donner un coup de main en le présentant aux membres influents du Parti libéral. Comme il est constitutionnaliste, le gouvernement est susceptible de devenir son principal client.

— Avant d'en arriver là, il lui faudra faire ses preuves. Nous ne manquons pas de très bons avocats.

Trudel ne pouvait trop se formaliser de la demande de Bégin, puisqu'elle était totalement désintéressée. Il tenait cependant à lui rappeler qu'une foule de personnes prétendaient aux largesses de l'État.

— Bien sûr. En fait, je pensais dans un premier temps à le présenter aux personnes qui comptent. Je me demandais si vous pourriez l'inviter un de ces jours, juste pour le connaître.

Armand Bégin fixait madame Trudel. Elle déciderait en dernier recours si ce jeune homme allait s'asseoir à sa table. Celle-ci consulta son époux du regard. Comme sa suggestion ne semblait soulever aucun enthousiasme, Bégin glissa après un moment:

— Il est célibataire.

D'une façon qu'il voulait discrète, il regarda en direction d'Élise. Les deux parents firent de même. La maîtresse de maison convint dans un soupir:

— Ce ne serait pas une mauvaise idée de réintroduire ce jeune homme dans la bonne société de Québec, en effet.

Élise Trudel rougit violemment. On allait inviter un inconnu pour la montrer. Ce serait la prochaine étape de la longue entreprise à laquelle sa mère consacrait l'essentiel de ses efforts: lui trouver un bon parti. Elle en éprouvait une honte profonde. Elle se faisait l'impression d'un animal de prix dans une foire agricole.

Maurice Gagnon se sentait obligé de vérifier toutes les informations. Ovide Germain affirmait avoir eu le nez cassé par un client du *Chat* à peu près au moment où Blanche disparaissait de la surface de la Terre. Il se présenta donc au bordel le vendredi, en fin d'après-midi. Pour la centième fois peut-être, il remarqua le chat vaguement art déco qui ornait le vitrail au milieu de la porte. L'endroit tenait son nom de ce détail. Il rencontra Berthe près du bar. Il la connaissait pour l'avoir croisée quelques fois au poste de police.

— Ovide Germain prétend qu'il était ici le 3 juillet dernier. Il affirme y avoir été toute la soirée, lança-t-il d'entrée de jeu.

— S'il le dit, cela doit être vrai, fit-elle sur la défensive.

Puis elle trouva plus prudent de préciser :

— Je me souviens, c'est le soir où il s'est battu avec un jeune visiteur. Cela a eu lieu à l'heure du souper. Il est resté dans un lit toute la soirée. Il y a même un client, médecin, qui a jeté un coup d'œil à son nez. Si vous me forcez, je vous donnerai son nom.

— Pourquoi cette bagarre ?

S'il y avait un autre témoin, un bon bourgeois de Québec, l'alibi du mauvais garçon demeurerait inattaquable.

— Cela s'est passé dans les toilettes, précisa la tenancière. Il m'a expliqué avoir offert à ce type les services d'un garçon, l'autre a trouvé l'initiative révoltante. Pourtant, il n'était monté avec aucune fille.

— Et le client a eu le dessus ?

— Oui. Ce n'était même pas un type bien costaud. Ovide insiste pour dire qu'il a été pris par surprise, tellement son orgueil a été froissé.

Un incident de ce genre pouvait vraiment écorcher la réputation du petit caïd.

— Vous connaissiez cet agresseur ? Un client régulier ?

— Je ne l'avais jamais vu. Il paraissait bien élevé, extrêmement timide.

Jamais Gagnon n'avait mené un interrogatoire avec tellement d'incompétence. En demandant si ce client était venu seul, par exemple, et l'heure exacte de sa visite, il aurait compris tout de suite qu'il faisait partie de la petite troupe d'Henri Trudel. Six jeunes gens prenant possession d'un bordel en milieu d'après-midi, ce n'était pas habituel. Cela devait même arriver rarement.

Sa nouvelle piste devenait une idée fixe, au point de l'aveugler. Les trois frères Germain occupaient complètement son esprit. Ils violaient leur propre sœur, fût-elle une sœur adoptive ! Le détective en oubliait tout le reste, investi d'une nouvelle mission, celle de rendre justice à cette pauvre fille. Cette obsession avait effacé ses premiers soupçons.

Le lieutenant tourna les talons et regagna le poste de police, songeur. Le truand possédait bien un alibi. Bien sûr, l'enlèvement de la jeune fille pouvait avoir été perpétré par les deux autres frères : comme le meurtre n'avait pas eu lieu ce jour-là, cela n'innocentait en rien Ovide de ce crime.

Malgré ce constat, ce fut complètement déprimé qu'il regagna son bureau du poste de police.

En rentrant chez lui, Daigle se reprocha ses dernières paroles à la jeune femme. Elle allait s'attendre à ce qu'il la relance. S'il n'en avait pas l'intention, c'était indélicat de sa part de le laisser entendre. Mais le souhaitait-il ?

On était encore à une époque où l'on ne croyait pas nécessaire de pouvoir compter les côtes d'une femme sous sa paume pour la trouver belle. Cette Germaine avait les courbes généreuses, sans doute fermes, susceptibles de faire rêver la majorité des hommes de la ville. Elle n'était pas sans esprit non plus. La pente abrupte entre eux était-elle si déterminante ?

Il n'eut pas le temps de répondre à sa propre question. Quand il entra dans son appartement, le téléphone sonnait. Il courut décrocher le combiné.

— Renaud, fit une voix forte. Toujours libre pour cette fin de semaine, j'espère ? Tu es invité chez Antoine Trudel, le ministre de la Voirie. C'est la voie la plus directe vers l'oreille du premier ministre. Cela va sûrement t'aider.

Renaud devait éloigner le récepteur de son oreille pour protéger son tympan. Comme tous les vieux lents à s'habituer aux nouvelles technologies, Armand Bégin parlait à tue-tête à l'autre bout du fil, comme si sa voix elle-même devait se rendre à lui, et non l'impulsion électrique. Le jeune homme ne sut pas trop quoi répondre d'abord, puis l'image de sa coûteuse voiture et de sa faible rémunération à l'université le décida à considérer l'invitation comme une bonne nouvelle : il avait besoin de ces contacts.

— Quand, en fin de semaine ?

— Ils t'attendent samedi dans l'après-midi pour savoir un peu qui tu es, et ensuite pour le souper. Ils sont à leur maison de La Malbaie. Madame Trudel m'a bien affirmé que tu seras tout à fait bienvenu si tu veux coucher là. Ils avaient une haute opinion de ton père, et ils veulent te connaître.

Le gros mensonge passa inaperçu. Bégin préféra ne pas admettre leur avoir un peu forcé la main.

— Non, je ne veux pas m'imposer. Je passerai me présenter en après-midi, puis j'irai souper. Mais j'entends réserver une chambre au *Manoir Richelieu*.

— Tu ne dérangerais pas, j'en suis certain, car ils ont une grande maison... Fais à ta guise. Il y aura aussi d'autres personnes intéressantes. Nous nous reverrons samedi, j'ai aussi une maison là-bas.

— À bientôt donc, et merci, fit Renaud en mettant le plus d'enthousiasme possible dans sa voix.

Il ne savait trop s'il devait se réjouir : se préparer une nouvelle carrière lui donnait un peu le trac.

Chapitre 7

Le climat demeurait au beau fixe. Les pessimistes avaient commencé à prédire qu'il faudrait payer cette générosité du ciel avec un hiver épouvantable. Trois longues semaines de beau temps, cela semblait presque incroyable.

Le samedi 17 juillet, Daigle se préparait à sa première rencontre avec les grands du monde canadien-français. Il connaissait bien le chemin : pendant toute sa jeunesse, il avait fait le trajet vers les villages de Charlevoix avec ses parents. Après avoir gagné la Basse-Ville, le jeune homme passa la rivière Saint-Charles, pour rejoindre le chemin de la Canardière. De là, il n'avait plus qu'à se diriger vers l'est : il allait passer à Beauport, Montmorency, Château-Richer. Tout lui semblait neuf, sauf quelques repères dont le souvenir était resté vivace : l'énorme hôpital psychiatrique de Beauport, presque un village en lui-même, l'usine de textile de Montmorency, la chute du même nom, l'île d'Orléans sur sa droite, Sainte-Anne-de-Beaupré, un lieu de pèlerinage achalandé.

Ensuite, c'était la vraie campagne. La route se fit un peu plus rude, mais la Chevrolet pouvait affronter les trous et les bosses sans trop gémir. Un panama pour se protéger du soleil, ses lunettes teintées de vert, des gants qui laissaient voir ses jointures et le bout de ses doigts, son petit nœud papillon et son veston de lin d'un gris très pâle, Renaud faisait estival. Il avait cherché longtemps comment s'habiller. Il voulait faire bonne impression sans donner dans l'ostentation. Quand il sentait la timidité l'envahir, il affichait des coquetteries vestimentaires.

Parti dans la matinée, il se retrouva à La Malbaie un peu après midi. Atteindre le *Manoir Richelieu* exigeait largement plus de trois heures. L'hôtel du Canadien Pacifique avait toujours l'air cossu de son souvenir. La majorité des clients étaient des anglophones de Montréal désireux de respirer l'air pur de Charlevoix. Son premier souci fut de prendre possession de sa chambre, de se dépoussiérer un peu et de manger. Puisqu'il ne voulait pas arriver chez les Trudel trop tôt, il s'installa sur l'une des chaises « adirondack » dispersées sur la grande pelouse, avec quelques journaux. Il vit que ceux-ci reprenaient encore largement les témoignages entendus à l'enquête du coroner.

Il devait bien être deux heures trente quand il reprit son auto pour se rendre chez les Trudel. Il dut demander son chemin à quelques reprises pour trouver la maison du ministre. Tous les badauds à qui il s'adressait connaissaient l'illustre personnage, mais les indications pour se rendre au domicile de celui-ci n'étaient limpides que pour ceux qui les donnaient. Enfin, il atteignit une énorme maison de pierre grise, toute récente lui sembla-t-il : elle ne devait pas avoir été construite depuis plus de cinq ou six ans. Elle témoignait sans doute de tous les profits de guerre encaissés par les investisseurs restés à l'arrière. Le visiteur préféra se stationner dans la rue, car déjà une demi-douzaine de voitures s'alignaient près de la maison. À la jeune domestique au fort accent de Charlevoix venue ouvrir, il déclina son identité. Elle s'éclipsa pour aller chercher la maîtresse de maison.

— Monsieur Daigle ? fit bientôt une matrone en s'approchant de lui. Comme vous ressemblez à votre père.

Il entendrait cette entrée en matière des dizaines de fois au cours des prochaines semaines. Renaud serra doucement la main tendue, se déclara enchanté de faire sa connaissance. Il s'agissait d'une femme de forte taille, qui portait haut ses deux mentons. Un rang de perles autour du cou disait clairement son statut social, même si sa tenue était par ailleurs assez discrète.

— Venez derrière, tous nos jeunes invités se trouvent dans le jardin.

Derrière elle, il traversa quelques pièces de la demeure cossue, puis se retrouva dans un grand jardin soigneusement entretenu. Autour d'une table, des jeunes gens devisaient gaiement. La maîtresse de maison se fit un devoir de faire les présentations :

— Ma fille, Élise.

Le nouveau venu se déclara de nouveau enchanté de faire la connaissance d'une grande jeune femme âgée de vingt-six ans environ, peut-être un peu plus. Ce fut ensuite le tour de Helen McPhail. Cette fois, Renaud affirma être « *very pleased* » : elle lui répondit dans un français sans accent. Puis vinrent ensuite les garçons. Michel Bégin lui serra la main avec enthousiasme, lui réservant un sourire de circonstance entre de vieilles connaissances. En 1914, encore enfant à l'époque, il l'avait beaucoup admiré car Renaud avait terminé bon premier à l'examen de fin d'études classiques administré par l'Université Laval dans les collèges et séminaires à l'est de Trois-Rivières.

Le visiteur se vit ensuite présenté à William Fitzpatrick et Romuald Lafrance. Il serra les mains, prit la chaise qu'on lui offrait. Puis madame Trudel retourna à ses obligations, laissant à sa fille le soin de jouer le rôle de maîtresse de maison. Elle faisait cela à la perfection, s'assurant que le nouvel invité se retrouve avec une limonade à la main tout en s'informant de l'état de la route, de la durée du trajet. Ils échangèrent aussi les quelques mots d'usage sur la clémence exceptionnelle de la température. Les autres avaient repris leur conversation là où ils l'avaient laissée. Mais à la première pause dans l'échange entre Élise et Renaud, Michel Bégin saisit l'occasion :

— Tu… vous, se corrigea-t-il aussitôt.

Le garçon s'aperçut que la familiarité du gamin ne convenait plus maintenant.

— Vous serez professeur à la faculté de droit en septembre. Nous serons tous de vos étudiants.

Cela excluait les deux jeunes femmes, auxquelles les études de droit à l'Université Laval demeuraient interdites.

— En effet, répondit Daigle. Je vais donner un cours sur le droit constitutionnel.

— Croyez-vous qu'un cours comme celui-là soit vraiment utile, dans la formation d'un avocat? demanda le jeune Fitzpatrick. Il n'y en a pas eu au programme depuis des années.

La question était pour le moins déplacée, adressée ainsi à la personne qui devait assumer cet enseignement. Elle l'aurait été dans la salle de classe, elle l'était encore plus lancée à la tête d'un invité. Élise Trudel pinça les lèvres; les autres baissèrent les yeux. Daigle était sans doute le moins surpris du groupe: ce genre de question lui avait été posé tout au long de ses études.

— Je me rappellerai de vous demander, dès le premier cours, un texte de dix pages sur ce sujet: «Est-il utile à un avocat de bien connaître la loi fondamentale du pays où il exerce sa profession?» Bien entendu, comme je crois que c'est très utile, vous feriez mieux d'arriver à la même conclusion, avec de bons arguments, sinon la poursuite de vos études sera compromise: la réussite de ce cours est obligatoire pour continuer le programme.

La réplique s'accompagnait d'un petit sourire. Si Renaud affichait une certaine timidité, il ne se laisserait certainement pas bousculer par des gamins d'une petite ville de province, dont la culture se situait dans les frontières étroites tracées par une armée de prêtres enseignants. La mine renfrognée de Fitzpatrick témoignait de sa frustration. Il ne venait pas de se faire un ami de cet étudiant. Les deux autres garçons, tout comme Helen, s'amusaient ferme, alors qu'Élise s'inquiétait de la tournure des événements. Son rôle était de maintenir chez chacun des invités un état de contentement béat. Si l'on en arrivait à élever la voix et à se dire des choses désagréables, ce serait bien sûr la faute des visiteurs, mais aussi la sienne: une bonne hôtesse devait savoir maintenir l'harmonie.

Elle ne trouva rien de mieux que de rappeler :

— N'avions-nous pas prévu de jouer au tennis ? Comme nous sommes six maintenant, nous pourrons former des paires.

— Je n'avais pas prévu, risqua Daigle en montrant d'un geste vague sa tenue.

— Ce n'est rien. Le niveau de compétition ne sera pas bien élevé, vous ne serez pas trop désavantagé par vos habits de ville. Voici la raquette de mon frère. Il ne pourra se libérer de ses tâches politiques avant la fin de l'après-midi.

Il aurait eu mauvaise grâce à refuser. De toute façon, comme quatre personnes occuperaient d'abord le terrain, il pouvait se réfugier dans le rôle de « réserviste ». Lui et Élise affronteraient les gagnants de la première joute, convint-on bien vite. La grande affaire fut cependant de former les premières équipes. Lafrance et Fitzpatrick se disputaient l'honneur de jouer avec la belle Helen. Celle-ci regardait la discussion avec l'air de celle pour qui il était tout à fait naturel d'être l'objet d'affrontements de ce genre. Elle affectait d'ignorer être l'objet d'une convoitise « sportive ». Finalement, Lafrance l'emporta, avec l'argument qu'il fallait quelqu'un de très fort avec elle pour rétablir l'équilibre entre les équipes. Bégin semblait tout à fait indifférent à la question, mais Fitzpatrick fulminait visiblement de se faire rabrouer une seconde fois. La partie put enfin commencer.

Renaud et Élise approchèrent leur chaise du court, pour regarder la joute. Le jeune homme se demandait si sa voisine était l'une de ces vieilles filles que les mères, selon Mgr Neuville, essaieraient de lui refiler. Célibataire à plus de vingt-cinq ans – elle ne portait pas d'alliance, mais surtout, aucun enfant ne s'accrochait à ses jupes –, elle devait considérer comme une aubaine la venue d'un célibataire à Québec. Dans son milieu, celles qui avaient le malheur de ne pas pouvoir se trouver un fiancé entre dix-huit et vingt et un ans risquaient fort de n'en pas dénicher du tout.

Pour une femme, cette éventualité s'avérait un échec. Incapable de poursuivre une carrière professionnelle, elle vieillirait dans la maison paternelle, s'occuperait des parents et de bonnes œuvres. Le sort en était presque jeté pour Élise, à moins que ne se présente un personnage inattendu : un veuf dans la plupart des cas – l'accouchement était encore souvent la cause de décès prématurés –, parfois, très exceptionnellement, un célibataire de trente ans.

— Vous rentrez tout juste d'un séjour en Angleterre ? s'enquit-elle, comme si elle ne le savait pas.

— En effet. J'ai étudié là-bas.

— Vous n'avez certes pas fait qu'étudier. Vous êtes parti depuis si longtemps.

— J'ai eu aussi le temps de faire la guerre, et de travailler pour le gouvernement canadien.

La première précision amena un froncement de sourcils chez son interlocutrice.

— Vous étiez dans un régiment canadien ?

— Non, britannique. On était tout à fait disposé là-bas à prendre un volontaire de plus.

— Comme cela a dû être affreux.

Cela ne demandait pas vraiment de réponse. Il ne l'écoutait que distraitement, toute son attention fixée sur les joueurs de tennis, plus précisément sur Helen McPhail. Celle-ci allait et venait sur le terrain, sa jupe plissée tournoyant autour d'elle. Elle jouait plutôt bien, mieux que son prétentieux partenaire en fait, mais son jeu ne suffisait pas à retenir l'attention. Fort jolie, pas très grande, ses cheveux bruns coupés court, « à la garçonne » disait-on, des yeux très bleus, elle donnait une impression de liberté, de vivacité, qui choquait ses rivales et séduisait les garçons. Elle portait une chemise « matelot », très populaire cet été, dont le grand col se relevait parfois contre sa nuque. Elle riait de ses bons coups, riait encore plus fort des mauvais coups de ses compagnons de jeu.

— Elle parle très bien français, remarqua Renaud.

Il ne vit même pas le dépit se dessiner sur le visage d'Élise. Celle-ci se rappela son rôle d'hôtesse et expliqua :

— Son père était irlandais, mais sa mère, canadienne-française. Elle a fait tout son secondaire dans un couvent de Montréal, en français, et des études à McGill.

— Elle n'a plus ses parents ?

— Ils sont morts en 1918, lors de l'épidémie de grippe. Elle était au couvent alors, c'est sans doute ce qui lui a permis d'échapper à la contagion.

Élise espérait cesser d'évoquer cette petite Irlandaise, mais elle prenait l'habitude de la situation. Depuis une semaine qu'elle était là – les parents Trudel s'étaient entichés de celle qu'ils appelaient la « petite orpheline » –, le même scénario se répétait sans cesse. Parmi ses connaissances à La Malbaie, tous les garçons lui avaient demandé l'identité de la visiteuse.

— Vous ne pouvez pas pratiquer le droit au Québec ? dit-elle pour attirer son attention.

Il cessa de regarder la jupe qui se relevait parfois jusqu'à mi-cuisse pour fixer sa voisine. Celle-ci n'était pas vilaine : grande, mince, des yeux gris intelligents, un air de douceur résignée sur le visage. Il comprenait parfaitement son envie de changer de sujet de conversation.

— Je vais préparer l'examen du barreau. Comme le travail à l'Université Laval ne devrait pas prendre tout mon temps, j'espère être prêt le printemps prochain.

Renaud fit un effort pour ne pas tourner de nouveau les yeux vers le court. Il chercha un sujet de conversation, se rabattit encore sur les personnes présentes, mais cette fois sur un sujet moins délicat :

— Ce garçon, Fitzpatrick, est le fils de l'un des collègues de votre père, au Cabinet ?

— Oui. Il s'agit du ministre des Ressources naturelles. Vous le verrez ce soir. Présentement, il discute avec mon père. La politique ne prend pas de vacances avec eux.

Elle marqua une pause, puis ajouta avec un sourire :

— Je ne crois pas que vous serez son professeur préféré, ajouta-t-elle, amusée.

— En toute honnêteté, il ne sera pas mon étudiant préféré non plus.

Un sourire ironique accompagna la réplique de Renaud. Il ajouta, bon prince :

— D'un autre côté, je conviens que mon domaine de spécialisation ne sera pas très populaire auprès des étudiants. C'est toujours un peu austère, une Constitution.

— Vous devriez avoir un certain succès avec ceux qui s'intéressent à la politique. Même si mon frère a fini sa licence, il a décidé de s'inscrire à votre cours. Il l'a suivi déjà avec votre prédécesseur il y a quatre ans, mais selon lui le juge Fortin pouvait endormir toute une classe en une dizaine de minutes.

— Le tenir éveillé au moins cinq minutes de plus deviendra mon objectif. Et Romuald Lafrance, c'est aussi le fils d'un collègue de votre père ?

— Si l'on veut. Comme vous le savez, le mien est ministre de la Voirie, le sien, le plus important entrepreneur de l'est de la province, dans le domaine de la construction de routes ou de ponts. Disons qu'il a besoin de l'amitié de mon père. En conséquence, il s'engage à fond dans toutes les campagnes électorales. Vous le verrez aussi au souper. Il y aura en plus monsieur Bégin, que vous connaissez déjà.

La présence d'un chasseur de contrats à la table d'un ministre ne troublait personne. Ce genre de copinage se retrouvait dans tous les pays.

— Il ne manquera que le premier ministre, lança Renaud à la blague.

— Nous l'avons invité. Malheureusement, il était retenu, rétorqua-t-elle le plus sérieusement de monde.

Voilà le monde où voulait l'introduire le vieux monsieur Bégin, au nom de son amitié pour son père. En Angleterre, tout employé du Haut-Commissariat qu'il fût, les personnes détenant le pouvoir politique se trouvaient hors de son cercle de relations. Au mieux, il côtoyait les subalternes, et même ceux-ci se permettaient de le regarder de haut. Dans la province de Québec, être le fils d'un notaire doublé d'un habile homme d'affaires, ou être le protégé d'Armand Bégin, propriétaire d'un grand magasin de la rue Saint-Joseph et de divers autres commerces, suffisait pour s'approcher tout près des lieux de prise de décision.

Élise Trudel devait connaître très bien la bonne société de Québec. Le visiteur enchaîna :

— À deux reprises j'ai rencontré par hasard Thomas Lavigerie. C'est un drôle de personnage.

— Si vous l'avez vu deux fois, je ne crois pas que cela tienne du hasard, même dans une petite ville comme Québec. C'est vraiment un drôle de personnage. Vous ne risquez pas de le trouver ici.

— C'est vrai, c'est un conservateur, remarqua-t-il.

Elle lui adressa un sourire entendu avant de préciser :

— Nous recevons beaucoup de conservateurs. Ne serait-ce que par nécessité : il faut faire avec les adversaires. Puis, nous avons des parents et des amis chez les conservateurs. Thomas Lavigerie n'est pas un conservateur, c'est un antilibéral.

— Cela est attribuable à ses origines ? risqua Renaud.

Il n'aurait pas osé faire allusion à une naissance illégitime devant une femme plus jeune, de crainte de la choquer. Plus âgée, Élise était vraisemblablement bien informée des « choses de la vie ».

— Oh ! fit-elle néanmoins.

Puis, après une hésitation, elle poursuivit :

— Personne ne saura sans doute jamais la vérité à ce sujet. Le simple fait que Lavigerie alimente lui-même les doutes sur l'identité de son père est cependant du plus mauvais goût... Cela caractérise bien le personnage : il nourrit cette rumeur, selon laquelle il serait le fils illégitime de Laurier, seulement pour choquer, provoquer. Il cherche à nuire. Il se fait conservateur pour embêter les libéraux ; il se ferait sans doute libéral pour nuire aux conservateurs si ceux-ci formaient encore le gouvernement. Il a déjà adopté cette position en 1917.

Elle marqua une pause avant de préciser encore :

— Non, il ne vient pas ici à cause de sa prétention, de son arrogance et de sa vulgarité.

Pareille véhémence surprit son interlocuteur. « L'homme est probablement dangereux pour le pouvoir », réfléchit Daigle en silence.

Alors que la partie de tennis s'achevait devant eux, ils évoquèrent encore quelques personnes proches des libéraux, des noms dont l'avocat se souvenait vaguement. Puis ils furent requis sur le terrain : malgré la piètre performance de Lafrance, lui et Helen McPhail avaient défait l'équipe Fitzpatrick-Bégin. Renaud enleva son veston et son nœud papillon après s'être excusé auprès des dames présentes, prit la raquette que lui tendit Élise et entreprit d'impressionner Helen McPhail. Ce n'était pas tellement difficile : les activités sportives étaient très populaires auprès des étudiants anglais, alors qu'elles demeuraient suspectes dans les collèges du Québec. Il fit courir ses deux adversaires, tandis que sa coéquipière tenait son bout. L'après-midi se termina sur leur victoire.

Les enjeux étaient plus âprement défendus à l'intérieur de la maison bourgeoise que sur le court de tennis. Tous les « vieux » se trouvaient là : Trudel, Lafrance, Bégin, Fitzpatrick, avec en plus Henri Trudel. Son père pouvait l'imposer aux autres, malgré son jeune âge, en lui faisant jouer un vague rôle de secrétaire. Personne n'était dupe cependant : au moment où ses amis s'amusaient à frapper une balle, lui apprenait les secrets du Parti libéral, il était témoin des exercices de bras de fer. Il faisait son apprentissage.

Ils étaient tous les cinq calés dans de profonds fauteuils de cuir, un cigare à la bouche. L'après-midi passa presque en entier à évaluer les ressources du Parti, calculer les coûts de la prochaine élection fédérale, établir le montant qui leur manquait encore pour y faire face. Lafrance était d'une redoutable efficacité à ce sujet : il donnait un montant pour chaque circonscription, détaillant la subvention nécessaire pour rallier les élites locales, acheter des bouteilles d'alcool et d'autres petits cadeaux pour convaincre ceux qui, encore le jour du scrutin, hésiteraient à « voter du bon bord ».

Aucun d'entre eux ne doutait de la victoire lors du scrutin à venir. Les conservateurs se trouvaient dirigés par un chef sans charisme, Arthur Meighen, incapable d'offrir une réelle opposition au premier ministre William Lyon Mackenzie King. Dans la province, aucun des candidats annoncés n'offrirait une solide performance. La partie serait plus difficile ailleurs au Canada, mais les personnes présentes dans cette pièce ne s'en souciaient guère.

— Tout cela est bien beau, déclara bientôt Antoine Trudel, mais nous sommes toujours à la merci d'un scandale.

Personne ne remarqua la mimique nerveuse sur le visage d'Henri, son fils. Il continua :

— Samuel, je t'ai quelquefois invité à plus de prudence. Déjà, chez nos alliés, on se moquait de la gourmandise du ministre des Ressources naturelles. Maintenant, les ristournes qui te sont accordées sont discutées même chez nos adversaires. Le risque de voir nos amis être battus augmenterait sensiblement si cela se rendait dans les journaux.

Samuel Fitzpatrick perdit immédiatement son air satisfait. Il rétorqua d'une voix sourde :

— Je ne sais pas de quoi tu parles.

— Voyons, ce n'est pas la peine de jouer à cela entre nous. Tout le monde sait très bien qu'au moment d'accorder une concession forestière, par exemple, tu empoches cinq pour cent de la valeur des redevances versées à la province la première année. À une certaine époque, les caisses du Parti en recevaient la majeure partie, mais, depuis un certain temps, tu parais être le seul bénéficiaire de ces largesses.

— On ne fait pas de la politique pour l'amour du bon Dieu, répondit-il. Veux-tu nous faire croire que cette belle maison, tout comme celle que tu possèdes à Québec, ont été payées avec ton salaire de ministre ?

Les choses devaient en venir là. Personne dans la pièce ne pouvait prétendre à la virginité en cette matière. Les contrats de construction de routes et de ponts qui enrichissaient Lafrance ne faisaient l'objet d'aucun appel d'offres. Bégin trouvait dans le gouvernement québécois un client toujours prêt à payer le prix fort pour tous les produits qu'il avait à vendre. Qui, parmi eux, n'avait pas acheté un terrain à vil prix à un agriculteur, ou parfois même à une municipalité, pour le revendre avec un profit colossal grâce aux renseignements glanés dans les cercles politiques qu'ils fréquentaient ?

Personne ne faisait de politique pour l'amour du bon Dieu, Fitzpatrick avait bien raison. Le profit personnel n'était peut-être pas le seul motif, mais peu d'entre eux se révélaient assez riches pour pouvoir négliger noblement cet aspect des choses. Évidemment, il existait une grande différence entre eux et le ministre des Ressources naturelles. Cet homme se comportait en imbécile, il devenait un danger.

— Chacun, dans cette pièce, serait capable de prouver que ses possessions lui sont venues de façon légale, précisa Trudel. Sauf toi ! Le premier ministre a reçu cette missive éloquente des frères Brown, récemment.

Le vieux ministre commença à lire une lettre des propriétaires de la pulperie de La Tuque. Ils se plaignaient de s'être vu réclamer, par le ministre des Ressources naturelles, cinq mille dollars pour ses bons offices dans le traitement de la demande d'une concession forestière en Haute-Mauricie. Une voix véhémente l'interrompit :

— Ce sont des mensonges. Je ne sais pas pourquoi ces salauds veulent me nuire, tonna Fitzpatrick.

Il parlait fort, mais ne paraissait pas convaincant, ni même convaincu.

— Ce n'est pas vrai, répéta-t-il plus bas.

Trudel sortit une autre feuille d'une chemise, commença à lire après avoir montré à tout le monde l'en-tête de la lettre, pour leur indiquer qu'elle venait du ministère des Ressources naturelles. Fitzpatrick y expliquait dans son meilleur anglais que les hectares de forêts étaient réclamées par de multiples concurrents des Brown. En conséquence, il lui faudrait user de toute son influence pour les leur obtenir. Sa peine méritait salaire. C'était bien sûr exprimé avec bien des circonvolutions. Mais personne ne pouvait faire semblant de ne pas comprendre ce dont il s'agissait.

L'hôte termina d'une voix accusatrice :

— Il y a ta signature au bas de la lettre.

— Cela pourrait nous faire grand tort, opina Lafrance, si ces documents se retrouvaient dans les journaux. Les gens sont passablement excités sur la question des rapports entre les politiciens et ce qu'ils appellent les *trusts.* Les frères Brown menacent-ils de rendre cela public ?

— Ils sont très clairs sur une chose : ils veulent faire affaire avec quelqu'un d'autre à l'avenir, dit Trudel.

— Mon Dieu ! invoqua Armand Bégin. Samuel, tu seras obligé de démissionner, j'en ai bien peur.

Il ajouta en s'adressant au maître de la maison :

— Est-ce qu'ils vont engager des poursuites ?

— Le premier ministre m'a dit qu'ils étaient outrés. Ces protestants se promènent avec une bible sous le bras, invoquant Dieu à tout moment. Il a finalement pu les convaincre de ne pas faire de bruit avec cela, en leur promettant de s'occuper lui-même de l'affectation des concessions forestières d'ici les prochaines élections provinciales.

Le piège se refermait sur Fitzpatrick. Tous les autres devaient être au courant avant de venir à cette réunion. Ils s'étaient sans doute entendus entre eux auparavant, pour planifier la nature et l'ordre de leurs interventions. Cela ressemblait à du mauvais théâtre. L'homme se trouvait coincé, toutefois il demeurait incapable de se résoudre à abandonner toute résistance.

— Moi aussi, je pourrais rendre publics des scandales.

Il ne vit pas Antoine interroger son fils des yeux. À ce moment, le mieux aurait été de se taire, pour les laisser dans l'expectative. Le ministre maladroit continua cependant :

— Vous aussi, vous avez tous accepté de l'argent, un jour ou l'autre.

L'hôte respira mieux. Des menaces aussi vagues ne présentaient aucun danger. Il put enchaîner :

— Selon Descôteaux, l'embêtant avec des poursuites devant les tribunaux, en plus de nuire à la réputation du Parti bien sûr, c'est que tu pourrais être appelé à rembourser des sommes importantes. Si tu dois rendre aux Brown leur argent, toutes les autres compagnies avec lesquelles tu as fait des affaires voudront aussi récupérer leurs cadeaux. De la même façon, la province pourrait réclamer les sommes que tu as reçues. Il s'agit d'argent injustement détourné des coffres du ministère, aucun juge n'arrivera à une autre conclusion.

Une démarche de ce genre ne serait peut-être pas couronnée de succès, mais cela le laisserait ruiné, vu les frais d'avocat.

— Qu'est-ce que Descôteaux suggère ? demanda enfin Fitzpatrick d'une voix blanche.

— Que tu remettes ta démission comme ministre. Tu pourras invoquer des raisons familiales, ou de santé. Le premier ministre te remerciera publiquement pour tes excellents services, regrettera ton départ… Tu connais les usages.

Des collaborations prenaient si souvent fin de cette façon, avec un échange de bons mots. Personne ne s'en surprendrait. Le ministre Trudel continua en dévisageant son interlocuteur :

— Si tu veux demeurer député, libre à toi. Mais plus de présence au Cabinet, et tu gardes une absolue discrétion. Tu pourrais faire un peu de mal au Parti en devenant bavard, mais le gouvernement pourrait te faire perdre ta chemise avec des poursuites. Au bout du compte, Descôteaux serait perçu comme un héros en pourchassant la malhonnêteté même au sein du Parti libéral.

Tous se levèrent sur cette conclusion. Samuel Fitzpatrick rageait, tout en sachant bien qu'il valait mieux se taire. Il se demandait combien de lettres identiques à celle-là avaient été réunies. Avec tous les libéraux influents membres de conseils d'administration susceptibles de voir sa correspondance, il devait en exister plusieurs. Il quitta la salle le premier, pour aller s'enfermer dans les toilettes.

Quand les deux autres invités furent sortis, Antoine dit à son fils :

— J'ai eu peur pendant un moment. Son allusion à des scandales...

L'autre acquiesça, saisissant très bien l'allusion.

— Tu crois que l'un ou l'autre de tes camarades a parlé de l'affaire à son père ?

— Je ne pense pas. Il n'y a pas de quoi se vanter. Je ne t'aurais jamais rien dit sans la visite de la police. Je vais essayer de m'informer auprès d'eux, tout à l'heure.

— Sois prudent. Ils n'ont pas plus intérêt que toi à ce que cela se sache. Rappelle-le-leur.

Quand Samuel Fitzpatrick sortit enfin de la salle de bain où il s'était enfermé, il sentait un peu le gin et il fulminait de rage. Il gardait une petite bouteille dans ses poches, pour les urgences de ce genre. Il traversa la maison d'un pas rapide pour aller au jardin. Les autres arrivaient à la hauteur du court de tennis quand il les rejoignit.

— William, cria-t-il, on s'en va. On rentre à Québec.

L'homme tourna les talons sans un mot de plus et se dirigea vers l'avant de la maison, où se trouvait sa voiture. Son fils regarda les autres, interdit, avant de le suivre. Antoine Trudel fit un signe de tête à sa femme, qui les retrouvait à ce moment. Le geste pouvait signifier de multiples choses, comme « Mets trois couverts de moins ce soir», «On ne le reverra plus jamais. Bon débarras» ou encore «Je ne sais pas ce qu'il lui prend». Elle comprit sans doute le second de ces messages, car elle lui adressa un petit sourire satisfait.

— Alors, Armand, me présentes-tu ton jeune ami dont tu me dis tant de bien depuis deux jours? déclara le maître de maison en se tournant vers le jeune inconnu.

— Renaud Daigle. Tu te souviens sûrement de l'avoir rencontré chez ses parents.

— Oui, mais c'était alors un collégien, pas un jeune homme, fit le ministre en lui serrant la main. Vous avez été conscrit pour le tennis. C'est la nouvelle manie des jeunes, courir après une balle en plein soleil.

— Nous les avons battus, glissa Élise, insistant un peu sur le «nous».

Le père fit un «Ah!» satisfait, la mère sourit. Renaud rougit en voyant tout cela.

— Nous souperons à sept heures ce soir, continua son hôte. D'ici là, voulez-vous vous joindre à nous pour un apéritif?

— Non, fit Renaud. Je vais retourner à l'hôtel pour me rendre plus présentable.

Il fit un geste pour montrer sa chemise un peu trempée de sueur.

— Voici mon fils, poursuivit encore le ministre quand Henri les rejoignit à son tour. Je compte sur vous pour le faire travailler un peu, cette année. Nous avions prévu l'envoyer à Boston en septembre afin de compléter ses études, mais finalement le séjour a été remis d'un an. Il est aussi bien de régler la formalité du barreau avant de partir. Même s'il a déjà terminé sa licence, il a décidé de refaire le cours de droit constitutionnel avec vous.

Daigle serra la main d'Henri. C'était un gaillard musclé, de vingt-trois ou vingt-quatre ans, les cheveux coupés court. Il avait la mine sérieuse de celui qui ne pouvait plus passer ses samedis après-midi au tennis. Pourtant, il n'était l'aîné des autres jeunes gens que d'un an ou deux. Ils échangèrent les banalités d'usage.

Après avoir récupéré son veston, Renaud s'excusa. Madame Trudel lui rappela l'heure du souper à son tour, Élise lui adressa un petit salut de la tête. Son départ sembla sonner la débandade : les Lafrance et les Bégin gagnèrent aussi leur résidence d'été respective.

~

Romuald Lafrance et Michel Bégin revinrent chez les Trudel avant leurs parents. Ils ne s'étaient pas revus tous ensemble depuis la fin de semaine fatidique. Henri avait préféré venir rejoindre sa mère et sa sœur à La Malbaie. Les deux autres étaient restés à Québec, mais eux aussi tentaient de se faire discrets. Ils prenaient leurs repas en famille, passaient leurs soirées à la maison. Ils voulaient se faire oublier, en quelque sorte.

Le petit groupe se retrouva à l'extrémité du jardin. Quelques chaises donnaient sur la falaise, au-dessus du fleuve. Ils se tenaient assez loin de la maison pour ne pas être entendus. Malgré cela, Henri tourna son siège dos au fleuve, de façon à faire face à ses amis et surtout à voir si quelqu'un venait vers eux. Personne ne devait entendre la moindre bribe de leur conversation. Ils commentèrent brièvement le départ précipité des Fitzpatrick. Henri évoqua des problèmes politiques, cela leur suffit. Puis Bégin aborda l'objet de toutes leurs pensées depuis plusieurs jours :

— L'enquête policière avance-t-elle ?

Il voulait dire en réalité : « Les policiers s'approchent-ils de nous ? »

— Non, il n'y a rien de nouveau, dit Trudel.

Les deux autres étaient convaincus qu'il possédait des informations précises sur les progrès de l'enquête.

— Il ne devrait rien se produire de désagréable, si vous demeurez discrets.

— Mais ils ont arrêté des gens. On ne peut pas laisser condamner des innocents, fit encore Bégin.

— Il fallait penser à cela le 3 juillet, rétorqua Trudel.

Lui l'était, innocent. Cela l'autorisait à ce genre de rebuffades. Il continua d'une voix plus amène :

— Écoute, Michel, on a discuté de tout cela déjà. En allant tout de suite à la police, vous auriez pu passer pour des ivrognes ayant fait une bêtise. Il est trop tard maintenant. Toute la ville est excitée depuis que les détails du meurtre sont connus. Si vous ouvrez la bouche, nous nous retrouverons tous dans une vraie merde.

Le ton du garçon rappelait celui de la remontrance. Ses compagnons s'en agacèrent.

— Cela te convient bien, de faire des reproches, glissa Lafrance, mais tu peux t'être levé, cette nuit-là, pour aller la tuer. Nous dormions.

— Je t'interdis de dire cela, siffla Trudel. Je n'ai rien à voir là-dedans, tu le sais.

— Pourquoi refuses-tu d'admettre que ce sont peut-être des passants, des étrangers, les coupables ? s'énerva Lafrance. Si c'est obligatoirement l'un de nous, cela peut tout aussi bien être l'un de nous six ! Tu étais soûl et drogué, tu ne sais même plus ce que tu as fait ce jour-là.

Cette pensée hantait aussi leur camarade. Pouvait-il avoir agi comme un somnambule ? « Non, se répétait-il à chaque fois, cela n'est pas possible. »

Dans le passé, jamais il n'avait bougé d'un pouce dans cet état. Au contraire, les autres devaient le porter. Comment croire que, cette nuit-là, il aurait pu quitter la chambre où les autres l'avaient mis, passer dans la pièce où ils cuvaient leur vin, massacrer cette fille restée prisonnière dans le caveau à légumes et retourner se coucher, tout cela sans s'en rendre compte ? Surtout, au matin ses vêtements ne portaient pas trace d'une seule goutte de sang.

Il comprenait cependant le point de vue de Lafrance. Le jour où l'un d'entre eux – si jamais cela se produisait –

confesserait l'avoir fait, les autres pourraient être reconnus innocents. D'ici là, chacun était un suspect.

— Il n'y a pas d'autre solution que de se taire, continua Lafrance un ton plus bas. Si nous sommes arrêtés, nous serons condamnés tous les six, en bloc, innocents et coupables.

Il semblait au bord des larmes. Il se leva pour se diriger vers la maison.

— Il a raison, remarqua Trudel à l'intention du fils Bégin. Maintenant, les tribunaux ne feraient plus le détail. Nous serions condamnés tous ensemble. Toi et moi, nous nous sommes débarrassés du corps. Même si nous ne l'avons pas tuée, c'est très sérieux comme complicité. Cela nous vaudrait la même sentence.

— Les gens mis sous les verrous cette semaine n'ont rien à voir là-dedans, remarqua son compagnon.

— Ce ne sont pas des innocents choisis au hasard. Ils l'ont violée, eux aussi, expliqua le fils de la maison.

L'autre parut à la fois incrédule et soulagé.

— Tu… tu es sûr de cela ?

— Oui. La police les a arrêtés pour ce motif. L'enquêteur les aurait même pris sur le fait avec l'autre sœur. De mon point de vue, ils sont plus coupables que je ne le suis.

Cette fois, Bégin lui présenta un visage un peu rasséréné. Après un silence, ce fut à Trudel de s'enquérir :

— Tu sais ce qui arrive à Marceau et à Saint-Amant ?

— Saint-Amant m'a dit souhaiter rejoindre son père en Beauce. Il ne projette pas de revenir à Québec avant le début des cours. Marceau s'est enfermé chez lui. Il avait l'air un peu plus calme, lors de notre rencontre. Cela lui a donné un sale coup. Tous deux m'ont juré de se taire.

— Tu penses que l'un d'eux a pu faire cela ? insista le fils du ministre.

Il faisait allusion au meurtre.

— Il y a un mois, j'aurais dit qu'aucun de nous six ne pouvait participer à un viol. Alors un meurtre ! Moi moins que tous les autres. Saint-Amant n'a jamais fait preuve de violence.

— Tandis que Marceau..., poursuivit l'autre.

— Il avait l'air terriblement fier d'avoir battu ce gars, au *Chat*. Je le connais depuis nos années de collège. Il peut tomber dans des rages aveugles. Les élèves ont fini par arrêter de le harceler à propos de ses aventures avec les religieux parce qu'il leur faisait peur. Quand je pense à lui, le viol m'étonne plus que le meurtre. Quand il sort de ses gonds...

Le silence s'installa entre eux, lourd, inconfortable.

Michel Bégin voulait se justifier, expliquer encore que cela avait commencé comme un jeu cruel : ils la touchaient, et elle criait. Puis Lafrance et Fitzpatrick s'étaient mis en tête de la dévêtir. Lui et Saint-Amant la retenaient au moment du viol. À la fin, ils l'avaient fait aussi, comme dans un état second. Leur ivresse ne les excusait pas vraiment. Quant à Marceau, il avait d'abord regardé de loin, sans oser lever le petit doigt. Jusqu'à ce que Lafrance hurle dans sa direction :

— Hé ! Le puceau ! Tu te réserves pour ta nuit de noces ?

Le garçon s'était avancé, avait baissé son pantalon, puis... Mais à quoi bon donner ces précisions ? Toutes ces explications ne diminuaient en rien la terrible culpabilité, surtout au plus profond de la nuit. Il baissa plutôt la tête en poussant un long soupir.

De son côté, Trudel préférait mettre l'assassinat au compte de Marceau, ou même de Fitzpatrick. Ces deux-là ne lui avaient jamais plu. Il en était là de ses réflexions quand il entendit claquer des portières à l'avant de la maison.

— Allons faire honneur au souper de ma mère, dit-il sans enthousiasme. Il y a une semaine qu'elle est sur le dos des domestiques à ce sujet.

~

« Quelles sont les règles dans un souper de la bonne société de Québec ? » se demandait encore Daigle en descendant de sa voiture. L'habit de soirée faisait terriblement prétentieux à La Malbaie, trouvait-il, et surtout il ne savait pas s'il entrait encore dans le sien. Puis il faisait bien chaud engoncé là-dedans. Le visiteur avait finalement opté pour l'uniforme d'apparat d'officier de son régiment anglais. Évidemment, il s'en était fait couper un par un tailleur londonien: ceux fournis par l'armée paraissaient taillés par des aveugles. La couleur laissait à désirer, mais il y avait assez de dorures et de médailles pour impressionner la galerie. Le patriotisme compenserait l'absence de raffinement.

Pour ne pas avoir à se chercher une contenance, un verre à la main dans un salon rempli d'inconnus, il arriva à sept heures pile. Avec un peu de chance, on passerait à table tout de suite. Le visiteur se demanda bien sûr si arriver le dernier ne serait pas perçu comme présomptueux: cela signifiait que malgré des occupations nombreuses, il avait finalement réussi à se libérer pour des hôtes aussi charmants.

Toutes les voitures aperçues l'après-midi étaient de retour, hormis celle des Fitzpatrick. Quand il sonna, Élise Trudel vint lui ouvrir. Elle le détailla de la tête aux pieds et décréta en prenant son képi et ses gants:

— Vous faites terriblement martial, monsieur Daigle.

Il l'examina lui aussi et se demanda un moment s'il n'allait pas lui retourner le compliment: elle s'était équipée pour la bataille. Ses cheveux étaient relevés en une construction compliquée, montrant un cou et des oreilles parfaits. Sa robe longue dégageait une quantité d'épaules et de poitrine impressionnante, tout juste à la limite du bon goût. Elle présentait les seins généreux d'une fausse maigre. Plutôt que de risquer une remarque déplacée sur sa tenue, il lui murmura à l'oreille avec franchise:

— En fait, je ne savais pas quoi me mettre.

— Cela m'arrive parfois, confia-t-elle en riant. Dans ces cas-là, fit-elle plus bas, je n'arbore pas mes médailles. Il est vrai que les miennes sont moins impressionnantes. La Vierge, sainte Anne…

Elle le prit par le bras, se débarrassa de son couvre-chef dans les mains d'une servante, et le conduisit vers la salle à manger. Tout le monde se trouvait déjà là, comme il s'y attendait. Il attira des regards appuyés. Finalement, dès que les convives furent assis, le maître de la maison fit observer :

— Vous ne portez pas un uniforme d'un régiment canadien, à ce que je vois.

— L'armée anglaise recrutait très activement sur les campus.

— Vous n'êtes plus militaire, maintenant ? demanda Élise.

La jeune femme paraissait s'inquiéter de son statut.

— Après avoir été démobilisé, je suis resté dans la réserve. J'ai toujours mon grade de lieutenant. Dans l'éventualité d'un nouveau conflit, si l'on jugeait avoir besoin de moi, on pourrait me rappeler. À mon âge, ce serait plutôt étonnant.

— De ce côté-ci de l'Atlantique, les Canadiens français ne se sont pas sentis appelés par l'aventure militaire, fit observer Arthur Lafrance.

À son ton, l'idée de s'enrôler devait l'avoir particulièrement répugné.

— Je sais. J'ai beaucoup lu sur ces jeunes gens inscrits au Grand Séminaire, ou cachés dans les bois pour éviter la conscription. Il est peut-être plus facile de ce côté-ci de l'Atlantique de ne pas se sentir interpellé par les grands mouvements de l'histoire.

Renaud sut que cela faisait très pédant avant d'avoir terminé la phrase.

— Plus simplement, ce conflit ne nous concernait pas, intervint Henri Trudel.

— C'est un point de vue. Moi-même, je ne puis pas dire que je me sentais le devoir de défendre l'Empire britannique. Vous seriez cependant surpris de l'efficacité de la propagande. À force d'entendre les appels pour défendre la civilisation face aux hordes de Huns, on finit par y croire. Surtout, tous nos amis partent, les uns après les autres. Quand l'année académique a commencé, en 1914, nous étions une centaine peut-être en première année de droit. Quand je me suis engagé à l'été de 1915, il en restait tout au plus quarante.

— Vous vouliez faire comme les autres? continua Henri.

La question contenait une dose d'ironie. Renaud préféra mesurer sa réponse:

— Pas dans le sens où vous le dites, quoique chacun d'entre nous fait toujours comme les autres, à part d'infimes variantes. Quand les camarades reviennent blessés, quand la liste des morts s'allonge sur les tableaux d'honneur de tous les collèges et de toutes les universités, il devient odieux de rester derrière, à préparer une petite carrière d'avocat.

La remarque amena une légère crispation sur les visages de tous les convives.

— Alors vint un moment où je me suis engagé pour partager le fardeau avec les camarades. Si j'avais vécu dans un milieu où se sauver de la conscription était perçu comme honorable, j'aurais sans doute fait la même chose. Là-bas, l'honneur exigeait de s'engager. C'est un curieux sentiment, l'honneur, ou le sens du devoir, qui est son pendant.

— Un sentiment bien masculin, remarqua Helen McPhail.

— Êtes-vous certaine que ce soit exclusivement masculin? J'ai pourtant l'impression que les femmes sont très sensibles aux questions d'honneur, répondit Renaud dans un sourire.

Le port de cet uniforme n'était pas sa meilleure trouvaille. La province avait farouchement défendu son isolationnisme pendant la guerre. L'adoption de la conscription avait entraîné des émeutes dans les rues de Québec et de Montréal. Il y avait eu quelques morts à Québec quand l'armée avait ouvert le feu sur la foule. En Angleterre comme au Canada anglais, porter son uniforme se serait révélé la chose la plus naturelle, et ceux qui ne pouvaient en faire autant en auraient ressenti de la honte. Il n'en allait pas ainsi au Québec.

— Vous conviendrez tout de même que l'idée d'honneur, chez les femmes, obéit moins aux hymnes guerriers que chez les hommes, fit observer Élise pour rompre un silence devenu pesant.

— J'en conviens très volontiers, répondit-il avec le même sourire, si vous l'affirmez. Toutefois, les jeunes Anglaises se plantaient au coin des rues pour distribuer des plumes de poulet aux garçons de leur âge refusant de s'enrôler. Ceux-là vivront toute leur vie avec une réputation de lâcheté.

Cette dernière précision troubla tout le monde. Armand Bégin prit sur lui de rappeler les divers points de vue.

— Chacun ici convient de l'importance de faire son devoir. Une difficulté demeure : on ne s'entend pas sur ce que celui-ci commande. En 1917, nos compatriotes de langue anglaise nous demandaient de partager leur fardeau. Ils disaient « partager le prix du sang ». De notre côté, nous considérions de notre devoir de mettre en premier la nationalité canadienne-française en ne nous aventurant pas sur des champs de bataille étrangers, dans un conflit dont nous n'avions que faire.

Daigle reconnaissait là les arguments d'Henri Bourassa, ressassés dans les pages du journal *Le Devoir*. Thomas Lavigerie, avec un sens de la formule percutante, écrivait que les Canadiens français avaient bien plus à craindre, pour leur survie, des Canadiens anglais qui fermaient les écoles françaises dans les provinces où ils étaient majoritaires que des Allemands ou des Autrichiens. À moins de souhaiter se faire des ennemis de tous ces gens, Renaud ne pouvait qu'acquiescer à cette analyse d'un signe de tête, tout en contemplant son potage.

— Tout de même, vous avez fait preuve de beaucoup de courage dans l'accomplissement de ce que vous conceviez comme votre devoir, conclut le maître de la maison.

Antoine Trudel regardait ses médailles. Renaud ne fut pas sans remarquer la nuance dans sa phrase.

— Certaines ont été distribuées à la caisse, à tous ceux qui étaient au front. Les autres ont récompensé des actions commencées sans réfléchir, et terminées pour rester vivant, répondit-il le plus modestement possible.

Il se languissait de voir l'attention se porter sur quelqu'un d'autre.

Armand Bégin n'allait toutefois pas laisser passer l'occasion de chanter ses louanges :

— Renaud a été blessé à trois reprises, en moins d'un an sur le front, fit-il.

Comme si être blessé présentait un mérite particulier ! Un murmure d'appréciation parcourut la salle à manger. Même les plus isolationnistes devaient convenir qu'il fallait un réel courage pour faire face au feu de l'ennemi.

La conversation porta enfin sur des personnes connues du trio de vieux messieurs. Ceux-ci se trouvaient au bout le plus noble de la table, avec leurs épouses, tout près de leur hôte. Venaient ensuite, côte à côte, Élise et Renaud, avec en face Henri et Helen. Michel et Claude fermaient la table, en quelque sorte. Trois domestiques servaient la douzaine de convives. La salle à manger était riche, le repas aussi.

Les convives placés en haut de la table s'échangeaient des informations sur des amis communs. Élise se tourna vers Renaud pour lui demander :

— Vous avez été blessé gravement ?

Une inquiétude semblait percer dans sa voix. « Mon Dieu, veut-elle savoir si je présente encore un parti acceptable, c'est-à-dire avec tous mes morceaux ? » Il répondit gaiement :

— Assez gravement pour quitter le front, assez légèrement pour être encore ici, ce qui est encore plus heureux.

Les yeux de sa voisine exprimèrent de la compassion. Le vétéran ne s'en tirerait pas aussi facilement, il devrait s'expliquer. Le jeune homme précisa donc à mi-voix, car il sentait toutes les oreilles se tendre alors que les conversations restaient comme suspendues :

— J'ai reçu un éclat d'obus, un *shrapnell* en allemand, dans la cuisse. L'incident m'a valu un bon six semaines à l'arrière. J'ai aussi reçu une balle dans le flanc droit. Cette fois-là, je fus très chanceux car aucun organe n'avait été touché. J'en ai été quitte pour un autre séjour de six semaines dans un hôpital militaire. Dans l'ensemble, je m'en suis assez bien sorti : sauf des tiraillements dans la cuisse quand le temps est à l'orage, je suis indemne.

Une question brûlait encore dans les yeux d'Élise, mais Helen osa la formuler à haute voix, de l'autre côté de la table :

— Monsieur Bégin a parlé de trois blessures. Vous en avez oublié une.

En revenant à Québec, résolut Renaud à ce moment, il commanderait un nouvel habit de soirée pour faire oublier son passé militaire. Il lui répugnait d'aborder ainsi des sujets intimes pour satisfaire leur curiosité. Ce soir, il ne pouvait y échapper :

— Les deux premières fois, je suis retourné au front une fois guéri. La troisième fois, c'était au printemps de 1916, j'ai été pris dans une attaque au gaz. J'ai pu sortir de la tranchée suffisamment vite pour ne pas mourir au fond. Mais j'en ai avalé assez pour me retrouver aveugle pendant quelques semaines, avec de graves difficultés respiratoires. Cette fois, l'armée m'a renvoyé à mes études, avec une *honourable discharge*. Je n'étais plus bon à grand-chose sur un champ de bataille.

— Quelle affreuse façon de faire la guerre, déclara Élise.

Par la suite, lui sembla-t-il, elle le tint à l'œil, pour vérifier son état de délabrement physique. Madame Trudel paraissait le soumettre au même genre d'examen. Le jeune homme se concentra de son mieux sur le second service tout en essayant de se passionner pour les conversations qui reprenaient autour de lui. Quand elles moururent lentement, Antoine Trudel se fit un devoir de relancer la discussion en interrogeant cette fois l'autre élément étranger présent à cette table, Helen McPhail :

— Mademoiselle, que comptez-vous faire au cours des prochains jours ? Ma femme et ma fille pourront-elles compter encore sur votre charmante présence ?

— Je dois retourner chez ma tante, à Québec. Elle me réclame. Vous savez qu'elle est très malade...

— Elle veut devenir députée, l'interrompit Romuald Lafrance avec un rire niais.

— Quel imbécile, murmura son père, assez fort pour que tout le monde entende.

Quoique le verdict fût largement partagé, la remarque était plutôt déplacée. Un lourd malaise pesa sur la table.

— Romuald se trompe, fit la jeune femme avec tout le charme, considérable, dont elle était capable. Je veux aussi profiter de ma présence à Québec pour participer au pèlerinage annuel.

Voyant une question dans son regard, Élise expliqua à Renaud :

— Depuis 1921, toutes les femmes du Canada peuvent voter lors des élections fédérales, et lors de toutes les élections provinciales, sauf au Québec. Alors des associations féminines de la province envoient des déléguées à Québec tous les ans, pour réclamer le droit de vote. Cela revient avec la régularité des pèlerinages à Sainte-Anne-de-Beaupré organisés par l'Église.

Renaud se priva du plaisir de dire combien cette revendication lui paraissait très raisonnable. Il avait assez attiré l'attention sur ses convictions politiques ce soir-là. Romuald Lafrance avait décidé de se donner en spectacle à son tour :

— De toute façon, les femmes ne veulent pas du droit de vote.

— Descôteaux présentera sans doute cet argument, expliqua calmement Élise. Je ne sais pas qui lui glisse à l'oreille des âneries pareilles, mais voilà deux élections fédérales auxquelles les femmes du Québec participent en grand nombre. Si elles ne voulaient pas du droit de vote, elles resteraient chez elles, comme les prêtres le leur conseillent.

La réplique habituelle du premier ministre à la revendication féminine risquait fort d'avoir été concoctée par quelqu'un se trouvant autour de la table, un membre de sa famille, peut-être. Cela rendait la remarque plus délicieuse encore.

— Ouais, elles seraient mieux de rester chez elles à s'occuper de leurs maris et de leurs enfants. Ce serait plus conforme à leur nature, renchérit le fils.

Tous les patriarches du Québec et d'ailleurs en Occident avaient bâti une argumentation très fine sur la nature féminine, selon laquelle les représentantes du sexe faible ne pouvaient se réaliser que dans le mariage et la maternité. Celles qui réclamaient une participation à la vie politique ou à la vie économique affichaient à la vue de tous une anormalité, une monstruosité: elles refusaient d'accomplir ce que Dieu, ou la nature, attendait d'elles.

Les paroles d'Arthur Lafrance, lancées à la tête d'une femme de vingt-six ans sans mari ni enfants, étaient lourdes de sous-entendus. Contre toutes ses résolutions de l'instant d'avant, Renaud se sentit l'âme chevaleresque, enfourcha son cheval blanc et partit à la défense de sa voisine sans même se demander si elle pouvait se défendre elle-même:

— Pendant toute la guerre, les femmes de Grande-Bretagne, de France et d'Allemagne ont fait fonctionner ces pays au moment où les hommes étaient en grande majorité en uniforme. Il est difficile après cela de donner crédit aux affirmations sur leur incapacité à faire autre chose qu'élever des enfants. Ces arguments sont tout à fait saugrenus.

Il se mérita un regard reconnaissant de la part d'Élise; de Helen aussi, lui sembla-t-il, mais madame Trudel fronça les sourcils.

— C'étaient des temps exceptionnels, plaida-t-elle.

La pauvre bourgeoise imaginait sa fille en bleus de travail en train d'huiler la locomotive faisant le service entre Québec et La Malbaie.

— Sur une longue période, ce serait impossible. La civilisation s'effondrerait, poursuivit-elle, imaginant le pays sans enfants.

— Je suis bien de votre avis, répondit prudemment Renaud, mais si les femmes britanniques ont pu faire fonctionner leur pays pendant quatre ans, elles peuvent sans doute, sans trahir leurs devoirs familiaux, aller voter une fois tous les quatre ans. Et je suppose que les femmes d'ici peuvent faire aussi bien que les Britanniques à ce chapitre.

Il était assez fier de cette récupération nationaliste.

— De toute façon, trancha le père Trudel, les hommes ne peuvent pas tous prétendre avoir la compétence pour voter sagement : certains penchent encore du côté conservateur. Peut-être faudrait-il limiter le droit de suffrage aux seuls libéraux, hommes et femmes ?

Pour détendre un peu l'atmosphère, chacun convint de rire de la boutade.

— Papa ne plaisante pas, renchérit Henri. C'est là le problème. Actuellement, les hommes votent en majorité libéral. Les femmes sont attentives aux enseignements de l'Église. Et l'Église du Québec appuie les conservateurs, tout comme elle est contre le suffrage des femmes. En refusant le droit de vote aux femmes, Descôteaux fait plaisir à l'Église, alors que certaines de nos politiques, comme la création de la Commission des liqueurs, par exemple, la mettent en colère.

Ce constat ralliait tous les convives. Les libéraux souffraient encore d'une sourde opposition de la part du clergé. Le jeune homme de la maison continua :

— Le premier ministre est assez fin politique pour savoir qu'en donnant le droit de vote aux femmes il se mettrait encore plus les curés à dos. L'Église voudrait sans doute riposter en demandant aux femmes de voter conservateur. Le pauvre homme ne veut sans doute pas créer un nouvel électorat qui lui ferait perdre les élections.

— Mais les femmes reconnaissantes voteraient libéral, argua Élise, reprenant là une discussion très ancienne entre son frère et elle.

— Le jour où Descôteaux sera certain d'augmenter la proportion du vote libéral, il va donner le droit de vote aux femmes, cela malgré l'opposition de toutes les soutanes du Québec.

Antoine Trudel acquiesça aux paroles de son fils avec l'air de dire : « Vous voyez pourquoi le gamin sera premier ministre un jour : il comprend ces choses-là ! » À l'autre extrémité de la table, Romuald Lafrance murmura :

— Elles ne sont pas assez intelligentes pour voter.

Tout le monde fut assez intelligent, hommes et femmes, pour faire semblant de n'avoir rien entendu. Même son père.

Après les trois premiers services passés à contourner les écueils posés par les sujets de conversation délicats, on réussit à traverser le reste du repas sans prêter flanc à la controverse. Renaud se surprit même à parler horticulture avec madame Trudel : c'est dire combien il savait être charmant.

On en vint au moment où hommes et femmes se séparèrent. Les premiers se dirigèrent alors vers la bibliothèque, ou ce qui pouvait en tenir lieu. Ce serait en l'occurrence le grand bureau du maître de la maison. Ils se retrouvèrent tous, jeunes et vieux, dans de profonds fauteuils de cuir, un verre de porto ou de cognac à la main. Pour Renaud, ce fut un porto. Non seulement il ne fumait pas, mais il regretta que personne ne lui demande si la fumée le dérangeait. Depuis que le gaz moutarde avait atteint ses poumons, l'air lui manquait sans cesse. Le malaise empirait dans une pièce où six hommes tiraient sur de gros cigares malodorants.

Après un moment, Armand Bégin ne put s'empêcher de se pencher vers l'invité pour lui demander :

— Mon jeune ami, penses-tu vraiment que les femmes devraient aussi accéder aux professions ? Certaines de ces… suffragettes, c'est ça, certaines de ces suffragettes le revendiquent.

Renaud flaira le danger, car toutes les oreilles se tendaient. Aussi voulut-il faire preuve de la plus grande prudence :

— Ce ne serait pas possible pour une grande proportion d'entre elles. L'exercice d'une profession se combinerait trop difficilement avec le soin des enfants. Mais nous avons déjà des enseignantes, des infirmières, alors pourquoi pas aussi quelques médecins ? Vous savez, il y a des moments où les femmes aimeraient consulter une autre femme. Je ne parle pas d'un rhume ou d'un doigt cassé, vous me comprenez, mais de certaines maladies féminines.

Son interlocuteur acquiesça gravement d'un geste de la tête. Pareille opinion ne lui paraissait pas trop hérétique. Ceux qui avaient des épouses connaissaient ces maladies particulières.

— Je me dis aussi, continua Renaud, que pour soigner les tout jeunes enfants, ceux qui ne parlent pas encore, les femmes ont peut-être des qualités particulières. Personnellement, je suis à l'aise avec les enfants qui ont commencé à apprendre la philosophie. Avant cet âge, je me sens bien incompétent.

L'image les fit rire. Le nouveau venu dans ce petit cénacle n'exprimait pas des idées très différentes des leurs. Sur ces questions, ils sortaient du même moule. Les plus réticents à toute innovation craignaient qu'une fois les premiers progrès obtenus, les femmes en réclameraient plus. Il valait mieux s'opposer à tout, afin d'éviter de les voir envahir petit à petit les diverses professions.

Armand Bégin ne voulait pas en rester là. Il demanda encore :

— En ce qui concerne le droit, vous ne trouvez pas cela inadmissible ?

— Pourquoi ? Là aussi, il y a des sujets qui...

— Oui, sans doute, l'interrompit-il. Mais imaginez-les dans les prétoires. Elles se trouveraient tôt ou tard dans des situations où elles devraient se livrer à des interrogatoires auprès de personnes s'étant livrées à des crimes crapuleux, comme des viols, par exemple. Mes filles sont sûrement aussi capables de débattre d'une question juridique que mon fils, croyez-moi. Elles ne pourraient toutefois souffrir des situations de ce genre. Leur sensibilité ne le leur permettrait pas.

— Vous savez, monsieur Bégin, je ne me suis jamais posé cette question. Le droit constitutionnel est souvent ennuyeux, jamais scabreux. Cela doit dépendre de la sensibilité, du tact des personnes concernées, hommes ou femmes. Voyez, j'ai assisté à l'enquête du coroner concernant l'affaire Blanche Girard. On a fait sortir toutes les femmes au moment où le médecin a livré les résultats de l'autopsie. Une autre femme a pourtant subi toutes ces horreurs. Je me demande si nos compagnes n'auraient pas traité la question avec plus de respect, plus de délicatesse. Mais vous me posez une question qui mériterait une plus longue expérience que la mienne.

Il prêtait attention à son interlocuteur, cela le priva de voir les grimaces de certaines personnes présentes, à l'évocation de Blanche Girard. Il participa ensuite mollement aux échanges pendant une demi-heure, le temps de siroter son porto, puis plaida la fatigue pour rentrer à son hôtel. En réalité, la fumée devenait étouffante. Encore quinze minutes, et ce serait des quintes de toux incontrôlables. Il salua à la ronde et sortit.

Le maître de la maison l'accompagna chez les dames pour qu'il puisse les saluer aussi. Ils étaient tout juste sortis du bureau que Trudel disait :

— Vous avez suscité un certain émoi avec votre uniforme. Nous voyons peu de Canadiens français qui se sont portés volontaires. Cela pourrait servir. Quand nous avons des négociations difficiles à mener avec le Canada, un émissaire comme vous, des médailles sur la poitrine, pourrait être utile. En plus, vous ne devez pas parler *british*, mais plutôt *oxfordish* : cet accent fait très bonne impression. Il faudra que nous en reparlions.

« La soirée n'a pas été un désastre », se dit Renaud.

Dans le salon, les femmes avaient parlé chiffons. Les plus vieilles complimentèrent les plus jeunes sur leur élégance, quoique l'une se fit dire que sa robe était plutôt basse par le haut, l'autre haute par le bas. Rien ne pouvait être parfait: celle d'Élise était longue et décolletée, celle de Helen courte et boutonnée jusqu'au cou.

Après un moment, la petite Irlandaise avait demandé à madame Trudel si Henri retournait à Québec le lendemain.

— Non, il passera encore une bonne semaine ici à réviser l'examen du barreau.

— J'avais espéré qu'il me reconduise à Québec. Ma tante malade m'a invitée chez elle pour l'aider, et voilà bien dix jours que je l'ai désertée. Je me sens un peu honteuse. Oh j'y pense! Renaud Daigle rentre sûrement demain. Je n'ose pas le lui demander moi-même, mais si vous vous en chargiez?

— Je me demande si ce serait bien convenable, intervint Élise. Effectuer tout ce trajet, seule avec lui.

Elle eut même envie de citer un article de *L'Action catholique*, selon lequel l'automobile risquait de devenir «le tombeau de la vertu de la femme canadienne-française».

— Maintenant que nous savons toutes où se trouvent ses blessures de guerre, nous connaissons les endroits où frapper s'il se montre trop entreprenant, fit Helen en riant.

Visiblement, elle ne craignait pas ce grand garçon à lunettes. Bien qu'elle comprît les réserves de sa fille, madame Trudel ne pouvait refuser de rendre ce service à son invitée. Un peu plus tard, Renaud vint serrer les mains. Les vieilles dames lui promirent toutes de le recevoir à souper chez elles, à Québec, un jour prochain. Les plus jeunes lui réservèrent leur meilleur sourire, pour des raisons bien différentes. Le couple Trudel le reconduisit à la porte. Après avoir entendu encore une fois ses remerciements pour l'invitation, madame Trudel transmit la demande de Helen.

— Oui, bien sûr, avec plaisir. Vers midi, cela me convient tout à fait.

Il afficha un sourire béat: décidément, la soirée avait été meilleure qu'il ne l'avait cru au premier abord.

Chapitre 8

Il se trouvait toujours dans l'enfer du front belge. La majorité de ses hommes ayant été tués ou blessés lors de la dernière attaque, des recrues comblaient les vides. La nouvelle qu'on lui avait donné une médaille pour la destruction du nid de mitrailleuses n'avait soulevé aucun enthousiasme au sein du peloton. La nuit, il les entendait raconter aux nouveaux l'histoire de Timmy Jordan. Il suscitait un sentiment unanime : une haine farouche.

Ce sentiment paraissait si injuste à Renaud : il aimait ces garçons, des ouvriers et des paysans. Son devoir était de les mener à la mort, tous ses contacts avec eux étaient empreints de gravité. Eux prenaient son attitude pour de la froideur et du mépris. À l'opposé, la plupart de ses collègues britanniques considéraient les soldats comme du bétail, exprimaient cruellement leur indifférence quant au sort des hommes de troupe quand ils se trouvaient au mess des officiers, mais ils plaisantaient avec eux, les traitaient avec condescendance. Leur mépris enrobé de familiarité leur valait d'être aimés de leurs hommes ; le respect et l'amour de Renaud, mêlés de maladresse et de gêne, lui valaient d'être haï.

Une nouvelle fois, après six semaines d'un calme relatif, il lui fallut les conduire à l'attaque. Il fit face à la même panique chez certains, retrouva les mêmes arguments menaçants pour les faire sortir de la tranchée. Cette fois, il n'eut à traîner personne de force. Ils avancèrent sous le feu de l'ennemi, sans essuyer trop de pertes, Renaud au milieu du peloton. Il se retournait souvent pour s'assurer que les retardataires ne tournent pas les talons pour aller se cacher. Il faisait de grands gestes avec son revolver en criant :

— Plus vite, avancez plus vite !

Puis il faisait de nouveau face aux lignes ennemies.

Il sentit une brûlure à son flanc gauche et vit le sol venir vers son visage. Avant de perdre conscience, il se dit : « Ce n'est pas plus difficile que cela ? » Il laissa son esprit vagabonder vers Québec, sa mère, sa sœur, puis il sombra dans un trou noir. Il eut l'impression de se voir lui-même, face contre terre, un petit trou rouge dans le dos, à la hauteur des premières côtes. L'un de ses hommes s'était fait justicier. Le taux de mortalité chez les petits officiers – lieutenants, capitaines – était effarant et chacun se doutait qu'il tenait autant aux règlements de comptes au sein du peloton qu'aux balles allemandes. Près de son propre corps, Renaud vit aussi un autre soldat debout, les tripes pendant sur les cuisses. Timmy Jordan le contemplait. Mort depuis des semaines, il dit de sa bouche décharnée :

— Ce ne sera pas cette fois-ci.

Renaud se redressa dans son lit en hurlant. Il lui fallut un moment avant de reprendre tout à fait ses esprits. Sa chambre au *Manoir Richelieu* était très sombre. Il alluma la lumière, entassa les oreillers derrière son dos et resta assis au milieu du lit, attendant le lever du soleil. Il se rendormit au moment où les premières lueurs du jour blanchirent les rideaux à la fenêtre. Comme il regrettait d'avoir mis son uniforme pour se rendre à ce souper ! Cela devait avoir réveillé ses fantômes.

~

Son costume de lin et son chapeau de paille lui parurent infiniment plus confortables que son accoutrement de la veille ! Renaud eut largement le temps de prendre un petit-déjeuner avant de se présenter chez les Trudel. Il se demanda même s'il ne devrait pas aller à la messe, pour montrer sa respectabilité à toutes ces bonnes gens. Il se donna congé, mais il devrait renouer avec cette discipline à Québec. Plusieurs professeurs de l'Université Laval devaient être agnostiques ; aucun ne se risquait à l'afficher.

Il était tout près de midi quand il sonna chez les Trudel. Il trouva le frère et la sœur, et bien sûr Helen McPhail, dans le salon. Les parents avaient quelques personnes à saluer avant de revenir de l'église. Minaudant, Helen demanda :

— Monsieur Daigle, il fait encore si beau, pourrions-nous passer à la plage ?

— Bien sûr, fit-il sans hésiter.

— Juste le temps de me tremper un peu. Nous pourrons partir de là pour regagner directement Québec. Voulez-vous vous baigner aussi ?

Elle disait cela en posant un chapeau de paille sur ses boucles.

— Non... Je n'ai rien de ce qu'il faut avec moi.

— Je peux toujours vous prêter un maillot, intervint Henri Trudel.

Le visiteur refusa d'un geste de la tête. Il n'avait pas tellement envie de se trouver à demi nu sur une plage, surtout pas avec un maillot qu'il ne pourrait remplir de façon bien avantageuse. Il perçut un air désolé sur le visage d'Élise. La jeune femme voulait sans doute dire quelque chose comme : « Il faut l'excuser, elle est bien jeune, vous savez. » Le trio n'attendait que lui pour se mettre en route. Bien élevé, il prit le sac de voyage d'Helen et le porta jusqu'à son auto, mais la jeune fille se dirigea plutôt vers la Buick en lançant à voix haute :

— Je monte avec Henri. Suivez-nous.

C'était à peine poli. Élise crut utile de déclarer, à haute voix cette fois :

— Veuillez excuser notre invitée. Je crois qu'elle a le béguin pour mon frère.

La précision se révélait inutile, il avait pu tirer cette conclusion déjà. Renaud lui ouvrit la portière, puis se mit au volant. Sa compagne le guida vers la rive du Saint-Laurent.

Le terme plage était un peu généreux pour l'étroite bande de sable coincée entre la voie ferrée et le fleuve. Si la popularité de la baignade continuait de croître, les villégiateurs quitteraient la région pour des cieux plus cléments. Old Orchard, dans le Maine, multipliait déjà les annonces publicitaires dans les journaux de Québec. Charlevoix pouvait offrir aux visiteurs la beauté sauvage de ses paysages, cependant la canicule touchait ces parages quelques jours seulement dans l'année, et l'eau du fleuve demeurait désagréablement froide tout l'été. Ces considérations occupèrent Renaud et Élise pendant les quelques minutes du trajet pour se rendre sur la rive.

À leur arrivée, Henri et Helen se dirigeaient déjà vers les cabines pour se changer. Comme Élise ne faisait pas mine de les suivre, Renaud dit bientôt:

— Vous ne vous privez pas de vous baigner pour me tenir compagnie, j'espère.

— Pas vraiment. Comme vous l'avez fait observer, l'eau est bien froide.

Il y avait quelques bancs le long de la bande de sable: ils occupèrent l'un d'eux. Bientôt les deux jeunes gens revinrent, vêtus de leur maillot, une serviette sur les épaules. Les «costumes de bain» des hommes et des femmes se ressemblaient fort, et couvraient le corps de la mi-cuisse jusqu'aux épaules. Parfois, ils partaient d'aussi bas que les genoux. Ils cachaient la plus grande surface de peau possible pour, en principe, préserver la pudeur. Ce qu'ils ne faisaient pas vraiment puisque le tricot de coton épousait parfaitement le corps. Renaud pouvait détailler par exemple les «génitoires» – il aimait le mot, cela mettait en évidence le côté bovin du physique d'Henri – parfaitement dessinés par le tissu. Le maillot ne soulignait rien de bovin sur Helen. Son corps faisait vaguement adolescente: de petits seins bien hauts, l'arrondi du ventre à peine souligné, des fesses... coquines, se dit Renaud faute d'un meilleur terme. Il la vit gagner le bord de l'eau, s'y enfoncer avec Henri. Élise le regardait la regarder. Leur conversation s'était arrêtée.

Depuis le départ de la maison, Helen parlait d'une voix animée à son compagnon. Ce dernier répondait en souriant, mais sans trop d'enthousiasme. Henri constatait l'effet produit sur elle. À son âge, faire le choix d'une épouse dans la bonne société devenait urgent. Toute orpheline qu'elle fût, cette gamine constituait un bon parti. Elle apportait le généreux héritage de ses parents; enfant unique, elle ne le partagerait pas. Puis elle comptait de nombreux alliés chez les personnes les plus respectables de Montréal, tant chez les Canadiens français que chez les Irlandais catholiques. Ces considérations n'étaient pas négligeables, compte tenu de ses ambitions.

Puis la jeune fille lui semblait tout à fait délicieuse.

Cependant, ces dernières semaines, tout comme dans le cas de l'alcool et de l'opium, son intérêt pour les femmes demeurait bien bas. Cela ne durerait pas éternellement, la nécessité d'un mariage bourgeois et l'appel des sens reprendraient le dessus. Il ne voyait même pas de difficulté à satisfaire les deux besoins avec la même femme, même si ce n'était pas une absolue nécessité dans son milieu.

De l'eau jusqu'au ventre, elle lui dit:

— Je suis déçue que vous ayez décidé de rester à La Malbaie cette semaine encore. J'aurais fait le trajet avec vous.

Après avoir passé plusieurs jours dans la même maison, elle le vouvoyait encore, car leur relation n'avait pas pris pour autant un caractère privé. Elle était pour lui quelque chose d'aussi vague qu'une «amie de la famille». Ni parente ni fiancée, encore moins amante, ni même la sœur d'un meilleur ami: toutes des caractéristiques qui lui auraient permis d'utiliser le «tu». En fait, leurs mères à tous les deux avaient été de grandes amies, et madame Trudel se sentait une vague responsabilité envers la jeune fille restée seule au monde. Mais, élevés dans les villes de Montréal et Québec, les enfants

McPhail et Trudel ne s'étaient pas retrouvés ensemble dans des réceptions familiales ou amicales.

— Je suis certain que Daigle ne voit aucun inconvénient à vous prendre avec lui, répondit Henri après un moment.

— Vous savez bien que ce n'est pas ce que je veux dire.

Comment aller plus loin pour témoigner son intérêt au jeune homme ? L'autoriser à demander à sa vieille tante de Québec la permission de venir la voir à la maison serait trop audacieux, sinon ridicule. Son compagnon devait d'abord en exprimer le désir. Et surtout, dans les milieux de langue anglaise qu'elle fréquentait à Montréal, plus émancipés, l'habitude de se rendre au domicile de la jeune fille disparaissait au profit des sorties : le jeune homme proposait une activité. On passait du *calling* au *dating*, de la visite au domicile de la demoiselle à la sortie avec elle, au grand désarroi des parents. Elle avait espéré, en fait, voir Henri profiter du long trajet jusqu'à Québec aujourd'hui pour lui proposer une *date*…

— Je ne vais pas plus loin, déclara-t-elle au jeune homme.

Devant de pareilles ouvertures, Henri ne sut que répondre. Elle ajouta rapidement pour lever l'ambiguïté :

— L'eau est trop froide. Je retourne au bord.

Son compagnon prit cela pour une autorisation et plongea dans les flots glacés. Quand il refit surface, il continua vers le large d'une brasse régulière. Quant à Helen, elle revint vers le rivage. Elle avait encore de l'eau jusqu'aux genoux au moment d'appeler :

— Monsieur Daigle !

Elle lui fit signe de venir la rejoindre. Il s'excusa auprès d'Élise et marcha vers le fleuve. Comme elle restait dans l'eau, il s'assit sur l'une des nombreuses barques retournées la coque en l'air sur la plage, s'aventurant aussi près des flots que possible sans ruiner ses chaussures.

— Je me sens un peu mal à l'aise d'avoir demandé à madame Trudel de vous recruter ainsi. Surtout que c'est un caprice de ma part : il y a un train pour Québec cet après-midi.

— Ce n'est rien, vraiment. Je rentre de toute façon. Je serai heureux d'avoir de la compagnie.

— Vous ne regrettez pas d'être privé de baignade ? enchaîna-t-elle, la première question réglée. L'eau est bonne.

— Pas du tout. Vous semblez tout à fait gelée.

À trois mètres de distance, il voyait la chair de poule sur le bout de cuisse laissé à découvert et sur les bras. Surtout, sous le tricot du maillot, les pointes des seins raidies de froid se révélaient sans pudeur. Plus bas, sous le vêtement mouillé, le petit creux du nombril devenait perceptible. Plus bas encore il devinait le coussinet formé par les poils du pubis… C'était tout à fait ridicule, mais il se sentait devenir amoureux de cette gamine. Elle faisait si gai, avec ses cheveux courts bouclés, son grand sourire.

Helen lança un petit cri, sortit de l'eau en tenant son mollet gauche, disant tout en riant :

— Vous avez raison, c'est très froid. J'ai une crampe à la jambe.

Elle enchaîna avec quelques « Aie ! Aie ! » et vint s'asseoir près de lui. Elle se massait furieusement le mollet. Gentilhomme, Renaud vint s'agenouiller à ses pieds. Il prit sa jambe et entreprit de la frictionner. Après un instant, gêné de son audace, Renaud se figea. Amusée, elle le regardait à ses genoux.

— Je m'excuse, fit-il en lâchant la jambe.

Penaud, il se fit professeur pour cacher son malaise :

— Il faut de la chaleur pour détendre les muscles.

Elle reprit son automassage alors qu'il se relevait, rougissant.

De loin, Élise les observait. Cette Helen avait toutes les audaces, dont celle d'amener Daigle à ses pieds. La veille, l'homme ne la connaissait même pas. La jeune femme regrettait maintenant de ne pas avoir pris son maillot aussi. Toute vierge qu'elle fût, elle pouvait offrir mieux que ce fruit vert. Ou était-ce justement la verdeur des appas de Helen qui attirait tellement l'attention ?

Bientôt, la jeune Irlandaise se mit en quête de sa serviette et se dirigea vers les cabines. Renaud revint vers Élise, mais la conversation ne reprit pas vraiment. Son interlocutrice avait maintenant hâte de rentrer à la maison. Au bout d'un moment, Helen fut de retour, vêtue de sa robe très courte et de ses bas, anxieuse de partir immédiatement.

Renaud put serrer la main d'Henri Trudel qui sortait de l'eau à ce moment, remercier Élise pour son extrême gentillesse, quoiqu'en ce moment précis celle-ci avait du mal à retrouver le sourire. Il regagna sa voiture, suivi de sa passagère, laissant le frère et la sœur côte à côte derrière eux.

La voiture donnait une impression de familiarité, d'intimité agréable. Que deux jeunes gens se trouvent seuls, si proches l'un de l'autre, tout en se connaissant à peine, était encore nouveau. Bien sûr, les personnes de leur âge se voyaient dans des bals, dans diverses réceptions où la danse fournissait l'occasion de contacts physiques. Ils pouvaient aussi se réfugier parfois dans un coin pour un échange en tête-à-tête. Mais tout cela était parfaitement ritualisé, obéissait à des règles strictes connues de chacun. Quand ce n'était pas sous leurs yeux, on se trouvait au moins toujours à portée de voix de personnes respectables, habituellement parentes. Pour se retrouver vraiment seul à seul avec quelqu'un de l'autre sexe sans devenir le sujet de conversation de toutes les âmes respectables de Québec, il fallait être marié, ou à tout le moins fiancé.

Les années 1920 obligeaient à faire de nouveaux apprentissages. Sortir avec une jeune femme était encore quelque chose de nouveau. Les endroits pour ce faire demeuraient peu nombreux : il y avait bien sûr le cinéma, les repas au restaurant, les invitations à danser dans un endroit convenable. Il y avait aussi les promenades dans les parcs et les autres lieux publics. La voiture, encore peu accessible mais si présente dans tous les rêves, procurait, si on le voulait, l'intimité et presque le confort d'un salon, sinon d'une chambre à coucher. Ah ! Comme la voiture était appelée à un bel avenir quand il s'agirait pour des jeunes gens d'apprendre à se connaître.

Entre les changements de vitesse, Renaud devait faire attention de ne pas poser la main droite sur la banquette à côté de lui, comme il en avait l'habitude. Deux ou trois fois, ses doigts passèrent bien près des genoux couverts de soie. La jeune fille était décidément charmante, son babillage interrompu seulement par de courts silences quand elle se concentrait un moment sur un paysage particulièrement impressionnant.

— Votre uniforme a créé une certaine commotion, hier soir, remarqua-t-elle bientôt.

— Ce n'était pas la tenue appropriée, je m'en suis rendu compte.

La description de son habillement de la veille avait déjà fait le tour de La Malbaie ; elle aurait atteint Québec le lendemain.

— L'effet, dans l'ensemble, n'a pas été négatif, fit sa compagne. Bien sûr, dans les milieux de langue anglaise, vous auriez été l'objet d'une admiration sans réserve. Vêtu comme cela, avec vos médailles, tous les salons de l'ouest de Montréal s'ouvriraient à vous.

— Vous êtes en quelque sorte à cheval sur les deux mondes.

— C'est vrai, dans une certaine mesure seulement. Je peux être vue comme une bonne petite Canadienne française fraîche émoulue du cours classique féminin. D'un autre côté, mon père a fait de moi une véritable Irlandaise. Il vous aurait fallu me voir à dix ans, affublée de vert, danser une gigue endiablée avec lui. Cependant, seuls les Canadiens français imaginent que les Anglais du Canada forment un bloc homogène. Être catholique et irlandaise n'attire aucune sympathie dans les salons de Westmount. Ces gens-là font encore une maladie de l'indépendance de l'Irlande acquise il y a quatre ans. Même à McGill, ma présence n'allait pas de soi.

Les frontières ethniques et religieuses, entre les Canadiens, demeuraient étanches.

— Vous avez fait des études à McGill ? s'enquit le jeune homme.

— En dilettante seulement, répondit-elle. J'ai obtenu un baccalauréat ès arts. Là aussi, l'accès aux professions n'est pas facile pour une femme.

Renaud calcula mentalement : « Elle doit donc avoir vingt-trois ans, pas moins de vingt-deux. Elle ne les fait pas. »

— Vous auriez aimé faire des études plus sérieuses ? demanda-t-il à haute voix.

— La faculté de médecine accepte des candidates depuis 1918. Mais les places abandonnées aux femmes ne sont pas nombreuses.

— C'est plus facile dans certaines provinces canadiennes, je pense.

— Oui, mais avant d'avoir vingt et un ans, je ne pouvais m'inscrire nulle part sans la signature de mes tuteurs. Dans mon cas, le fait de ne pas avoir de parents n'a rien ajouté à ma liberté : je me trouve soumise à la tutelle d'une armée d'oncles et de tantes qui veulent mon bien. Pour ces personnes, mon bien ne pouvait se trouver plus loin que les humanités à McGill. Déjà, l'idée de faire des études universitaires leur paraissait saugrenue.

Renaud saisit l'occasion afin de connaître son âge :

— Maintenant vous êtes en mesure d'aller où vous voulez ?

— Je suis majeure, en effet, si c'est ce que vous voulez dire, fit-elle en riant. J'ai parfois envie d'un séjour aux États-Unis. Mais, sans doute à cause de ma moitié canadienne-française, je me sens des obligations familiales. La tante chez qui je réside présentement est malade. Comme je suis une bonne fille, elle arrivera sans doute à me convaincre de passer l'hiver avec elle. Elle me dit que je serai tout à fait libre l'été prochain, puisqu'elle sera morte. C'est un argument difficile à ignorer.

Naïvement, Renaud fut heureux de savoir qu'elle serait là pour une année, dans la Haute-Ville, tout au plus à quelques minutes de marche de chez lui. Naïvement, car lorsqu'ils passèrent à Château-Richer, elle commenta en lui montrant une rangée de vieilles demeures canadiennes adossées à la falaise :

— Henri possède l'une de ces maisons. Comme c'est charmant ici.

Sa voix était tout excitée. L'endroit était beau, ces habitations construites au milieu de bouquets d'arbres fruitiers devaient offrir une belle vue sur le fleuve. Mais c'était tout de même des maisons de cultivateurs.

— Que fait-il dans cette paroisse ? Il veut se faire agriculteur ?

Le conducteur ne partageait pas l'enthousiasme bucolique de sa passagère.

— Mais non. Comme cela, il peut faire des fêtes sans déranger ses parents.

Tard dans l'après-midi, Renaud stationnait devant une jolie petite maison, dans une rue perpendiculaire à Grande Allée. Il porta la valise de Helen jusque sur le seuil de la porte. Elle le remercia avec effusion, lui tendit la main. Il la tint juste un peu plus longtemps que nécessaire, tout en lui demandant, les joues roses de timidité :

— Si vous le permettez, j'aimerais vous inviter à sortir, ces jours prochains.

— Si vous voulez, fit-elle après une pause.

Elle ne se départit pas de son sourire, mais Renaud n'était pas certain de pouvoir se montrer optimiste.

— Vous savez maintenant où j'habite, ajouta-t-elle, narquoise.

~

Le comportement de Gagnon s'améliorait toujours quand il se trouvait sur les lieux de son travail. Sans doute l'obligation de présenter l'image du policier sûr de lui, en pleine possession de ses moyens, l'aidait-elle à mobiliser ses énergies et à secouer sa torpeur. Ce lundi matin, il commença par s'enquérir de ses prisonniers. Il avait espéré que les barreaux les ramolliraient jusqu'à livrer une confession complète. Au contraire, ses clients avaient passé la fin de semaine à ronfler. Ils semblaient considérer la prison comme une occasion de récupérer des fatigues reliées à leur mode de vie turbulent.

Dans une aile de l'hôtel de ville voisine de celle où se trouvait le poste de police, Gagnon put rencontrer une travailleuse sociale sèche et pincée. Elle était allée visiter Marie-Madeleine Marion, à sa demande.

— Ses enfants sont très mal en point, commença-t-elle par indiquer. J'ai même obtenu que l'un d'eux soit admis à l'hôpital. Je ne suis pas sûre de le voir s'en sortir. En plus, elle est encore enceinte.

Visiblement, quoique employée à la défense de la morale bourgeoise, elle ne se sentait guère encline à appuyer la campagne pour la « revanche des berceaux ». Elle savait sans doute compter et était capable de mesurer l'hécatombe qui frappait les enfants de certains quartiers de la ville.

— Pourra-t-elle porter plainte, au sujet des sévices que ses frères lui ont fait subir ?

— Elle ne veut absolument pas parler de cela, même avec moi. Je ne crois pas utile d'insister. À mon avis, elle ne changera pas d'attitude. Elle est terrorisée...

L'employée s'interrompit devant la mine troublée de son interlocuteur. Elle continua après un instant :

— Même si elle portait plainte, elle ne pourrait pas témoigner. Vous savez, elle n'a pas toute sa tête. Un avocat de la défense en ferait une bouchée.

— Cela veut dire qu'ils risquent de s'en tirer impunément.

— Dans ce genre d'affaire, la majorité des criminels ne sont jamais poursuivis. Ils choisissent justement leurs victimes parmi les personnes qui ne présentent aucune menace pour eux.

Elle partageait les frustrations du lieutenant de police. Celui-ci hocha la tête, puis retourna à son bureau, dépité. Grâce aux interventions des services sociaux, le mari de cette pauvresse assumerait peut-être mieux ses responsabilités, désormais. Sinon, elle recevrait une aide plus régulière qu'un panier de nourriture occasionnel de la Société Saint-Vincent-de-Paul. C'était une bien mince consolation.

~

De retour dans ses quartiers, Gagnon dut subir une déception encore plus vive. Le chef Ryan le convoqua immédiatement à son bureau. Thomas Lavigerie se trouvait déjà là. Il agissait, apprit-il au policier, à titre de procureur des frères Germain. Après avoir demandé et obtenu la permission de s'entretenir avec eux ce matin, l'avocat croyait de son devoir de demander la libération immédiate de ses clients, car ils étaient innocents des crimes dont on les soupçonnait.

— Ils m'ont donné les noms de personnes qui étaient avec eux dans la région du lac Mégantic. Ils n'étaient pas les seuls impliqués dans leur petite opération commerciale.

— C'est ce qu'ils racontent depuis la semaine dernière, rétorqua Gagnon, mais ils refusent de préciser qui ils ont côtoyé. Cela ne vaut rien, comme alibi.

— Cette fois, ils ont donné des noms. Je leur ai fait comprendre que, dans une histoire de meurtre, la nécessité d'établir leurs allées et venues passait avant la discrétion qu'ils devaient à des complices.

En disant cela, Lavigerie tendit une feuille au policier. Ryan en avait une identique devant lui. C'était une liste d'une demi-douzaine de patronymes. Il y avait là des personnes qui lui étaient connues, des criminels mêlés au commerce de l'alcool et aussi deux noms d'hommes d'affaires plutôt respectables. C'étaient les propriétaires d'une ferme près de la frontière.

— Bien sûr, aucune de ces personnes n'est prête à vous confesser qu'elle se livrait à la contrebande. Mais si le bureau du procureur général décidait de procéder contre mes clients sur la base des preuves entre vos mains, c'est-à-dire aucune, elles viendraient vous dire que deux des frères Germain se trouvaient en dehors de Québec au moment de la disparition de la victime.

— J'ai parlé il y a quelques minutes à l'une de ces personnes, intervint Ryan pour le bénéfice du lieutenant. Au téléphone, le type m'a laissé entendre que les choses se passeraient comme vient de le dire maître Lavigerie.

L'avocat s'était levé :

— J'engagerai des procédures si mes clients ne sont pas libérés aujourd'hui. Comme vous n'êtes pas en mesure de porter des accusations contre eux, vous les retenez en violation de la loi.

Il adressa un signe de tête aux deux hommes en guise de salut, avant de sortir.

— Christ ! On ne peut pas les laisser partir. Ils ont tué cette fille, tonna Gagnon.

— Tu n'as aucune preuve de cela, opposa calmement Ryan. Pas l'ombre d'une preuve. Personne ne les a vus. Il n'y avait rien d'incriminant dans la maison du père ou dans l'entrepôt des fils. D'ailleurs, il ne semble pas que Blanche soit entrée un jour dans ce fameux entrepôt.

— Nous savons qu'ils l'ont violée, fit Gagnon.

Sa voix se brisait. Son émotivité dans cette affaire commençait à être fort suspecte aux yeux du chef. « Il perd vraiment les pédales, se dit-il. Il va falloir le garder à l'œil avant qu'il ne fasse une bêtise.» À haute voix, le directeur opposa:

— Nous n'avons aucune preuve de cela. Tes témoins ne convaincraient personne à la barre, en admettant qu'ils acceptent de répéter publiquement leurs affirmations. En vérité, aucun des témoignages ne tiendrait devant un avocat comme Lavigerie.

— Ils ont violé Marie-Madeleine, objecta encore Gagnon. J'étais là!

Il faisait penser à un enfant incapable de comprendre le bon sens, résolu à s'accrocher à des arguments futiles.

— A-t-elle porté plainte? demanda Ryan, impatient.

— Je les ai vus la maltraiter, reprit Gagnon, sans répondre à la question. Je suis un témoin.

— A-t-elle porté plainte à ce sujet?

Le policier ne répondit pas. Il se mordait nerveusement la lèvre inférieure. Bien que de plus en plus excédé, Ryan arriva à refouler sa colère pour incarner encore une fois le bon père de famille:

— Tu ne devrais pas prendre cette histoire tellement à cœur. Après tout, cette fille n'était rien pour toi. Nous ne possédons pas de preuves contre eux: nous nous exposerions au ridicule en les gardant plus longtemps, sans compter les risques de poursuites. Lavigerie mettra ses menaces à exécution, juste pour avoir son nom dans le journal.

Le chef enchaîna, cette fois du ton autoritaire adapté à sa fonction:

— Dans une demi-heure, ils seront dehors. Quant à toi, je ne veux pas te voir au poste cette semaine. C'est évident, tu n'es pas dans ton assiette. Je vais prendre un rendez-vous pour toi avec le médecin de la police. Je téléphonerai chez toi pour te dire le jour et l'heure. Ne reviens pas ici avant lundi prochain.

Il fallut un moment avant que le policier ne retrouve un semblant de contenance. Comment expliquer son incapacité d'abandonner Blanche ? Il ne voulait pas vivre dans un monde où les plus faibles étaient torturés à mort par les plus forts, sans espoir d'obtenir justice. Québec lui faisait l'effet d'un étang calme, sans une ride, avec des milliers de luttes mortelles se déroulant sous sa surface.

Quand il sortit d'un pas mal assuré, Ryan prit le téléphone et composa en jurant le numéro du médecin avec lequel le service de police faisait affaire. D'habitude, c'était pour des coups reçus des mauvais garçons, mais ils avaient eu leur part de déprimés au poste.

En comparaison, la Haute-Ville paraissait bien sereine. Daigle travaillait à la préparation de son cours. Comment répartirait-il la matière sur une trentaine de semaines ? Quand il saurait de quoi entretenir ses étudiants, mercredi après mercredi, les choses deviendraient plus faciles : il ne lui resterait qu'à tout lire sur chacun des thèmes retenus, et décider de quelles informations ces futurs avocats auraient besoin pour vaquer à leurs occupations professionnelles. Quand il se rappelait que Mgr Neuville avait insisté sur le fait que la plupart d'entre eux gagneraient leur vie avec des problèmes de propriété foncière, il avait du mal à trouver des notions de droit constitutionnel susceptibles d'être absolument essentielles pour eux.

Ses inquiétudes de professeur débutant s'estompaient au souvenir de Helen McPhail. Devait-il essayer de la relancer ? L'image de la jeune fille en maillot de bain se superposait parfois à l'article 75 de la loi constitutionnelle de 1867. Dans ces moments, sa productivité avait tendance à baisser considérablement. La mignonne Irlandaise ne lui avait pas laissé entendre qu'elle se mourait d'envie de le revoir. Quand il pensait à elle comme à une forteresse à conquérir, une furieuse envie de retourner se coucher avec un verre d'eau et des aspirines le prenait. Il avait eu tout son soûl des conquêtes à mener au pas de charge. L'idée de s'engager de nouveau dans une aventure de ce genre lui répugnait.

Il repoussa jusqu'au mardi la recherche du nom et du numéro de téléphone de la personne chez qui elle habitait. Puis, il remit de demi-heure en demi-heure le moment d'établir la communication. Il se sentait des timidités de collégien tout à coup. C'était franchement ridicule. Jeudi matin, il composa le numéro, mais raccrocha avant que la première sonnerie ne se fasse entendre. Ces hésitations le mettaient en colère contre lui-même. Quand il fit enfin cet appel au milieu de l'après-midi, il s'était préparé à avoir au bout du fil une vieille dame curieuse, peut-être revêche. Entendre la voix de la jeune fille dès la première sonnerie le prit par surprise. Elle se tenait vraisemblablement à côté du téléphone.

— Allô, oui ?

— Mademoiselle McPhail ? Renaud Daigle à l'appareil. Vous vous souvenez…

Il s'arrêta. Bien sûr, elle se souvenait de lui : elle n'était pas sénile.

— Je me demandais si vous ne seriez pas disposée à sortir.

— Comme c'est gentil à vous, dit-elle. Malheureusement, je ne sais pas encore quel sera mon programme pendant les jours à venir. Henri, et bien sûr Élise, doivent revenir de La Malbaie aujourd'hui. Je pourrais me joindre à certaines de leurs activités.

« Et j'attends auprès du téléphone afin de savoir quand je pourrai revoir le bel Henri », compléta Renaud mentalement. Tout de suite, la place lui parut prise.

— Comme c'est dommage. Pour moi j'entends, fit-il d'une voix artificiellement légère. Peut-être une prochaine fois, alors, ajouta-t-il.

— Bien sûr, ce serait avec plaisir…

Elle s'apprêtait à lui dire autre chose, il ne voulut pas l'entendre.

— Oh ! J'entends frapper à la porte. Excusez-moi, je dois vous laisser. Bonne fin de semaine.

Sa réponse à elle se perdit quand il abaissa le combiné.

« Bon, se dit-il. Qu'est-ce que je fais maintenant ? » Parfois des décisions irréfléchies orientent le cours des choses pour toute une vie. Bien plus, celles-ci sont habituellement triviales et mal fondées. Renaud Daigle entendait ne pas rester passif face à ce qu'il considérait comme une rebuffade. Sur Terre, les femmes se comptaient en plus grand nombre que les hommes. Sept ans après la guerre, cela était cruellement vrai dans tous les pays d'Europe et d'Amérique, surtout dans le groupe d'âge de Renaud. Il n'allait certes pas déprimer parce que l'une d'entre elles ne voulait pas le voir.

Peut-être sensée, cette attitude souffrait cependant d'une certaine précipitation. S'il laissait le terrain à Henri, la belle Helen serait bientôt inaccessible. Toutefois, à quelques centaines de mètres de chez lui, dans l'heure suivant la fin de leur échange, la jeune Irlandaise reçut un appel d'Élise. Contre toute attente, Henri prolongeait sa retraite à La Malbaie. Helen ne pouvait tout de même pas rappeler Renaud pour lui dire qu'elle se trouvait désormais disponible, surtout pas après la fin abrupte de leur conversation. Elle passerait donc la fin de semaine à se languir d'Henri, plutôt que d'apprendre à apprécier Renaud.

Quant à Renaud, il reprit le téléphone. Il y avait une jeune femme belle, grande, vraisemblablement passionnée – il se rappelait avoir entendu parler de la chaleur de la braise qui couve sous la cendre –, Élise. Séduisante, appartenant à son milieu social, elle incarnait l'union rêvée. Si en 1914 Renaud s'était inscrit à l'Université Laval, il aurait très bien pu jeter son dévolu sur elle au terme de ses études. La vie les aurait menés aux mêmes bals, aux mêmes réceptions, lui un peu vieux, elle un peu jeune, mais rien pour empêcher une union entre des gens socialement aussi bien assortis. Il décrocha donc le téléphone et commença à composer le numéro des Trudel.

L'homme arrêta son geste. D'abord, était-elle déjà revenue de La Malbaie ? Ensuite, voulait-il vraiment se faire inviter chez les Trudel et voir Helen minauder avec Henri ? Pire, voulait-il donner à cette gamine l'impression qu'Élise était en quelque sorte son prix de consolation ? Son orgueil lui fit renoncer à appeler Élise.

Une seule certitude s'imposait à son esprit : ne pas rester à se morfondre alors que la moitié des femmes de l'humanité attendaient un homme aussi bien que lui. Dans les faits, il connaissait cependant une seule autre femme à Québec.

Un peu avant dix-huit heures, Renaud avait stationné sa voiture dans la rue Dorchester. Il se dirigea vers la rue Saint-Joseph, calculant son pas pour passer devant le magasin THIVIERGE à dix-huit heures cinq. Quelle entreprise compliquée : essayer de passer comme par hasard à un endroit pour se trouver sur le chemin d'une autre personne. Combien y avait-il de chances pour que les employées du magasin à rayons sortent par la rue Saint-Joseph, plutôt qu'à l'arrière, dans la rue Desfossés ? Il s'était fié à un seul indice : pour Germaine Caron, le trajet vers sa maison de chambres était un peu plus court si elle passait par la rue.

Alambiquée, la stratégie fonctionna pourtant. Il vit la silhouette de Germaine Caron à une centaine de mètres. Elle ne se pressait pas, désireuse de profiter un peu de la belle soirée avant de rentrer. Il enleva son chapeau de paille en s'approchant, et dit, affable, en arrivant à sa hauteur :

— Mademoiselle Caron, quelle bonne surprise !

— En effet, quelle bonne surprise, répondit-elle en lui serrant la main.

L'homme lui demanda comment elle allait. Puis, comme si l'idée lui était venue à l'instant, il s'enquit :

— Accepteriez-vous de m'accompagner au cinéma, samedi prochain ? Nous nous sommes rencontrés dans des circonstances si difficiles, lors de l'enquête. Ce serait une bonne idée de se voir encore, cette fois après une journée moins dramatique.

Il en mettait trop. Il s'inquiéta quand la figure de son interlocutrice se figea.

— Vous ne savez pas ? Non, comment pourriez-vous... Samedi, ce sont les funérailles de Blanche. La chorale de la paroisse Saint-Roch se rendra à Stadacona. Une sorte d'adieu de ses meilleurs amis. La cérémonie aura lieu à trois heures.

Son visage trahit sa tristesse. Il n'eut pas la prétention de croire que c'était à cause du rendez-vous manqué avec lui. Il se sentit vraiment touché par son désarroi.

— Si vous le voulez, je peux vous accompagner... Je veux dire, si vous n'avez personne.

Il était sot : elle venait de lui dire qu'elle y allait avec la chorale. Le ridicule de la situation n'échappa pas à son interlocutrice. Ils seraient trente dans le jubé, et elle aurait en plus un accompagnateur dans la nef.

—Comme c'est gentil à vous ! Bien sûr, je serais ravie. Je pourrai revenir avec vous. Et puis... Écoutez, je ne veux pas paraître insensible. J'ai beaucoup de peine pour le sort malheureux de Blanche. Mais il y a près de trois semaines de cela. Si votre invitation tient toujours, je serai très heureuse de vous accompagner au cinéma. Je crois que cela me ferait beaucoup de bien, après tous ces événements.

— Bien sûr, fit-il. Ce sera un plaisir pour moi. Puis-je vous raccompagner chez vous ?

Elle acquiesça. Ils se dirigèrent vers l'ouest, en direction de sa maison de chambres. Ni l'un ni l'autre ne remarquèrent le petit homme en habit bleu qui les regardait à cinquante mètres de là. En terminant sa journée de travail chez PAQUET, lui aussi s'était dit que ce serait une bonne idée de passer par hasard devant chez THIVIERGE au moment de la sortie de Germaine. Il n'était pas arrivé le premier, voilà tout. Grace tourna les talons et rentra chez lui, rageur.

Le samedi 24 juillet, trois semaines exactement après sa disparition, Blanche Girard avait droit à des funérailles. La cérémonie venait tardivement. Aussi longtemps que la famille avait senti les soupçons peser sur elle, elle n'avait pas pensé, ou pas osé agir. Lundi dernier, son père adoptif s'était rendu chez le curé de Stadacona pour lui demander de tenir un service. Comme les autorités ne demandaient pas mieux que de libérer une place à la morgue, elles ne s'étaient pas opposées à la requête. Le curé Melançon saisit l'occasion pour faire de l'événement quelque chose de remarquable : il demanda à la chorale de la paroisse Saint-Roch de se joindre à celle, bien plus modeste, de Stadacona, pour un adieu senti à la jeune fille. Le jeune abbé placé à sa tête avait acquiescé.

Le père Germain aurait préféré la rapidité et la discrétion. Il se laissa convaincre : il n'aurait rien à payer, ni pour la messe chantée – par deux chorales, lui fit remarquer le curé –, ni pour tous les crêpes noirs ou violets qui orneraient l'église. « Ce seront de vraies funérailles de monseigneur », avait précisé le curé. À ces conditions, il ne pouvait refuser sans sembler suspect. Aussi Blanche se retrouva avec une robe plus belle que toutes celles endossées au cours de sa vie – une robe d'embaumeur, fendue dans le dos –, dans un cercueil dispendieux. Morte paisiblement dans son lit, aucun de ces privilèges ne lui auraient été octroyés. Quelle ironie : on s'occupait si bien d'elle une fois morte, alors que, vivante, chacun avait détourné la tête de ses malheurs.

En fin d'après-midi, ce samedi, après plus d'un mois de beau temps ininterrompu, l'orage se déchaîna pendant tout le temps de la cérémonie. L'abbé Melançon ne put s'empêcher de souligner ce revirement subit du climat : un signe du ciel pour souligner sa réprobation devant le vice qui se répandait dans la province de Québec, autrefois si catholique et si française. Tous les thèmes qui faisaient les meilleures pages de

L'Action catholique y passèrent : la longueur des robes, la légèreté des maillots de bain, la dégénérescence des danses comme le charleston, la sauvagerie des styles musicaux comme le jazz, les automobiles, les cinémas ouverts le dimanche, l'alcool.

— Bref, tout ce qui me plaît, ne put s'empêcher de murmurer Renaud.

Mais Blanche avait échappé à tout cela, grâce à sa vertu inébranlable. Le célébrant ne put s'empêcher de reprendre sa formule favorite :

— À tous les êtres vils insinuant qu'elle a peut-être été moins vertueuse que je le dis, sa mort offre la meilleure réponse. Moins vertueuse, elle serait restée vivante.

L'ecclésiastique marqua une pause pour laisser ses mots sublimes pénétrer toutes les âmes.

— Cette fois, dans une église si bellement décorée, devant une foule si nombreuse, sous l'effet de chants qui déchirent l'âme, termina-t-il, je ne peux plus, je ne veux plus m'empêcher de le dire, le Canada français a trouvé sa Maria Goretti en Blanche Girard.

L'émotion était à son comble, certaines ouailles affirmèrent même plus tard que le père Germain avait versé une larme. Le forgeron supposa quant à lui qu'il avait une poussière dans l'œil.

L'assistance était nombreuse, mais curieusement composée. Il y avait le père et la mère adoptifs, et, à l'autre bout de la nef, l'oncle et la tante Girard. Les trois frères ne se trouvaient pas là. Tous les habitants de la paroisse s'entassaient dans les bancs – ne pas y être aurait été inadmissible –, au coude à coude avec de nombreux inconnus. Des journalistes et des photographes des journaux de la ville se transformaient en voyeurs. Des délégations de couvents et d'écoles publiques de filles pleuraient à chaudes larmes. Pendant les vacances, il avait été difficile de retrouver les élèves, mais leur présence en ces lieux servirait à leur édification.

En plus, Renaud et le lieutenant Gagnon se tenaient debout à l'arrière du temple.

À la mine défaite de ce dernier, on pouvait avoir l'impression qu'il enterrait sa femme. Le policier avait passé la semaine en pyjama, sans sortir de son appartement du quartier Saint-Jean-Baptiste. Il avait envoyé vertement promener le chef Ryan quand celui-ci avait voulu lui communiquer le jour et l'heure de son rendez-vous chez le médecin. Cela ne présageait rien de bon pour son avenir au sein des forces de l'ordre. Alors que son épouse éprouvait une angoisse croissante face à l'avenir, lui devenait de plus en plus indifférent. Sa présence en ces lieux aujourd'hui ne lui remontait pas le moral.

Quand vint le moment d'accompagner le corps à son dernier repos, la foule fondit rapidement. La défunte serait inhumée au cimetière Saint-Charles, une distance trop longue pour les piétons. Renaud prit Germaine avec lui. Il était heureux de n'avoir que deux sièges dans sa voiture, car tous les membres de la chorale cherchaient un moyen de transport. Quand le couple arriva au cimetière, la mère adoptive de Blanche, la moitié de ses connaissances de la chorale, le lieutenant Gagnon, un journaliste ou deux et une demi-douzaine de commères se tenaient près du trou devenu boueux. Il ne pleuvait plus, mais le ciel d'un gris de plomb et le froid ajoutaient à la tristesse.

— Les funérailles de Blanche ont amené une journée de novembre au cœur d'un bel été, expliqua le curé Melançon à ces quelques témoins.

Un coup de tonnerre arrêta la péroraison, ce qui amena Renaud à conclure que cette fois-là au moins le ciel était clément.

La chorale essaya de chanter quelque chose, mais les feuilles de musique partaient au vent et la moitié de ceux et celles qui étaient là pleuraient. Le jeune abbé jouant au chef d'orchestre abrégea le tout. Puis quelqu'un déclencha le mécanisme permettant au cercueil de descendre dans la fosse, au moment où le curé Melançon donnait une dernière bénédiction. Cette précipitation soudaine tenait sans doute à la crainte d'un employé des pompes funèbres de le voir commencer un nouveau sermon. Les choses allaient trop vite pour que ce fût décent – on bâclait l'inhumation –, mais personne n'était habillé pour ce temps maussade, et la pluie menaçait de reprendre.

En revenant à son auto, Renaud Daigle se retrouva aux côtés de l'inspecteur Gagnon. Il le salua, sans obtenir de réponse. Très pâle, celui-ci concentrait toute son attention à l'écoute de la conversation des commères qui leur bloquaient le passage.

— La police doit s'arranger pour les protéger, disait l'une.

— C'est impossible, pas pour une affaire comme celle-là. C'est trop grave, répondait l'autre.

— Pourtant, insistait une troisième, Gertrude est formelle : elle a vu la fille dans une voiture, ce samedi-là, vers sept heures. Une grosse voiture, elle a dit, comme celles des gens de la Haute-Ville. Il y avait des garçons avec elle. Des garçons de la Haute-Ville, aussi, qu'elle a dit.

— Moi, je ne crois pas ça. Voyons, voir si la police n'a pas vérifié toutes ces choses-là. Gertrude, des fois, elle voit des choses dans le fond de son verre de Boswell.

Les autres se mirent à rire. Elles accélérèrent enfin le pas.

Le lieutenant Gagnon paraissait maintenant moins bouleversé que résolu. Quant à Germaine, elle pleurait. La soirée ne serait peut-être pas des plus excitantes, mais elle avait certes besoin de se changer les idées.

~

En approchant de la ville, les larmes de Germaine se firent moins abondantes. Elles avaient disparu quand ils atteignirent le quartier Saint-Jean-Baptiste. L'inhumation avait été le dernier acte d'une histoire horrible. Comme elle l'avait fait remarquer lors de leur rencontre « fortuite », Blanche était disparue trois semaines plus tôt. Mieux valait pour elle de passer à autre chose. Excepté ses yeux rougis et un peu enflés, la jeune femme retrouvait toute sa contenance au moment de se mettre à table dans un petit restaurant de la rue Saint-Jean, à l'ouest de la porte.

Renaud avait réfléchi longuement au choix de l'endroit où aller souper. L'amener dans l'un des établissements chics autour du *Château Frontenac* aurait paru ostentatoire de sa part, tout en mettant sa compagne mal à l'aise. Il avait donc repéré des restaurants dans Saint-Jean-Baptiste, tout à fait charmants, situés en quelque sorte à mi-chemin entre eux: des endroits fréquentés par des employés cols blancs, ou encore de jeunes professionnels en début de carrière. La présence de l'un ou de l'autre ne paraîtrait pas trop incongrue en ces lieux. Ce bourgeois n'eut pas l'honnêteté de se dire que dans ce type d'établissement, il ne risquait pas de rencontrer des gens de la Grande Allée. Cette éventualité l'aurait gêné.

Au premier coup d'œil, sa compagne ne révélait pas trop ses origines modestes. Elle avait mis ses meilleurs vêtements, trop élégants pour ce petit restaurant d'ailleurs. L'employée s'était visiblement «endimanchée» pour les funérailles. La conversation ne languit pas trop, car ce premier rendez-vous se passa tout entier en échanges de renseignements biographiques. Elle apprit que le père de son compagnon était notaire, que lui occuperait un poste de professeur à l'Université Laval. Elle était impressionnée et ne le cachait pas.

Quant à elle, son père était contremaître dans une usine de chaussures. Il possédait une maison dans Saint-Sauveur. Quatre frères et sœurs, qui avaient tous autour de vingt ans, vivaient avec les parents. Ayant reçu un petit héritage de sa marraine, quelques centaines de dollars tout au plus, Germaine préférait voler de ses propres ailes. Cette somme lui avait procuré un sentiment de sécurité matérielle suffisant pour quitter la maison familiale et emménager dans une maison de chambres. Elle y trouvait à la fois plus d'espace et de liberté. À sa façon de l'évoquer, son compagnon comprenait que cette manifestation d'indépendance face à la cellule familiale avait entraîné des orages avec ses proches.

— J'ai déjà vingt-quatre ans, se justifia-t-elle, je veux une chambre bien à moi et la possibilité de m'intéresser à des choses comme la chorale, plutôt que d'être réquisitionnée pour m'occuper de mes frères et sœurs plus jeunes, et de mes parents quand ils seront vieux.

Quoiqu'elle n'allât pas jusque-là dans ses confidences, Renaud sentit que ces derniers devaient être enclins à la considérer comme l'aînée de service, et éventuellement leur « poteau de vieillesse ». Dans ces milieux aussi, on devait avoir un enfant pendu au sein peu après avoir eu vingt ans, ou assumer le rôle de la laissée-pour-compte.

Les histoires personnelles terminées, destinées à poser les appartenances sociales respectives, pas du tout à évoquer des questions intimes, la conversation languit un moment. Heureusement, ils devaient se diriger vers le cinéma. C'était d'ailleurs pour prévenir les longs silences embarrassés, inévitables entre deux personnes incapables d'évoquer des connaissances communes pour meubler la conversation, que Renaud avait choisi cette activité.

À la fin de la projection, quand ils descendirent le long escalier pour rejoindre le foyer du cinéma, Renaud chercha autour de lui si quelqu'un jetait un regard amusé sur leur couple improbable. L'homme se demandait quelle suite donner à cette soirée. Il pouvait bien la reconduire chez elle, la remercier de cette excellente soirée, et ne plus jamais lui donner de nouvelles. Son sens des convenances le portait à adopter cette attitude. Il descendit la côte d'Abraham, tourna à gauche sur le boulevard Saint-Joseph pour rejoindre sa maison de chambres.

— Je vous remercie pour cette charmante soirée, commença-t-il en stationnant.

En homme bien élevé, il descendit, vint lui ouvrir la portière. Elle ne disait rien, attendant la suite. Il la reconduisit jusqu'à la porte avant d'ajouter encore :

— Si vous me laissez votre numéro de téléphone, je pourrai vous appeler dans le courant de la semaine prochaine, pour que nous recommencions.

Voilà, c'était dit. Germaine lui donna le numéro de téléphone de la maison de chambres, on l'appellerait pour qu'elle puisse prendre la communication. Il lui serra la main, la tint assez longtemps pour marquer la différence avec celle destinée à son banquier. Puis ils se souhaitèrent bonne nuit. Ce cavalier pouvait encore décevoir ses espoirs et ne jamais téléphoner. Ce serait manquer de délicatesse, mais il jouissait seul du privilège de donner suite à son engagement, ou l'effacer de son esprit. Quant à elle, impossible de le relancer : cela ne se faisait tout simplement pas.

Chapitre 9

Le lieutenant Gagnon connut un dimanche détestable. Maintenant, la plupart de ses journées étaient insupportables. Il ne se donna pas la peine de s'habiller pour la messe. Sa femme y alla avec les deux enfants : elle n'osait plus les laisser seuls avec lui. Le lendemain, il se présenta tout de même à son bureau. Il prit bien garde d'arriver avant l'heure où le chef Ryan avait l'habitude de faire un tour de la maison. Le lieutenant se dépêcha de prendre une voiture de police et se sauva, en quelque sorte.

Il se doutait bien que la prochaine rencontre avec son patron serait orageuse. Comment se dérober encore longtemps aux questions sur son état de santé ? Avant cette explication, il voulait une complète liberté d'action, pendant un jour ou deux. Avec un sentiment croissant d'urgence, il entendait vérifier sa dernière hypothèse. Après, les autres disposeraient de lui. Sur la route, le lieutenant s'arrêta dans un petit restaurant afin d'utiliser le téléphone. Il appela le central de Château-Richer afin d'être mis en communication avec un certain Henri Trudel. La téléphoniste lui apprit bientôt qu'il n'y avait pas de réponse chez cet abonné. Il prit tout de même en note le numéro de son suspect, afin de pouvoir essayer de nouveau un peu plus tard.

Le policier reprit le volant pour se diriger vers le village situé à l'est de Québec. En traversant Beauport, il serra les dents et fit un effort pour ne pas regarder le gigantesque asile de pierre grise. Son père avait fini ses jours à cet endroit, complètement dément. L'homme savait, avec une certitude absolue, que son tour viendrait, un jour pas trop lointain.

À Château-Richer, un bref arrêt au bureau de poste lui permit non seulement d'apprendre où se trouvait la résidence de Trudel, mais aussi de savoir que celui-ci n'avait pas pris son courrier depuis au moins deux semaines. Quelques minutes plus tard, il reconnut la maison sans mal : c'était la seule à ne pas avoir de grange ou d'étable à proximité. Elle se dressait à près de cent mètres de la route, au milieu d'un bouquet d'arbres. Les voisins, des deux côtés, se trouvaient éloignés de deux cents mètres environ. Comme l'avait expliqué le ministre Trudel, de jeunes étudiants pouvaient se livrer là à des fêtes joyeuses sans importuner personne, ou être importunés par personne.

Le voisin le plus proche était un agriculteur prospère, comme en témoignait la grande demeure avec sa cuisine d'été, une grange-étable imposante et deux ou trois autres bâtiments plus petits. L'un devait être un poulailler et l'autre, une porcherie. Quand la voiture s'immobilisa près de la maison, une demi-douzaine d'enfants accoururent pour la voir de près, le plus jeune aux couches, le plus vieux âgé de dix ans à peine. Le policier les salua en descendant. Le cultivateur apparut sur la grande galerie couverte qui courait sur deux faces de la maison. C'était un grand gaillard au visage brûlé par le soleil, des moustaches en guidon de vélo, une barbe de deux ou trois jours sur le menton. En camisole, ses bretelles lui battaient les cuisses. Visiblement, il s'accordait un petit repos après les longs horaires de la fenaison, avant de devoir s'occuper de l'avoine, du blé et de l'orge.

Gagnon se présenta, attirant tout de suite la curiosité du bonhomme. Comme cela risquait d'être sérieux, il dit à sa couvée :

— Allez jouer les enfants. Vous avez déjà vu une voiture, tout de même.

Ils se dispersèrent à regret. Il ajouta à l'intention du policier :

— Ne restez pas au soleil, venez vous asseoir.

L'agriculteur prit lui-même une chaise sur la galerie, près d'une fenêtre grande ouverte. Gagnon devina la présence de sa femme, sans doute postée près de cette ouverture, trop timide pour venir dehors les écouter, mais soucieuse de ne rien manquer de la conversation.

— Connaissez-vous vos voisins ? fit Gagnon en désignant d'un coup de menton ceux de gauche.

— Pas vraiment. Des jeunes de la ville possédant de grosses voitures.

— Vous ne connaissez pas leur nom ?

— La maison appartient au fils du ministre Trudel, d'après ce que l'on raconte. Il a fait quelque chose ?

Le policier se résolut à demeurer discret, juste au cas où ses soupçons seraient sans fondement. Aussi il expliqua :

— Il y a eu un accrochage entre deux voitures, à Québec. L'un des deux conducteurs s'est sauvé, mais la description de l'automobile a fait penser au jeune Trudel. Une grosse Buick.

— C'est bien ça. Il possède une Buick.

— L'accident est arrivé dans la soirée du 3 juillet, il y a trois semaines. C'était un samedi soir.

— Le soir où la petite jeune fille est disparue ? J'ai lu ça dans *L'Action catholique.*

Gagnon fit un signe d'assentiment. Grâce à la notoriété de l'événement, l'autre savait exactement de quel soir il s'agissait.

— Dans ce cas, continuait le cultivateur, ça ne doit pas être lui. Il était à côté ce soir-là.

— Vous en êtes sûr ?

— Sûr. J'avais fini de traire les vaches quand j'ai vu la Buick entrer dans la cour. Il y avait une autre voiture aussi.

— C'était Henri Trudel ?

L'agriculteur le regarda, un air amusé sur le visage.

— Aucune idée. En tout cas, c'était la Buick.

— Vous savez quelle heure il pouvait être ?

— Plus de sept heures du soir, car j'avais déjà soupé. Mais il faisait encore très clair. Peut-être huit heures, tout au plus huit heures et demie.

— Mon accident est survenu plus tard. J'aime autant ça. Ce n'est jamais facile de faire une enquête sur des gens importants comme eux.

Gagnon rangeait son carnet dans sa poche. Il laissa tomber, comme si cette pensée lui venait tout à coup :

— C'est tout de même curieux. Un fils de ministre qui s'achète une maison à la campagne, pour venir le samedi soir. Il doit connaître des endroits en ville pour s'amuser. Quand on a de l'argent plein les poches...

— Pour faire ce qu'ils font, ils sont mieux ici. Les voisins sont plus loin.

— Oh ! Qu'est-ce qu'ils peuvent bien faire ?

— Du bruit. On les entend souvent, d'ici. Avec les maisons collées comme en ville, cela ne serait pas endurable. Même à cette distance, c'est une nuisance. J'ai souvent eu envie d'aller l'avertir.

Visiblement, l'importance du personnage l'empêchait de réclamer plus de retenue.

— Ils faisaient du bruit, ce soir-là ? Le 3 juillet, je veux dire.

— Christ oui ! Heureusement, ils se sont calmés très rapidement.

— Quel genre de bruit ? De la musique ?

— Des cris. Je suppose qu'ils viennent là pour se soûler. Des hurlements de gars chauds parviennent souvent jusqu'ici. Des fois il y a aussi de la musique. Dans ces cas-là, ils sont très nombreux. Mais c'est surtout quand il y a des cris et des batailles d'ivrognes que je n'aime pas ça.

Des yeux, l'homme contemplait ses enfants, toujours fascinés par la voiture.

— Ils se battaient ?

— D'ici on ne voit rien à cause des arbres. Mais cela ressemblait à du chamaillage de taverne.

— Il... il y avait des femmes avec eux ? demanda Gagnon.

Il eut l'impression qu'à l'intérieur, quelqu'un s'approchait de la fenêtre pour mieux entendre.

— Des fois, fit le cultivateur en ricanant.

— Ce samedi-là ?

— Je ne pense pas.

Gagnon se leva. Il secoua la tête en descendant de la galerie, tout en observant :

— Une drôle de façon de s'amuser, quand même.

— S'ils avaient à travailler pour gagner leur vie, je suppose qu'ils seraient trop fatigués pour faire les fous comme cela.

Le lieutenant acquiesça à ces paroles fort sages, monta dans sa voiture et partit. Il reprit la route vers l'est, repassa devant la maison de Trudel très lentement. Il ne semblait y avoir personne. Enfin, aucune voiture ne se trouvait près de la maison. Comme le chemin obliquait un peu plus loin dans une courbe assez prononcée, le policier put s'arrêter sur la route, à quelques centaines de mètres, sans être vu par le cultivateur qu'il venait de quitter. Mieux valait garder son expédition secrète. S'il se trompait, personne ne devinerait sa venue.

Pendant un moment, le détective essaya de faire le point sur cette affaire.

Des commères avaient dit avoir vu Blanche dans une grosse voiture, en début de soirée le 3 juillet, une voiture de la Haute-Ville. Cela voulait dire que ce n'était pas une Ford T, ni même une petite Chevrolet. Tous savaient faire ces différences, comme ils pouvaient dire aux vêtements, à l'allure d'une personne, à son accent, si elle venait des beaux quartiers. Les personnes respectables ne dépensaient pas une fortune à soigner leur apparence pour être confondus avec les petites gens. Ils voulaient au contraire être reconnus pour ce qu'ils étaient. Gagnon pensait plutôt « pour ce qu'ils valaient ».

Puis il y avait le livret de banque.

D'un côté, une femme affirmait avoir vu Blanche dans une voiture en compagnie de garçons de la Haute-Ville ; de l'autre, le propriétaire du livret de banque trouvé près du cadavre disait avoir fait une virée avec des amis. Gagnon avait écrit les noms de ces jeunes gens dans l'un de ses petits carnets. Il pourrait essayer de retrouver cette Gertrude, dont les commères avaient parlé. Ce serait difficile, certainement pas impossible. Il pourrait lui montrer des autos semblables à celles que tous ces jeunes gens possédaient. Le policier résolut de commencer par la Buick d'Henri Trudel. Ensuite, il lui montrerait les jeunes gens eux-mêmes. Mais auparavant, il voulait « sentir » cette maison.

Il se dirigea vers elle à pied. Après avoir fait la moitié du chemin par la route, il continua en décrivant un grand détour dans les champs. Des bosquets au pied de la falaise lui permettaient de se dissimuler. Il les longea et revint sur ses pas vers la maison. Si quelqu'un le voyait, il espérait passer pour un promeneur. Ce n'était pas impossible, la journée était belle, les champs sentaient le foin coupé, les criquets manifestaient leur présence.

Il atteignit le terrain d'un arpent sur lequel était construite la maison d'Henri Trudel. Elle était sise au milieu d'un bouquet d'arbres fruitiers. Le policier reconnut sous les branches des pommes, des prunes, des cerises, tous ces fruits encore verts. Des conifères avaient été ajoutés là pour faire écran. C'était une demeure discrète, confortable. Une retraite idéale. Une cachette peut-être ?

Personne ne s'y trouvait. Toutes les fenêtres étaient fermées. Il ne distinguait même pas de traces de pneu dans la cour. Elles devaient avoir été lavées par la pluie abondante de samedi dernier. Il frappa tout de même à la porte à plusieurs reprises, puis dans une fenêtre. « Monsieur Trudel » cria-t-il trois ou quatre fois. Le lieutenant continua même quand il fut certain que personne ne répondrait. Un trac envahissant le paralysait. D'abord, sa démarche était illégale, tout ce qu'il apprendrait de cette manière n'aurait aucune valeur devant les tribunaux. Au contraire, il risquait d'être poursuivi pour une entrée par effraction. À la fin, le courage lui revint.

Les maisons de cultivateur n'étaient habituellement pas conçues pour repousser les voleurs. De toute façon, ces gens demeuraient habituellement si certains de l'honnêteté de leurs voisins qu'ils ne se donnaient pas toujours la peine de verrouiller derrière eux quand ils s'absentaient. Henri Trudel n'était pas si confiant : un gros cadenas fermait la porte.

En moins d'une minute, Gagnon enleva la moustiquaire d'une fenêtre et l'ouvrit. Il se glissa à l'intérieur et se retrouva dans une grande pièce de séjour. Elle sentait le renfermé et surtout le vomi. Deux ou trois taches brunâtres souillaient le tapis. Les meubles étaient ruinés. Quelques photos ornaient les murs, sans doute celles de la famille de cultivateurs, propriétaire de la maison avant que Trudel ne l'achète. Il lut près des portraits des grossièretés écrites au crayon gras. Par exemple, près de celui d'une jeune fille, quelqu'un avait dessiné un sexe masculin et écrit « Quand elle se fait mettre, elle meugle. » Le policier n'avait aucun mal à imaginer ces grands gars avinés en train de beugler des insanités, un soir de juillet.

La salle de séjour occupait la moitié du rez-de-chaussée. Il y avait aussi une cuisine, avec quelques armoires, un évier de tôle surmonté d'une pompe à « queue ». C'était une addition récente. Un gros poêle à bois de fonte, une longue table faite de grosses planches et une dizaine de chaises complétaient l'ameublement. Dans un coin, il vit une glacière. Elle contenait quelques bouteilles de bière devenues tièdes. Dans une armoire, Gagnon trouva encore un assortiment de bouteilles d'alcool : whisky, gin, cognac, porto, etc. Trudel devait les acheter à la caisse. Impossible de le coincer pour trafic illégal d'alcool, elles venaient toutes de la Commission. Dans la dernière pièce du rez-de-chaussée, celle-là dans un ordre parfait, un bureau, trois fauteuils moelleux, des étagères remplies de livres et une radio procuraient tout le confort pour recevoir, ou travailler.

Le visiteur se dirigea vers l'escalier qui coupait la maison en deux, en quelque sorte. Sous les marches, une toilette se révéla plutôt repoussante : rien de plus difficile, quand on est ivre, de viser dans le cercle de vingt-cinq centimètres de diamètre de la cuvette, soit en pissant, soit en dégueulant. Ce sanitaire se situait à mi-chemin entre le confort moderne et la rusticité : il fallait pomper manuellement pour remplir le réservoir avant d'actionner la chasse d'eau.

À l'étage, l'escalier donnait sur un corridor. Deux portes s'ouvraient de chaque côté, et une autre au fond. Il les ouvrit l'une après l'autre. Elles donnaient accès à des chambres. Les deux premières étaient très sommairement meublées : de vieux lits, un matelas nu sur chacun, sans draps ni couvertures, des tables et des chaises branlantes. Les petits placards se révélèrent vides. La troisième chambre, quant à elle, était très confortable, avec un grand lit et un bon matelas. Les draps et les taies d'oreiller manquaient ici aussi, mais les couvertures avaient été pliées à peu près convenablement et posées sur une chaise. Quelques livres traînaient sur une table de chevet, avec un réveil depuis longtemps arrêté, faute de ne pas avoir été remonté. Gagnon ouvrit les tiroirs d'une grande commode un à un, fouillant rapidement. Expérimenté, le policier arrivait à tout tâter, palper, soulever en quelques minutes. Aucune découverte ne récompensa d'abord ses efforts. Il nota la présence de vêtements, de quelques photos de famille ou de voyage, de cigarettes, de cigares et deux ou trois pipes. Il découvrit même un revolver et des munitions. Un jeune homme riche et lié au pouvoir ne pouvait pas demeurer des jours en ces lieux dans la solitude sans pouvoir assurer un peu sa protection.

Dans le dernier tiroir, un objet compromettant récompensa la fouille appliquée : une pipe au long tuyau avec un tout petit fourneau, quelques boules d'opium, un bougeoir avec une chandelle à demi consumée. Ces produits étaient interdits. La consommation d'opium s'associait dans l'esprit de Gagnon à toute une collection d'actions dépravées. Tout de même, Trudel n'offrait aux regards aucun des signes de dégénérescence physique et morale caractéristiques de plusieurs drogués. Pas encore, du moins.

L'enquêteur ouvrit la porte au fond du corridor, découvrit une toilette à peu près propre, équipée comme celle d'en bas. Trudel limitait les dégâts causés par ses invités à certaines pièces et en gardait d'autres impeccables. Sans doute passait-il là des jours bien tranquilles, en dehors des beuveries.

Quant à la dernière pièce, elle contenait un lit branlant et un matelas crevé. Un grand panier d'osier recevait le linge sale en attendant les jours de lessive. Le policier le vida sur le lit et le remplit de nouveau en examinant chacune des pièces de vêtement ou de linge. Des draps et des taies d'oreillers couverts de vomissures séchées le forçaient à plisser le nez. Les chemises, les pantalons ou les sous-vêtements n'étaient pas plus propres. L'homme cherchait du sang, et n'en trouvait pas. Une ou deux taches brunâtres rappelaient bien du sang séché, mais si Blanche était morte exsangue, cela voulait dire une véritable mare. La pièce où le meurtre avait eu lieu, de même que les vêtements de l'assassin, devaient en être imprégnés.

Le panier retourna à sa place. Dans toutes les pièces visitées, aucune trace d'un meurtre cruel ne subsistait. Il n'avait pas vu non plus les bas ou les souliers de la jeune fille, ni de chaussures ou de vêtements féminins. L'endroit servait de repaire à des hommes. Aucune femme n'aurait pu tolérer la saleté de certaines pièces, pas plus que la plupart des représentants du sexe fort. Chacun de ces jeunes gens habitait une maison soigneusement entretenue par des domestiques. Excepté Trudel, qui paraissait y trouver parfois un refuge tranquille, ces garçons ne devaient pas voir souvent cette maison complètement à jeun.

De retour au rez-de-chaussée, l'homme se tint un long moment devant la fenêtre ouverte. Avec une équipe de policiers aguerris, habitués à tout passer au peigne fin, la demeure livrerait peut-être des secrets. Avant d'en arriver là, il lui faudrait des arguments en béton armé : aucun juge ne voudrait signer un mandat de perquisition de la maison du fils d'un ministre sans que les présomptions quant à la culpabilité du jeune homme ne soient très bien fondées. Par acquit de conscience, l'enquêteur refit le tour du rez-de-chaussée : le séjour répugnant, la toilette, la petite pièce de travail, la cuisine. Il ouvrit encore quelques placards, regarda une autre fois dans la glacière. Une grosse caisse permettait d'entreposer la provision de bois de chauffage. Elle était presque vide. Le poêle était un gros Bélanger avec le feu à un bout, le four au milieu et un réservoir à l'autre bout pour faire chauffer de l'eau. Un chauffe-plat horizontal, sur le dessus, dominait l'appareil. Celui-ci comme le four étaient vides, l'eau croupissait dans le réservoir.

Le feu était éteint depuis des semaines. Dans la cendre, Gagnon aperçut des débris de tissu qui n'avaient pas brûlé. Il reconnaissait une ganse à demi consumée. Cela lui rappela les multiples épaisseurs de toile composant la ceinture d'un pantalon. Le vêtement était gris. Avec un petit morceau de bois, le policier fouilla la cendre. Il découvrit encore des boutons de braguette faits de cuivre. D'autres aussi, qui pouvaient venir d'un veston.

« Pourquoi brûler des vêtements, surtout en plein été ? »

Le son de sa propre voix dans la grande maison vide le fit sursauter.

« Parce que des taches de sang, cela peut amener les domestiques ou les employés d'une buanderie à se poser des questions », se répondit-il aussitôt.

Aucun de ces beaux messieurs n'avait jamais lavé lui-même une pièce de vêtement.

Une nouvelle certitude s'empara de lui. Si Blanche Girard n'avait pas été tuée dans cette maison, c'est ici que l'on avait détruit des vêtements tachés de sang.

Gagnon avait replacé le morceau de tissu dans le poêle : on le trouverait là au moment de la perquisition. Il sortit par la fenêtre, la ferma soigneusement, l'essuya avec la manche de son veston pour effacer les empreintes, puis replaça la moustiquaire. Son cerveau fonctionnait très vite, mieux qu'il ne l'avait fait depuis bien longtemps. Henri Trudel avait dit lui-même être venu là le 3 juillet. Son courrier s'entassait dans un casier à la poste depuis deux semaines. Le notable se faisait donc discret depuis la découverte du cadavre.

Personne n'était sans doute venu à la maison après le meurtre, puisqu'il n'y avait pas eu de feu dans le poêle à la suite de la destruction des vêtements. Ils pouvaient aussi avoir commis ce crime ailleurs, mais, compte tenu de l'heure à laquelle Blanche était passée au parc Victoria et de celle à laquelle le voisin les avait vus arriver, cela laissait peu de temps pour trouver une cachette, violer, torturer et tuer quelqu'un, puis venir à cette maison. Les événements devaient être survenus ici.

Ces hommes avaient-ils eu l'occasion de nettoyer les lieux du crime ? Si des traces étaient encore visibles, il fallait les trouver tout de suite, avant qu'une demande de perquisition n'ameute ces jeunes gens et les incite à tout faire disparaître. Il n'existait pas d'autres bâtisses sur le terrain, sauf une petite remise. Elle contenait un peu de bois de chauffage, ce qui restait de l'hiver précédent. Ils avaient pu la violer dehors, le voisin avait entendu des cris et des rires. Le policier marcha longuement sous les arbres, mais ne trouva rien. Un panneau en bois fermait la margelle du puits. Il l'enleva pour regarder l'eau, deux mètres plus bas. Peut-être y trouverait-on les souliers et les bas de la jeune femme, ou d'autres pièces de vêtement tachées de sang. La pompe placée là fonctionnait bien. Il refit le tour du terrain et s'arrêta cette fois devant la porte qui tranchait sur l'herbe du talus.

Un caveau à légumes avait été creusé dans le flanc de la falaise. À une époque très lointaine, l'eau du fleuve se rendait jusque-là. Elle s'était retirée sur quelques centaines de mètres, formant une plaine très fertile depuis la pente abrupte jusqu'à la rive actuelle du cours d'eau. Depuis deux siècles, une rangée de maisons s'adossait à cette pente, la route passait devant elles. Toutes profitaient d'un caveau de ce genre, creusé horizontalement dans le talus.

Un cadenas en fermait la porte. Gagnon avait dans sa poche un canif à lames multiples, un souvenir d'enquête sur une série de cambriolages. L'une d'elles avait été remplacée par un petit crochet d'acier. Celui à qui il l'avait pris mettait peut-être trente secondes pour crocheter une serrure comme celle-là. Le policier mit bien vingt minutes, passa près de casser le crochet dans le barillet. Un petit déclic souligna sa victoire. La porte, maintenant grande ouverte, permettait de faire entrer la lumière dans le réduit creusé à même le sol. Des étagères en bois recevaient une collection de bouteilles vides, la plupart couvertes de poussière, quelques-unes relativement propres. Il y avait aussi des bouts de bois, des vieux seaux rouillés, un arrosoir tout bosselé. Le caveau était exceptionnellement profond, au moins cinq mètres, peut-être six. Il y avait au fond de grosses caisses en bois.

Courbé pour ne pas se heurter la tête au plafond, Gagnon alla voir ce qu'elles contenaient. Il récolta une poignée de bran de scie. L'enquêteur replongea le bras, au risque de ruiner la manche de son veston, jusqu'à toucher la surface lisse et très froide. Trudel gardait une provision de glace. Deux ou trois fois dans l'été, le propriétaire des lieux devait se faire livrer de gros blocs. Avec ces énormes boîtes pleines de sciure, surtout dans ce caveau profond où la température restait basse, ils mettaient sans doute des semaines à fondre. Un pic à glace et un seau permettaient de récolter de quoi garnir la glacière, pour conserver la bière au frais.

Puis l'enquêteur comprit. Le docteur Grégoire avait dit que la victime était morte au plus tôt mardi, plus vraisemblablement mercredi. Mais, dans ce caveau, ce pouvait être aussi tôt que samedi. Tassé près de ces grandes boîtes, ou même à l'intérieur de l'une d'elles, le cadavre n'avait pu se décomposer très rapidement. Le corps ne portait aucune trace de sciure de bois, il devait plutôt avoir été déposé entre deux de ces caisses. L'espace suffisait tout juste. Avec la porte du caveau fermée, la température devait atteindre tout au plus quatre ou cinq degrés dans l'étroit réduit au fond de ce trou, au niveau du sol, tout contre la réserve de glace. Cela expliquait le long délai entre la disparition de Blanche et la découverte de son corps dans un état faisant penser à une mort récente. Après le meurtre, Trudel avait pu retourner à Québec, voir un tas de gens, même le premier ministre ! Deux heures, pendant la nuit, avaient dû suffire pour revenir chercher le cadavre et le déposer dans le parc.

Des preuves ! Il lui fallait des preuves. Ryan ne prendrait pas une seconde fois sa « conviction intime » au sérieux, pas après avoir arrêté et détenu pour rien les frères Germain. Gagnon chercha dans tous les recoins du caveau, ne trouva ni bas ni souliers ayant pu appartenir à Blanche. Elle avait dû saigner comme une bête, mais le sol en terre battue absorbait les liquides. Appuyé au fond du trou contre l'une des grosses caisses en bois, le policier cherchait sur le sol une tache plus sombre ressemblant à du sang vieux de trois semaines. Peine perdue, toute la surface demeurait humide, sans doute le fruit de l'infiltration de l'eau.

Le lieutenant aborda la question autrement. Ils étaient six, sept avec la jeune fille. À moins de s'être mis en ligne pour passer sur elle un à un, cela faisait beaucoup de monde. Tous les récits de viols collectifs concordaient : on s'agglutinait autour de la fille pour la retenir, la pincer, la griffer, la faire taire aussi. Cela expliquait les nombreuses ecchymoses sur son corps. Dans cet espace exiguë, le crime s'était nécessairement produit en plein milieu du caveau. Des traces demeuraient perceptibles sur la terre, comme si des caisses avaient été posées là. Il s'agenouilla, fouilla la boue pâteuse à mains nues. Les doigts dans la terre, il imaginait – non, plutôt il ressentait – la terreur de la victime quand la lourde porte s'était refermée derrière eux. Combien de temps cela avait-il duré ? Le docteur Grégoire avait évoqué une longue liste de sévices : la pointe des seins arrachée à coups de dents, le sexe et l'anus déchirés avec un objet volumineux. Cela avait dû être une mort lente, atroce. Dans un éclair, ou pendant le long moment que duraient ses « absences », le policier craignit de s'évanouir tellement la douleur de la jeune femme se communiquait à lui.

«Je dois commencer à délirer, murmura-t-il. Partout ici, il y a de la boue. Un plancher de terre battue dans une cave ou un caveau, avec de l'eau suintant du plafond et de gros blocs de glace en train de fondre lentement, cela donne ce type de merde.»

Sa montre lui révéla qu'il se trouvait dans ce foutu trou depuis une heure. Il sortit, ferma la porte derrière lui, s'apprêta à remettre le cadenas. L'homme interrompit son mouvement pour secouer du bran de scie sur la manche droite de son veston. La chemise était souillée elle aussi. Surtout, il avait tout cochonné le nouveau pantalon gris pâle que sa femme trouvait si «chic» au moment de l'acheter. Maintenant, de grosses taches de boue déparaient les deux genoux. Il se pencha un peu pour les frotter. Deux gros ronds bruns demeuraient visibles sur la toile grise, un brun tirant sur le rouge.

«Christ!» fit-il en arrachant le cadenas de la porte.

Il ouvrit celle-ci d'un mouvement brusque, retourna à l'endroit exact où étaient ses deux genoux quelques instants plus tôt. Les deux dépressions rondes se distinguaient très bien. Il sortit son mouchoir, y plaça une généreuse poignée de terre humide, revint au soleil. C'était une boue brune. Après avoir fait une sorte de sac avec son mouchoir, le policier pressa la masse de terre pour en exprimer l'eau. De petites gouttes rougeâtres se formèrent sur le tissu. Il ajouta un peu d'eau du puits à la terre, pressa encore, avec le même résultat. Il mit la terre de côté, secoua son mouchoir, le rinça sous la pompe. Le carré de toile garda une teinte rosée: le sang de Blanche Girard. Mêlé à de la terre humide et froide, il n'avait pu sécher complètement. En retournant un peu le sol pour tout dissimuler, quelqu'un avait peut-être simplement empêché ce sang de sécher en le préservant du contact de l'air ambiant. La preuve se trouvait là.

Gagnon étendit son mouchoir au soleil, sur le couvercle en bois qui fermait le puits. Il retourna dans le caveau, effaça du pied les marques laissées dans la terre humide. Les étagères contenaient quelques pots en verre. Il en prit deux et sortit. La porte soigneusement fermée et cadenassée, personne ne se douterait de sa visite. Pendant tout ce temps, il se demanda : « Pourquoi ? »

L'explication du cultivateur lui sembla la plus plausible : l'ennui. Ce désœuvrement qui faisait boire, fumer une pipe d'opium, perdre un après-midi au bordel. Tuer, aussi ? Peut-être. Tous ces jeunes gens devaient se penser à l'abri de la justice.

Près du puits, il lava soigneusement ses deux pots, mit dans l'un sa motte de terre sanguinolente, et le ferma. Son mouchoir, un peu plus sec déjà, présentait une belle tache rosée en son milieu. Il alla dans le second pot. Le policier retourna à son auto, en faisant de nouveau un grand détour à travers les champs. Les témoins penseraient à quelqu'un revenant de cueillir des petits fruits, avec un contenant au bout de chaque bras. Il se trouvait depuis plus de quatre heures sur la propriété d'Henri Trudel.

~

Le lieutenant Gagnon ramena la voiture dans le stationnement du poste de police. Un vieux journal découvert dans le coffre lui permit d'envelopper ses deux pots en verre. Il rentra chez lui à la sauvette. Il préférait ne pas mettre les pieds au poste, de peur de rencontrer Ryan. Mieux valait mettre de l'ordre dans ses idées avant de lui rendre des comptes. L'autre lui opposerait de nombreux arguments. Il souhaitait l'affronter avec des réponses toutes prêtes. Le convaincre ne serait pas une mince affaire.

Vers cinq heures, il ouvrit la porte de son petit logement du quartier Saint-Jean-Baptiste. L'endroit reflétait la vie tout juste décente du petit employé. Deux chambres, l'une que se partageaient les deux enfants, l'autre pour lui et sa femme. Une causeuse et un fauteuil achetés à une vieille tante meublaient le salon. Dans un coin, un gros appareil radio, qu'il finirait de payer en décembre ou en janvier, se révélait le seul objet un peu luxueux. C'était la folie de cette décennie, l'achat de cet appareil. L'appartement jouissait de l'usage exclusif d'une salle de bain. Ce n'était pas exceptionnel, mais plusieurs couples de leurs amis devaient en partager une avec des voisins de palier. L'électricité portait la promesse de petits luxes encore inaccessibles, comme un réfrigérateur, un grille-pain.

L'hiver, cet employé pouvait mettre du charbon dans le petit poêle pour tenir la famille au chaud. Personne ne quittait la table sans avoir satisfait sa faim. Toutefois, les restes d'un repas revenaient inexorablement au repas suivant. Ses proches vivaient mieux que la plupart des gens. S'ils acceptaient de descendre la côte, ils pourraient s'installer dans une maison bien à eux, dans Saint-Sauveur ou Saint-Roch. Peut-être même dans le nouveau quartier de Limoilou : c'était un peu plus loin, mais les enfants auraient plus d'espace.

Dans le passé, Gagnon avait souvent fait ce petit bilan en entrant à la maison. Après une journée passée à se frotter à la misère, cela lui donnait l'impression d'aller quelque part, de réaliser quelque chose. Depuis quelques mois, l'enquêteur évoquait moins volontiers ce futur confortable, sa femme n'abordait plus d'autres sujets. C'était sa façon d'essayer de le motiver, de le sortir de sa morosité. « Reprends-toi », disait-elle. « Cesse de te laisser aller. Cesse de réfléchir à tout cela. »

« Tout cela », c'était tout ce qui allait mal, toute cette souffrance, et surtout l'indifférence des autres à cette misère. Ils possédaient peu de choses. Mais sa femme angoissait à l'idée de perdre ces maigres richesses, et surtout la promesse d'un avenir tranquille, somme toute douillet.

Gagnon se dépêcha de chercher un sac en papier brun dans la cuisine, pour mettre ses pots en verre. Il ne fit pas beaucoup de bruit, elle l'entendit tout de même.

— Qu'est-ce que tu fais ? demanda-t-elle de l'embrasure de la porte.

— Je veux juste ranger cela. J'en ai besoin pour une enquête.

L'homme mit le sac contenant les deux pots sur au-dessus d'une armoire. Les enfants ne pourraient pas l'atteindre, sa femme aurait besoin de monter sur une chaise pour se rendre si haut. Quand il se retourna, ce fut pour voir ses larmes.

— Qu'est-ce qu'il y a ?

Il s'approcha d'elle, lui prit les mains. Les drames de la journée le rendaient si tendre avec elle, le soir. Depuis trois semaines, il avait été exquis.

— Le chef Ryan a téléphoné. Il voulait savoir où tu étais.

— Je... je faisais une enquête, bien sûr. On ne fait que cela, des enquêtes.

— Selon ses dires, il ne t'avait confié aucun travail. Tu n'auras aucune autre affectation aussi longtemps qu'il ne recevra pas un rapport médical à ton sujet... Il veut savoir si tu as toute ta tête.

Elle tamponnait ses yeux rougis avec son mouchoir roulé en boule. Le chef de police devait avoir téléphoné tôt dans la journée, car le mouchoir était tout mouillé.

— Tu sais ce que tu vas faire ? Téléphoner au médecin de la police tout de suite et prendre un rendez-vous pour mercredi, au début de l'après-midi. Demain, je vais rester ici à préparer mon rapport. Je le donnerai à Ryan mercredi matin et j'irai directement chez le médecin après.

Son époux la tenait dans ses bras maintenant, lui parlait tout doucement.

— Il a dit que tu n'avais aucune enquête en cours, fit-elle de sa petite voix.

— Tu le sais bien, j'en ai une. Quelqu'un dans cette ville a tué une petite employée de magasin. Personne ne désire s'occuper d'elle sérieusement. Je ne vais pas l'abandonner.

— Ce ne sont pas les trois gars que tu as fait arrêter ?

— Je me suis trompé. Ils l'ont fait souffrir, mais ils ne l'ont pas tuée. Cependant, j'ai perdu beaucoup de temps avec eux, alors que ma première idée était la bonne. C'est comme cela, la première impression est toujours la meilleure. Comme lorsque je t'ai vue pour la première fois.

Il réussit à la faire sourire. Dix ans plus tôt, tout le monde lui avait répété de ne pas épouser cet homme, car son père venait d'entrer à l'asile. La plupart du temps, malgré son angoisse, elle ne regrettait pas.

— Cette fois, tu iras voir le médecin ?

— Promis.

Il ne lui avait jamais menti.

— Je voulais terminer cette enquête, se justifia-t-il. J'en aurai bientôt fini avec le rapport. Après, plus rien ne me retiendra. D'autres personnes vont prendre les choses en main, ou ne feront rien. Après ce travail, je vais aller chez le médecin et tout lui dire.

Cela signifiait évoquer ces longs moments où son esprit s'égarait, où sa dépression se faisait de plus en plus profonde.

— Que va-t-il t'arriver ? Que va-t-il nous arriver ?

— Rien, je suppose. Mon esprit se promène un peu, alors que mon corps reste là. Je vais continuer à travailler, à des choses plus faciles peut-être. Tiens, Gauthier se fait vieux : je me vois gardien du parc Victoria pour les trente ou les trente-cinq années à venir, à dire bonjour aux belles filles et à empêcher les amoureux d'aller dans les buissons. S'ils ont l'air vraiment amoureux, je les laisserai y aller. Pendant trente-cinq ans, si je dure aussi longtemps que Gauthier. Jusqu'à l'été de 1960.

Elle rit encore. Il la tenait contre lui, dans une étreinte très tendre.

— Il est possible que je sois obligé d'arrêter de travailler. Je serai peut-être hospitalisé comme mon père. Si cela arrive, tu toucheras une pension. Ne t'inquiète pas. Tu essaies toujours de régler les problèmes avant qu'ils ne se présentent. Je peux m'étouffer en mangeant ce soir et mourir, ou me faire frapper par le tramway demain matin. Devenir fou dans cinq ans, ou encore être un petit vieux de quatre-vingt-dix ans en 1980, détestable alors comme ma grand-mère l'est aujourd'hui.

Cela n'arrivera peut-être pas. Si cela se produisait, tu aurais de la peine, puis tu ferais face, comme toujours.

Gagnon la regardait dans les yeux. Comme il aurait aimé lui-même ne pas se torturer pour un million de choses. Son esprit errait pour échapper à tous les problèmes, les siens et ceux des autres. Comme il enviait ses beaux-frères. Leur esprit à eux demeurait bien accroché à leur corps. Mais ils ne ramassaient pas de cadavres de jeunes filles dans des parcs, ils ne rendaient pas visite aux Marie-Madeleine Marion de Québec. Il secoua la tête, résolu à ne plus penser à cela.

— Qu'est-ce que tu as fait des enfants ?

— J'étais si triste après le téléphone du chef de police. Je les ai envoyés chez ma sœur jusqu'à demain.

— La bonne nouvelle. On est comme des jeunes mariés, seuls ? J'espère que le curé ne passera pas ce soir pour sa visite paroissiale. Si tu veux, on se débarrasse des corvées en premier. Tu veux téléphoner au médecin ?

Elle se détacha de lui, se tourna pour aller au salon, où se trouvait le téléphone. Il la retint, se colla à son dos, la main sur son ventre, et murmura encore :

— Dis-lui de téléphoner à Ryan pour lui annoncer ma visite prochaine. Comme cela, il ne rappellera pas ici.

— Comment puis-je lui demander cela ?

— Tu es capable de convaincre un gros matou de ne pas manger un oiseau. Tu y arriveras.

Il lui fit signe de continuer vers le téléphone. Elle se retourna juste une minute pour lui dire comme à un enfant :

— J'ai vu que tu as ruiné tes vêtements. Des pantalons neufs !

— C'est vraiment une sale enquête. Je vais les nettoyer moi-même. Promis.

Il avait levé la main droite, comme les témoins disant « Je le jure » à la cour. Elle alla faire l'appel. Elle possédait l'une de ces voix mielleuses susceptibles de faire tomber la colère. L'enquêteur l'entendit s'excuser pour le rendez-vous manqué de la semaine précédente, prétexter un développement imprévu dans une enquête. Comme convenu, elle demanda une rencontre pour le prochain mercredi, à une heure. Le médecin dut lui dire que cette fois son mari ferait mieux d'être là, car il l'entendit répondre :

— Soyez certain qu'il sera là. S'il le faut, je le tiendrai par la main.

C'était exactement ce que son époux espérait qu'elle fasse.

Quelques minutes plus tard, le policier se déshabillait pour mettre quelque chose de plus confortable. Elle le rejoignit dans la chambre. Ils firent l'amour en plein jour. Quoiqu'ils fussent mariés depuis dix ans, cela donnait à la chose un goût délicieux de péché. Comme les enfants n'étaient pas là, elle ne réprima pas le « Maurice » sonore, plutôt que de se mordre la main, comme d'habitude. Cela le fit sourire, car elle était la seule à utiliser son prénom. Tous les autres l'appelaient Gagnon, tout simplement.

Maurice ne le saurait jamais, mais il lui avait fait un enfant. Après, ils mangèrent en partageant une bouteille de bière, puis écoutèrent de la musique, enlacés sur la causeuse. Cette fois, lui pleurait en silence sur l'avenir, et elle arrivait à goûter le moment présent.

Dès le lendemain matin, Gagnon commença la rédaction de son rapport. Il étala quelques-uns de ses petits carnets noirs sur la table de la cuisine, où il avait posé une vieille machine à écrire, une antiquité remontant à la fin du siècle dernier. Il commença par se remémorer l'affaire depuis sa première rencontre avec le couple Germain. Les notes alignées dans ses carnets étaient très succinctes, mais elles suffisaient à raviver ses souvenirs. Le policier reconstruisait grâce à elles le contenu des échanges, le ton des conversations, les choses découvertes au gré de ses rencontres. Par exemple, il trouva un mot griffonné en vitesse au début de la soirée du 8 juillet, après s'être rendu près du corps de Blanche, dans le parc Victoria: « Gauthier trouvé livret de banque. Henri Trudel. Sous le drap. Vient des curieux ? Improbable. »

Ce serait le point de départ, le sujet des premières lignes de son rapport. Il enchaînerait en décrivant la visite effectuée chez les Trudel en compagnie de Ryan. La démarche avait permis d'apprendre des choses très utiles, comme la virée de ces jeunes gens à la maison de Château-Richer. Surtout, le fils du ministre avait un alibi douteux pour une grande partie du temps écoulé entre la disparition de Blanche et la découverte du cadavre : les déclarations de sa famille immédiate. N'importe quelle épouse, n'importe quel parent, témoignait en faveur soit du mari, soit de l'enfant.

Si la jeune fille était morte peu après être disparue, Henri ou un autre de ces jeunes hommes avait pu sortir sous le couvert de l'obscurité pour disposer du cadavre. Pendant la nuit du mercredi au jeudi, selon toute vraisemblance : le corps n'avait pas été là plus longtemps, et on ne l'avait pas déplacé en plein jour. Connaître les activités des six jeunes hommes deviendrait impératif. Ce serait un travail fou, mais, en s'adressant aux domestiques, il serait possible de vérifier toutes les histoires présentées par les parents ou les jeunes eux-mêmes. Les employés de maison ne seraient jamais assez entichés de leurs jeunes patrons pour mentir dans le but de leur éviter une accusation de meurtre.

Quand Gagnon en fut là dans son rapport, il s'arrêta. Comment présenter son expédition à la maison de Château-Richer ? Le mieux était de demeurer muet, puisque cette visite était tout à fait illégale. Cependant, ses seuls soupçons ne feraient pas bouger Ryan. Le gros directeur ne tenterait rien contre les « grandes familles » de Québec sans être bardé de preuves. Le récit détaillé de la journée de la veille convaincrait peut-être le chef de police de demander un mandat de perquisition. Jusqu'où son patron se laisserait-il influencer ? Contourner un peu les lois pour protéger les riches et les puissants des conséquences de leurs frasques était une chose. Oserait-il les soustraire à des accusations de meurtre ?

Il s'occupa de laver les vêtements gâchés la veille, comme il l'avait promis à sa femme, tout en réfléchissant à la question. Une fois sa lessive terminée, le lieutenant reprit la machine à écrire et décrivit tout simplement les faits, dans leur ordre chronologique : la visite au bureau de poste, au voisin le plus rapproché, l'entrée dans la maison, les restes de vêtements dans le poêle, l'effraction dans le caveau à légumes, les grandes caisses contenant la glace, le sol de terre battue imprégné de sang. Ryan connaissait son devoir, la suite lui appartenait.

Gagnon dissimula ses carnets dans une boîte de chaussures où s'entassaient les papiers importants de la famille, puis la déposa au fond d'une garde-robe de la chambre à coucher. Il rangea la machine à écrire dans son coin. Alors que sa femme revenait de faire des courses avec un enfant au bout de chaque main, il décida de repasser les vêtements fraîchement lavés, et aussi une bonne partie de la lessive faite la veille.

La journée se termina paisiblement à jouer aux cartes avec les enfants. Sa femme lui lançait parfois des regards inquiets. Mais, quel que soit le diagnostic du médecin le lendemain, ils avaient du temps devant eux, se dit-elle. Ces maladies-là n'évoluaient pas bien rapidement.

Chapitre 10

Au coin des rues Dorchester et Saint-Joseph, Renaud vit un attroupement de quelques centaines de personnes. Elles marchaient au milieu de la rue Saint-Joseph, en direction de l'église Saint-Roch. Une voiture de police venait devant, une autre derrière. La circulation automobile se trouvait interrompue. Sur les trottoirs, les gens s'arrêtaient pour regarder la procession de ces hommes désespérés. Ils affichaient des visages hagards et marchaient très lentement, tout en priant.

Des pancartes portées bien haut référaient à la Confédération des travailleurs catholiques et aux « unions » des cordonniers monteurs, tailleurs et machinistes. Pour compléter l'édifiante mobilisation, on trouvait aussi des bannières des ligues du Sacré-Cœur ou des cercles Lacordaire. Au centre de la manifestation, des hommes portaient sur leurs épaules une grande statue de saint Joseph, le patron des ouvriers. Au premier rang des manifestants se trouvaient Pierre Beaulé, le président de la Confédération, un ouvrier de la chaussure, et l'abbé Maxime Fortin, l'aumônier de la centrale syndicale.

Curieux, Renaud emboîta le pas aux grévistes. Il se rappelait les articles des journaux sur le conflit de travail : des dizaines de manufactures avaient recours à des briseurs de grève, des centaines de travailleurs, sinon quelques milliers, se trouvaient sans gagne-pain depuis de longs mois. Il devenait difficile de connaître exactement le nombre des travailleurs toujours inactifs, car ceux-ci devaient se dénicher un autre emploi, sinon ils s'exposaient à voir leur famille crever de faim.

Deux ou trois centaines de grévistes s'engouffrèrent dans l'église Saint-Roch, Renaud et quelques journalistes sur leurs talons. Là, ces spectateurs eurent droit à un long discours sur la solidarité ouvrière, de la part de Pierre Beaulé. Quand celui-ci regagna sa place dans la nef, l'abbé Maxime Fortin lui succéda. Le prêtre évoqua la très longue et très dure lutte des travailleurs contre l'Association des manufacturiers de chaussures de la ville de Québec. En entendant ce ton enflammé, Renaud se dit que le jeune ecclésiastique, grand et maigre, à la soutane élimée, avec ses lunettes à monture de broche sur le bout du nez, conclurait sa diatribe par une invitation à une action énergique, spectaculaire, pour retourner le rapport de force en faveur des grévistes. Il fut déçu.

— En terminant, mes très chers frères, continuait l'aumônier en renouant avec le ton du curé, il faut nous rappeler la nécessité de respecter le droit à la propriété privée. Dieu a voulu que certains naissent propriétaires d'usine, d'autres ouvriers. Il n'appartient pas aux hommes de changer cet état de chose. Cependant, le devoir des patrons catholiques est d'offrir à leurs travailleurs un salaire suffisant pour faire vivre une famille chrétienne. Le devoir de justice des patrons est d'offrir un revenu décent aux ouvriers. Celui des ouvriers est de respecter le droit de propriété des patrons.

L'abbé Fortin continua sur ce registre pendant un moment encore. Puis il termina en disant:

— Maintenant, je vous invite à prier pour un règlement convenable de cette trop longue grève.

Comme un seul homme, les deux cent cinquante ou trois cents grévistes se mirent à genoux et commencèrent à réciter un chapelet. Renaud les écouta longuement murmurer des *Je vous salue Marie*. Des hommes amaigris, acculés à la plus extrême misère, égrenaient des perles en verre pour obtenir une fin juste à ce conflit. Tous ces chapelets étaient comme des chaînes sur leurs mains.

Il faudrait bien longtemps avant que ces travailleurs ne secouent leur joug.

Ce même jour, Maurice Gagnon se présenta au poste à l'heure habituelle. Il posa son sac en papier brun près de son bureau et entreprit d'expédier les quelques tâches administratives laissées en suspens. Ses collègues lui lançaient des regards inquisiteurs, le saluaient du bout des lèvres. Son absence prolongée devenait leur premier sujet de conversation. Bien des rumeurs avaient sans doute couru sur son compte.

Le détective s'occupa jusqu'à l'arrivée de Daniel Ryan, vers neuf heures trente. Celui-ci faisait toujours un tour rapide des lieux, puis s'enfermait dans son propre bureau. En passant devant Gagnon, il le regarda avec un petit sourire en coin.

— Tiens, un revenant, fit-il.

— Je dois vous parler, tout de suite si possible.

— Bon, viens-t'en.

En se retournant, le chef de police fit une grimace excédée, ce qui provoqua l'hilarité des agents témoins de sa mimique. Le fonctionnaire ne cachait plus que les états d'âme du détective lui tombaient sur les nerfs, et la plupart des hommes l'approuvaient. Les policiers n'étaient pas payés pour avoir des sentiments. Gagnon prit son sac en papier brun et le suivit. Il attendit que son chef soit assis derrière son bureau avant de prendre place à son tour.

— Qu'est-ce qui se passe cette fois-ci ? s'entendit-il demander.

— Le meurtre de Blanche Girard. Maintenant, je sais qui c'est.

— Encore ? Nous avons arrêté les Germain, cela a fait bien rire dans toutes les tavernes de la ville.

Pourtant, le directeur avait été heureux de se saisir de ces coupables tombés du ciel. Il se désolidarisait maintenant sans vergogne de cette initiative.

— J'avais de bonnes raisons de les soupçonner, et je pense encore qu'ils devraient être poursuivis pour viol. Mais ma première idée était la bonne. Le livret de banque près du corps nous donnait l'identité du coupable, ou au moins de l'un des coupables. Si je me rappelle bien, c'est vous qui m'avez ordonné de regarder ailleurs.

De mesquin, Ryan devint inquiet. Il songea : « J'aurais dû empêcher Gagnon de s'occuper de cette affaire. » D'un autre côté, ne valait-il pas mieux que cela vienne de quelqu'un à l'équilibre instable, facile à désavouer ? Un policier en pleine possession de ses moyens, apprécié de ses collègues, serait autrement plus menaçant. Tout de même, le chef entendit jouer de prudence.

— Alors tu as du nouveau ?

— Nous savons que Trudel et ses amis sont allés à Château-Richer. Hier je me suis débrouillé pour savoir à quelle heure ils étaient arrivés là-bas. Ils ont eu tout le temps de ramasser Blanche Girard en chemin, de gré ou de force, après que celle-ci eut quitté Germaine Caron et salué le gardien Gauthier dans le parc.

Le lieutenant de police ouvrit son sac en papier brun, en sortit son rapport plié en deux. Il préférait voir l'autre lire son texte, plutôt que d'avouer à haute voix ses irrégularités de la veille. Ryan commença à parcourir les pages en affichant un air ennuyé, puis sa figure changea.

— Une entrée par effraction, murmura-t-il en arrivant à la fin du premier feuillet.

Le gros homme commença à s'inquiéter sérieusement. Il continua la lecture en silence, de plus en plus troublé.

— Tout cela est parfaitement illégal, fit-il en terminant. Ce ne serait d'aucune utilité devant un tribunal. En fait, le juge déclarerait irrecevables toutes tes prétendues découvertes.

— Je ne prétends rien, répondit Gagnon.

Il sortit, l'un après l'autre, ses deux pots en verre et les déposa devant le chef de police.

— Dans celui-là, désigna-t-il du doigt, se trouve la terre que j'ai prise dans le caveau à légumes. N'importe quel médecin pourra confirmer la présence de sang. Dans l'autre pot, vous avez mon mouchoir. J'avais mis la terre dedans. Il est rougi par le sang.

Cette tache d'un vilain rose pouvait bien, en effet, témoigner de la présence de sang. La poignée de terre, quant à elle, ressemblait à n'importe quelle amas de terre humide. Il leva des yeux perplexes.

— Vous n'êtes pas obligé de me croire sur parole, continua Gagnon. Vous demandez simplement à un médecin, ou à un biologiste, je ne sais pas, moi. Un de ces gars instruits qui font des analyses. Il constatera que c'est le sang de Blanche Girard.

— Même si c'est du sang, cela ne prouve pas qu'il vient de chez Henri Trudel. Cela peut-être le tien, ou celui d'un porc.

— Vous savez comment vous en assurer. Avec un mandat de perquisition, vous faites fouiller la maison et le caveau. Il sera possible de trouver d'autres traces de sa présence, j'en suis sûr, comme des cheveux, des fragments de ses vêtements. Surtout, elle a dû perdre des litres de sang.

— C'est ça. Je me présente chez le juge, et je lui dis: «Votre Honneur, j'ai un policier qui est entré illégalement chez Henri Trudel. Il a vu un morceau de vêtement dans le poêle, et il pense qu'il y a du sang dans le caveau à légumes.» Tu sais ce qu'il va me répondre, le juge?

Gagnon se doutait bien de la réaction d'un magistrat en pareille circonstance. Le chef crut cependant bon d'expliquer:

— Le bon juge, qui a fait ses humanités en même temps que le ministre Trudel, dans le même collège ou un collège voisin, qui a fait des études à la faculté de droit en même temps que le ministre, qui a peut-être épousé la sœur ou la cousine du ministre – ils sont tous parents ces gens-là –, va m'envoyer au diable. Ce que tu as là, si ça vient bien de chez Trudel, c'est illégal. Ton juge, il va même signer immédiatement un mandat d'arrêt contre toi.

— S'il signe un mandat d'arrêt contre moi, ils devront faire la preuve que je suis entré chez lui. Penses-tu que j'ai laissé des traces?

Gagnon élevait la voix, impatient. Dans la chaleur du moment, il passait du «vous» au «tu».

— Je n'ai rien volé, sauf un peu de terre. Penses-tu qu'ils vont m'accuser d'avoir dérobé une poignée de terre?

— Peut-être qu'il ne signera pas le mandat d'arrêt contre toi.

Ryan demeura songeur un moment, puis poursuivit son idée.

— Peut-être que ce magistrat va simplement dire à son ami le ministre de te faire mettre à la porte. Et de me faire mettre à la porte moi aussi, juste parce que j'aurai osé présenter ces accusations et demander le mandat.

Selon toute probabilité, les choses se passeraient comme cela.

— Si tu es intéressé à la justice, murmura l'enquêteur, cela ne devrait pas te retenir. Je veux les salauds qui ont tué cette fille.

— On ne peut pas les avoir, en admettant que ce sont eux. Tes preuves sont illégales. Tu n'auras pas de mandat avec cela. Ce ne sont pas des trous du cul soupçonnés d'avoir volé dix paires de chaussures. Les mandats, on les a sans même invoquer une raison, dans ces cas-là. Pour ces fils de riches, tu ne l'auras jamais. Tu me demandes de me mettre dans la merde jusqu'au cou, mais on n'aura pas les mandats.

— La loi est la même pour tout le monde.

Le ton du lieutenant révélait tout son scepticisme. Un personnage important ne montait jamais sur l'échafaud, à moins que cent personnes au moins ne l'aient vu tuer quelqu'un. Et même dans ce cas, les dix meilleurs avocats de la province uniraient leurs efforts pour trouver des circonstances atténuantes. Mieux encore, ces disciples du droit plaideraient la folie. Le tueur serait enfermé dans un asile pendant un moment, puis relâché avec un papier d'un médecin le disant guéri. Les journaux américains foisonnaient d'histoire de ce genre.

— Il y a un moyen, finit-il par dire après un moment. Si les gens se mettent à parler de cette affaire, du livret de banque, de la maison où ils font leurs orgies, les autorités seront obligées de signer un mandat. Tu aurais dû voir comment c'était dégueulasse, du vomi partout, la drogue dans la chambre de Trudel. Sinon la population va finir par se révolter.

— Bon, tu veux partir une révolution maintenant, pour un petit meurtre sans importance. Une bien triste affaire, mais…

— Ce n'est pas un meurtre sans importance. Christ! Cela pourrait être ta fille, ou la mienne. Autant changer la loi, et dire que les fils de ministre ont le droit de violer les petites vendeuses de magasin. Comme au Moyen Âge, quand les seigneurs pouvaient se réserver la première nuit avec toutes les filles qui se mariaient.

Le chef Ryan savait tout juste que le Moyen Âge était dans l'« ancien temps ». Avant ou après le Christ? Il l'ignorait et il s'en foutait éperdument. Cependant, Gagnon devenait dangereux. Cette histoire était explosive. La grève de milliers de travailleurs des manufactures de chaussures s'éternisait. Les familles de ces gens crevaient de faim. Les journaux avaient déjà remarqué une augmentation du nombre de bébés décédant avant leur premier anniversaire au cours de l'été. Cela ne tenait pas au hasard: les parents devaient les nourrir moins bien, les mères devaient avoir les seins taris simplement à cause du manque de nourriture pour elles-mêmes. Des hommes dans la force de l'âge se pressaient au coude à coude sur les quais, sur les rives de la rivière Saint-Charles, pour jeter leurs lignes à l'eau dans l'espoir de pêcher le repas du soir. Beaucoup de ces grévistes vendaient à rabais leurs quelques meubles pour se payer le billet de train vers les villes manufacturières du nord-est des États-Unis. Matin et soir, la moitié au moins des forces de police de la Ville se massaient aux portes des manufactures pour empêcher les hommes en grève et les *scabs* venus de la campagne prendre leurs emplois de s'entre-tuer.

Et pendant ce temps, dans son bureau, un policier évoquait le projet de répandre dans la population la rumeur que des jeunes hommes de la Haute-Ville avaient violé et torturé à mort une jeune vendeuse d'un magasin de tabac et d'articles pour fumeurs ! L'homme était tout à fait inconscient, tout à fait fou.

Dans un geste devenu familier quand il avait affaire à Gagnon, il se leva de sa chaise, fit le tour du bureau pour venir près de lui. S'appuyant sur le bord, il commença à expliquer de sa voix la plus raisonnable :

— Si au moins tu m'avais parlé avant, on aurait pu planifier quelque chose. Peut-être retourner chez les Trudel, essayer de compléter l'enquête sur les garçons dont tu parles dans ton rapport. Maintenant, c'est gâché. On n'a aucune chance d'avoir un mandat en confessant une entrée par effraction.

Le lieutenant ne l'écoutait pas. Son idée de s'appuyer sur l'opinion publique tourbillonnait dans sa tête.

— On pourrait juste faire savoir à un ou deux journalistes qu'on nous refuse le mandat malgré une preuve solide, sans donner plus de détails. Avec une histoire comme cela dans les journaux, le juge ne pourrait pas dire non.

Ryan se pencha en avant, mit la main sur l'épaule du policier et le secoua en disant plus fort :

— Christ, Gagnon ! Tu es sourd ou quoi ? Je te dis qu'on ne demandera pas de mandat. On n'a aucune chance de l'obtenir.

Gagnon donna un coup violent sur le bras du chef pour enlever la main de son épaule, assez fort pour heurter le nez de son interlocuteur. Il se leva en criant, prenant son patron pas les revers de son uniforme :

— Tout ce que tu veux, c'est les protéger. Tu leur manges dans la main. S'ils veulent t'enculer, tu te penches gracieusement devant eux pour leur faciliter la tâche. Qu'ils violent et qu'ils tuent, cela t'est bien égal, du moment qu'ils continuent de prendre bien soin de toi!

— Tu es fou, ma parole! glapit le chef de police.

Du sang coulait du nez de Ryan. Une blessure sans importance, mais le filet de sang sortait des deux narines, coulait sur ses lèvres, se répandait sur son menton pour continuer jusque sur le devant de son uniforme. Cela tenait plus à sa haute pression sanguine qu'au coup de poing lui-même, mais le résultat impressionnait. Il se dégagea de la poigne de Gagnon, se dirigea vers la porte alors que le policier s'était mis à crier:

— Tu sais ce qu'ils ont fait, tes amis de la Haute-Ville? Ils l'ont défoncée avec une bouteille. Avec une bouteille, Ryan. Et toi, tu essaies de les protéger. Est-ce qu'ils prennent une bouteille pour t'enculer, Ryan?

Le lieutenant lançait une hypothèse à propos de la bouteille: parmi les objets présents dans le caveau, celui-là seul avait pu infliger les blessures décrites par le docteur Grégoire.

Le chef de police ouvrit la porte de son bureau pour se retrouver face à face avec une demi-douzaine d'agents alertés par les cris. Au moment où Gagnon reprenait sa tirade sur la bouteille, toujours en hurlant, Ryan leur dit:

— Il est complètement fou. Il m'a attaqué. Mettez-le dans une cellule en bas. Une cellule isolée pour que personne n'entende les horreurs qu'il débite. Je vais appeler Saint-Michel.

Les agents n'eurent pas de mal à se saisir de Gagnon, qui hurlait toujours ses accusations. Ils reçurent quelques coups, les rendirent bien sûr avec entrain. Le lieutenant de police aboutit dans une cellule, le visage tuméfié, les vêtements déchirés, toujours hurlant des insanités. Les policiers ne comprenaient pas trop: la maison où se passaient des orgies, les fils de ministres, le premier ministre, le chef Ryan, ces sujets se mêlaient dans ses imprécations. Ceux qui se donnaient la peine d'écouter toute la tirade pouvaient se faire une idée assez juste de ce récit. La plupart préféraient croire au délire d'un fou.

D'ailleurs, après un moment, Gagnon éclata en sanglots et commença à se cogner la tête sur les barreaux de sa cellule.

Ryan s'était lavé le visage à l'eau froide, pour faire disparaître le sang, il nettoya ensuite le mieux possible le devant de son uniforme. À l'hôpital Saint-Michel-Archange, on lui promit de dépêcher des infirmiers capables de s'occuper d'un fou furieux. Le fonctionnaire demanda tout de même à quelqu'un de vérifier si le revolver du policier se trouvait bien dans le tiroir de son bureau. Si jamais il l'avait sur lui, cela rendrait les choses plus difficiles.

Puis le fonctionnaire de police réfléchit à la suite des choses. Les soupçons de Gagnon lui paraissaient tout bonnement inconcevables. Que ces jeunes excités forcent un peu une jeune fille, c'était crédible. Les enfants entassés dans les orphelinats de la province n'avaient pas tous eu des mères consentantes. Le meurtre sadique ne cadrait toutefois pas dans ce récit. D'un autre côté, même si le lieutenant devenait de plus en plus bizarre ces dernières semaines, comment se convaincre qu'il avait inventé tout cela ? Menacer de bouleverser l'ordre public en répandant des rumeurs, c'était une chose. Concocter une histoire du genre, ou pire encore, aller « planter » des preuves chez le fils Trudel, cela ne se pouvait tout simplement pas.

Ces preuves se trouvaient donc vraiment dans la maison de Château-Richer. Ryan savait n'avoir aucune chance d'obtenir un mandat de perquisition. Même si elles avaient été réunies par des moyens légaux, cela n'aurait pas été facile. Seuls les imbéciles s'imaginaient que la loi s'appliquait à tous de la même façon. Le jeune policier arrêtant un ministre pour une infraction au Code de la route le comprenait – ou se cherchait un autre emploi très vite s'il rédigeait un procès-verbal sur l'affaire. Gagnon le comprenait, même s'il ne l'admettait pas. Gérer le « deux poids, deux mesures » tenait de la routine quotidienne du chef de police.

Incapable de se sortir de cette impasse, Ryan décida de s'en remettre au procureur général de la province. De toute façon, après enquête, celui-ci devrait décider si des accusations seraient portées dans cette affaire. Autant s'en remettre à lui tout de suite. Le fonctionnaire commença par ranger les deux pots en verre rapportés par Gagnon dans l'une de ses filières fermant à clé. Il prit une grande enveloppe et y plaça les deux rapports, le premier sur les frères Germain, et le second sur sa visite à Château-Richer. Le dernier ne comportait pas de signature manuscrite – seulement le nom de l'auteur dactylographié – et n'avait pas été rédigé sur du papier de la police. Dans son esprit, cela lui donnait un caractère non officiel. « Une quasi non-existence en fait », pensa-t-il.

Quelqu'un frappa à la porte, l'entrouvrit juste un peu pour lui dire :

— Ils amènent Gagnon.

— Comment est-il ?

— Tout à fait calme, maintenant. Il marmonne, mais on ne comprend rien. En fait, il est à demi assommé. Il a passé une demi-heure à se cogner la tête contre les barreaux.

Ryan le chassa d'un geste, avant de se rendre à la fenêtre pour voir l'ambulance, près de la porte du poste. Elle ressemblait en fait à un fourgon cellulaire. Le lieutenant de police sortit entre deux énormes infirmiers, engoncé dans une camisole de force. Son visage était en sang, mais il paraissait fort calme. Devant ses quelques paroles, les ambulanciers se regardaient et secouaient la tête en riant. Le chef de police fut heureux de les voir prendre à la légère les discours de leur passager. Ils le firent monter à l'arrière, l'un d'eux avec lui. L'autre prit le volant et démarra.

Le fonctionnaire saisit le téléphone, composa un numéro à l'hôtel du Parlement. Une certaine patience fut nécessaire avant de parler au procureur général en personne, mais il obtint un rendez-vous immédiatement en invoquant le nom de Blanche Girard.

Descôteaux reçut le chef de police de la Ville de Québec dans son grand bureau du parlement provincial. La rencontre serait plus anonyme ici, à deux pas de la salle de l'Assemblée législative. Aucun député ne se trouvait dans l'édifice, ni même un ministre, à ce temps-ci de l'année. Seuls les fonctionnaires continuaient de faire marcher le petit appareil gouvernemental. En réalité, il fonctionnait tout seul, se plaisait à dire Descôteaux. Les crises étaient rares, heureusement, et le procureur général préférait gérer lui-même celle que Ryan venait lui soumettre.

Le premier ministre ne fut pas sans remarquer l'uniforme fripé de son visiteur et le sang sur sa poitrine. Cela faisait de très mauvais goût, il aurait apprécié que le policier se change. Maussade, après des salutations sans chaleur, il prit l'enveloppe contenant les deux rapports. Le politicien reconnut au premier coup d'œil celui sur les frères Germain pour ce qu'il était: un document obsolète. Ces suspects étaient tombés à point, malheureusement il avait fallu les laisser aller trop tôt. La population de Québec n'avait pas eu le temps de se convaincre que le service de police avait fait son travail. Le procureur général passa au second document, constata qu'il était daté de la veille. Le parcourir attentivement prit quelques minutes. Le chef de police le regardait lire, cherchait à voir sur son visage ses émotions. Son vis-à-vis ne trahit rien d'autre que de la lassitude.

— Ce lieutenant Gagnon, où se trouve-t-il présentement?

Descôteaux reposa les quelques feuilles sur son imposant bureau en bois précieux. On n'y voyait qu'un sous-main, quelques plumes et un téléphone. Le politicien voulait donner l'impression de tout contrôler, de tout savoir. Il y arrivait plutôt bien.

— Il a fallu le faire conduire à l'asile de Beauport. Très agité, il s'est attaqué à moi en constatant que je ne partageais pas son enthousiasme sur son travail d'hier.

— Il est vraiment malade ?

— Oui. Il y a plusieurs semaines que son état se détériore. Cette affaire a eu sur lui un effet dramatique.

— J'ai du mal à croire que cela ait suffi à le rendre fou.

En même temps, le politicien n'osait croire en sa chance. L'internement semblait trop beau pour être vrai.

— Son malaise était perceptible bien avant. Je me suis informé : son père est mort à l'asile, atteint de démence.

Descôteaux esquissa un sourire satisfait. Il insista :

— Cette introduction par effraction est tout à fait illégale. Cela enlève toute valeur aux preuves qu'il a trouvées, en admettant la réalité de ses découvertes.

— C'est justement quand je lui ai expliqué cela qu'il a perdu la tête. Il réclamait un mandat de perquisition.

— Sur des bases comme celles-là, impossible.

Le fonctionnaire de police hocha la tête pour souligner qu'il partageait cette conviction.

— Quand je lui ai fait cette réponse, il a menacé d'ameuter l'opinion publique par le biais des journaux afin de forcer la main aux autorités.

Ces « autorités » se trouvaient incarnées dans la personne assise devant lui. Le policier continua :

— Je ne savais pas trop quel parti prendre. J'ai préféré vous soumettre le tout.

— Gagnon a-t-il commencé à « ameuter l'opinion publique », comme vous dites ?

— Il est difficile d'en être certain. Pas au poste de police, je le jurerais. Le lieutenant s'est livré à cette expédition tout à fait seul, sans se confier à personne. Ses problèmes de santé ont fait le vide autour de lui. Il en a peut-être touché mot dans son milieu familial, cependant.

— Vous comprenez que, même sans fondement, cette histoire, si elle se répand dans la population, fera de grands dégâts.

Ryan fit un signe d'assentiment. Le premier ministre ne lui demandait pas s'il accordait une quelconque vraisemblance aux accusations du lieutenant. Il ne voulait sans doute pas entendre la réponse.

— Comme je vous le disais, continua le premier ministre, présenter cette histoire devant un juge pour obtenir un mandat de perquisition ne servirait à rien. Non seulement le mandat ne serait pas accordé, mais ce pauvre policier, qui a déjà sa part d'ennuis, pourrait faire l'objet de poursuites. Le tort pourrait d'ailleurs s'étendre à tout le service de police.

— Il a agi de sa propre initiative. Le lieutenant a profité d'un congé de maladie que je lui avais accordé la semaine dernière, à cause de son agitation justement, pour se livrer à cette expédition.

Le chef jouait à l'apôtre Pierre. Il désirait convaincre le premier ministre que jamais il n'avait orienté l'enquête dans la direction d'enfants de membres du Cabinet ou de la direction du Parti libéral. Autrement, plutôt qu'un fidèle allié, on le percevrait comme une menace au pouvoir.

— Si je comprends bien la situation où nous sommes, un détective aux prises avec un problème de santé mentale a pris l'initiative de faire porter son enquête sur des jeunes gens en vue dans notre ville ? demanda Descôteaux.

C'était moins une question qu'une directive : la chose devrait être présentée de cette façon. Ryan acquiesça. Le premier ministre poursuivit :

— Cela pourrait-il s'inscrire dans une sorte de chimère pour nuire au gouvernement ?

— C'est l'impression que j'ai eue. Son discours n'était pas cohérent, mais je n'ai pas aimé l'entendre évoquer l'idée de soulever la population. Nous n'avons pas besoin de cela, surtout dans les circonstances actuelles. La situation devient explosive dans la Basse-Ville.

— Peut-être était-il plus intéressé à créer le désordre qu'à chercher les coupables du meurtre de cette pauvre fille, après tout. Les rumeurs de complots politiques circulent dans tous les pays occidentaux.

Descôteaux s'était levé sur ces derniers mots. C'était une façon de lui donner son congé. Ryan était rendu à la porte, le premier ministre à ses côtés, quand celui-ci lui dit encore :

— Vous avez très bien fait de me confier vos tracas. Votre prudence et votre tact sont très appréciés. Je ferai en sorte que cette histoire reçoive l'attention qu'elle mérite.

Il referma la porte dans le dos du fonctionnaire, formula un juron à voix basse. La première chose à faire était de vérifier l'état de ce policier. Il téléphona à l'hôpital psychiatrique de Beauport pour parler à la religieuse qui en assumait la direction. Quand il donna son nom, une tornade se déclencha à l'autre bout du fil. Un long cinq minutes fut nécessaire pour retrouver la religieuse dans les corridors de l'établissement. Tout essoufflée, elle prononça enfin :

— Monsieur le premier ministre, quelle surprise !

Le timbre de sa voix trahissait une grande inquiétude. Voulait-il lui parler d'une réduction des subventions de l'État pour les indigents gardés dans son établissement ?

— Ma mère, je m'excuse de vous déranger pour une question triviale. Vous avez reçu il y a peu un malade, un détective de Québec. Celui-ci s'est attaqué à son chef. Pourriez-vous demander au docteur Dubuc de jeter un coup d'œil sur lui et de me rappeler ? Je m'inquiète un peu pour ce pauvre homme. Son père a aussi été interné dans le passé.

— Bien sûr, je vais m'en occuper tout de suite. Où doit-il vous joindre ?

— Je suis au parlement. Il connaît le numéro. Merci de votre gentillesse.

Le politicien raccrocha, laissant à l'autre bout du fil une religieuse perplexe. C'était bien la première fois que le premier ministre faisait une démarche du genre. Pour un policier en plus ! Des questions politiques devaient se trouver là-dessous. Ce monde lui répugnait plutôt, elle cessa d'y penser et se mit en devoir de trouver le docteur Dubuc.

Descôteaux avait relu les deux rapports de Gagnon, de plus en plus préoccupé. Tout cela semblait fort mauvais. Il devrait revoir les Trudel père et fils, obtenir le récit le plus fidèle possible de ce qui s'était passé, et décider de la stratégie la plus prudente à adopter. Tout jeune alors, il se souvenait d'avoir vu le gouvernement d'Honoré Mercier tomber pour une histoire de pots-de-vin. Le pauvre homme en était mort de honte, ou du moins, c'est ce que l'on racontait alors. Ni lui ni son parti ne vaudraient mieux si cette histoire de viol éclatait au grand jour.

Le docteur Dubuc rappela quatre-vingt-dix minutes plus tard. Il avait pris le temps d'observer longuement son nouveau patient. Après les salutations, il remarqua :

— Je me demande en quoi le sort de ce policier te préoccupe. C'est sans doute un peu triste, mais bien banal en même temps. Il fait une dépression et sombre lentement dans la démence. La dépression vient sans doute du fait qu'il est bien conscient des progrès de sa maladie.

Le premier ministre était un vieil ami, ils étaient à tu et à toi depuis l'université.

— Il s'est attaqué au chef de police, expliqua Descôteaux. Je m'inquiète de mes chefs de police. Je veux savoir comment il se trouve. Il racontait de drôles de choses au moment de faire sa crise ce matin.

— Sa démence doit être héréditaire. La directrice m'a répété ce que tu lui as dit sur son père, alors j'ai vérifié. Ton client est arrivé ici dans un triste état. Les infirmiers m'ont assuré ne pas en être responsables, qu'il se tapait la tête contre les barreaux de sa cellule, au poste de police. Depuis son arrivée ici il est plutôt calme, mais son esprit divague.

— Quel genre de délire ?

— C'est plutôt amusant. Il parle de droit de cuissage. Le fait qu'un agent de police connaisse le Moyen Âge se révèle étonnant en soi. Mais c'est mêlé dans sa tête. Il évoque le droit de cuissage des gens de la Haute-Ville, les personnes exploitées. Le chef de police serait complice des pires crimes. Rien de bien clair, le délire d'un dément.

Le bon médecin ne paraissait pas enclin à mettre de l'ordre dans ce discours décousu. Le premier ministre poussa un soupir de soulagement.

— C'est ce que je craignais. Écoute, au poste de police, il portait des accusations précises sur des personnes que nous connaissons tous les deux, et menaçait de rendre cela public. Je ne voudrais pas voir les journaux s'emparer de ces histoires d'horreur, juste pour vendre de la copie. Tu les connais, ils sortent un jour un scandale juteux en première page, dans le meilleur des cas, ils publient un démenti un mois plus tard en dernière page.

— De toute façon, compte tenu de l'attaque contre le chef de police, notre patient sera isolé pendant un certain temps. Mon pronostic est plutôt négatif : son état risque de se détériorer, pas de s'améliorer. Cela semble te préoccuper. Pourquoi est-ce tellement dangereux ?

Descôteaux devait convaincre son interlocuteur, tout en n'étant pas trop précis, car il se trouvait peut-être quelqu'un en train d'écouter sur la ligne. Le téléphone ne se révélait pas le moyen de communication le plus discret. Il risqua cette explication :

— Il a porté des accusations très sérieuses contre certains de nos amis. Je pourrai être plus précis si tu le veux, mais de vive voix. Il a déjà commis des irrégularités pour trouver des preuves, ou pour inventer des preuves, je ne sais trop. Sa dernière trouvaille était de menacer son chef de police d'ameuter les journaux avec ces accusations. Nous n'avons vraiment pas besoin de cela ces jours-ci.

— Bon. Je te contacterai s'il y a du nouveau. Je vais essayer de limiter le nombre de personnes avec lesquelles il est en contact. Je ne peux faire plus.

Ils échangèrent encore quelques banalités, puis raccrochèrent. Descôteaux devait effectuer un autre appel désagréable. Il composa le numéro du ministre Trudel. Quand celui-ci prit la communication, il ne se perdit pas en vains détours :

— Antoine, il y a du nouveau au sujet de l'affaire qui nous donne tellement d'inquiétudes. Tu peux venir à la maison ce soir ?

— Je… oui, bien sûr.

Le ministre hésita un moment avant de comprendre ce dont Descôteaux voulait parler. L'affaire tellement préoccupante, ce ne pouvait tout de même pas être l'éviction de Fitzpatrick du Cabinet. Au plus, celle-ci était désagréable.

— Est-ce que ton garçon est à Québec ? Il serait bon qu'il soit là.

— Il est à La Malbaie, mais il peut être avec nous ce soir.

— Très bien. Je vous attendrai à dix heures.

À l'heure dite, le père et le fils sonnaient à la porte de la grande maison du premier ministre, rue Grande Allée. Celui-ci vint ouvrir lui-même. Dans l'attente de cette visite, Henri s'était senti suffisamment angoissé pour proposer de se livrer à la police tout de suite, afin de mettre fin au supplice. Son père lui avait répondu de ne pas « dire de bêtises » et de « retrouver son calme ».

Descôteaux les fit monter dans sa pièce de travail, ferma la porte derrière lui. Une bouteille de cognac et trois verres attendaient déjà sur le large bureau. Ils prirent place tous les trois. Henri refusa l'alcool qu'on lui offrit. Le premier ministre leur tendit les deux rapports du lieutenant Gagnon. Le ministre reconnut celui qui concernait les frères Germain.

Il le remit à son fils qui le parcourut en diagonale. Quand le père commença la lecture du second rapport, le sang se retira de son visage. À mesure qu'il finissait un feuillet, c'était pour le remettre à son fils. Ce dernier s'enfonçait dans son siège à chaque nouvelle ligne dont il prenait connaissance. Tous les deux voyaient leur vie voler en éclats. Dans le cas d'Henri, cela voulait dire la prison. Le père ne trouvait pas son sort tellement plus enviable : après un pareil scandale, toute sa vie professionnelle s'effondrerait. Pour ne pas être sujet aux insultes des personnes croisant son chemin, il devrait se réfugier en un lieu suffisamment lointain pour que ses voisins ne connaissent même pas l'existence de la province de Québec.

Quand ils eurent fini leur lecture, ils se regardèrent, dévastés. Descôteaux demanda d'une voix sèche :

— Henri, maintenant tu vas me dire exactement ce qu'il y a de vrai et de faux dans ce rapport. N'oublie rien, ne néglige rien, car s'il reste encore une seule journée à ton futur, cela dépendra de ce que nous pourrons maîtriser. Plus précisément, de la manière dont je pourrai dominer la situation. Je dois tout savoir. Si tu mens sur un seul détail, je vous laisse tomber, ajouta-t-il en englobant le père dans son regard.

Henri commença son histoire. Son immense honte le fit rougir au moment d'évoquer la visite au bordel, l'alcool et la drogue. Il décrivit avec force détails son inconscience, au moment où les autres avaient décidé d'aller à Château-Richer. Pour la suite des événements, le jeune homme devait s'appuyer sur le récit de ses amis :

— Chemin faisant, à l'initiative de Jean-Jacques Marceau, ils ont fait monter Blanche Girard dans l'une des voitures.

— Elle a accepté, avec des garçons ivres ? questionna le procureur général.

— Ils lui ont offert de la reconduire à la maison. Elle connaissait déjà Marceau... Elle s'est retrouvée à ma maison de campagne. Le viol...

Le garçon réprima un sanglot en racontant la découverte du cadavre le lendemain matin, au sortir de son hébétude de drogué.

— J'ai voulu que nous allions tous à la police, à ce moment, je le jure.

— Pourquoi ne pas l'avoir fait ? questionna encore Descôteaux.

— Les autres ont refusé.

— Tu pouvais y aller seul. Si tu dis vrai, tu étais totalement innocent.

Bien sûr, si tard après les faits, ce garçon ne l'était plus. Henri baissa la tête. La lâcheté avait immédiatement pris le dessus. Même sans aucune responsabilité quant au crime lui-même, l'opprobre l'aurait éclaboussé au point de ruiner toute sa vie. Aujourd'hui, pareille démarche devenait impossible. Un tribunal le condamnerait pour « complicité après le fait », car il avait disposé du cadavre.

— Tu n'as vraiment rien à voir dans le viol et le meurtre ? insista sèchement Descôteaux.

— J'étais inconscient ! Je le jure !

Henri répéta combien il était désolé, promis de ne plus toucher à ces produits enivrants.

— Cet acte de contrition et la ferme résolution de ne plus recommencer ne servent plus à rien, maugréa le premier ministre. Le mal est fait. Tu ne connais vraiment pas l'identité du coupable ?

— Ils ont tous participé au viol. Ensuite, cette fille est restée dans le caveau à légumes, enfermée. Tous affirment ne pas avoir bougé jusqu'au matin, emportés par un sommeil de brutes. Selon eux, je serais le premier à être allé dans ce réduit depuis la veille. Ils m'avaient chargé de m'entendre avec... elle sur un montant d'argent, pour l'inciter à ne pas porter plainte.

— Tu ne réponds pas à ma question. Si ce n'est pas toi qui l'as tuée, c'est l'un des autres. Lequel ?

Le jeune homme baissa de nouveau la tête, puis confia :

— Je ne sais pas. Ils nient tous, ils s'accusent les uns les autres. Ils m'accusent aussi, soutenant que j'ai bien pu la tuer pendant qu'ils dormaient. Romuald Lafrance évoque l'intervention d'étrangers... Des gens de passage ont pu la trouver et lui faire cela...

— La foudre peut aussi être tombée sur elle, ricana Descôteaux. Tu n'as pas de soupçons ?

— Oui et non. Bégin affirme que ce n'est pas lui, je le crois. Je le connais bien, je lui fais confiance.

Descôteaux fit un signe de tête pour indiquer sa compréhension. N'avait-il pas lui-même tendance à prêter foi aux confidences d'Henri ? Il lui trouvait l'air « franc ».

— Les autres ? murmura-t-il.

— Marceau est un type violent.

Le premier ministre interrogea Antoine Trudel du regard. Celui-ci connaissait tout le monde associé de près ou de loin au Parti. Il expliqua :

— Son père a été député pendant quelques années, avant sa mort. Sa veuve vit à Québec, Jean-Jacques est son seul enfant. Elle n'est pas riche, mais ils vivent bien. Elle doit compter sur son garçon pour renflouer les coffres de la famille d'ici quelques années.

— Saint-Amant, continua Henri, est retourné à Saint-Georges de Beauce. Il ne fait pas un suspect bien crédible. Les autres, Fitzpatrick et Lafrance, me sont tous les deux antipathiques. Cela ne fait pas d'eux des tueurs, mais je ne serais ni surpris ni déçu de leur culpabilité.

— Donc il y aurait trois coupables possibles.

Un long soupir s'échappa de la poitrine de Descôteaux. Son rôle était de faire respecter la loi. En tant que procureur général, il devait engager des poursuites au nom du roi – en d'autres mots au nom de la population de la province – contre les criminels.

Dans ce cas-ci, ses concitoyens demandaient vengeance. Des poursuites contre six jeunes gens de bonne famille puniraient bien plus d'innocents que de coupables. D'abord Henri n'était pas un bien grand criminel là-dedans. Ni son père, sa mère, sa sœur, ses deux frères en train d'apprendre un peu d'anglais quelque part dans une autre province. Il y avait aussi les familles des cinq autres imbéciles.

Bien sûr, quand un garçon du quartier Saint-Sauveur commettait un meurtre, il bouleversait aussi la vie de ses proches. Cependant, aux yeux de Descôteaux, cette famille-là avait si peu à perdre, comparée à celles de ces six garçons respectables. Le père d'un jeune criminel perdait-il un emploi à la manufacture? Sans doute pas. Ces familles de la Haute-Ville, elles, seraient ruinées.

— Si nous avions un coupable bien identifié, nous pourrions le pendre et ce serait terminé, murmura-t-il. Le Parti serait à peine éclaboussé.

Le sang se retira du visage des deux autres. Il jugea nécessaire d'expliquer:

— Croyez-vous que j'essaierais de dissimuler le coupable d'un viol et d'un meurtre à la justice, si nous connaissions son nom?

Ses interlocuteurs retinrent leur souffle. Le procureur général fixa son regard dans les yeux d'Henri avant de continuer:

— Je demanderais la peine de mort, et le mieux serait une exécution rapide. Je ferais quelques discours sur les dangers de la dépravation des mœurs, et tout le monde me reconnaîtrait comme un défenseur de la vertu. Cela augmenterait le nombre de nos appuis.

L'homme vida son verre de cognac d'un trait. Ses visiteurs échangèrent un regard et attendirent la suite en silence.

— Le problème, c'est que six familles sont impliquées. Les chefs de quatre d'entre elles comptent parmi les piliers du Parti libéral, deux comprennent un membre du Cabinet. On verrait ça comme la perversité érigée en système. Le Parti libéral deviendrait celui des violeurs, des tueurs de jeunes filles vierges. Depuis l'enterrement, les journaux font une sainte de cette malheureuse. Vous amener devant les tribunaux, dit-il en toisant Henri, ce serait y amener tous vos proches, et tout le Parti. Toute la classe sociale que nous représentons aussi.

Les bouleversements politiques en Europe donnaient une dimension plus dramatique encore à la situation. À droite et à gauche de l'échiquier politique, des aventuriers paraissaient disposés à prendre le pouvoir par la force.

— Croyez-vous que la population nous regarderait avec respect, après une histoire comme cela ? demanda encore Descôteaux. Qu'elle nous reconnaîtrait le droit de régner sur ses destinées ?

— De toute façon, remarqua Henri d'une toute petite voix, avec ce que ce policier sait, nous sommes perdus…

— Il n'a rien appris par des moyens légaux, interrompit Antoine Trudel. Cela ne vaudrait rien devant la cour.

Cet homme habitué à user de toutes les technicalités du droit, non pour obtenir justice, mais pour gagner une cause, assurerait lui-même la défense de son fils, si nécessaire.

— C'est vrai, admit le premier ministre. Cependant, ce policier a menacé de s'adresser à l'opinion publique si une perquisition n'était pas menée pour officialiser, en quelque sorte, ses découvertes. Si les journalistes s'en mêlent, il faudra agir tout de suite, sinon la population nous considérera tous comme des coupables. Elle posera son verdict elle-même.

— Il faut nier, il faut les protéger, tonna Antoine Trudel.

— Si nous sommes poursuivis et condamnés, dit Henri d'une voix plus forte qu'auparavant, le Parti aura l'air de chercher la justice, à moyen terme, cela pourrait être préférable.

Pareille démarche ne serait pas si risquée, songeait-il maintenant. Son innocence des crimes les plus graves, tout comme la dénonciation des autres, lui épargneraient une sanction trop pénible. Son père négocierait une réduction de peine significative avec le procureur de la Couronne, en échange de son témoignage.

Philippe-Auguste Descôteaux pesait lui aussi ces arguments. Les dommages seraient-ils si grands, avec le sacrifice de ces six imbéciles et de leurs familles ? Un autre élément pesait dans la balance, jusque-là prudemment gardé pour lui. Il leur confia :

— Le policier qui est allé à Château-Richer a été interné un peu avant midi à l'hôpital de Beauport, après avoir attaqué le chef de police. Ce dernier refusait de se précipiter au palais de justice pour demander sur-le-champ un mandat de perquisition. Ce lieutenant semble vraiment malade, son père est mort à l'asile. J'ai parlé deux fois avec le médecin traitant. À midi, le patient se montrait assez calme. Ce soir, il semble pris d'une folie autodestructrice. Il se lance contre les murs capitonnés de sa cellule.

Les deux Trudel se regardèrent, essayant de mesurer les conséquences de ce nouveau développement. Ce fut l'avocat le plus expérimenté qui posa les questions :

— Ce policier a-t-il parlé de sa visite à Château-Richer à bien des gens ?

— Dans la police, seulement à son chef, semble-t-il. Ryan a parlé à sa femme en fin d'après-midi. Il a conduit celle-ci à Beauport, au chevet de son époux. Elle sait qu'il s'occupait de l'affaire Blanche Girard, mais rien de plus.

— Nous pouvons donc étouffer cette histoire, s'exclama Antoine Trudel.

— Plus précisément, nous pouvons essayer. Il semble qu'aucune autre personne ne se soit intéressée à nos six jeunes écervelés.

L'atmosphère devint plus légère dans la pièce.

— Le chef de police ne risque pas de parler ? demanda le ministre.

— Son premier mouvement a été de venir me voir, de me mettre tout cela dans les mains. Si je lui dit de garder le secret, il le fera. De toute façon, en vous remettant le livret de banque dès le premier moment de l'affaire, Ryan s'est rendu coupable de complicité dans la destruction d'une pièce à conviction. Une crise soudaine de moralité me paraît improbable de sa part. Il se mettrait dans le lot des personnes devant rendre des comptes à la justice.

Le premier ministre marqua une pause en regardant Henri, puis précisa :

— Ma plus grande crainte c'est de voir l'un ou l'autre de ces crétins tout raconter, pris de remords.

— Aucun d'eux n'a intérêt à le faire, dit le jeune homme. Ils risquent la pendaison dans le pire des cas, la prison pour un très long moment dans le meilleur.

— Tu devras les contacter. Ne leur parle pas des découvertes de ce policier, cela les ferait paniquer. Mais insiste bien sur le fait qu'ils doivent se taire. S'ils parlent, tant de gens se retrouveront dans la merde...

Descôteaux secoua la tête devant tout ce gâchis, puis insista encore :

— Si cela arrive, personne ne tentera de les sauver de la corde. En fait, dans ce cas une justice cruelle sera notre seule chance de salut. Utilise tous tes beaux talents d'orateur pour leur expliquer qu'ils n'ont aucun espoir d'un plaidoyer de folie, suivi de deux ans dans une chambre privée à l'asile de Beauport. Tu me comprends bien ? Ce sera le bourreau, aucun aliéniste de la province ne témoignera en leur faveur, je m'en assurerai.

Henri acquiesça. Si l'affaire éclatait au grand jour, pour cacher ses efforts afin de la couvrir, le procureur général devrait se présenter devant l'opinion publique comme le juge le plus sévère de ces gredins. Au prix d'une purge sanglante, il pourrait garder des sympathies considérables dans la population. Ces jeunes hommes jouaient quitte ou double : ils s'en tireraient impunément ou ils paieraient leur crime au prix fort.

— Pars tout de suite pour Château-Richer, enchaîna Descôteaux. Arrange-toi pour que cette maison ne ressemble plus à un repère de dégénérés.

Le premier ministre se souvenait de la description des lieux rédigée par Gagnon. Il continua :

— Tu as lu le rapport de ce lieutenant. Tu sais donc exactement ce qu'un policier regarde. D'ici une semaine, fais en sorte que Sherlock Holmes puisse promener sa loupe dans tous les coins sans rien trouver. Tu devras inviter ta mère là-bas et la convaincre que tu y mènes la vie d'un saint homme.

Henri se leva immédiatement, salua les deux hommes d'un signe de tête, et partit sans un mot. Quand il fut certain que son fils ne pouvait entendre, Antoine Trudel murmura, ému jusqu'aux larmes:

— Merci pour ce que tu fais là, Philippe-Auguste. Tu lui sauves la vie. Tu sauves toute la famille.

— Je ne le fais pas pour lui, ni pour toi, je le fais pour nous tous. Si cela devenait public, tu ne pourrais même pas marier ta fille à un ouvrier de la chaussure borgne et boiteux. Les commerces concurrents de ceux d'Armand Bégin publieraient dans les journaux des publicités du genre: «Achetez ici, il n'y a pas de tueurs de vierges dans notre famille.» Moi, je ne pourrais même pas me faire élire commissaire d'école à Beauceville, si mon rôle dans cette histoire était connu.

Antoine Trudel comprenait cela. Le monde changeait en profondeur, toutes les choses tenues pour acquises dans le passé s'effritaient, le respect dû aux élites, aux grandes familles en premier.

— Antoine, insista le premier ministre, nous venons de mettre le doigt dans un engrenage dangereux. En les protégeant, on se fait complices. Chaque fois qu'il y aura un élément nouveau, il faudra intervenir encore pour dissimuler un peu plus.

— Quel genre de fait nouveau? Ce policier ne peut plus nous nuire.

— Si un infirmier entend son délire et en tire des conclusions? Si quelqu'un a vu l'un de ces fous avec Blanche Girard? Surtout, si l'un de ces garçons parle, sous le coup du remords ou pour se vanter? Le procureur général de la province vient de dire à un complice de meurtre d'aller effacer toutes les preuves ! Nous allons vivre tous les jours dans la peur de la catastrophe.

Depuis trois semaines, Antoine Trudel vivait avec cette angoisse profonde. Il espérait s'y habituer. Descôteaux s'était souvent demandé comment les politiciens avaient fait, pendant la guerre, pour prendre des décisions à l'origine de la mort de centaines de milliers de gens. Lui n'avait qu'une seule petite morte sur les bras, et il se sentait affreusement coupable. Le ministre de la Guerre qui ordonnait de lancer une attaque inutile au coût de cent mille vies, juste pour donner l'impression de faire quelque chose, n'y pensait plus une heure plus tard. Cent mille décès inutiles aux Dardanelles devaient peser moins lourd sur la conscience que la vie d'une seule Blanche Girard.

— Mais je veux le voir, suppliait encore une fois madame Maurice Gagnon. C'est mon mari.

Elle n'avait plus de larmes dans le corps, après tous ces pleurs. Cela la rendait encore plus pathétique. Depuis quatre heures, elle répétait cette prière. L'expression « cure d'isolation » ne signifiait rien pour elle. Le personnel avait eu envie de la faire expulser de force et même de l'interner, tellement elle semblait hystérique à certains moments. Une religieuse excédée s'était décidée à appeler le docteur Dubuc chez lui vers neuf heures, pour lui expliquer la situation. L'aliéniste était là, à dix heures, en train de lui répéter la même chose pour la centième fois :

— Vous ne pouvez pas. Nous essayons de le priver de toute émotion, pour qu'il se calme.

Il eut soudain une idée :

— Madame, comment était votre mari hier ? Allez-vous garder un bon souvenir de la journée d'hier, ou d'avant-hier ? Tous ces derniers jours ?

Les yeux éplorés dirent « oui ». Le oui sonore d'une femme amoureuse.

— Actuellement, il n'est pas beau à voir. Il écume, littéralement. Il a fallu l'attacher pour l'empêcher de se précipiter contre les murs. Nous faisons très attention pour prévenir les blessures. Ce genre de crise n'est pas si terrible quand on y est habitué. Les patients se fatiguent, leur excitation tombe. Je vous le promets, vous le verrez quand il sera plus calme. Si vous me dites encore désirer le voir tout de suite, je vais m'arranger pour vous le montrer sans que lui ne vous voie, pour ne pas le provoquer encore plus. Êtes-vous certaine de vouloir le voir dans cet état, au risque de détruire, dans votre souvenir, l'image de ce qu'il était hier, avant-hier ?

Elle le voyait hier encore, avec les enfants, jouant aux cartes et faisant exprès de perdre pour leur faire plaisir. Ou avant-hier, en train de lui faire l'amour. Elle se leva, sortit de la pièce, la tête basse, les épaules voûtées. Le médecin avait utilisé des paroles d'entrepreneur de pompes funèbres : « Madame, son visage a été tellement abîmé dans l'accident ! Gardez le souvenir de son beau sourire. »

Il sous-entendait : « Si vous le voyez comme cela, le beau souvenir de lui va s'effacer, et vous resterez avec une image affreuse. » Cela marchait habituellement, car personne ne veut oublier le visage de la personne aimée tel qu'il était au moment de l'amour.

Madame Maurice Gagnon commença son veuvage à ce moment-là. Bien qu'il fût vivant, ficelé dans une camisole de force et beuglant des insanités, pour elle l'homme de lundi soir dernier, près de qui elle s'était endormie, n'était plus. Bientôt, elle se trouverait chanceuse d'avoir connu pendant près de dix ans le bonheur avec un individu merveilleux. Le patient de l'hôpital Saint-Michel-Archange connu sous le nom de Maurice Gagnon ressemblerait de moins en moins à l'homme de son souvenir, même physiquement. Il deviendrait une écorce vide. Dans peu de temps, des gens souligneraient dans son dos combien il était dommage que ce policier ne soit pas mort. Son existence empêchait une femme aussi jolie de refaire sa vie. Si jamais elle prenait un amant, un crime atroce pour toutes les autres femmes, pour elle on comprendrait : elle avait un mari fou, placé à Saint-Michel-Archange.

Elle retrouva le chef Ryan, qui faisait les cent pas dans une salle d'attente. Elle l'avait toujours trouvé terriblement antipathique, sauf aujourd'hui. Quand elle avait reçu un appel du docteur Marceau, très fâché car, pour la deuxième fois, son mari ne s'était pas présenté à son rendez-vous, elle s'était précipitée au poste de police. Il lui avait expliqué, avec un tact qu'elle ne lui connaissait pas, la scène du matin. L'épouse avait été un peu surprise du coup asséné au chef de police ; son mari était si prévenant avec elle. Cependant, cette enquête l'avait mis hors de lui.

Le fonctionnaire l'avait emmenée à l'hôpital à la fin de l'après-midi, lui avait tenu compagnie toute la soirée. Pour détourner son attention, il lui avait demandé :

— Que savez-vous des enquêtes de Maurice ?

— ... Rien, en fait.

— C'était un bon policier, commenta Ryan pour l'amadouer. Un peu trop zélé, bien sûr, ce qui l'a épuisé. Il ne vous racontait pas ses bons coups ?

— Au début de notre mariage, oui. Mais cela me rendait terriblement nerveuse. Ces dernières années, il ne m'en parlait plus qu'en termes très généraux.

Ryan arriva à cacher son soulagement, puis après une longue pause, il avait insisté :

— Par exemple, au sujet de sa dernière affaire, il ne vous a rien confié ?

— Non. Au début, il a cru que c'était les trois gars arrêtés. Leur libération lui paraissait si injuste. Puis il s'est intéressé à une autre piste.

—Vous savez laquelle ? Ce serait important pour moi de le savoir.

— Vous n'avez pas son rapport ?

Le chef de police esquissa un sourire avant de convenir :

— Oui, bien sûr. Mais je me demandais si vous en saviez un peu plus.

— Non, je suis désolée.

Elle ne savait rien, et surtout elle ne voulait rien savoir.

Quand la pauvre femme comprit la gravité de l'état de son mari, son inquiétude se porta sur son propre avenir et celui de ses enfants. Gentiment, Ryan la rassura, l'informa qu'elle ne manquerait de rien grâce à une pension versée tous les mois. Ce ne serait pas la richesse, bien sûr, mais elle conserverait son appartement et sa vie continuerait comme avant.

Au moment où il la reconduisit chez elle, madame Gagnon se réjouissait d'avoir trouvé un ami précieux, auquel elle soumettrait souvent ses petits problèmes. Il la conseillerait, et tout irait bien.

~

La tête d'Henri Trudel bourdonnait. Il était arrivé à Château-Richer largement après minuit. Il avait allumé un bon feu dans son poêle, demain il disperserait les cendres. Profitant de l'obscurité profonde, alors que toutes les lumières des voisins étaient éteintes, il se rendit dans le caveau à légumes. La porte fermée pour dissimuler la lumière du fanal, il commença son ambitieux programme de réaménagement.

Les blocs de glace, la sciure et les grandes caisses en bois disparaîtraient. Le garçon entreprit de creuser un bon demi-mètre de profondeur, sur une surface deux fois grande comme la flaque du sang de Blanche Girard. Quand, rompu de fatigue, il alla se coucher, cette tâche demeurait inachevée. Dans les jours suivants, il dispersa dehors la terre retirée du caveau. La pluie la lava rapidement, l'hémoglobine engraisserait son arpent de terrain.

Dans le caveau, il déplaça des mètres cubes de terre, de façon à ce que le trou au centre du réduit ne paraisse plus. Le plancher du caveau se trouverait simplement quelques centimètres plus bas qu'auparavant, personne ne le remarquerait. Quand toute la surface fut à peu près égale, il battit le sol avec un outil utilisé habituellement pour bien tasser les pavés, quand on construisait une rue. Cela ne donna pas l'effet d'une terre battue depuis des générations par les va-et-vient, mais il n'en avait cure. De vieilles planches et des poutres récupérées dans le grenier de la maison permettraient de construire un plancher en bois d'allure ancienne.

Descôteaux lui avait donné une semaine, Henri ne réussit pas à respecter ce délai. Après avoir procuré une nouvelle allure au caveau, il lui restait à décrotter la maison. Le jeune homme s'occupa de tout récurer lui-même, puis paya quelqu'un pour repeindre certaines pièces, en tapisser d'autres. Avant que les cours ne commencent, l'endroit ne serait plus un repaire de débauchés, mais la coquette demeure d'un notable heureux de se reposer dans la solitude, méditer et travailler.

Tout ce travail physique l'exténua. Pourtant, les appels téléphoniques et les brèves visites à ses amis de Québec le laissaient particulièrement accablé. Il fallait les convaincre que tout allait bien, les inciter à oublier ces tristes événements. D'un autre côté, ses conseils réitérés d'abstinence lassaient les autres. Une confession d'ivrogne représentait la plus grande menace à leur sécurité.

Pendant tout ce temps, les articles de journaux sur l'« affaire » les empêchaient de retrouver une réelle tranquillité.

Chapitre 11

Helen serait sûrement contente. En revenant de souper dans un restaurant du Quartier latin, Renaud avait vu les Trudel, père et fils, entrer dans l'une des plus grandes maisons de la Grande Allée. Il s'agissait de la résidence de Philippe-Auguste Descôteaux, chacun le savait: la famille de notables habitait cet endroit depuis le siècle dernier. L'avocat avait tenté encore une fois sa chance avec la jeune fille, cette semaine-là. La présence de ce rival dans la ville l'incita à laisser tomber, de crainte de subir une nouvelle rebuffade. Fidèle à sa nouvelle résolution, de retour dans son appartement, il téléphona à Germaine.

La sonnerie retentit un bon moment dans le corridor de la maison de chambres avant qu'une locataire décroche enfin. Il entendit crier le nom de la jeune femme, elle vint répondre assez rapidement:

— Bonsoir, Renaud Daigle à l'appareil, répondit-il à son «Allô». Comment allez-vous?

— ... Bien, très bien même, fit-elle, essoufflée d'avoir couru pour venir répondre.

Une certaine affectation marquait sa voix. Des voisines tendaient l'oreille, afin de percer ses secrets. Les amours de chacune intéressaient toutes les autres.

— Que diriez-vous d'une promenade demain soir? Nous pourrions arpenter la terrasse Dufferin. Je crois même qu'il y aura un orchestre.

— Bien sûr. Quel moment vous conviendra le mieux?

— Je pourrais être devant chez vous à sept heures trente.

Au cours des derniers jours, elle s'était demandé si cet homme allait donner de ses nouvelles. Ce n'était pas la première fois qu'elle sortait avec un « professionnel » – ce terme recouvrait à ses yeux un très large éventail de conditions sociales. Elle avait eu souvent à se défendre de leurs mains envahissantes dès le premier rendez-vous, puis n'avait plus entendu parler d'eux. Celui-là se montrerait-il plus sérieux ? Plusieurs de ses connaissances soutenaient que moins le jeune homme était empressé, plus cela témoignait de l'honnêteté de ses intentions.

La conversation ne se prolongea guère. Lui ne savait trop comment terminer : prendre des rendez-vous par dépit amoureux ne le mettait pas de très bonne humeur. Quant à Germaine, debout dans le couloir, elle sentait les regards curieux de ses voisines. Celles-ci lui adressaient de petits sourires entendus. Dans la maison, toutes se trouvaient dans l'attente du bon parti ; cela créait un climat alternant entre la complicité et la compétition farouche.

Le lendemain, ils se retrouvèrent, un peu gênés. Sur la terrasse Dufferin, Renaud lui offrit son bras, car tout le monde le faisait ; elle le prit pour la même raison. Ils marchèrent un moment en échangeant les habituels commentaires sur la beauté du point de vue. Plusieurs centaines de couples allaient et venaient autour d'eux. Il y avait là des petites bonnes portant la robe noire de leur uniforme, au bras d'un chauffeur ou d'un ouvrier, profitant d'une soirée de congé en se rappelant que cette largesse les condamnait à travailler samedi et dimanche. Des commis au bras de vendeuses déambulaient aussi, de petits employés au bras de jeunes filles se payant le luxe de ne pas travailler entre leur sortie du couvent et leur mariage. Même de gros messieurs de la Haute-Ville venaient marcher un peu avec leur épouse pour faire passer un repas trop copieux.

Renaud se demanda encore une fois comment il réagirait face à quelqu'un de ses nouvelles connaissances. Il n'osait même pas imaginer sa gêne s'il rencontrait Helen et Henri bras dessus, bras dessous. Dans un soupir, il choisit de refouler la question loin dans son esprit, se disant que, le cas échéant, il aviserait.

Ils arrivèrent rapidement au bout des banalités habituelles entre des personnes plus ou moins à l'aise ensemble. Si la conversation ne prenait pas une allure plus personnelle, chacun devrait bientôt rentrer chez soi. Les livres qu'ils avaient lus tous les deux, les amis communs, même l'actualité dans les journaux, ne pouvaient occuper leur babillage. Déjà, Renaud avait évoqué les élections fédérales annoncées pour l'automne prochain. La jeune femme lui parut considérer que le choix entre les rouges et les bleus revenait à établir sa couleur préférée. En toute honnêteté, le jeune avocat en convenait, le résultat ne changerait absolument rien à l'existence d'une vendeuse chez THIVIERGE.

Quand un homme et une femme ne se découvrent pas d'intérêts communs, il leur reste pour toute pâture les rapports amoureux. La plus intéressée par le sujet, Germaine fut la première à demander :

— Comment se fait-il que quelqu'un comme vous ne soit pas marié ?

Posée comme cela, la question laissait une large part à l'interprétation. Le « comme vous » pouvait signifier plusieurs choses : riche, beau, instruit, ou une quelconque combinaison de ces caractéristiques.

— Cela tient surtout au hasard, je suppose. Je suis parti en Angleterre à vingt ans pour étudier. Un an plus tard, j'étais soldat, un an plus tard encore, j'étais convalescent. Ensuite, j'ai repris mes études, avant de commencer à travailler. Tout simplement, l'occasion ne s'est pas présentée. Je viens tout juste de revenir.

— Cela doit être difficile de marier une Anglaise, fit-elle, pensive.

Parce que les Anglaises étaient protestantes, parlaient une autre langue, avaient d'autres façons de vivre ? Ou qu'elles levaient le nez sur un petit diplômé canadien-français ? La remarque amena le rose sur les joues de son compagnon.

— Je ne sais pas, je n'ai pas essayé, mentit-il.

Il n'avait aucune envie d'aborder avec elle le sujet de ses amours déçus.

— Vous n'êtes pas contre l'idée du mariage, toujours ?

— Non.

Renaud chercha ensuite un peu ses mots.

— Je suis cependant d'avis qu'il ne faut pas se marier à tout prix. Mieux vaut rester seul que de se trouver avec une compagne qui ne vous convient pas parfaitement.

Ce n'était pas la meilleure façon de dire les choses, mais cette attitude ne semblait nullement choquer Germaine. Renaud fut heureux d'entendre l'orchestre, juché à l'étage d'un kiosque abritant un petit restaurant, commencer à accorder ses instruments. Le concert lui permettait de ne pas détailler les choix s'étant offert à lui au cours des dix dernières années.

Composé d'amateurs à l'uniforme chamarré, l'orchestre se produisait dans les parcs de la ville pendant la belle saison. Cela fournissait un loisir honnête à ses membres, et les flonflons ajoutaient une gaieté certaine au cœur des promeneurs. Vers dix heures, le spectacle terminé, la foule se dispersa rapidement. Tous devaient travailler le lendemain. Renaud et sa compagne retrouvèrent la voiture. Il la reconduisit dans le quartier Saint-Roch. Debout devant sa porte, il lui demanda après une hésitation à peine perceptible :

— Si vous le voulez bien, nous pourrions aller pique-niquer dimanche prochain ?

— Ce serait avec plaisir, répondit-elle en lui adressant son meilleur sourire. Dois-je préparer quelque chose ?

— Je vais m'occuper de tout. Cependant, il faudra me dire où je dois vous emmener. Je ne connais pas bien les environs de Québec.

L'attention fit plaisir à la jeune femme : celui-là ne tentait pas de l'entraîner dans des endroits isolés.

— Bien sûr. À quelle heure ?

— Le mieux serait de se voir à la sortie de la messe. Je peux vous prendre devant l'église ?

— Je serai sur le parvis à la fin de l'office.

Quand ils se dirent bonsoir, le jeune homme lui tint la main un peu plus longtemps que les convenances ne le demandaient. La prochaine fois, elle en était sûre, il allait l'embrasser.

Un rendez-vous sur le perron de l'église Saint-Roch présentait certains inconvénients pour Germaine. Elle se retrouvait avec un chapeau et des gants, vêtements de rigueur à l'église, en route vers les chutes Montmorency. La jeune femme n'avait simplement pas osé lui demander de faire un crochet chez elle, et lui n'y avait pas songé. La prochaine fois, elle serait peut-être moins timide et lui plus attentif.

La destination, dont elle assumait seule la responsabilité, ne lui plaisait qu'à demi. Sa dernière expédition à cet endroit, au début de l'été, s'était déroulée avec la chorale – dont Blanche. Cependant, elle connaissait peu d'endroits pour des activités de ce genre. Elle craignait les coins trop isolés, surtout avec un homme, tout en souhaitant aller assez loin pour profiter du trajet en automobile. Les plaines d'Abraham, le parc Victoria et le parc des Braves étaient trop près.

Le petit véhicule rouge leur permis d'accéder aux rives de la rivière Montmorency, en haut des chutes. Un ancien manoir se trouvait là, transformé en restaurant, de même qu'une salle de spectacle. De grandes pelouses, bien ombragées par de grands arbres, permettaient des promenades délicieuses. Surtout, des bandes de sable près du cours d'eau constituaient autant de plages minuscules ; de grandes pierres plates invitaient à s'allonger au soleil. Ils s'installèrent tout près de l'eau, sur une petite surface herbeuse, discrète, au milieu de buissons.

Renaud extirpa du coffre de sa voiture un panier d'osier bien lourd. Il avait acheté le tout tel quel : la corbeille contenait une nappe, deux couverts, du pain, des viandes froides, des fromages, des fruits. Après bien des hésitations, l'homme avait ajouté une bouteille de vin blanc. Il possédait aussi une épaisse couverture à carreaux, sur laquelle ils pourraient prendre place tous les deux. Germaine trouvait le panier si « mignon » qu'il le lui offrit tout de suite. Elle avait laissé son chapeau et ses gants blancs sur la banquette de la voiture. Son vêtement du dimanche jurait un peu avec le chapeau de paille et les petites lunettes teintées de vert de son compagnon. Son accoutrement lui donnait l'air d'un villégiateur.

Renaud avait placé la bouteille de vin dans la rivière pour la rafraîchir un peu. Il l'ouvrit quand ils furent rendus aux fruits. Germaine, sans aucune habitude de l'alcool, trouva la boisson rafraîchissante et sans doute bien innocente. Elle cherchait à adopter une posture à la fois convenable et confortable sur la couverture à carreaux. La nouvelle mode des robes assez courtes n'avait pas que des avantages. Vingt ans plus tôt, sa mère aurait pu prendre ses aises, par terre, car des mètres de tissu cachaient jusqu'à ses chevilles, si quelqu'un l'avait emmenée pique-niquer, bien sûr. La jeune femme commença par poser une fesse sur la couverture, les jambes repliées sous elle, se soutenant d'une main posée par terre. Avec l'autre elle manipulait les aliments et venait baisser toutes les minutes le rebord de sa robe. Celle-ci avait tendance à remonter pour découvrir ses genoux.

Sa posture inconfortable se combina à l'effet du vin blanc pour l'inciter à négliger sa modestie. Elle déplia les jambes, s'étendit sur le côté, soutenue sur un coude. Ses genoux demeuraient à découvert, un bout de jupon dépassait. À moins de se tenir debout, impossible d'afficher le maintien approprié enseigné par les religieuses du cours complémentaire. Renaud contemplait la jeune femme du coin de l'œil, plutôt séduit.

Cette fois, de sa propre initiative il orienta la conversation vers des questions personnelles, reprenant ses mots à elle pour se moquer un peu :

— Comment se fait-il qu'une personne comme vous ne soit pas encore mariée ?

Elle joua un moment avec son verre de vin, rougissante, avant de répondre :

— Le hasard, sans doute. Il ne s'est présenté personne qui me convenait.

Elle aussi avait de la mémoire.

— Pourtant, il est difficile de croire que personne ne se soit intéressé à vous.

— Ce n'est pas ce que j'ai dit non plus, fit-elle, un peu vexée. Il est bien facile de soulever de l'intérêt. Les gens autour de moi disent que je suis trop difficile.

— Vous avez déjà eu des propositions de mariage ?

L'intrusion dans sa vie intime la troubla encore plus. Elle murmura :

— Oui.

— Pourquoi avez-vous refusé ?

— Ce n'était pas les bonnes personnes.

Son malaise allait croissant. Ces questions ne se posaient pas ; d'un autre côté, elles demeuraient inévitables. Pour eux deux, il commençait à se faire tard pour le mariage. Le sujet méritait d'être vidé :

— Deux personnes m'ont demandé ma main. Elles ne me convenaient pas. Je ne me vois pas avec six enfants à trente ans, un mari qui passe à la taverne tous les soirs après l'usine, et moi essayant de gérer le solde d'un petit salaire pour nourrir et vêtir tout le monde. J'ai vu trop de mes amies s'engager là-dedans sans réfléchir. Je suis mieux seule, avec mes gages de vendeuse.

Renaud la plaça dans une situation plus délicate encore en demandant :

— À quel genre d'homme auriez-vous dit oui ?

— Quelqu'un d'éduqué, d'instruit.

Incapable d'une franchise absolue à ce sujet, elle passa sous silence les caractéristiques des personnages des romans à dix sous ou des feuilletons dévorés dans sa chambre. Elle ajouta plutôt:

— Un homme avec un bon travail, susceptible de bien faire vivre une femme, des enfants, sans toujours compter les quelques sous au fond de sa poche avant de faire une dépense.

Un moment, elle craignit avoir affiché une trop grande franchise. Elle se présentait comme une petite employée à la recherche d'un riche prétendant.

Renaud ne se montra ni choqué ni surpris par cer aveu. Ce souci s'affichait aussi chez les gens de son milieu: les parents d'une jeune demoiselle devenaient redoutables au moment d'identifier le candidat le plus convenable. Ils avaient tôt fait d'évaluer l'héritage éventuel et les perspectives de carrière. Chaque famille plaçait ses filles avec des soucis de maquignon. Toutes les riches héritières se demandaient lequel de ses cavaliers pouvait lui offrir au moins le niveau de vie dont elle avait joui chez son père, sinon une meilleure situation.

Toutes, à la Haute-Ville, se comparaient aux concurrentes. C'était facile, elles avaient été élevées dans deux, peut-être trois couvents de la région de Québec. Celui des ursulines et le couvent Jésus-Marie à Sillery revinrent tout de suite à la mémoire de Renaud. Après des années de pensionnat, ces jeunes rivales savaient fort bien de quels attributs physiques jouissait chacune d'entre elles. La plus belle pourrait espérer une union au-dessus de sa condition sociale, la plus laide bien en dessous. Ne voyait-on pas même quelquefois des jeunes héritiers choisir pour compagne une magnifique jeune fille de la Basse-Ville? Cela marquait comme au fer rouge les laissées-pour-compte de la Grande Allée.

Germaine était sûrement l'une des plus belles vendeuses des grands magasins de la rue Saint-Joseph. Elle était capable de repousser les prétendants qui sentaient trop la sueur après leur journée d'ouvrage, ou dont le dessous des ongles restait résolument noir malgré tous les lavages, à cause de la graisse de machine. Toute la difficulté pour elle était de savoir à quel endroit de la très apparente échelle sociale de Québec elle allait se retrouver. Renaud imaginait les rues parallèles, de Saint-Joseph à la Grande Allée, comme autant de barreaux. Pourrait-elle gravir cette côte? C'était la grande question.

Alors que Germaine rougissait de sa confession, craignant qu'il ne la prît pour une aventurière, Renaud lui donnait raison de miser sur un mariage pour améliorer sa condition. Après tout, la société lui accordait-elle la moindre chance de le faire par son travail?

Le jeune homme relégua un peu plus loin le panier maintenant vide, versa le reste du vin dans leurs deux verres et s'étendit lui aussi sur la couverture, pour lui faire face. Il lui adressa enfin un sourire qui la rassura sur l'effet de ses confidences. Elle ne le réalisait pas, mais seuls les pauvres faisaient de l'affection entre deux jeunes gens l'unique motif légitime de mariage. Chez les plus riches, de nombreuses autres considérations devaient être prises en compte. Ce sourire la rassura suffisamment pour qu'elle demande:

— Et vous, combien de jeunes filles avez-vous demandé en mariage?

— Une seule, répondit-il après un long moment.

Il trouvait cette question bien plus indélicate que la sienne. Elle lui avait dit combien de personnes elle avait refusé, pas combien de personnes l'avaient repoussée. Cela lui parut même un peu cruel.

— Elle a dit non, ajouta-t-il bientôt, bien que ce fût évident.

Elle le trouva si penaud qu'elle lui prit la main, très légèrement, juste un moment.

— Tant pis pour elle.

Cela fit rire Daigle. Ces mots, il se les était répétés à lui-même bien des fois, mais il les entendait pour la première fois dans la bouche d'une autre. Ils restèrent un bon moment comme cela, étendus face à face. Comme elle avait fait la première le geste de lui prendre la main, il la lui prit à son tour, sans insister. Troublé par l'intimité de son initiative, le jeune homme se releva bientôt, aida sa compagne à faire de même. Ils se promenèrent longuement sur la rive, jusqu'aux abords de la chute Montmorency.

Quand ils revinrent là où ils avaient pique-niqué, Renaud enleva ses souliers, ses chaussettes, releva un peu ses pantalons et s'assit sur une grosse pierre, laissant ses pieds tremper dans l'eau.

— Vous venez ? lui demanda-t-il.

Le rouge marqua les joues de la vendeuse. Elle s'esquiva derrière un buisson pour enlever ses bas, les roula et les mit dans le panier, et vint vers lui. Il lui prit la main pour l'aider à s'asseoir. Elle se trouva tout près, leurs bras se touchaient, les pieds dans l'eau froide. Tous les deux étaient excités, un courant électrique paraissait se communiquer d'un épiderme à l'autre. La simple audace de livrer ses jambes nues à son regard, la robe ramassée un peu au-dessus des genoux, un bout de jupon blanc bien visible, créait entre eux une intimité sexuelle. L'un et l'autre avaient fait part de ses attentes, sans provoquer de fuite. Chacun paraissait disposé à laisser les événements suivre leur cours.

Ils reprirent la route de Québec un peu passé cinq heures. Germaine aurait trouvé plus pudique de remettre ses bas, mais aller se trousser dans les buissons pour les attacher à son porte-jarretelles lui parut plus gênant encore que de rentrer les jambes nues.

Renaud eut envie de l'inviter à souper avec lui. En s'approchant de la Haute-Ville, son malaise devint le plus fort. Jusqu'où souhaitait-il pousser cette aventure ? Pourtant, rendu à la porte de sa maison de chambres, il lui promit de lui téléphoner au cours de la semaine. Puis, il se pencha pour l'embrasser sur la joue. Ce faisant, il posa sa main sur sa taille, sentit la chaleur de son corps malgré l'épaisseur de la robe. Son pouce dressé effleura le début de la courbe d'un sein. Elle demeura interdite et lui, un peu gêné, lui répéta « Bonne soirée » avant de regagner son auto.

Germaine le regarda partir en se disant que, si l'une de ses voisines les avait vus, elle se ferait poser un million de questions. Elle n'était pas du tout fâchée de la tournure des événements.

~

Le mois d'août s'écoulait et, pour Renaud, l'angoisse du début des cours croissait. Il avait bien sûr déjà présenté des exposés, mais toujours sur des sujets bien précis, d'une durée limitée, deux heures tout au plus. Le défi serait de meubler environ quarante-cinq heures. Pendant ce temps, il aurait à entretenir les étudiants de droit constitutionnel. Dans ses pires cauchemars, il se voyait en janvier sans plus rien à dire. D'autres fois, il s'imaginait en avril rendu à peine à la moitié de son programme.

Tout le mois passa à sa préparation. Pendant ses moments de liberté, une soirée et le dimanche, il voyait Germaine. Le plus souvent, le jeudi soir, tous les deux se promenaient dans un parc. Parfois ils déambulaient un parapluie à la main, à cause du temps plutôt maussade. Les agriculteurs s'étaient plaints de la sécheresse au moment de la fenaison, ils ronchonnaient maintenant sur l'abondance des précipitations au moment de commencer les récoltes. Le dimanche, ils alternaient les repas au restaurant avec les pique-niques, au gré du climat, puis allaient au cinéma. Le couple se quittait sur un baiser. Ils étaient passés de la joue à la bouche, où la pudeur exigeait de ne pas trop s'attarder. Les effleurements un peu plus compromettants devaient tenir du hasard le plus pur. Certains jours, Renaud trouvait la compagnie de Germaine rassurante ; le lendemain, l'avocat se mettait au défi de chercher quelqu'un de son milieu.

Fin août, il reçut un coup de téléphone d'Antoine Trudel. Le ministre lui demanda de venir le rencontrer à son bureau de l'hôtel du Parlement. En fixant le rendez-vous lui-même, ce notable lui faisait l'honneur de le considérer comme l'une de ses « connaissances ». Avoir confié cette responsabilité à un secrétaire aurait témoigné de son désir de mettre une certaine distance entre eux. Renaud accepta tout de suite.

Le lendemain, en début d'après-midi, il entrait dans le grand édifice de l'Assemblée législative. L'été s'achevait, de nombreuses personnes s'affairaient dans les bureaux. Dans deux ou trois semaines tout au plus, les maisons de campagne seraient abandonnées pour de longs mois, les députés de toute la province regagneraient la vieille capitale et le jeu politique reprendrait. En attendant, les ministres devaient mettre une dernière main au menu législatif de la session.

Un secrétaire revêche le fit patienter un court moment dans l'antichambre d'un grand bureau, puis le pria d'entrer. Le ministre affichait un air préoccupé, mais il se donna la peine de faire le tour de son grand bureau pour venir lui serrer la main, un sourire aux lèvres. Il lui désigna un fauteuil, en prit un tout à côté. Le visiteur commença :

— J'espère que madame votre épouse, et tous les membres de votre famille, se portent bien.

— Oui, tout le monde va bien, fit le ministre avant d'enchaîner : vous devez vous demander pourquoi je vous ai fait venir ici ?

Renaud se le demandait en effet. Il acquiesça d'un signe de tête.

— J'ai reçu du premier ministre l'agréable mission de recourir à vos services professionnels. Vous savez que nos incessantes discussions à propos de la possession du Labrador tirent à leur fin. Le Conseil privé de Londres devrait prendre une décision bientôt. Descôteaux se demande si vous ne voudriez pas revoir les documents préparés par les avocats de la province, effectuer quelques recherches complémentaires, et lui communiquer le fruit de votre travail.

Le ministre enchaîna en lui donnant le montant de ses honoraires quotidiens. Cette offre ne pouvait faire l'objet d'un refus. Un calcul rapide fit comprendre au visiteur qu'à deux jours par semaine, cela donnerait tout de même plus de trois mille dollars, si le travail devait s'étirer jusqu'à l'hiver.

— Ce sera avec le plus grand plaisir. Vous comprenez cependant que je devrai respecter mes engagements avec l'Université Laval.

— Bien sûr. Si jamais vous devez aller à Ottawa, les autorités de l'Université Laval accepteront de déplacer votre cours. Comme la plupart des professeurs mènent une carrière privée, le recteur est habituellement bien disposé à faire des arrangements de ce genre.

Renaud ne se souvenait pas de Mgr Neuville comme d'un homme susceptible de faire des arrangements, mais il déplaçait sans doute volontiers un cours à la demande d'un ministre. Trudel lui donna rapidement le nom des personnes qu'il devrait contacter au gouvernement au cours des prochains jours. Les questions pratiques réglées, le politicien enchaîna :

— Dans un autre ordre d'idées, serez-vous disponible samedi, pas le prochain mais le suivant, pour un souper à la maison ?

— Je serai tout à fait honoré de me joindre à vous.

— Parfait. Comme ma femme a le dernier mot sur ces questions, vous recevrez vraisemblablement un carton d'invitation la semaine prochaine. Elle reviendra de La Malbaie dans trois ou quatre jours.

Ils échangèrent encore quelques mots, jusqu'à ce que Renaud capte un premier coup d'œil du ministre vers son bureau croulant sous les dossiers. Il était temps de lui présenter son bonjour et de partir.

~

La semaine suivante, le nouveau professeur se trouva pour la première fois dans l'un des plus grands amphithéâtres de l'Université Laval. Il compta soixante-trois personnes devant lui, dans les minutes précédant le début de la leçon. Ah ! Le temps béni où les étudiants considéraient qu'arriver en retard à un cours était un manque absolu de savoir-vivre. À neuf heures, tous ceux-ci s'alignaient devant lui, bien assis en rangées régulières, sortaient des feuilles blanches et leur plume. Renaud créa une certaine surprise en leur demandant :

— Messieurs, si vous voulez bien poser vos plumes, nous allons causer un moment.

Il se leva en espérant que personne ne voie ses genoux trembler et il commença par se présenter. Pour les impressionner un peu, quelques moments de sa carrière firent l'objet de courtes évocations : ses années en Angleterre, interrompues par la guerre, le sujet de sa thèse de doctorat qui amassait la poussière sur les rayons d'une lointaine bibliothèque, son expérience de travail pour le Haut-Commissariat à Londres. Cette présentation ne suscita aucun bâillement. Un professeur a toujours un vingt minutes de grâce au début de l'année. Il enchaîna :

— Et maintenant, messieurs, je vous demanderai de m'indiquer comment la loi constitutionnelle peut influencer directement la vie d'un citoyen. J'ai entendu récemment l'un de vous exprimer un doute sur la pertinence de ce sujet d'étude. Rassurez-moi un peu. Puis, comme je ne connais à peu près personne parmi vous, je vous demanderai de donner votre nom au début de chacune de vos interventions.

Si la classe demeurait coite, il en serait quitte pour répondre seul à sa question. Un long silence gêné s'imposa, alors que William Fitzpatrick, visé par le préambule, ricanait. Cependant, une classe de futurs plaideurs en droit risquait peu de demeurer silencieuse. Sans surprise, Renaud vit Henri Trudel lever le doigt pour évoquer les institutions politiques fédérales.

Il y eut ensuite une cascade de réponses sur les organismes publics, que le professeur prit en note au tableau. Cela remplit d'aise les étudiants passionnés de politique. En les orientant un peu, Renaud les amena sur les questions économiques, les transports, l'éducation, et même sur un sujet aussi délicat que le divorce. Ce faisant, il essayait de distinguer ce qui relevait de la responsabilité du gouvernement de la Grande-Bretagne, du gouvernement fédéral et des provinces. Le résultat le remplit de fierté car, une heure plus tard, plus de la moitié de la classe était intervenue au moins une fois, et le tableau se couvrait d'une écriture quasi indéchiffrable.

— Voilà, en gros, le contenu de mon cours pour cette année, fit-il en désignant ces gribouillis de la main. J'essaierai de présenter cela de façon plus ordonnée…

Cette remarque déclencha un éclat de rire.

— J'ajouterai des thèmes importants que vous n'avez pas nommés et, si je néglige l'un de ceux que vous avez soumis, je vous permets de me rappeler à l'ordre. Vous pouvez reprendre vos plumes maintenant, nous allons commencer dès que j'aurai effacé ce fouillis.

Le dos tourné vers la classe pour brosser le tableau, l'avocat affichait une mine satisfaite. Les étudiants murmuraient des appréciations le plus souvent positives. Le silence revint quand il écrivit le thème de l'exposé à venir. Puis la porte s'ouvrit bruyamment sur un jeune abbé catastrophé. Forcé au silence, il contempla l'intrus.

— Messieurs, cria l'importun, Son Éminence le cardinal Bégin est mort ce matin. L'université ferme ses portes jusqu'au lendemain des funérailles.

Les étudiants, comme toujours, furent les premiers à saisir le sens de ces paroles. Ils revissèrent leurs plumes, rangèrent les feuilles et l'encre dans leur sac. Dès la première semaine de cours, Renaud se trouvait déjà en retard sur le calendrier fixé. En sortant, de très nombreux étudiants vinrent le saluer. Plusieurs soutinrent que son cours promettait d'être très intéressant. Pour la moitié, ces appréciations trahissaient un réel intérêt pour son sujet ; les autres faisaient plus confiance à la flatterie qu'à leur travail ou leur talent pour avoir une bonne note. La majorité lui dit seulement bonjour en passant la porte, attendant d'en voir plus avant de se faire une idée sur lui. C'était sûrement l'attitude la plus sage à adopter.

Romuald Lafrance le salua comme une vague connaissance ; William Fitzpatrick se sentit obligé de faire la même chose. Michel Bégin lui serra la main et opina, enthousiaste :

— Grâce à ce cours l'année sera certainement agréable.

— Merci. Maintenant, mon défi sera de me montrer à la hauteur de pareilles attentes.

Renaud apprécia tout de même ces paroles pour leur sincérité. Henri Trudel s'arrangea pour rester le dernier. Il lui serra aussi la main en disant :

— C'était habile, comme entrée en matière.

Ce garçon appréciait la stratégie du professeur, sa façon de bien disposer les étudiants envers lui, avec son attitude ouverte, son désir de les écouter. Cependant, c'était un peu comme l'emballage d'un produit : seul le contenu en déterminerait la valeur. Il continua :

— Cette année, je n'ai que ce cours et la préparation de l'examen du barreau à mon programme. Je m'intéresse à la politique, une tare familiale. Serait-il possible pour vous de me donner une liste de lectures supplémentaires et des synthèses à effectuer ? Comme cela sort du cadre de votre entente avec l'université, je vous rémunérerai pour ce travail.

Renaud ne se sentit pas du tout troublé par la dernière phrase. Un avocat n'éprouve jamais d'état d'âme à l'idée de se faire payer son temps. L'Université Laval ne le payait pas pour parfaire la culture politique et juridique d'un jeune homme ambitieux et riche.

— Je le ferai avec plaisir. Quant à la rémunération, je l'établirai en me servant comme étalon des honoraires que me verse le gouvernement pour un travail d'expert que m'a demandé votre père.

Henri devait être au courant, se dit Renaud. S'il trouvait la note salée, l'étudiant ne le fit pas voir :

— Entendu, dit-il avant de quitter la salle.

L'apprenti professeur resta un moment derrière son bureau, à feuilleter les notes préparées pour cette leçon.

Quoiqu'il ne pût lui en vouloir de cet impair, Son Éminence Louis-Nazaire Bégin aurait pu attendre jusqu'à midi avant de rendre l'âme.

~

Le deuxième samedi de septembre, Renaud, sanglé dans un habit de soirée tout neuf, sonnait à la porte de la somptueuse résidence des Trudel, rue Moncton. Même si elle se trouvait à deux pas de chez lui, il était venu en voiture. Son accoutrement faisait vraiment trop ostentatoire pour déambuler dans les rues.

Bien que la porte ait été ouverte par une domestique, Élise se précipita vers lui dès son entrée. Elle était tout sourire, toujours aussi élégante. Ils ne s'étaient pas quittés dans les meilleurs termes la dernière fois, mais, d'un autre côté, elle savait que Helen était toujours aussi entichée d'Henri. Elle savait aussi que ce nouveau venu n'avait fait la cour à personne depuis sa visite à La Malbaie. Autrement, cela se serait su dans Grande Allée et les rues avoisinantes. Évidemment, dans ces milieux, on n'avait pas la moindre idée de l'existence d'une certaine Germaine Caron, vendeuse chez THIVIERGE. Et même si on l'avait connue, la fréquenter relevait d'une concession à l'activité hormonale d'un homme encore jeune. Non pas que la fille du ministre Trudel aurait trouvé cela amusant, mais la considérer comme une rivale sérieuse aurait été s'abaisser.

Renaud reconnut Armand Bégin et son fils, Henri Trudel, de même que Helen parmi les personnes présentes dans le grand salon. Il se demanda si Élise avait approuvé sa présence. La jeune Irlandaise couvait le fils de la maison du regard, ce qui était sûrement pour lui plaire, et Renaud couvait l'amie de la famille du sien, ce qui la révulsait sans doute.

Pourtant, la fille de son hôtesse garda sa contenance au moment de lui présenter ses deux frères cadets, de grands collégiens insignifiants. Verdict plutôt indulgent, car lui-même se souvenait d'avoir été particulièrement insignifiant à leur âge. Il y avait aussi deux adolescentes rougissantes. Renaud ne comprit pas trop quel était leur lien de parenté avec les Trudel. Il semblait si ténu qu'elles devaient être là pour tenir compagnie aux deux jeunes garçons. Si les choses en venaient là, les familles feraient l'économie d'une demande de dispense à l'Église dans le cas d'un mariage.

Le visiteur avait encore eu la prudence d'arriver à l'heure dite. Aussi, à sa grande satisfaction, il n'eut pas à se souvenir du programme des années de philosophie du cours classique « de son temps », sur lequel l'un des deux jeunes Trudel voulait tout à coup des précisions. Tous les convives se retrouvèrent dans une salle à manger luxueuse, un peu trop meublée pour être de bon goût. Renaud put alors saluer mesdames Bégin et Trudel, mais surtout madame Descôteaux, qu'il ne connaissait pas encore. Un instant après, Antoine Trudel arriva accompagné de Philippe-Auguste Descôteaux en personne. Ils devaient être tous deux enfermés dans le bureau du maître de la maison.

— Enchanté, monsieur le premier ministre, murmura Renaud en lui serrant la main.

Il reconnaissait là le petit homme maigre croisé quelques fois avant 1914. À cette époque, il s'agissait d'un ministre carriériste. Depuis, l'homme avait réalisé quelques-unes de ses ambitions.

— Je suis très heureux de vous rencontrer, monsieur Daigle. Je me félicite déjà d'avoir demandé à Antoine de vous recruter. J'entends les plus grands éloges de votre contribution à notre affaire du Labrador.

C'était là une louange inattendue, sans doute de pure politesse. L'avocat l'apprécia néanmoins car il avait consacré bien du temps à cette question depuis une semaine. La présence du premier ministre chez les Trudel ne le surprenait guère. Armand Bégin lui avait bien dit combien ceux-là étaient comme cul et chemise, dans des termes plus choisis, bien sûr.

La disposition des convives autour de la table répétait celle de La Malbaie un mois plus tôt. Les Trudel, Descôteaux et Bégin faisaient bloc à un bout, les jeunes collégiens et les couventines à l'autre. Renaud se trouvait de nouveau avec Élise, Henri avec Helen. Michel Bégin était certes le plus mal servi de tous, isolé entre ces deux blocs. Il ne devait pas avoir de promise, pour se trouver ainsi la énième roue du carrosse.

La conversation commença lentement. Le père Trudel murmurait à l'oreille de Descôteaux, les autres essayaient d'écouter discrètement et n'y arrivaient pas. Les collégiens étaient les seuls à sembler s'amuser en faisant des imitations de leurs professeurs. À tout le moins, ils amusaient les couventines qui gloussaient de l'attention dont elles étaient l'objet, sinon de leurs mimiques.

— Il y a longtemps que vous êtes revenue de La Malbaie ? demanda Renaud à sa voisine.

— Une semaine tout juste.

— La beauté des lieux ne risque-t-elle pas de vous manquer ?

— Charlevoix l'été, avec le minimum de vie sociale qu'apportent les estivants, c'est agréable. Je ne suis pas certaine que l'hiver, ce soit tellement réjouissant. Le vent dans les arbres dénudés, la terre sous un mètre de neige, cela doit être plutôt lugubre. Cela peut convenir à un ermite, pas à une jeune femme.

Son voisin esquissa un sourire narquois avant de glisser :

— Vous préférez les lumières de la ville.

— Je sens une pointe d'ironie pour notre petite ville de Québec. Il est vrai qu'après des années à Londres, vous ne devez pas faire de différence entre La Malbaie et Québec.

— J'ai un peu peur de m'ennuyer, je le confesse. Une crainte bien artificielle, car même au cœur d'une ville de plusieurs millions d'habitants on fréquente finalement cinquante personnes, tout au plus. Les autres forment un décor, en quelque sorte.

Sa voisine lui adressa un regard sceptique.

— Vous avez quitté les spectacles, les musées. Quand les cinquante personnes dont vous parlez vous ennuient, il y a des choses à faire dans une grande cité. Ici, on ne peut qu'aller voir la collection d'oiseaux empaillés de l'Université Laval tous les dimanches.

— N'y a-t-il pas aussi une collection de médailles et de pièces de monnaie ?

Elle éclata de rire. Sa mère lui lança un regard curieux et eut un sourire satisfait. Renaud appréciait bien la compagnie de cette grande jeune femme. « Dommage que l'on ne puisse pas avoir de femmes comme amies », se dit-il.

Cette appréciation de sa voisine ne l'empêchait guère de jeter des regards discrets de l'autre côté de la table. Helen affichait son habituelle mine enjouée, elle soulevait un sujet de conversation après l'autre, sans succès. Henri semblait perdu dans la contemplation de son potage. Tellement que monsieur Trudel lançait des regards inquiets à son fils.

Renaud murmura à Élise, quand son rire mourut sur ses lèvres :

— Vous aimeriez vivre ailleurs ?

— Je ne sais pas. C'est une question toute théorique. Je suis allée en Europe en 1920, et j'ai été éblouie par les grandes capitales, même si les privations de l'après-guerre demeuraient cruelles.

Renaud acquiesça. Moins de deux mois plus tôt, Paris, et même Londres, demeuraient encore marqués par ces événements dramatiques.

— Tout me semblait merveilleux. Aller au concert ou à l'opéra deux ou trois soirs par semaine doit être grisant. Peut-être aussi qu'avec le temps cela ne présente pas plus d'attrait que les oiseaux empaillés de l'Université.

— Tout de même un peu plus, consentit à dire son compagnon dans un sourire.

— Alors, qu'allez-vous faire de vos longues soirées d'hiver ?

Élise fixait sur lui de grands yeux gris empreints de curiosité.

— Lire, je présume. Je faisais la même chose à Londres, la plupart du temps.

— Quel est votre poète préféré ? fit-elle soudainement.

Elle cherchait entre eux des affinités.

— Français ou anglais ? demanda-t-il avec un soupçon de suffisance.

— Français, bien sûr. Je ne maîtrise pas assez bien l'anglais pour apprécier la poésie dans cette langue, admit-elle en rougissant.

— Au début, c'est parce que j'aimais les auteurs anglais que j'ai voulu apprendre la langue. J'aimais leurs œuvres, même si je ne comprenais pas tout… C'est Alfred de Musset.

— Moi aussi !

La jeune femme afficha un sourire ravi quand elle commença à réciter :

— *Un soir, nous étions seuls, j'étais assis près d'elle ; Elle penchait la tête, et sur son clavecin*

— *Laissait, tout en rêvant, flotter sa blanche main*, continua-t-il.

Les yeux de sa compagne trahissaient quelque chose comme la naissance d'un amour fou. Cette impression le rendit mal à l'aise par sa netteté, comme devant une scène indécente. Bien sûr, le malaise tenait largement à tous les yeux tournés vers eux. Ceux de la mère d'Élise, satisfaits, ceux de Helen et des couventines, envieux. Le grand malheur de Renaud était de ne pas toujours se rendre compte quand il touchait quelqu'un, et de faire toute une histoire quand il s'amourachait d'une personne ne payant pas ses sentiments de retour. Si Élise avait été aussi susceptible que lui dans ces cas-là, elle lui aurait enfoncé sa cuillère à soupe dans un œil, tellement il louchait de l'autre côté de la table. Seule une ombre dans ses yeux trahit sa déception. Elle attendit le retour de son regard vers elle.

— Je suis revenu à Québec car mes livres demeureront avec moi, dit-il encore. On joue souvent à se demander ce que l'on amènerait avec soi sur une île déserte. Ce serait ma bibliothèque. Quant à l'Europe, j'espère pouvoir y retourner régulièrement pour faire des provisions de souvenirs.

Ce ne serait pas une consolation pour elle. Une jeune fille respectable ne pouvait espérer aller en Europe toute seule, quand l'envie lui en prenait. Dans les meilleurs milieux de Québec, un long voyage outre-mer, sous la gouverne d'un chaperon, venait souvent compléter l'éducation reçue au couvent. Par la suite, c'est au bras d'un mari que l'on y retournait. Ou alors, si l'on était restée célibataire, à un âge suffisamment respectable pour que personne ne puisse songer à la recherche d'aventures. Cela signifiait après avoir atteint les quarante, sinon les cinquante ans.

Elle lui répondit néanmoins :

— La grande différence entre nous, c'est que j'ai mes livres le matin, l'après-midi et le soir. Ils ne sont pas des amis fidèles qui m'attendent au retour du travail. Comme des amis que l'on voit sans cesse, dont on ne s'éloigne jamais, ils deviennent parfois oppressants.

Elle avait dit cela à voix très basse, comme une confidence, et c'en était une. Sa vie lui semblait vide. Aborder encore le sujet de sa solitude serait terriblement indélicat. Il choisit de parler plutôt de l'autre façon que l'on avait de remplir une vie. Ce faisant, il reprenait une conversation commencée lors de leur dernière rencontre :

— Vous auriez aimé poursuivre une carrière ?

— Évidemment. Qui explique à Henri les concepts de droit les plus compliqués, croyez-vous ? Mon père ? Lui sait gagner des causes, pas réfléchir sur le droit. Je lisais en cachette ses gros Codes au retour de mes classes chez les ursulines. Je vais vous faire une confidence : j'ai eu envie de m'inscrire à votre cours, comme étudiante libre. Cela aurait été facile. Le recteur n'aurait pas pu refuser cela à papa, et lui n'aurait pas pu refuser de le demander pour moi. Du moment que je ne cherchais pas à obtenir un diplôme, on ne s'y serait pas opposé.

Elle se compromettait dangereusement. Il lui fallait ajouter tout de suite :

— Votre cours est l'un des rares qui s'intéresse à la théorie du droit, pas juste aux textes de lois.

— Pourquoi ne l'avez-vous pas fait ? Cela aurait été un plaisir pour moi.

La remarque manquait de tact. Outre ses compétences, qu'il aurait pu faire connaître à son père en soumettant un *curriculum vitæ*, et son charme qui n'était pas négligeable, pourquoi se trouvait-il à leur table pour la seconde fois ? Pensait-il que monsieur Trudel téléphonait souvent à un avocat inconnu pour lui donner des contrats et en même temps la chance de se faire un nom ? Le visiteur représentait un excellent parti. Armand Bégin avait parlé de lui au ministre en ces termes. Et devant elle encore !

La jeune femme ne s'était pas inscrite à ce cours pour éviter de donner l'impression de se précipiter sur lui. Elle dit seulement :

— On aurait pu mal interpréter mon intérêt pour le droit constitutionnel.

Un jeune homme et une jeune femme se connaissant à peine ne pouvaient demeurer si longtemps à murmurer lors d'une activité sociale sans attirer l'attention. Il convenait de rompre cette connivence. Ou peut-être Armand Bégin s'intéressait-il réellement aux prétentions politiques des femmes. Celui-ci s'adressa à Élise, assez fort pour qu'on l'entende de toute la table puisqu'il se trouvait bien loin d'elle :

— Chère Élise, allez-vous soutenir de tous vos efforts les candidats libéraux de la région de Québec lors des prochaines élections fédérales ?

— N'est-ce pas là le devoir de tous les membres du Parti ? Je suis membre du Parti libéral, même si je ne peux voter dans la province.

Devant Descôteaux, la repartie apparaissait comme audacieuse, compte tenu de son opposition encore tout récemment déclarée au vote des femmes. Au niveau provincial, celles-ci n'avaient de rôle dans le Parti que comme épouses ou filles de quelqu'un, et les comités féminins s'occupaient de questions triviales.

Beau joueur, soucieux de démontrer qu'il n'en faisait pas une question dogmatique, le premier ministre Descôteaux intervint :

— Je me réjouis d'entendre cela. J'ai justement rencontré Ernest Lapointe la semaine dernière, et celui-ci se félicitait du fait que, grâce à vos efforts, il obtiendrait la majorité du suffrage féminin dans notre région. Il reste un peu plus de six semaines avant les élections fédérales, il espère entendre parler de votre comité très bientôt.

Elle rougit d'aise. Ernest Lapointe était en train de devenir le chef incontesté des libéraux fédéraux de langue française. Cet homme se présentait dans la circonscription de Québec-Est, celle-là même qu'avait représentée Wilfrid Laurier jusqu'à sa mort en 1919. Qu'on lui abandonne ce fief faisait figure de symbole. Il pourrait prétendre au poste de premier ministre du Canada au moment de la retraite de William Lyon Mackenzie King.

— Croyez-vous que cette élection permettra aux libéraux de se maintenir au pouvoir malgré toutes les rumeurs de scandales ? glissa Renaud.

Lui aussi se montrait heureux d'abandonner ses échanges trop privés avec Élise.

— Ils ont dû gouverner en faisant très attention aux attentes du Parti progressiste qui a remporté l'Ouest au dernier scrutin. En fait, les libéraux n'avaient pas une majorité absolue en 1921, il leur manquait un siège. Ils ont promis des mesures sociales, sans les adopter. En les promettant, ils ont effrayé les conservateurs ; en ne les adoptant pas, ils ont frustré les progressistes.

Le premier ministre s'arrêta sur ce constat un peu pessimiste. Son hôte, Trudel, enchaîna :

— Cette fois encore, les libéraux devraient remporter au Québec. On ne peut jurer de rien pour les autres provinces.

L'homme préféra éviter soigneusement le sujet des scandales politiques.

— Quant aux indélicatesses auxquelles vous faites allusion, intervint encore Descôteaux, il est difficile d'évaluer leur effet. Elles peuvent sûrement faire perdre des votes.

— Il y a sans doute eu spéculation sur les terrains de la centrale électrique de Beauharnois, remarqua encore Renaud. *L'Événement* n'est pas très clair à ce sujet.

Ces questions irritaient ses hôtes. L'invité fit mine de ne pas le saisir.

— Oui, puis les contrats n'ont pas été accordés dans le respect de certaines règles, les travaux ont été payés trop cher, expliqua encore le premier ministre.

Le politicien ne voyait pas de raison de nier les scandales collant aux libéraux fédéraux. Cela permettait de rappeler discrètement la prudence à ceux qui, autour de la table, pâlissaient depuis un moment.

— L'autre reproche concerne la contrebande d'alcool, intervint à son tour Armand Bégin. C'est plutôt trivial, mais cela risque de faire perdre plus de votes que cette histoire de Beauharnois.

— Trivial peut-être, mais spectaculaire, précisa Élise. Un ministre possède une ferme qui chevauche la frontière américaine. Des camions arrivent à cette ferme chargés de caisses d'alcool et repartent vides. Cela donne à la population l'impression d'un certain mépris de la loi chez les personnes haut placées.

— Monsieur King, avec sa moralité toute protestante, va faire en sorte que des choses comme cela ne se répètent pas. Il termine son premier mandat, il a encore à apprendre pour tenir en main toutes les ficelles, commenta le premier ministre.

Au début de son second mandat, ce dernier apprenait de la plus mauvaise façon à couvrir les scandales.

— De toute façon, cette question de la prohibition devient ridicule, pesta Armand Bégin. Par exemple, en Ontario, la loi permet de prescrire de l'alcool comme médicament. Là-bas, on a poursuivi des médecins qui faisaient des centaines de prescriptions d'alcool tous les jours et en vendaient. Ils seraient mieux de permettre aux gens d'acheter de l'alcool dans une Commission comme la nôtre, au lieu de les obliger à faire la queue dans des pharmacies.

Cette pièce de philosophie politique de la part de l'ami de la famille Trudel constituait un hommage à la sagesse de Descôteaux. Le politicien avait décidé en 1921 que si ses concitoyens ne pouvaient se passer de la bouteille, au moins leur vice remplirait les caisses de l'État. Le premier ministre répondit d'un sourire au marchand, puis s'adressa au nouveau venu dans ce petit cénacle :

— Monsieur Daigle, j'espère que Lapointe pourra compter sur votre support actif, pendant cette campagne. Même si sa réélection n'est pas compromise, il convient tout de même que le Parti présente un front uni de tous ses membres.

Comment refuser une invitation de ce genre venue de l'homme qui lui versait de généreux honoraires depuis peu ?

— Ce sera avec le plus grand plaisir. Comme je ne suis pas très familier avec les affaires politiques canadiennes, je crains cependant d'être d'une piètre utilité, fit-il en rougissant.

— Vous avez près de vous une personne capable de compléter vos connaissances. Elle pourra même vous confier quelques tâches à la mesure de vos compétences, précisa Descôteaux. Je vous confie à ses bons soins.

Cette personne à côté de lui, c'était bien sûr Élise. La conversation avec elle prit une tournure moins personnelle. Un peu intrigué, Renaud lui dit :

— Je me vois mal sur les *hustings* en train de parler de Constitution.

— Ce ne serait peut-être pas sans intérêt. King est en train de donner discrètement au Canada une indépendance totale face à la Grande-Bretagne.

Elle montrait là une excellente compréhension de l'évolution de l'Empire britannique depuis la fin de la guerre. Son voisin acquiesça de la tête.

— Rassurez-vous cependant, continua-t-elle, ce n'est pas mon intention de vous demander cela. En discutant de la chose avec mon père, je lui ai rappelé combien votre uniforme était seyant, avec les médailles et tout. Une bonne partie de l'électorat de la région est de langue anglaise. Il serait bon de leur rappeler que les libéraux, même s'ils n'étaient pas chauds à l'idée de la conscription, ont toujours été bien disposés à l'égard de l'effort de guerre. Si nos électeurs entendent ces arguments tout en admirant vos médailles, ils vont boire vos paroles.

— Vous voulez me promener de cuisine en cuisine pour semer des discours partisans ?

— Dans notre circonscription, ce sera plutôt de salon en salon, riposta-t-elle.

La précision s'accompagna d'un sourire amusé. L'image de cet intellectuel attablé avec une famille ouvrière du quartier Saint-Roch l'amusait fort. Le résultat ne serait peut-être pas si mauvais.

— Vous n'êtes pas sans avoir remarqué ma timidité naturelle. Vous êtes certaine que je ne ferai pas plus de tort à votre... à notre candidat, que de bien ? se reprit-il.

— J'en suis certaine. Je vous surveillerai tout de même pour m'assurer que vous ne précipitiez pas nos électeurs dans les bras du Parti conservateur.

Jusqu'à la fin de la soirée, elle l'entretint de la communauté anglophone de la ville, composée surtout d'hommes d'affaires et de professionnels. Il y avait bien sûr aussi une communauté ouvrière d'origine irlandaise, mais celle-ci s'effritait au gré des départs vers l'Ouest et vers les États-Unis, où les conditions économiques étaient meilleures. Ceux qui restaient à Québec adoptaient le français, progressivement.

Quand il partit ce soir-là, il était bien embrigadé dans la campagne d'Ernest Lapointe, le chef des libéraux de langue française, candidat dans la Basse-Ville, et accessoirement du candidat de ce Parti dans la Haute-Ville. Ce serait pour lui l'occasion de démontrer ses qualités. Tous les vieux bonzes du Parti souriaient de le voir si bellement conscrit. C'est presque en collègue qu'Élise lui serra la main.

Depuis quelque temps, il en était « à tu et à toi » avec Germaine. En fait, les baisers avaient créé une intimité suffisante pour que tous les deux soient plus à l'aise. Renaud apprenait à connaître la vie d'une vendeuse, les longues heures debout et le sourire de commande, la compétition pour les promotions, ou juste pour être bien vue du chef de service. Quant à elle, si elle ne voyait pas toujours la signification de ce qu'il faisait toute la semaine – lire autant ne lui paraissait pas être un vrai travail –, elle constatait que cela lui permettait de vivre très confortablement.

Ils s'étaient retrouvés à la fin de l'après-midi. Attablée dans un petit restaurant, elle lui demanda, curieuse :

— Ce souper hier soir, c'était agréable ?

— C'était surtout du travail, chez le ministre Trudel. Le premier ministre était là aussi. Je vais devoir travailler à l'élection fédérale.

Bouche bée, elle apprécia tout d'un coup l'immense distance entre la Basse-Ville et la Haute-Ville. La réflexion que Renaud était trop bien pour elle lui venait souvent. Pas à propos des qualités personnelles bien sûr – souvent prétentieux, indifférent à ses sentiments à elle, froid même, son attitude en faisait un curieux personnage –, mais au regard de la position sociale. Si leurs rapports avaient été plus cordiaux, cela lui aurait fait un moins grand effet. Ils gardaient une réserve l'un avec l'autre.

L'employée avait eu l'intention de l'inviter chez ses parents avant la fin de la soirée, afin de donner un caractère officiel à leurs rapports, faire de lui son « cavalier » régulier en quelque sorte, juste un cran en bas des fiançailles. Mais elle décida de remettre cela à plus tard. Son père, contremaître d'usine, n'intéresserait pas Renaud tout de suite après avoir côtoyé le premier ministre.

Comme de nombreuses fois au cours des dernières semaines, ils se retrouvèrent au cinéma. Il y avait dans les balcons, comme au parterre d'ailleurs, des sièges doubles. Pour la première fois, Germaine choisit l'un d'eux. Ils ne se trouvaient pas tellement plus près l'un de l'autre, mais l'absence d'appuie-bras entre eux favorisait le contact. Ils se touchaient des genoux aux épaules.

S'appuyait-elle contre lui avec plus de langueur ? Il lui entoura les épaules de son bras, la retint plus étroitement.

Ils visionnèrent les courts-métrages dans cette position, puis une bonne partie du programme principal. Renaud se sentit de l'audace, lui prit le menton entre le pouce et l'index et tourna son visage vers lui. Ses yeux clos valaient un consentement, il l'embrassa. Il se rendit rapidement compte que, si ses lèvres s'activaient sous les siennes, avancer sa langue provoquait un mouvement de recul immédiat. Il s'en tint au jeu des lèvres, mais laissa ses doigts glisser du menton à la peau douce du cou. Quand il sentit son corps mollir contre lui, il laissa sa main glisser jusque sur sa poitrine. Elle portait un léger imperméable, il put l'introduire sous celui-ci et empaumer un sein. Il le trouva rond, assez lourd, souple sous ses doigts.

La jeune femme se raidit quand quelqu'un derrière eux toussa brièvement. Renaud récupéra ses doigts curieux, arrêta son baiser. Il ne croyait pas que son geste avait attiré l'attention, mais son baiser avait été un peu trop langoureux pour les spectateurs autour d'eux. La jeune femme resta contre lui, posa sa tête sur son épaule. Elle ne recevait pas trop mal son audace, se dit-il.

Germaine allait de plus en plus souvent chez ses parents le lundi soir, puisque ses dimanches appartenaient à Renaud. Cela n'était pas pour bien disposer sa famille à l'égard du mystérieux jeune homme.

— Quand allons-nous le voir, ton fameux avocat?

Sa mère tournait autour de son gros poêle Bélanger, une louche à la main. Une grande femme obèse, elle gouvernait la famille comme un monarque absolu. Elle tolérait mal que Germaine ait déserté son royaume pour gagner la petite république de sa maison de chambres.

— Je ne lui en ai pas parlé.

Madame Caron se tourna vers elle, les deux mains sur les hanches. Son verdict tomba d'un coup, sans appel:

— Tu as honte de nous.

— Mais non. Ne dis pas de sottises.

Si la distance entre elle et Renaud lui paraissait vertigineuse, cela n'allait pas jusqu'à susciter un sentiment de honte. Elle demeurait convaincue que les Caron n'avaient à rougir de rien: ils formaient une famille décente, respectable. Modeste aussi, trop modeste, se disait-elle, quand Renaud pérorait sur la politique ou le droit.

— D'abord, c'est qu'il se trouve trop bien pour nous.

La mégère n'en démordait pas. Cet homme voyait sa fille en secret, loin des yeux des membres de sa famille. Il devait avoir une raison de se cacher, ses intentions ne pouvaient être honnêtes. La jeune fille ne risqua aucune réponse, car elle se demandait elle aussi si Renaud ne levait pas le nez sur son milieu. Sa mère continua après un moment:

— Si ce n'est pas ça, c'est qu'il en veut à ta vertu.

Si cet habitant de la Haute-Ville voyait sa fille pour un motif honorable, il serait heureux de rencontrer sa famille.

— Maman, ne dis pas des choses comme cela!

— Une fille n'a qu'une réputation à perdre, et c'est vite fait. S'il ne veut pas te voir ici, cesse ces fréquentations.

— Cela ne se fait plus de veiller au salon, avec tout le monde qui espionne.

— Cela se fait dans la paroisse. Si cela ne lui plaît pas, c'est qu'il n'est pas de notre monde.

Les mots maternels touchaient droit au cœur, jusqu'à susciter un plaidoyer de défense :

— Tu t'inquiètes trop. Nous ne faisons rien de mal.

Germaine sentait une curieuse chaleur au creux de son ventre en se rappelant sa main sur ses seins. Madame Caron vint s'asseoir près d'elle, à la table. Elle avait son air le plus grave, celui réservé aux moments où elle s'astreignait à parler de « la » chose :

— Si tu te retrouves avec un « paquet », ta vie va être finie.

— Je te répète que l'on ne fait rien de mal.

— Un gars et une fille, loin des regards, cela finit toujours de la même façon. N'oublie pas qu'il suffit de juste une fois.

— Arrête de me torturer avec cela. Nous ne faisons rien ensemble.

Germaine n'en pouvait plus. Elle se leva et alla s'enfermer dans les toilettes. Sa mère touchait trop juste, elle ne voulait plus l'entendre.

Chapitre 12

Lors de leur dernier rendez-vous, au moment de reconduire Germaine chez elle, Renaud avait mis plus de fougue dans son dernier baiser. Cela devenait d'autant plus facile qu'il avait relevé la capote de l'auto à cause de la pluie, intermittente depuis quelques semaines. À la façon dont elle tenait ses bras contre sa poitrine, l'homme comprit l'interdit. Inutile d'insister. Il rentra chez lui dans un état d'excitation difficile à contenir.

Le lendemain matin, d'autres préoccupations que ses hormones s'imposaient à lui. À la cathédrale, on célébrait à l'intention des membres de l'Université et du Séminaire une messe pour le repos de l'âme de Mgr Bégin. Remarquée, son absence lui aurait sûrement valu de sévères remontrances. Il se retrouva donc dans le temple immense, avec tous ses collègues et des centaines d'élèves et d'étudiants. La dépouille du cardinal occupait une large section du chœur, en chapelle ardente depuis cinq jours maintenant. Le cadavre était passé à un vert répugnant. Renaud crut capter une légère odeur de pourriture, quoiqu'il fût à une trentaine de mètres. Cette odeur douceâtre flottait sans cesse sur les champs de bataille européens, il ne craignait guère de se tromper.

Mgr Langlois, le successeur probable de Bégin, se livra à une interminable apologie du saint homme. Il insista particulièrement sur le fait que le cardinal avait été le fondateur du syndicalisme catholique au Canada, au moment d'une grève des ouvriers de la chaussure de la ville, en 1900. Le prélat ne pouvait, ni ne voulait, passer sous silence la grève des cordonniers sévissant actuellement en ville. Dans une longue digression, il demanda aux travailleurs de manifester l'esprit de justice et de conciliation que le regretté cardinal avait insufflé à leurs «unions». Il leur fallait rentrer au travail et se plier de bon gré aux décisions que le tribunal d'arbitrage rendrait dans leur cause. Puis l'ecclésiastique enchaîna sur d'autres initiatives de Bégin, comme la création du journal *L'Action catholique*, la mise sur pied de nombreuses organisations à vocation sociale, ses campagnes en faveur de la tempérance. Énumérer toutes ces bonnes actions occupa une bonne heure.

Quand la messe se termina enfin, au grand plaisir de Renaud, à qui les fumées d'encens donnaient une furieuse envie de tousser, il lui fallut se mettre en ligne comme tout le monde pour s'approcher de la dépouille. «Sans aucun doute, se dit-il en regardant le visage verdâtre, émacié à cause d'une longue maladie, il sent la charogne.» Parce qu'il pinçait le nez et arborait une demi-grimace, sa figure pouvait passer pour recueillie et peinée. Le professeur s'éloigna après un court instant en laissant échapper un long soupir car il avait retenu sa respiration, alors que, derrière lui, d'autres se pressaient pour voir les restes de Son Éminence.

Il n'en avait malheureusement pas terminé avec le grand homme. Il lui faudrait jouer des coudes le lendemain pour se faire voir aux funérailles du cardinal, dont on allait ensuite promener la dépouille dans les rues de la ville, étendue sur un lit de roses, pour la montrer au bon peuple.

~

Renaud rentrait tout juste à la maison quand il entendit le téléphone sonner. Il se précipita sur le combiné pour entendre la voix inquiète d'Élise Trudel lui dire:

— Enfin, je vous trouve, monsieur Daigle. Je désespérais un peu.

— Je n'ai pu me dérober à l'obligation d'offrir une prière à Son Éminence le cardinal Bégin.

Il affichait tout juste une pointe d'ironie.

— Je comprends. Pour moi, ce fut hier soir. Il y a eu une petite cérémonie réservée au personnel politique et à leur famille. Je me devais d'être là.

Son enthousiasme ne semblait pas plus grand que le sien. Elle continua :

— J'aimerais vous rencontrer dans quelques minutes au Club de Réforme. Je veux vous présenter monsieur Lapointe.

— Mais je ne suis pas membre.

— Oh si, vous l'êtes ! dit-elle en riant. Il serait très convenable que vous portiez votre uniforme, et toutes ces médailles !

Elle ne renonçait pas à l'utiliser comme sauf-conduit auprès de la frange impérialiste de l'électorat.

— Très bien. Je peux être là dans une demi-heure.

— Disons quarante minutes, le temps de dénicher mon candidat. Nous allons dîner là-bas. À tout à l'heure.

Renaud se sentait happé par les événements. Ses affinités avec le Parti libéral lui étaient venues comme son héritage, de son père. N'éprouvant aucune sympathie pour les conservateurs, il pouvait jouer la carte du premier ministre King et de son lieutenant canadien-français Lapointe par opportunisme. Rasé de frais, un soupçon d'eau de Cologne, bien sanglé dans son uniforme, il se trouva à la porte du Club de Réforme quarante minutes plus tard. Il s'agissait d'un club social où les membres du Parti libéral pouvaient se rencontrer, un verre à la main. Logé dans une grande bâtisse de pierre grise, à deux pas du Manège militaire, l'hôtel du Parlement se trouvait tout près. Les membres profitaient de la présence d'un bar, d'une salle à manger, d'une bibliothèque et ils s'y présentaient avec l'assurance de n'y rencontrer que des libéraux, sauf si quelqu'un, pour s'amuser à ses dépens, amenait un ami conservateur. Cela se produisait parfois, car les rapports entre les deux groupes demeuraient civilisés, excepté pendant les périodes électorales.

La place était bondée en ce lundi midi, une espèce de fébrilité flottait dans l'air. Le nouveau venu demanda au maître d'hôtel, pressé de s'enquérir de ses besoins, si monsieur Lapointe ou mademoiselle Trudel étaient là.

— Vous êtes monsieur Daigle ? Il n'y a pas cinq minutes qu'ils sont arrivés.

Un instant plus tard, Renaud serrait la main d'Ernest Lapointe. Celui-ci était grand, avec un visage bien rond. Dans la jeune cinquantaine, il affichait un air d'autorité susceptible d'en imposer à des personnes bien plus âgées. Un échange de regards se produisit entre lui et Élise. Elle était tout sourire, l'air de dire « N'est-ce pas qu'il va faire l'affaire ? » Quand Renaud fut assis, elle lui tendit une chemise en carton. Il y trouva une carte de membre du Parti libéral et une autre du Club de Réforme. Docile, l'homme sortit sa plume, signa les deux cartes, de même que deux formulaires grâce auxquels il demandait ces cartes. Elle avait rempli ces documents elle-même et les avait datés de l'année précédente. Cela ferait un meilleur effet.

— Ainsi, monsieur Daigle, vous êtes disposé à travailler à la réélection de mon collègue dans la belle circonscription de Québec ? demanda Lapointe.

Lui-même se présentait dans Québec-Est, une circonscription qui englobait les quartiers ouvriers de la Basse-Ville.

— Bien sûr, quoique je ne comprenne pas très bien en quoi je peux vous être utile, répondit Renaud.

— Vous avez déjà commencé, rétorqua Lapointe un ton plus bas. Je me suis opposé à la conscription en 1917. Beaucoup de libéraux étaient en faveur, ils ont été nombreux à joindre le gouvernement d'union de Borden. Si vous regardez autour de vous, vous remarquerez des yeux tournés vers cette table. Ce soir, tout le monde saura qu'il y a un héros de la Grande Guerre dans mon équipe. Cela permettra de rallier ceux qui sont assez favorables à nos politiques, tout en voulant préserver le magnifique Empire britannique.

Le nouveau venu avait bien vu des regards le suivre dès son entrée dans la pièce.

— Ils sont nombreux, ces gens à ramener dans le droit chemin ? demanda-t-il.

— Difficile à estimer. Ils sont sans doute plus nombreux aujourd'hui que pendant la guerre, alors que le gouvernement réclamait leurs fils pour aller au massacre. Une fois tout danger passé, beaucoup de gens se sentent attirés par l'aventure militaire et la gloire impériale, expliqua le candidat.

— Les belles histoires sur la Grande-Bretagne qui apporte la civilisation au monde ont eu leur part de succès dans la province, ajouta Élise. Les romans de Rudyard Kipling ont été publiés même en feuilleton dans nos journaux.

Même les Canadiens français les plus nationalistes affichaient une certaine admiration pour l'œuvre civilisatrice de la mère patrie.

— Cependant, continua la jeune femme, les conservateurs ont un grand talent pour faire douter de notre attachement à cette grande aventure.

— Monsieur Lapointe, je vais vous répéter ce que j'ai déjà dit à mademoiselle Trudel. Je ne puis être d'une bien grande utilité. Je ne comprends même pas tous les mouvements politiques qui divisent le Canada. C'est relativement simple dans le cas des libéraux. Mais les conservateurs impérialistes au Canada anglais, nationalistes et cléricaux ici..., les gouvernements de fermiers dans l'Ouest, le Parti progressiste... Je m'y perds et je pourrais vous mettre dans l'embarras.

— Les conservateurs ne comprennent pas mieux que vous leurs propres contradictions. À cause de cela, dans notre province ils n'ont pas pu obtenir une majorité de sièges depuis trente ans, tant lors d'une élection fédérale que lors d'une élection provinciale. Avec la conscription, ils ont perdu le Québec pour longtemps.

La performance des conservateurs lors de certains scrutins provinciaux se révélait médiocre. Le Québec vivait en réalité sous un régime de parti unique.

— Du côté des libéraux, continua le vétéran, ce n'est pas l'unanimité non plus. Vous avez évoqué les désertions nombreuses au moment de la conscription.

— Nous avons rallié la majorité de nos membres en 1921 pour gagner l'élection… d'extrême justesse il est vrai.

En réalité, la division des votes des Canadiens entre diverses organisations politiques permettait au parti le plus populaire d'assumer le pouvoir avec une minorité du suffrage. Il continua, très sérieux :

— Nous mettons plus de soin que les conservateurs à chercher des consensus acceptables pour tout le monde, même si certains prétendent que nous utilisons des chemins tortueux.

— Mais, cette fois-ci, les chances d'une victoire libérale semblent bien faibles.

Quelques semaines à lire de nombreux journaux publiés d'un bout à l'autre du Canada donnaient à Renaud une vision réaliste de la situation.

— Le Parti est dans une position délicate, intervint Élise. Les électeurs de l'Ouest penchent en grand nombre vers le Parti progressiste ou favorisent des candidats indépendants aux idées sociales avancées. King a mis au programme du Parti libéral des propositions audacieuses, comme un régime de pensions pour les vieux, la journée de travail de huit heures, un régime d'assurance-chômage.

— Il s'est aussi éloigné de l'Empire, l'interrompit son invité. Cela a incité des gens à se replier vers les conservateurs : le monde des affaires et beaucoup de groupes religieux craignent les mesures sociales, d'autres ont la nostalgie de l'Empire sur lequel le soleil ne se couche jamais.

Élise lui sourit comme à un bon élève, puis elle conclut :

— Notre succès sera proportionnel à notre capacité de rallier les progressistes.

— Avec la promesse de politiques sociales, je sais. Ces mesures me plaisent. Ce sont des engagements du bout des lèvres, ou le premier ministre livrera la marchandise ?

Au tournant des années 1920, Renaud avait été témoin des grandes grèves menées au Royaume-Uni. Un moment, les notables avaient craint de voir le pays s'enfoncer dans la révolution.

— Je crois que oui, précisa la jeune femme, mais ce sera très progressif, pour ne bousculer personne. King a une façon bien particulière de s'exprimer. Il appelle les progressistes qui réclament des mesures sociales immédiates des « libéraux pressés ». Il a formulé ses idées sur un capitalisme humaniste il y a plusieurs années. Je crois qu'il va les appliquer une à une, quand la population sera prête à les accepter.

— Quelles sont vos chances de l'emporter ?

— Dans ma circonscription ? Totales ! clama Élise comme si c'était elle la candidate.

Elle baissa le ton au moment de continuer :

— Dans la province, nous aurons une confortable majorité. Au Canada anglais, ce sera difficile. L'Ontario a élu les conservateurs au provincial il y a deux ans, l'Ouest est l'objet d'un brassage d'idées politiques qui peut tout aussi bien nous aider que nous nuire. Je ne parierais pas une grosse somme sur nos chances de former le prochain gouvernement, mais à moyen terme je ne crois pas que les conservateurs soient une menace.

Renaud aimait cette façon de voir les choses. Son signe de tête indiquait à la fois sa compréhension de cette analyse et son désir de travailler avec eux. Un serveur profita de cette accalmie dans la conversation pour leur demander s'ils étaient prêts à commander leur repas. Ils l'étaient, même si personne n'avait encore consulté le menu. Ce fut l'affaire d'une minute. Élise s'excusa, sous prétexte d'aller remettre les formulaires signés par Renaud à quelqu'un. En la regardant s'éloigner, Lapointe murmura :

— Si ce n'était du risque de faire jaser, et c'est un bien grand risque dans cette ville, je ferais d'elle ma secrétaire. À la place, le sot à mon service ne comprend pas la moitié de ce qu'elle vient de vous expliquer, mais comme il a des moustaches, la morale est sauve.

— Elle contredit certainement l'affirmation de Descôteaux. Celui-ci soutient que les femmes du Québec ne veulent pas du droit de vote.

— Ah ! L'ineffable premier ministre Descôteaux.

Élise revint bientôt. La conversation porta sur des sujets anodins, tout le temps du repas. Autour d'eux, chacun semblait comprendre que les questions sérieuses étaient réglées. Une ronde quasi ininterrompue de personnes désireuses de souhaiter bonne chance à Lapointe commença. Ces individus connaissaient tous Élise Trudel. Lapointe se fit un devoir de présenter le jeune homme.

— Renaud Daigle, l'éminent constitutionnaliste qui me fait l'honneur de m'aider de ses conseils dans cette difficile campagne.

Comme plusieurs avocats parmi eux déclaraient ne pas se souvenir de l'avoir connu, Élise s'empressait de leur parler de ses études très poussées à Oxford, de son travail au Haut-Commissariat à Londres. En répétant chaque fois « Bonjour, enchanté de faire votre connaissance », Renaud devenait quelqu'un d'important.

N'était-ce pas exactement ce qu'il cherchait en s'acoquinant avec les Trudel ?

Toutes ces poignées de mains les retinrent à table jusqu'après quinze heures. Renaud pensait bien pouvoir rentrer chez lui pour se pencher sur le cas du Labrador, quand Élise lui dit :

— C'est plutôt un bon moment pour faire un saut au Manège militaire.

Comme le jeune homme ouvrait de grands yeux, elle précisa :

— Au mess des officiers. C'est surtout là que l'uniforme fera une bonne impression.

— Je ne suis pas membre...

L'homme s'arrêta, devinant que bientôt une nouvelle carte s'ajouterait aux autres. Lapointe vit son air interrogateur et expliqua :

— Grâce à votre statut au sein de l'armée de la métropole, vous serez accueilli à bras ouverts. Quant à moi, une ancienne participation à la milice me vaut d'être bien reçu là-bas.

Le Manège militaire se trouvait tout près, un bel édifice du siècle précédent coiffé d'un toit de tôles devenues vertes. L'endroit servait surtout à l'entraînement de jeunes miliciens, mais il s'y trouvait aussi un mess, où les « braves » de la guerre 1914-1918 pouvaient fumer un cigare, boire un verre et ressasser leur gloire passée.

La présence de tous ces hommes en uniforme eut un effet curieux sur Renaud. Renouant avec la fraternité, la camaraderie de l'armée, il se dit tout de suite qu'il aurait dû venir avant. Bien sûr, la plupart des prétentieux autour de lui n'avaient jamais vu un fusil ailleurs qu'à l'entraînement. Toutefois, une minorité d'entre eux partageait une expérience identique à la sienne, ils subissaient sans doute des cauchemars semblables aux siens. Comme lui, ces personnes se réveillaient en sursaut la nuit en s'imaginant être encore dans une tranchée, et ne fermaient plus l'œil avant le lever du jour.

Deux heures plus tard, le trio se trouvait toujours là. Le nouveau venu en était à son troisième whisky, planté au milieu de ces inconnus. Quelques mots suffisaient, le lieu d'une bataille, une date, le nom d'un hôpital de campagne. Chacun comprenait l'histoire. Le vétéran retrouvait naturellement la posture du garde-à-vous en saluant, donnait son nom, celui de son régiment et son grade en serrant la main. De leur côté, Élise et son candidat paraissaient à leur tour tellement empruntés. Au moment de saluer un officier, Renaud apprit bien vite à se tourner vers ses compagnons pour dire :

— Vous connaissez certainement Ernest Lapointe, candidat pour le Parti libéral dans Québec-Est, et mademoiselle Trudel, sa fidèle collaboratrice.

Comme tout le monde voulait savoir qui était cet officier arborant les insignes de l'armée anglaise, tout le monde finit par serrer la main du candidat.

Cette visite se révélait fort rentable. À la marge du groupe formé autour du militaire, il s'en formait un autre avec Lapointe pour discuter des enjeux de l'élection. Certains faisaient une cour appuyée et souvent imbibée à Élise. Qu'elle y prenne plaisir ou non, elle ne se déparait pas de son sourire. Un vote était un vote. Une fois enregistré du bon bord, la motivation de l'électeur ne comptait plus. Tant mieux, si c'était grâce à un intérêt soudain pour sa personne.

Quand ils sortirent de là, Renaud se fit répéter cent fois *Come again, old chap*. Il reviendrait sûrement. Pour le moment, à cause du whisky, la tête lui cognait un peu et ses jambes lui semblaient être de coton. Il lui tardait de rentrer chez lui. Le candidat le reconduisit devant sa porte – Élise était sagement assise sur la banquette arrière –, le remercia sincèrement. Le militaire ne put s'empêcher de lui demander :

— Vous croyez avoir gagné des votes, aujourd'hui ?

— Sûrement quelques-uns. D'autres sont en banque pour la prochaine fois.

Renaud attendit un moment sur le trottoir, devant le Morency. En venant s'asseoir à l'avant du véhicule, Élise le remercia aussi et précisa :

— Je vous appelle bientôt pour notre visite de paroisse.

Disait-elle vraiment cela en lui faisant un clin d'œil ? Le nouveau membre en règle du Parti libéral titubait à peine quand il ouvrit la porte de son appartement. Il sifflotait *It's a long way to Tipperary*. Avec un peu de musique militaire, il aurait été prêt à marcher au pas.

~

Dieu merci, le téléphone ne sonna pas de toute la journée du lendemain. Il lui fallait rattraper un peu du travail négligé la veille. Surtout, sa tête voulait éclater. Le whisky lui faisait cet effet-là depuis quelques années. Il finirait par être vertueux sans même pouvoir y trouver du mérite, son corps s'opposait efficacement à tous ses vices. Il fut tout juste capable de se rendre aux funérailles du cardinal Bégin.

C'est tout de même fin prêt que le professeur se retrouva devant sa classe le mercredi matin. Il leur dispensa un vrai cours cette fois, avec plein de références. Il termina en leur donnant de quoi lire pendant quelques heures pour se préparer à la leçon de la prochaine semaine. Ce ne serait donc pas un cours facile, se dirent ceux des étudiants espérant que son introduction bon enfant de la semaine précédente serait suivie d'une série de leçons bidons. Cela plut à la majorité : au prix des études à l'Université Laval, ceux-là espéraient en avoir pour leur argent.

Renaud vit bien que la jeunesse libérale – il désignait comme cela le petit groupe réuni autour de Trudel – s'attardait. Après avoir ramassé ses affaires, il leur adressa un regard interrogateur.

— Aimeriez-vous venir manger avec nous à la *Taverne du Quartier latin* ? demanda Michel Bégin.

C'était là une question délicate. Était-il convenable de socialiser avec des étudiants dans cette université ? Le recteur Neuville ne lui avait pas touché mot d'un interdit à ce sujet au moment de lui dresser la liste de ses recommandations. Cela devait donc être permis. Plus important, il se demanda si les autres étudiants pouvaient l'accuser d'avoir des préférés. Peut-être, mais de toute façon tout le monde devait savoir à présent qu'il rencontrait certains d'entre eux « socialement ». Dans une petite ville comme Québec, tous ses faits et gestes devaient être commentés.

— Je veux bien, fit-il au terme de toutes ces réflexions.

— Je ne vous accompagnerai pas, annonça William Fitzpatrick.

Il ajouta en regardant le professeur d'un air un peu gêné :

— Je ne me sens vraiment pas bien.

Il salua les autres et sortit.

— Vous croyez qu'il m'en veut encore à cause de ma remarque de l'autre fois chez monsieur Trudel ?

— Je ne crois pas. Sa santé lui donne vraiment des soucis depuis quelque temps, expliqua Bégin.

— Et puis vous avez sûrement vu dans le journal que son père a quitté le Cabinet, ajouta Henri Trudel. Si une présence lui pèse ici, il se peut bien que ce ne soit pas la vôtre.

Deux semaines après la visite à La Malbaie, Samuel Fitzpatrick avait annoncé son intention de quitter le Cabinet Descôteaux pour des « raisons de santé ». Son fils avait de bonnes raisons d'en vouloir à Henri Trudel, car il savait que son père avait été évincé à l'initiative du ministre de la Voirie.

Cependant, en ce moment précis, la raison de son départ précipité tenait entre le pouce et l'index de sa main droite. Le garçon s'appuyait de la main gauche au mur du réduit, dans les toilettes. Des gouttes de sueur perlaient sur son front, il gémit quand le jet d'urine jaillit d'entre ses doigts. Pas seulement de l'urine, des traînées de pus verdâtre et de sang se mêlaient au liquide. Une aiguille rougie au feu paraissait lui traverser l'urètre. Fitzpatrick ne tirait plus son prépuce vers l'arrière pour pisser, car le gland portait des ulcères qu'il préférait ne pas voir. Il rangea son engin douloureux avec d'infinies précautions.

~

La *Taverne du Quartier latin*, rue Saint-Jean, accueillait les étudiants depuis plusieurs années déjà. Ceux-ci y trouvaient des repas ni très bons ni très chers, mais consistants. La bière bon marché complétait le menu. Renaud avait vu des établissements de ce genre près de toutes les universités visitées en Europe. La place était très achalandée midi et soir. Chemin faisant, Michel Bégin lui avait présenté Jean-Jacques Marceau et Jacques Saint-Amant. Il y avait aussi avec eux Romuald Lafrance, rencontré au cours de l'été à La Malbaie. Le petit groupe occupa une table près d'une fenêtre donnant sur la rue.

— Il semble que vous faites merveille dans le travail d'élection, lui lança Henri Trudel depuis l'autre côté de la table.

Le garçon venait de commander de la bière pour tout le monde. Son ton contenait un soupçon de mépris.

— Je ne croyais pas faire merveille, mais comme votre sœur semble toujours encline à recourir à mes services, je ne dois pas avoir fait trop mal.

— Vous êtes modeste. Élise, mais aussi Lapointe qui est venu à la maison hier, avaient l'air bien enthousiastes.

Il prononçait cela du ton de celui qui n'en avait pas cru ses oreilles.

— Ils ont même évoqué le jour où vous seriez candidat.

Renaud éclata de rire et préféra avaler une gorgée de bière. Ce jeune prétentieux lui devenait antipathique. Il décida de changer de sujet.

— Monsieur Saint-Amant, je pense que vos études tirent à leur fin ?

— Je l'espère. J'ai demandé de passer au programme de notariat cette année. Il se peut que l'on me demande de suivre certains cours supplémentaires.

— Les cours sur la propriété sans doute. Pourquoi ce changement d'orientation ?

— Une étude deviendra bientôt disponible dans ma région. Je pourrais faire mon année de cléricature avec le vieux notaire et reprendre le tout dans deux ou trois ans, quand il va se retirer complètement.

Ce projet d'avenir n'enthousiasmait guère le jeune homme. Renaud demanda encore, intrigué :

— Dans quelle région ?

— La Beauce.

— Tu vas mourir d'ennui à Saint-Malachie, intervint Romuald Lafrance. Il ne doit pas s'y passer grand-chose, ni s'y brasser de grosses affaires.

— C'est plus tranquille que la ville, bien sûr, puis on fait moins d'argent. Mais la vie est beaucoup plus calme et moins chère. Cela convient mieux à mon tempérament, je pense.

Le professeur se tourna vers Lafrance, qui semblait avoir beaucoup à dire, pour le questionner :

— À vous entendre, vous avez certainement choisi une carrière plus palpitante que le notariat. Où trouverez-vous les émotions fortes que vous attendez de l'existence ?

— Je vais reprendre les affaires de mon père, je pense, fit-il un ton plus bas.

— La construction de ponts et de routes ? Voilà une existence trépidante, en effet. Vous cultivez aujourd'hui les amitiés susceptibles de vous valoir des contrats demain.

Renaud ne cherchait pas à dissimuler son ironie. Il ne se ferait pas un ami de ce garçon, et il n'y tenait pas. Lors de discussions dans les corridors, ses collègues lui avaient laissé entendre combien Lafrance était un étudiant médiocre, peu intéressé par le droit. Sans ses bonnes relations, on l'aurait déjà évincé de la faculté.

— Nous savons tous que monsieur Trudel se destine aux plus hautes fonctions publiques de la province, sinon du pays, continua Renaud en se tournant vers Henri.

— Cela n'est pas bien d'avoir des ambitions ? demanda celui-ci, piqué au vif.

— Au contraire. La République, bien que nous soyons en monarchie parlementaire, appelle les meilleurs d'entre nous. Peut-être travaillerai-je un jour à votre élection, si je fais merveille auprès de monsieur Lapointe. Je nous vois d'ici sur les *hustings*, le maître et l'élève, vous devant, haranguant la foule, moi derrière, faisant merveille.

Le professeur entendait s'amuser un peu aux dépens de ce grand gaillard privilégié. Ayant tout reçu à la naissance, il vivait en considérant que tout lui était dû. Surtout, Renaud trouvait agaçant de le voir poser comme un monarque au milieu de sa cour composée de ces jeunes gens. Pire, une cour à laquelle la belle Helen se joignait.

— Monsieur Marceau, continua-t-il en tournant le dos à demi à Henri, vous commencez votre troisième année de droit, je crois. Qu'entendez-vous faire une fois vos études terminées ?

— Chercher du travail, dit-il d'une voix timide.

Les autres éclatèrent de rire. Il précisa d'un ton plus affirmé en rougissant :

— Je n'hériterai pas d'une étude de notaire, ni des affaires de mon père. Ma mère est veuve. Je suis chanceux de pouvoir étudier mais, après cela, il me faudra dénicher quelque chose. Le mieux pour moi serait un travail dans un ministère. C'est pour cela que je fréquente des membres si éminents du parti au pouvoir. Je dois être opportuniste.

Présentée comme cela, cette déclaration ne demandait aucun commentaire. Marceau paraissait terriblement morose. Renaud allait poser la même question à Michel Bégin quand Henri Trudel le devança :

— Et vous, monsieur le professeur, quels sont vos projets d'avenir ? Après votre carrière en Europe…

Le grand jeune homme jugea inutile de préciser : « vous connaissez une véritable déchéance à l'Université Laval ». La conclusion était implicite.

— Continuer ce que je fais, sans doute. Dans trente ans, je donnerai toujours le cours de droit constitutionnel à des étudiants passionnés par cette matière, j'accepterai les mandats de votre père. Non, dans trente ans ce sera vous, n'est-ce pas, qui me les donnerez ?

Heureusement, un serveur posa leur repas sur la table. Manger empêcherait de formuler de nouvelles remarques plus mesquines encore. Une heure passa en abordant des sujets plus anodins. Puis un à un, les jeunes gens partirent, plaidant l'un un travail à finir, l'autre un cours qui commençait dans les minutes suivantes. Il ne resta à la fin que Michel Bégin. Il déclara sur le ton de la confidence :

— Moi aussi, je le trouve souvent particulièrement chiant, le « chef ».

— Qui ça ? demanda Renaud en levant les sourcils.

— Le chef ! Nous désignons Henri de cette façon depuis notre admission à l'université. Il a une très haute opinion de lui. Il dit aux autres quoi faire, comme si ce rôle lui revenait de droit divin, sans même se demander si nous avons la moindre envie de recevoir ses directives. Cela doit lui venir d'avoir été élevé pour atteindre les plus grands objectifs du clan Trudel.

Le professeur posa la question, même si la réponse allait de soi :

— Quels sont-ils ?

— Le ministre Trudel aurait voulu succéder à Gouin à la tête du Parti libéral, lors de l'élection de 1920. D'après mon père, il n'a pu rallier beaucoup d'appuis. Il a abandonné pour éviter d'être battu et, depuis, il s'affiche comme le fidèle second de Descôteaux. Le bonhomme prépare le chemin pour son fils. Comme vous l'avez dit, Henri attend l'appel de la République.

— Avec des chances de succès ?

— Il a vingt-quatre ans. Juste dans la ville de Québec, d'après vous combien de personnes de son âge affichent la même ambition ? Parmi ceux qui l'appellent le « chef », beaucoup le font par dérision.

Michel Bégin figurait probablement parmi ceux-là. Le professeur questionna, curieux :

— Vous avez beaucoup de ces surnoms, entre vous ?

— Bien sûr. Il y a le « sous-chef ». Mais depuis la disgrâce de son père, il semble bien bas, notre ami Fitzpatrick.

— La disgrâce ?

— Je n'ai rien dit. Si vous devez apprendre des détails à ce sujet, ce ne sera pas de moi. Marceau est appelé le « puceau ». Jamais devant lui, car il déteste cela. Il peut devenir agressif dans ces moments-là.

Le jeune homme disait cela en se troublant, comme si un mauvais souvenir lui revenait à l'esprit.

— Je le comprends. Vrai ou faux, le sous-entendu n'a rien de flatteur.

Michel Bégin n'osa pas lui dire que l'autre surnom de Marceau référait plutôt à son homosexualité. Il continua plutôt:

— Enfin Lafrance est appelé «Huit Pouces». Cela pour se moquer de sa façon de parler d'une certaine partie de son anatomie. À l'entendre, les femmes se meurent d'envie pour lui. Vous l'avez entendu à La Malbaie?

— Quand il a été question du vote des femmes? Je me souviens. Il a dit là ce que pensent une majorité des hommes. La Constitution américaine reconnaît le suffrage de nos compagnes depuis cinq ans à peine. Le Royaume-Uni n'a pas fait preuve de plus d'empressement. Les Canadiennes peuvent voter lors des élections fédérales et provinciales depuis peu, excepté au Québec, bien sûr.

— Mon père n'est pas certain que les femmes devraient voter, pour toute une série de raisons compliquées. Mais il ne prétendra jamais que ma mère ou mes sœurs manquent de jugement ou d'intelligence. Lafrance parle des femmes comme d'une population sous-humaine.

Les événements du 3 juillet précédent interdisaient à Bégin de se croire tellement mieux que Lafrance. Au fond, la seule différence entre eux était ses remords profonds, alors que son ami se préoccupait surtout de ne pas se faire prendre.

— Avez-vous un surnom? En ai-je un? demanda Renaud.

— Je ne pense pas en avoir un. Quoique, dans mon dos, je ne sais pas comment on m'appelle. En ce qui vous concerne…

Il hésita un moment, puis continua:

— Ce n'est pas bien méchant: le «héros de guerre».

— C'est peut-être inexact, mais ce n'est pas méchant, j'en conviens. L'habitude est venue de mon accoutrement au souper de La Malbaie?

— Oui, une initiative d'Henri Trudel, je crois, fit Bégin.

Cela pouvait tout aussi bien venir d'Élise Trudel, de Helen McPhail ou de Bégin lui-même, songea Renaud. Il regarda sa montre pour se rendre compte qu'il avait gaspillé une bonne partie de l'après-midi. Il pouvait tout aussi bien rester là encore un peu.

— Je n'ai pas eu l'occasion de vous demander ce que vous entendiez faire après vos études. Vous prendrez la relève de votre père ? Vous êtes le seul garçon de la famille.

— Cette orientation a toujours été sous-entendue, le paternel compte sûrement sur moi. Je n'en suis pas si assuré maintenant. Je vais terminer l'année académique, mais je laisserai peut-être le programme d'études avant la rentrée de septembre. Ne dites pas cela à mon père. Je réfléchis à mon avenir, c'est tout.

— Que feriez-vous ? Chercher un emploi sans diplôme ? Je ne vous le conseille pas. Vous êtes rendu trop loin dans le programme et vous n'aurez certes pas de difficultés, financières ou académiques, à le terminer.

Son interlocuteur se troubla un peu avant de préciser :

— Non, ce n'est pas cela. Je songe à entrer dans les ordres...

— Vous inscrire en théologie ? fit Renaud, incrédule.

Cette orientation convenait à des garçons de la campagne mal dégrossis, désireux d'une carrière facile et peu exigeante, rarement à des héritiers de bonnes fortunes.

— Je pense plutôt à une communauté de prêtres.

« Ce sera une bonne façon d'expier, de calmer mes remords », songea l'étudiant. Il espérait trouver la paix en s'affublant d'une robe noire et d'un col romain.

— Je m'excuse si je parais surpris, expliqua Renaud. N'étant pas moi-même très porté sur la religion, c'est une éventualité que je n'ai jamais envisagée. Je croyais votre avenir tout tracé.

Ils échangèrent encore quelques phrases. À la fin, Bégin se leva à son tour en expliquant :

— J'ai quelques heures de lectures à effectuer, en droit constitutionnel. Le mieux est de commencer tout de suite si je ne veux pas décevoir le professeur.

— Ce n'est pas une mauvaise idée, convint le professeur en question.

Les petits-déjeuners étaient plutôt tranquilles dans la grande maison des Trudel. Le plus souvent, la mère le prenait dans sa chambre, le père au lever du soleil dans son bureau, avec les journaux du jour à la main. Très tôt ce matin, il était parti vers l'hôtel du Parlement, tremblant de rage, *L'Événement* et *Le Soleil* chiffonnés dans sa serviette de cuir. Les deux collégiens déjeunaient eux aussi de bon matin, dans la salle à manger. En conséquence, Henri et Élise se croisaient dans la même pièce un peu plus tard. Les domestiques devaient donc rester devant le poêle, refaire fréquemment la provision de café, jusqu'à ce que tout le monde ait terminé.

Ce jeudi matin, Élise se leva un peu tard à cause de ses activités politiques de la veille. Elle rencontra son frère au moment où celui-ci terminait son café. Depuis des semaines, il affichait un air terriblement préoccupé. Elle ne reconnaissait pas le garçon arrogant, prétentieux mais toujours débordant d'énergie qu'il avait toujours été. Elle attribuait cela au fait que son séjour d'une année à Boston avait été remis, sans que personne dans la maison n'évoque la raison de cette modification au programme. Après avoir échangé les bonjours d'usage, il lui demanda :

— Qu'est-ce que tu vas faire aujourd'hui ? Continuer ton travail avec notre ami Lapointe ?

— Je ferai cela tous les jours d'ici le 29 octobre, et ensuite je m'ennuierai terriblement.

— Tu comptes rencontrer ton Renaud Daigle ?

Le passage du « notre » au « ton » n'échappa pas à sa sœur.

— D'abord, ce n'est pas *mon* Renaud Daigle. Ensuite, oui, j'aimerais qu'il se joigne à moi.

La colère durcissait sa voix. Son frère l'avait trop souvent taquinée sur le passage des années et les hommes qui la trouvaient trop intelligente pour eux.

— Je m'excuse, fit-il, penaud.

Cela surprit sa sœur: ce n'était pas dans ses habitudes de s'excuser ainsi. Il changeait vraiment. Il continua:

— Je ne l'apprécie pas du tout. D'abord, je ne vois pas pourquoi Armand Bégin se croit autorisé à nous l'imposer parce qu'il a bien connu son père. Puis sa façon de ramasser les contrats, de s'immiscer dans une campagne électorale où il ne comprend rien, m'horripile.

— Ma parole, serais-tu jaloux parce qu'il s'attire un peu de l'attention que tu voudrais toute pour toi?

Cette découverte la fit éclater de rire.

— Tu pourrais te considérer heureux de maîtriser juste un peu de ce que lui comprend à la politique, ajouta-t-elle.

Il rougit, pensa l'envoyer promener. Lui jaloux! Ce pédant, compétent en politique?

Puis il en convint. Ce grand dadais venu d'Europe attirait tellement l'attention. Il avait fait un doctorat en Angleterre, il arborait une rangée de décorations sur son uniforme. Après réflexion, Henri convenait que ses diplômes le distinguaient du reste du personnel de l'Université Laval. Surtout, il se demandait comment il aurait réagi devant l'ennemi. Adolescent pendant la guerre, le jeune homme s'était imaginé tuant des milliers de «Boches». Maintenant, il était terrorisé à l'idée de voir la police venir cogner à la porte, et il voyait ce grand pédant évoquer ses médailles en jouant au modeste.

Henri avait rougi d'envie au moment d'entendre Élise relater l'accueil au mess des officiers. Quelques allusions à ses batailles, un regard sur les décorations, et ils l'avaient considéré comme un «brave». Le jeune héritier voyait ses rêves de grandeur se briser sur une histoire de viol, et ce type, dont la maladresse et la timidité devraient le faire sourire, avait fait face à la mitraille, accumulant trois blessures.

— Je pense que tu as raison, admit-il.

Elle le regarda avec inquiétude. Elle savait avoir raison, mais il était tout à fait étonnant de voir son frère en convenir. Il continua :

— J'ai bien peur d'avoir été désagréable avec lui hier. J'espère que cela ne gâchera rien.

Le désarroi sur le visage de sa sœur lui inspira du remords. Elle le regarda avec inquiétude. Quand elle ouvrit la bouche, sa voix devint chevrotante :

— Tu sais comment j'ai réagi quand les parents ont convenu avec Bégin de l'inviter. Depuis cinq ans, dix hommes au moins sont venus examiner la vieille fille Trudel. Mon Dieu, maman a commencé à s'inquiéter de me voir rester seule quand j'avais tout juste vingt et un ans. Elle agit comme si j'étais une disgrâce pour la famille. Et, à ma grande surprise, il est arrivé à La Malbaie quelqu'un dont l'horizon dépassait notre médiocre petite Haute-Ville.

Ses yeux brillaient, elle faisait un effort extrême pour ne pas verser une larme.

— Je vais m'excuser, murmura son frère d'une toute petite voix. Je te le promets, je vais le faire dès aujourd'hui.

Cet engagement fit rouler deux larmes sur les joues de sa sœur. Elle ne put faire autrement que de les essuyer cette fois. Ils restèrent un long moment sans dire un mot. Elle n'avalerait plus une bouchée. Henri continua :

— Je ne te dis pas cela pour te faire de la peine, mais il semble entiché de Helen. Il lorgne toujours vers elle. C'est un peu ridicule pour quelqu'un de son âge d'ailleurs.

Il n'osait pas lever les yeux sur son interlocutrice en disant cela.

— Helen fait des efforts considérables pour que quelqu'un la remarque. Cependant, ce n'est pas pour attirer l'attention de Renaud.

Sa voix ne contenait pas une once de reproche pour Helen. Comment demander à son frère de s'intéresser à la jeune Irlandaise juste pour mettre fin à son minaudage?

— Il a dix ans de plus qu'elle, insista le jeune homme.

— À l'âge de Helen, il était sur les champs de bataille. Il cherche à rattraper le temps perdu, je suppose.

Elle se sentait pleine de compréhension pour lui, car de son côté, elle pleurait aussi sur le temps gaspillé, dans le passé et aujourd'hui.

— Tu es amoureuse de lui.

Il n'était pas nécessaire de répondre. De toute façon, ce n'était pas une question. Pour ne plus voir son air malheureux, Henri se leva de table et sortit, non sans avoir répété encore une fois:

— Je vais m'excuser, je te le promets.

~

Ce jeudi-là, Renaud s'était levé avec l'intention de partir tôt et de revenir tard à la maison. Il n'avait aucune envie de rencontrer l'un ou l'autre des membres du clan Trudel. Ni l'arrogant Henri ni la charmante mais quelque peu envahissante Élise, qui voulait l'amener faire une tournée des cuisines – non, elle avait dit des salons – de la Haute-Ville. Il se rendit donc à la bibliothèque de l'Assemblée législative pour s'y enfermer.

Il en sortit pour aller dîner à la salle à manger des députés. Au passage, il salua de loin Antoine Trudel et le premier ministre, attablés ensemble. Ceux-ci ne manifestèrent aucune envie de s'entretenir avec lui, et il n'allait sûrement pas s'imposer. Le professeur s'absorba dans la lecture des journaux tout en mangeant. Il vit Blanche Girard passer comme une revenante dans deux de ceux-ci. *Le Soleil* y allait d'une histoire rocambolesque. «L'organe du Parti libéral» publiait en effet:

NOUVEAUX DÉVELOPPEMENTS DANS L'AFFAIRE BLANCHE GIRARD

Des experts venus de Montréal, prêtés en l'occurrence par la Police provinciale pour aider la force constabulaire de la municipalité de Québec, ont passé la journée d'hier au parc Victoria. Ils ont aussi examiné les premiers témoignages recueillis par les policiers, notamment les informations concernant la position du cadavre, quand il a été découvert.

Ils ont émis l'hypothèse que la pauvre jeune fille peut avoir été frappée par le tramway. Il est établi qu'elle marchait sur les rails pour rentrer chez elle. Sous la force de l'impact, elle pourrait avoir été projetée jusqu'à l'endroit où on l'a trouvée, et son corps, caché par les buissons, être resté là plusieurs jours.

D'autres analyses diront si cette hypothèse s'avère juste.

Renaud n'en revenait pas. Si cette histoire venait bien de la police, tout le service devait être frappé d'une folie subite. Le témoignage du médecin responsable de l'autopsie avait été très explicite, lors de l'enquête du coroner. L'article de *L'Événement* allait dans un tout autre sens :

QUE FAIT LA POLICE ?

On a raison de se désoler de la lenteur de la police de la cité de Québec à trouver les coupables de l'assassinat odieux de Blanche Girard. En effet, si aux premiers jours de l'enquête on nous laissait espérer un dénouement rapide, tout indique que plus personne ne s'intéresse à l'affaire au poste de police.

Cette situation est d'autant plus révoltante qu'une rumeur persistante veut que des personnes aient aperçu la jeune femme dans une voiture, le soir du 3 juillet dernier, en compagnie de jeunes hommes en vue de cette ville. Il est à souhaiter que toutes les personnes concernées par cette enquête fassent leur devoir et tirent au clair le mystère Blanche Girard.

« Se peut-il qu'il y ait enfin une piste ? » se demanda Renaud.

Dans ces histoires, on identifiait habituellement un coupable assez rapidement, où l'on n'en trouvait pas du tout. Absorbé dans ses journaux, il ne remarqua pas le visage de cendre du ministre Trudel ni l'air songeur de Philippe-Auguste Descôteaux. De toute façon, même s'il les avait remarqués, il les aurait attribués à l'allure un peu désolante que prenait la campagne électorale fédérale. Si les libéraux faisaient des gains au Québec, au Canada anglais les conservateurs récupéraient une partie des sièges perdus aux mains des progressistes en 1921.

— Le mieux est d'ignorer tout cela, plaidait Antoine Trudel.

Le premier ministre ne partageait pas cet avis. Si *L'Événement* parlait de personnes qui avaient vu des « jeunes gens en vue », il devait posséder les noms de ces témoins. Tôt ou tard, il les produirait pour nuire le plus possible à la campagne électorale. Il s'agissait en effet d'un périodique lié aux conservateurs.

— On ne peut pas faire semblant d'ignorer une chose comme celle-là, imprimée dans le journal. Dans trois jours, notre inaction sera présentée comme une complicité avec les coupables.

— As-tu parlé au chef de police Ryan à propos de ces mystérieux témoins ?

— Personne ne s'est présenté au poste. Je vais demander au *Soleil* de publier une entrevue avec lui demain, disant que la police n'a entendu parler d'aucun témoin, mais insistant sur le devoir de tout individu possédant des informations de les faire connaître à la police.

— Tu veux les sacrifier ! s'exclama Trudel au bord des larmes.

Descôteaux commençait à trouver son bras droit bien peu efficace sous la pression. Le sens commun paraissait lui faire défaut. Il répondit à voix basse :

— Nous enquêterons là-dessus au grand jour. Personne n'est venu à la police afin de donner des informations supplémentaires, sauf quelques cinglés dont l'histoire ne tient pas debout. Très probablement, personne ne se présentera après cette invitation. Si des témoins apparaissent, on écoutera ce qu'ils ont à dire et on avisera. Les gens de *L'Événement* peuvent lancer un ballon, juste pour vendre leur papier. Cependant, s'ils possèdent vraiment des renseignements, il faut se comporter comme si nous voulions faire la lumière sur cette histoire.

— Mais si quelqu'un a vraiment vu les gars? demanda Trudel.

— Nous n'en sommes pas là. Rappelle à Henri de se taire aussi longtemps qu'un juge n'aura pas signé un mandat d'arrêt. Surtout, il doit répéter aussi ce message à ses amis. Nous n'en viendrons jamais là, je suppose. Mais si le pire survenait, alors qu'il raconte tout, de façon à devenir le meilleur témoin à charge jamais vu devant un tribunal.

Antoine Trudel parut dévasté par ces paroles. Préoccupé, Descôteaux ne toucha pas à la nourriture devant lui. Il retourna bientôt à son bureau pour téléphoner au *Soleil.* D'abord, il laisserait entendre au directeur que le chef de pupitre responsable de l'histoire du tramway méritait de se chercher un nouvel emploi chez un concurrent. Surtout, il préparerait avec lui les grandes lignes de l'article du lendemain et la fameuse entrevue avec Daniel Ryan.

Quand Renaud rentra chez lui, il trouva un télégramme sous sa porte: *Mes excuses pour hier. Sans rancune? Henri Trudel.* Il jeta le bout de papier, rangea ses notes de la journée et se dirigea sans tarder vers le magasin THIVIERGE. Germaine demanda en prenant place dans l'auto:

— Tu as vu dans le journal, à propos de Blanche?

— Oui, j'ai vu.

— Je me demande qui ils ont vu avec elle.

— Ce n'est qu'un article dans un quotidien. Cela peut-être le délire d'un gratte-papier, tout comme le texte affirmant qu'elle a été frappée par le tramway. Nous verrons dans les prochains jours s'il y a quelque chose de sérieux là-dessous.

Il regretta d'avoir pris le ton du professeur soucieux de corriger un étudiant. Il continua plus doucement:

— Toi, tu as entendu parler de témoins mystérieux? De rumeurs sur des coupables?

— Tout le monde a une théorie. La plus répandue, c'est que la police connaît les coupables, des personnes importantes qu'elle protège.

— Tu crois que c'est possible?

Des hypothèses de ce genre n'atteignaient pas la Haute-Ville. Du moins pas encore.

— Tout le monde voit bien que la police se place du côté des propriétaires des manufactures de chaussures contre les grévistes. Quand il y a des bagarres entre les grévistes et les *scabs*, les grévistes reçoivent les longues peines de prison et les *scabs* sont présentés comme des victimes innocentes.

Elle s'arrêta un moment, puis conclut:

— Chaque fois qu'il y a un crime pour lequel la police ne trouve pas de coupable, c'est une explication qui refait surface.

Son compagnon avait démarré pour monter la côte d'Abraham. Il se dirigeait vers un restaurant de la rue Saint-Jean, à l'ouest de la porte, qu'ils avaient fini par adopter. Tous les deux prenaient des habitudes de vieux couple, depuis quelques semaines. Après le repas, Renaud proposa:

— Nous allons chez moi?

Dans son esprit, son appartement remplacerait avantageusement son auto, le cinéma ou les parcs pour les jeux de mains à la sauvette. Germaine rougit furieusement et dit avec conviction:

— Ce ne serait pas convenable. Pour qui me prends-tu?

Elle lui faisait subir une douche écossaise, s'affichant tantôt réceptive à ses caresses, tantôt glaciale. Jusqu'où pouvait-il aller, et à quel endroit ? Devant sa maison de chambres, mieux valait afficher une réserve de *gentleman*. Si une de ses connaissances les voyait enlacés, sa réputation en souffrirait. Puis toutes les parties de son corps situées sous la ceinture étaient irrémédiablement interdites. Quant à discuter de la nature de leurs désirs sexuels réciproques, cela ne se faisait tout simplement pas.

Après l'avoir ramené à l'ordre avant de quitter le restaurant, elle le prit par le bras et s'appuya sur lui une fois rendue sur le trottoir. Ce fut même elle qui suggéra :

— Nous pourrions aller au parc des Braves.

Il acquiesça avec un sourire perplexe. Situé presque à la campagne, il s'agissait du parc le plus discret de tous. C'était une grande étendue herbeuse, avec des arbres et des buissons qui bordaient la falaise. Il longeait la rue Saint-Jean, qui devenait le chemin Sainte-Foy à cette distance de la ville. La rue des Braves avait été ouverte récemment. Les promoteurs avaient déjà érigé un certain nombre de maisons cossues, pour de nouveaux riches.

La voiture garée le long d'une allée ombragée, ils commencèrent une longue promenade dans les sentiers du parc. Elle le poussa bientôt sous un bouquet d'arbres pour l'embrasser. Son enthousiasme lui fit penser qu'elle était exactement celle « pour qui il la prenait », c'est-à-dire une personne avec des appétits sexuels à satisfaire.

En plein milieu de septembre, ces jeux en plein air offraient la discrétion relative des allées presque désertes, de l'obscurité de plus en plus hâtive et des imperméables dissimulant un certain désordre des vêtements. D'un autre côté, impossible d'adopter une autre station que debout. Renaud se trouva bientôt en train de dévorer Germaine de baisers, tout en malaxant ses seins avec douceur. Il laissa descendre ses mains sur ses hanches, sous son imperméable, essaya d'agripper ses fesses. Essaya seulement, car ses deux mains à elle prirent ses poignets et les ramenèrent vers le haut.

— Ne fais pas cela. Ce n'est pas bien.

Elle ajouta pour la première fois:

— Je ne veux pas me retrouver enceinte.

— Il y a des façons de l'éviter.

Elle s'éloigna un peu pour le regarder. « Se peut-il qu'elle ne connaisse même pas l'existence des capotes ? », se demanda-t-il. On ne faisait aucune publicité à leur sujet et l'Église était en mesure de s'assurer qu'elles ne soient pas placées en vue dans les pharmacies. Renaud venait justement d'en acheter. À tout le moins, elle ne pouvait ignorer son érection contre son ventre, l'urgence pour lui de trouver un dénouement satisfaisant. Mais elle ne tentait pas le moindre geste pour le soulager.

— Ces choses ne se font pas avant le mariage, précisa-t-elle en rougissant, comme si elle avait suivi exactement le cours de ses pensées.

— Elles peuvent très bien se faire, et sans risque.

— Sans risque pour toi, bien sûr. Les hommes cherchent à aller jusqu'au bout avec une femme et en épousent ensuite une autre, respectable celle-là. La première reste toute seule avec sa réputation détruite.

Sa voix s'était faite un peu plus aiguë sur les derniers mots, au bord des larmes. Renaud se doutait bien qu'elle avait raison. Il y avait deux catégories de femmes, disaient les hommes entre eux, celles avec lesquelles on couchait et les autres, vierges, que l'on épousait.

La crainte des grossesses hors mariage était sûrement le plus sérieux argument en faveur de la chasteté. Sans contraceptif, le risque devenait énorme. Dans cette éventualité, c'était la déchéance irrémédiable. Mais il y avait aussi la nécessité d'être intacte, pure, pour trouver un conjoint. Si à Québec, le lendemain de la nuit de noces, on n'accrochait pas le drap taché de sang à la fenêtre, comme cela se faisait dans certains pays, on n'en était pas loin. N'importe quel homme pouvait être le second avec une maîtresse ou le dix millième avec une prostituée; mais aucun ne voulait marcher sur les traces d'un autre dans le mariage. Une épouse, on la voulait neuve, innocente, pour tout lui montrer.

Germaine devait être juste assez permissive pour donner à son compagnon le désir d'avoir le reste, sans jamais aller trop loin. L'étiquette de «femme facile» chasserait tous les prétendants sérieux. Cela valait autant pour la Haute-Ville que pour la Basse-Ville, quoique la morale traditionnelle pesât un peu plus sur les petites gens.

Cela voulait dire laisser un homme toucher ses seins en sentant son souffle court dans son cou et son érection contre son ventre. Germaine se faisait parfois l'impression d'être à la pêche: les seins étaient les appas, mais elle attendrait que la prise ait avalé l'hameçon conjugal et une partie de la ligne avant d'aller plus loin. Le tout pour elle était de savoir si Renaud avalerait quoi que ce soit. Si son compagnon était à la recherche d'une maîtresse pour contrer son ennui, ses dernières précisions le feraient disparaître de sa vie aussi vite qu'il y était venu. Il recula en murmurant:

— Je m'excuse. Je comprends.

Il la prit par le bras pour se diriger dans les sous-bois.

Ils marchèrent en silence dans la pénombre, leurs pas ne faisant aucun bruit sur l'herbe mouillée. En restant sous les arbres, ils risquaient bien de troubler d'autres tête-à-tête amoureux. Ils se retrouvèrent brusquement devant deux personnes, l'une debout, l'autre à genoux devant elle. Renaud, devina sans aucune difficulté l'activité en cours. Il se demanda si cela était aussi limpide pour Germaine, car c'était le genre de pratique qu'il aurait bien apprécié de sa part.

— Excusez-nous, prononça-t-il un peu trop fort pour le silence ambiant.

Les deux hommes sursautèrent et se tournèrent vers eux. Cette fois, Germaine se rendit bien compte de la situation. Renaud eut la surprise de reconnaître l'homme qui se tenait debout. C'était Jean-Jacques Marceau. Son étudiant l'identifia aussi. Quant à l'homme à genoux, c'était un respectable quinquagénaire, très bien vêtu. Il rejoindrait sans doute sa femme et ses enfants dans quelques minutes.

— Excusez-nous, répéta Renaud.

Il entraîna sa compagne vers les sentiers pavés.

— J'en avais entendu parler, murmura Germaine, mais je ne le croyais pas.

Cela pouvait très bien exprimer son incrédulité à propos de la fellation. Renaud demanda :

— De quoi avais-tu entendu parler ?

— Des jeunes de la Basse-Ville venant dans ce parc pour faire cela avec de vieux cochons de la Haute-Ville, contre de l'argent.

Si les jeunes filles et les vieux messieurs peuplaient de nombreux discours, songea Renaud, les toilettes publiques s'encombraient d'adolescents, la casquette de travers, l'œil égrillard, qui regardaient les hommes en se passant la langue sur les lèvres. Il en allait de même dans les parcs.

— Celui-là n'est pas venu de la Basse-Ville. Quant à recevoir de l'argent pour ses largesses, là je ne sais pas.

— Tu le connais ?

Il y avait dans sa voix un mélange de surprise et d'inquiétude.

— C'est l'un de mes étudiants, se sentit-il obligé de préciser pour ne pas laisser de doute dans son esprit.

Pourtant, dans l'état où elle le laissait, elle n'aurait pas dû se faire de souci à ce propos.

Ce soir-là, malgré que Renaud ait tenté d'y mettre la même gentillesse que d'habitude, les derniers baisers se firent moins enthousiastes. À dix heures à peine, ils se quittèrent. De retour à son appartement, il venait tout juste d'enlever sa cravate quand le téléphone sonna. Il devina tout de suite qui était au bout du fil.

— Monsieur Daigle, il y a bien une dizaine de fois que j'essaie de vous joindre aujourd'hui.

Elle devait avoir essayé deux ou trois fois, tout au plus.

— Je dois aussi consacrer quelques heures aux travaux que votre père m'a confiés, plaida-t-il.

— Je sais bien, il m'a dit vous avoir croisé à la bibliothèque de l'Assemblée législative. Vous aurez tout de même quelques heures à me consacrer demain ?

Cette combinaison des formes interrogative et affirmative lui indiquait la réponse attendue. Il acquiesça donc. C'est ainsi qu'il pourrait explorer de nombreux salons de la Haute-Ville.

Chapitre 13

Il se retrouva avec elle le lendemain après-midi. Élise avait insisté pour que ce soit avec ses médailles, se désolant même de ne pas le voir revêtu de son uniforme pour un travail d'élection. Aller jusque-là paraissait exagéré à l'ancien officier.

Renaud lui était utile de diverses manières. D'abord, à titre de chauffeur, bien qu'elle aurait pu recourir à celui de son père. Ensuite, il ne fut pas long à apprendre que des femmes faisant du porte-à-porte, même à deux, s'attiraient des propositions scabreuses de la part des hommes se trouvant à la maison. Bien sûr, les visites de la journée visaient d'abord les épouses au moment où leurs maris étaient au travail, mais il fallait compter avec un certain nombre d'individus passant la matinée ou l'après-midi dans leur demeure. D'ailleurs, les opposants au vote des femmes évoquaient les risques moraux du « travail d'élection ». Il lui servait en quelque sorte de garde du corps.

Ils se retrouvèrent d'abord dans une grande maison de pierre grise rue Saint-Cyrille. Élevé à deux pas de là, Renaud ne connaissait pas du tout madame Daigneault. Épouse d'un notaire tout à fait conservateur, lui avait expliqué Élise sur le trottoir, elle avait néanmoins accepté de les recevoir. Une domestique vint leur ouvrir, pour les conduire avec empressement auprès de « Madame ».

La maîtresse de maison les attendait de pied ferme dans un petit salon, une théière, trois tasses et de petits sandwichs aux concombres devant elle. Elle devait être dans la trentaine, une grande pimbêche maigre aux lèvres pincées. Élise se présenta à elle du ton dont on parle à une vieille connaissance avec qui on est allé au couvent. Elles avaient fréquenté les mêmes écoles, à quelques années d'intervalle. Tout en portant sa tasse de thé à ses lèvres, elle glissa avec aisance des commentaires sur l'automne lugubre à la prochaine élection, aux belles déclarations d'intention de son candidat. Tout le programme était étalé dans les journaux. Il se résumait à peu de chose : si les libéraux étaient élus, le Canada continuerait de connaître la paix et la prospérité, et profiterait des bénéfices d'une bonne gestion. Si ce n'était pas le cas, les conservateurs mèneraient évidemment le pays à la faillite.

— Nous ne sommes pas très entichés du Parti libéral, dans la famille, dit madame Daigneault avec un gentil sourire à Renaud, tout en lui tendant une assiette débordant de sandwichs. Mon mari considère que la Commission des liqueurs favorise l'ivrognerie chez beaucoup de nos concitoyens. C'est aussi l'avis exprimé plusieurs fois par le regretté cardinal Bégin.

— Vous savez par les journaux que les lois de prohibition, ailleurs en Amérique, n'ont pas mis fin à l'abus d'alcool, dit Élise en arborant un visage terriblement préoccupé par cette grave question. Au contraire, les criminels en ont tiré tous les avantages. Vous êtes au courant de toute cette contrebande ?

Elle murmura les derniers mots, désolée de parler de « ces choses » dans un si beau salon.

— Comme il ne semble malheureusement pas possible d'empêcher la population d'acheter de l'alcool, n'est-il pas préférable qu'au moins le gouvernement en retire les profits, plutôt que les criminels ?

— Mais il se fait commerçant d'alcool. N'est-ce pas un encouragement à l'ivrognerie ? Vous savez toute la misère à laquelle sont condamnées les familles des personnes intoxiquées par l'alcool.

— Tous les profits de la Commission vont aux hôpitaux. Les sociétés de tempérance pourront peut-être détourner un jour la population de la boisson. D'ici là, au moins, l'argent tiré de ce commerce ira aux communautés religieuses hospitalières. Il résulte finalement beaucoup de bien de ce déplorable vice. De toute façon, cette question relève du gouvernement provincial, alors que nous nous trouvons ici dans une élection fédérale.

La confusion des enjeux du suffrage tenait bien sûr à la présence du même personnel d'élection, quel que soit le niveau de gouvernement concerné.

Un nouvel échange porta sur le régime de retraite proposé par King. Madame répéta les mots de son époux :

— Les gens perdront leurs bonnes habitudes d'épargner pour leurs vieux jours. Surtout les liens dans les familles s'éroderont du simple fait que les parents n'auront plus à compter sur leurs enfants pour assurer leur sécurité à la fin de leur vie.

— J'ai du mal à croire que les relations familiales reposent seulement sur des obligations de ce genre, risqua Élise.

— Les enfants perdront tout sens de fidélité filiale du simple fait que l'État les relèvera de cette obligation, continua l'hôtesse.

Elle semblait un peu fâchée de voir les paroles de son époux contredites par la visiteuse. Cette dernière avala une gorgée de thé afin de lui laisser le temps d'en finir avec ces arguments.

— Enfin, tous les gens de notre milieu ne perdront-ils pas une occasion de se sanctifier, si on leur enlève la possibilité de donner pour le soutien de personnes âgées dans le besoin ? La charité est un devoir pour tous les chrétiens.

Habilement, Élise contourna la difficulté, référa au *Nouveau Testament* pour contrer ces arguments. Après quelques minutes à l'entendre, Renaud n'était pas loin de penser qu'il irait au ciel du simple fait de payer des impôts pour financer ce système de pension !

Madame Daigneault retourna ensuite prudemment sur des sujets moins délicats de la politique libérale, et la visiteuse plaida avec la même efficacité redoutable. Son compagnon écoutait en mangeant des sandwichs. Il vint un moment où rester plus longtemps aurait été indélicat. La travailleuse d'élection donna le signal du départ en se levant. Leur hôtesse les reconduisit aimablement jusqu'à la porte.

— Je vous remercie de nous avoir reçus avec tellement de courtoisie, fit-elle. Peut-être préférez-vous le programme des conservateurs. Cette décision vous appartient. Cependant, j'aimerais insister sur l'importance d'aller voter.

Comme elle se mêlait là d'une question qui ne la regardait pas, elle ajouta en souriant:

— On ne peut pas laisser les hommes conduire seuls les affaires du pays. Vous savez combien ils ont du mal à seulement gérer un ménage.

— Quoique monsieur Daigle semble partager toutes vos autres convictions, je doute qu'il vous suive jusque-là.

C'était l'occasion pour Renaud de montrer s'il pouvait faire autre chose que mastiquer des sandwichs et boire du thé.

— Chère madame, j'ai vu des jeunes gens s'entre-tuer par milliers à la guerre, pour des motifs bien discutables. J'ai bien du mal à croire que le monopole des hommes sur la politique a eu de si bons effets dans le passé. Une participation féminine n'améliorera-t-elle pas les choses pour l'avenir?

Sur ce, il serra la main de la jeune femme et se retrouva dehors. Alors qu'ils retournaient vers la voiture, il déclara:

— Vous auriez fait un bon avocat.

Il la vit rougir, flattée. Comme elle ne répondait rien, il ajouta encore:

— Croyez-vous que vos arguments la feront changer d'avis?

— Elle a une belle grande maison et des domestiques, mais aucune opinion personnelle. Les meilleurs arguments du monde ne lui feraient pas abandonner les directives de son mari, ou de son curé.

— Tout votre travail serait inutile?

L'homme démarra la voiture, quitta le bord du trottoir.

— Un jour, elle aura peut-être le désir de penser par elle-même. Ma visite y contribuera éventuellement. Déjà, le simple fait de voir une femme émettre son opinion devant un homme était nouveau pour elle.

— Ça, aucun doute, elle a été édifiée par mon silence.

— Vous êtes trop modeste.

Renaud eut un rire amusé. Son rôle lui paraissait tout à fait inutile.

— Vous faites cela tous les jours depuis le début de la campagne ?

— Tous les jours. J'aurai vu la grande majorité des femmes de la circonscription, au moment de l'élection.

Ils stationnaient bientôt devant une autre maison bourgeoise. Le thé et les sandwichs aux concombres se matérialisèrent de nouveau sur un guéridon. Cette fois, l'homme participa à la conversation d'un ton mesuré, raisonnable, tout en laissant à sa compagne l'initiative de choisir les sujets. Ils visitèrent plus de maisons libérales que de maisons conservatrices. Quand, vers sept heures, le candidat, un vieux monsieur respectable, se joignit à eux, Élise devint plus discrète. De nombreux ménages de langue anglaise se trouvaient sur leur chemin. L'ancien officier fit un véritable effet.

Quand ils se quittèrent ce soir-là, sur le trottoir Renaud eut l'occasion d'échanger quelques mots avec la jeune femme.

— C'est une pitié que vous soyez née au Québec. Ailleurs au Canada, vous pourriez être la candidate, avec d'excellentes chances de succès, lui dit-il.

— Je pourrais aussi être candidate dans la province.

— Vos amis du Parti vous le permettraient-ils ?

— Sans doute, dans un coin marginal, admit-elle.

Les hommes du Parti libéral ne se résoudraient pas à l'idée de se priver d'un siège afin de donner une chance à une femme.

— Une circonscription perdue d'avance, où ils n'auraient pas l'impression de gaspiller le siège d'un de leurs copains, insista son collègue. Je trouve cela dommage. Vous valez mieux que la grande majorité d'entre eux.

Dépitée car il avait raison, elle apprécia toutefois le compliment. Renaud regagna son appartement en souhaitant ne plus voir de sandwichs ou de thé pour longtemps.

L'avocat avait quitté l'Angleterre à la fin du mois de juin, trois mois plus tôt exactement. Il pouvait additionner à ceux-ci une longue abstinence à Londres. La privation ne lui avait pas pesé encore. La vie lui fournissait son lot de préoccupations : un travail harassant, la mort de son père, le retour au Canada et l'organisation de sa nouvelle vie. Six ou huit mois ne paraissait pas si longs pour quelqu'un rompu à « mater ses bas instincts », ce qu'il réussissait en travaillant plus fort, plus longtemps, en faisant de longues marches ou des promenades en auto.

Ses rapports sexuels avaient été assez épisodiques. Dans la très grande majorité des cas, il avait payé pour les avoir. Les jeunes femmes de sa vie, peu nombreuses en vérité, avaient toutes tenu à peu près le même discours que Germaine. Leur attachement à leur réputation, sinon à leur virginité, et l'espoir d'un mariage éventuel les rendaient inflexibles. En Europe, elles se montraient un peu plus complaisantes qu'à Québec, mais la réalité demeurait la même : toutes attendaient le mariage pour s'abandonner complètement. Les hommes, quant à eux, achetaient les services de prostituées pour trouver leur satisfaction. Ainsi, ils ne se montraient pas désagréablement insistants avec les jeunes femmes courtisées pour le « bon motif ».

Plutôt que de presser Germaine Caron pour obtenir ce qu'elle tenait à conserver, Renaud Daigle se résolut à trouver une « maison de tolérance ». À ce moment, dans les couloirs de l'Université Laval, on discutait de la situation d'un professeur de chimie d'origine suisse, chassé pour avoir eu une maîtresse. Selon la rumeur, découvert avec une jeune fille de Québec dans son lit à quatre heures du matin, à huit heures, sa carrière était terminée ! Bien sûr, la sanction se révélait d'autant plus sévère qu'un oncle de la dulcinée était un chanoine proche de l'université. Un bordel discret valait mieux qu'une liaison, dans cette ville puritaine.

La difficulté était de trouver l'endroit. Il profita d'un soir où il était allé souper au *Château Frontenac* pour demander discrètement à un portier, en sortant :

— Où puis-je sortir et me détendre un peu ?

Deux dollars passèrent de main à main. L'argent offert et la prudence du client ne pouvaient laisser de doute au portier quant à la nature de la détente souhaitée. Il apprécia l'allure prospère de Renaud et suggéra :

— Il y a un endroit dans la rue Cartier.

C'était bien trop près des maisons bourgeoises de la Grande Allée : le plaisir d'y aller à pied ne compensait pas le risque de croiser des connaissances tout le long du chemin. Il fit signe que non.

— Il y a aussi le *Chat*, rue Saint-Vallier, fit l'autre.

— C'est bien comme endroit ?

Il ne voulait pas non plus du lupanar prolétarien. L'avocat demeurait tout à fait conscient de son appartenance de classe.

— Oui, oui. Un endroit pour professionnels ou hommes d'affaires.

Il verrait par lui-même. Le portier lui donna l'adresse et ajouta même :

— Vous direz que Georges vous envoie.

Non pas qu'il fallût une recommandation pour entrer là, mais l'employé tenait à son petit cadeau de la tenancière.

~

Le samedi suivant, Renaud passa la porte du *Chat*. L'endroit lui sembla correct. Il avait vu bien pire pendant la guerre.

Une grosse dame fardée, Berthe, vint à sa rencontre afin de lui offrit à boire, de l'opium, puis ses « protégées ». Un verre à la main pour se donner une contenance, car, s'il n'était pas honteux, l'achat d'un service aussi intime le troublait, il regarda les filles.

À cette heure, il avait encore le choix. Les prostituées étaient assez jeunes, plusieurs étaient jolies. Une rousse aux yeux verts le regardait intensément, curieuse, sans essayer de l'aguicher toutefois. Il lui demanda de monter avec lui. Avoir su qu'Henri Trudel avait déjà fait le même choix quelques semaines plus tôt, il aurait changé tout de suite. Renaud n'aurait pas aimé constater qu'il partageait encore avec lui un certain intérêt pour une femme, même s'ils s'agissait d'amours mercenaires. Dans l'escalier, le client regarda ses fesses bouger sous un léger peignoir. Elle était grande, toute mince. Ses charmes n'arrivaient pas à détourner totalement l'intérêt du tapis trop usé, du couloir faiblement éclairé, des portes alignées. Les lieux ne payaient pas de mine.

Elle l'emmena dans une petite chambre meublée d'un fauteuil et d'un lit double. Un lavabo se trouvait derrière un paravent fleuri. Le décor réconcilia un peu le client avec la prétention du portier du *Château* sur la correction de l'endroit.

— Comment t'appelles-tu ? demanda-t-elle en laissant glisser son peignoir de ses épaules.

Sa combinaison verte soulignait la couleur de ses yeux.

— Renaud... Et toi ?

Il n'aimait pas le tutoiement de rigueur. Après tout, même nus, ils restaient des étrangers l'un pour l'autre. Pourtant, il achetait d'une inconnue une relation intime, la vouvoyer paraîtrait bizarre.

— Lara, fit-elle.

Un pseudonyme, bien sûr. L'homme se trouva un peu niais d'avoir spontanément donné son véritable prénom.

Sa timidité lui donnait un air « mignon », songea-t-elle. Ce ne serait pas trop difficile. Il posa l'argent de la transaction et une capote sur la commode, près du lit. Son désir de se protéger des maladies «honteuses» comportait tout de même une forme de respect qui le rendait sympathique. Un silence gêné s'imposa à eux, le couple demeura un moment emprunté. Quand il commença à se déshabiller, elle fit glisser sa combinaison. Elle ne portait plus que de drôles de petits chaussons verts et des milliers de taches de rousseur.

L'homme s'arrêta pour la regarder, superbe dans sa nudité, avec de petits seins hauts perchés, bien pointus, les bras, le visage, la poitrine et les cuisses pleins de taches de son sur une peau de lait. Une petite touffe de poils follets sur le pubis rappelait le cuivre de ses cheveux. Elle avait un peu plus de vingt ans – certaines employées de la maison n'avaient pas seize ans –, mais affichait un air plus jeune encore. Son corps très mince donnait une impression de fragilité. Allongée sur le lit, elle le regarda se dévêtir. Il la rejoignit bientôt, le sexe raide produisant une perpendiculaire avec son ventre.

Elle le prit dans sa main, fit un mouvement de va-et-vient. Il fit mine d'arrêter le geste.

— Laisse, fit-elle. Dans cet état, tu vas exploser.

Le client jouit tout de suite. Elle lui tendit une serviette propre pour lui permettre de se débarbouiller. Quand il revint du lavabo, elle avait un petit sourire amusé.

— Je fais adolescent, fit-il en guise d'excuse.

— Cela peut aussi être un compliment.

Son érection demeurait ferme, mais cette fois il aurait du temps devant lui. L'homme apprécia la douceur de sa peau, l'élasticité de ses seins. L'envie lui prit d'embrasser chacune de ses taches de rousseur, mais ces jeux n'avaient pas leur place: cette femme ne se trouvait pas là pour s'amuser. Il s'attarda cependant sur la pointe des seins, laissa ses doigts explorer la rondeur des fesses, la douceur des poils, sans trop insister. Il la pénétra bientôt après avoir enfilé le préservatif. Lara s'arrangea pour le renverser sur le dos et entreprit une espèce de danse sur son ventre. En étant sur le dessus, elle évitait d'être écrasée par son poids et réglait le rythme de son travail. Il jouit très vite. Satisfait, étendu sur le dos, les bras de chaque côté de sa tête posée sur l'oreiller, il se reposa un instant.

Les condoms de latex à usage unique seraient disponibles dans dix ans. L'homme s'astreignit bientôt à nettoyer le tube fabriqué avec un intestin de mouton, puis s'occupa ensuite du bas de son corps.

— C'était gentil, fit-elle derrière lui.

Il la regarda, intrigué par une déclaration semblable. Elle rougit.

— Je veux dire la capote. C'était une gentille attention. Je l'offre toujours aux clients, souvent sans succès.

— J'ai entendu assez de discours sur les maladies vénériennes dans l'armée pour apprendre. Selon les médecins militaires, elles sont plus dangereuses que les balles allemandes. J'en doute cependant.

Lara savait combien ces maladies tuaient efficacement, elles aussi.

— Les cicatrices, c'est à cause de ces balles ?

Le vétéran fit signe que oui. Quand il s'éloigna pour se rhabiller, elle le remplaça au lavabo. Même sans la voir, cette intimité lui semblait un peu gênante. L'homme aperçut son bras au-dessus du paravent, pour prendre le peignoir posé là. Elle revint presque pudique, le vêtement serré à la taille. Avec ses vêtements, sauf la cravate, il était assis sur le fauteuil pour attacher ses souliers. Elle prit place juste en face de lui, au bord du lit.

Le client sentit quelque chose de dur, derrière le coussin. Il passa la main et sortit un livre. D'une voix surprise, il déclara en retrouvant, en même temps que ses vêtements, l'usage du vouvoiement :

— Vous lisez cela ?

— Certaines putains savent lire.

Au ton de sa voix, il sut l'avoir blessée.

— Ce n'est pas ce que je voulais dire. Je donne des cours à l'université. Vous ne trouveriez pas trois étudiants de ma classe familiers avec *Clair de terre*, ou n'importe quel autre livre d'André Breton. Je me demande si ce texte n'est pas à l'*Index*.

— On peut l'avoir à la librairie Garneau. Pas sur les rayons, mais en demandant.

Elle avait gardé un air un peu boudeur.

— Si ce n'est pas sur les rayons, comment faites-vous pour savoir quoi demander ?

Habillés tous les deux, ils parlaient livres. La scène prenait une allure un peu étrange.

— J'achète quelques revues françaises et je prends en note les titres intéressants. Parfois, je demande simplement au libraire de me recommander quelque chose.

Elle avait retrouvé le sourire. Il lui demanda son évaluation du livre. Elle lui en parla en bien, après lui avoir rappelé cependant :

— Vous payez pour parler littérature avec moi, vous savez.

Il acquiesça de la tête. Ils continuèrent un long moment. Si les putains savaient lire, celle-là se distinguait tout de même par sa culture. Quand il la quitta, l'homme tendit la main, ce qui les fit rire tous les deux.

En arrivant en bas, Berthe lui dit avec un gros clin d'œil :

— Vous êtes resté longtemps. Lara est bien gentille, n'est-ce pas ?

— Quand je reviendrai, j'aimerais la voir de nouveau. C'est possible ?

— Certainement. À cette heure-ci, c'est toujours tranquille. Si vous venez plus tard, vous pouvez même téléphoner pour avertir.

Elle lui donna le numéro. La tenancière aimait bien ces clients réguliers. Ils formaient l'assise de son commerce.

Les jours suivants, Renaud se sentit plus détendu, mieux disposé envers tout le monde. Quitter l'espèce de fébrilité sexuelle dans laquelle l'avaient mis ses longs mois d'abstinence le rendait plus serein. Moins entreprenant avec Germaine le lendemain, tout en étant plus souriant, il la laissa bien pensive sur la tournure de leur relation. Élise le trouva aussi un peu changé le lundi après-midi, au moment de poursuivre leurs visites politiques. Elle songea que son compagnon devait simplement s'habituer à entrer dans les maisons d'inconnus.

Chaque mercredi, il se rendait à l'Université Laval à pied. Le trajet l'amenait à suivre la Grande Allée jusqu'à la porte Saint-Louis et à continuer tout droit jusqu'à la hauteur du *Château Frontenac*. Le chemin à emprunter était tellement évident qu'il trouva deux personnes qui l'attendaient. D'abord Henri Trudel, se tenant à peu de distance de l'hôtel du Parlement, qui l'accosta pour lui dire:

— J'espère que mon attitude de la semaine dernière ne vous a pas trop offusqué. Je m'excuse encore.

Le «chef» devait faire une montée de politesse, comme d'autres font une montée de fièvre, pensa Renaud. Il lui dit de ne plus penser à cela.

— Par ailleurs, continua l'étudiant, je peux vous remettre le travail que vous m'avez demandé la semaine dernière.

Renaud avait préparé pour lui un programme de lectures, avec une série de questions alambiquées à traiter. Il avait bien l'intention de lui faire faire un tour complet des ressources conjuguées des bibliothèques de l'Assemblée et de l'université sur le droit constitutionnel.

— Très bien, je vous lirai avec attention, soyez-en sûr.

Le professeur reprit sa route pour rencontrer ensuite Jean-Jacques Marceau au milieu de la petite place, devant la cathédrale. L'étudiant se précipita vers lui, l'air catastrophé, pour déclarer:

— Je dois absolument vous parler.

Renaud n'avait plus songé à la scène surprise dans le parc des Braves, mais visiblement le jeune homme paraissait hanté par l'incident. Il avait l'air défait et semblait au bord de la crise nerveuse. Le professeur ne désirait pas revenir sur l'incident, mais il ne pouvait se dérober à une demande aussi pressante.

— Après le cours. Je me rendrai dans le petit parc juste derrière l'université.

L'autre acquiesça, soulagé.

Son exposé se déroula sans encombre. La jeunesse libérale avait rompu les rangs pour se disperser un peu dans la salle. À la fin du cours, il dut s'attarder un bon vingt minutes pour répondre à diverses questions. Quand Renaud regagna enfin le parc Montmorency surplombant la Basse-Ville, Jean-Jacques Marceau se morfondait sur un banc, tout fin seul. Il se leva à son arrivée, demeura d'abord muet et embarrassé, ne sachant visiblement quelle contenance adopter. Le professeur s'assit, l'étudiant fit de même. Son regard se perdit sur le fleuve un long moment, puis il réussit à articuler :

— Vous n'allez pas me dénoncer ?

Comme Renaud ne répondit pas tout de suite, il continua, terrorisé :

— Ils me chasseraient de l'université. Ma mère mourrait de honte.

— Ce ne sont pas mes affaires. Il s'agit de votre vie privée.

— Je vous en prie, ne le dites à personne.

L'étudiant commençait à paniquer, imaginant les conséquences de ses gestes.

— C'est votre vie privée, vous dis-je. Je n'ai pas l'intention d'en parler à qui que ce soit. Cela ne me regarde pas.

L'autre mit un moment à comprendre, puis il souffla :

— Merci.

Marceau laissa échapper un long soupir avant de continuer :

— Je ne sais pas ce que j'aurais fait autrement. Déjà les gens sont si méchants avec moi, et ils n'ont que des soupçons.

— Je vous conseille cependant d'être prudent, précisa le professeur. Ce que vous faisiez est interdit par la loi. Si un policier vous surprenait, vous pourriez vous retrouver en prison. Même chez vous, la porte verrouillée, la loi l'interdit.

L'autre lui adressa un petit sourire plein de dépit.

— Je sais. Je suis étudiant en droit, vous vous rappelez ?

Renaud resta là un moment, ne sachant si la conversation était finie. Marceau retrouvait lentement une contenance, secouant l'inquiétude qui l'avait habité plusieurs jours d'affilée. Le professeur allait se lever pour partir quand il demanda :

— Comment se fait-il que vous ne me condamniez pas ? Vous ne vous moquez même pas. Vous ne me dites pas de ne pas recommencer, vous vous limitez à m'inciter à la prudence.

— J'ai perdu toute envie de faire la morale aux autres il y a une dizaine d'années. C'est-à-dire à ceux qui ne font de mal à personne. Vous savez ce que vous faites, et vous le faites avec quelqu'un d'assez vieux pour le savoir aussi. Cela me suffit.

— Mais c'est immoral. Contre nature.

Son compagnon donnait dans l'autoflagellation maintenant.

— Selon la nature, dans le cas des mammifères, on s'accouple avec une femelle à la période du rut. On recommence quand la femelle a fini d'allaiter ses petits. À ce compte, tous les hommes sont contre nature. Pour le reste, je laisse ça aux curés.

— Oh ! Les curés…

Marceau voulait dire autre chose, puis il s'arrêta. Renaud le salua et rentra chez lui.

Selon une routine établie entre eux, il rencontrait Germaine le jeudi. Quant à Élise, il lui avait expliqué de son ton le plus convaincant qu'il tenait à garder toute cette journée pour se consacrer à son cours.

— Vous savez, juste le lendemain de mon exposé en classe, les questions de mes étudiants sont encore fraîches dans mon esprit, avait-il dit.

Elle avait acquiescé. Le professeur passa donc une matinée tranquille dans ses livres. À l'heure du lunch, un coup de fil le laissa pantois.

— Renaud, as-tu vu ce qui a été publié sur Blanche ?

C'était Germaine, affolée, qui n'avait même pas pris le temps de le saluer.

— Non, je n'ai pas lu les journaux.

Elle lui téléphonait pour la première fois à la maison, bien qu'elle connût son numéro depuis des semaines. Une femme bien, selon elle, n'appelait pas un homme. Cela ne se faisait pas. Seul un motif sérieux lui faisait violer ces règles impérieuses.

— Ce n'est pas dans le journal. Il s'agit d'une petite brochure. On y parle de moi.

— De toi ? Dans quel sens ?

— Je ne peux pas te parler de ça au téléphone. Je crois que j'ai besoin d'un avocat.

— Est-ce que cela peut attendre à ce soir, ou tu veux me parler tout de suite ?

Elle marqua une pause, puis convint :

— Cela peut attendre, je suppose.

— Je n'ai pas d'autre bureau que mon appartement. Tu veux venir ici, ou tu préfères le restaurant ?

— Je vais aller chez toi. Je sais que tu me respectes…

« Bon, voilà mon sens de l'honneur interpellé », pensa-t-il. À haute voix, il lui donna son adresse. Elle repoussa son offre d'aller la chercher, préférant prendre le tramway. Il la reconduirait toutefois chez elle, sans rien tenter de déplacé, « juré-craché ». L'engagement la fit rire, un rire un peu déçu.

L'avocat s'interrogea un bon moment sur ce qui mettait son amie dans cet état. Elle arriva à six heures trente, les yeux ronds. Un édifice comme le Morency, avec le marbre dans l'entrée, le concierge en uniforme, l'ascenseur, l'impressionnait fort. Elle alla directement à la fenêtre pour admirer le fleuve huit étages plus bas. Pendant ce temps, il rangeait son imperméable dans un placard en demandant :

— Alors, nous nous occupons de ton affaire tout de suite, ou nous mangeons quelque chose ?

— Autant te montrer cela sans tarder. Je suis trop bouleversée pour avaler une bouchée.

Elle avait ouvert son sac pour en tirer une petite brochure d'une douzaine de pages écrites en gros caractères. Au premier coup d'œil, cela pouvait passer pour un roman à quelques sous sur un thème salace. Sur la page couverture, une gravure représentait une jeune femme étendue sur le dos, enveloppée dans une grande pièce de tissu qui pouvait être un drap. L'image accentuait d'une façon grossière les seins et le « V » des cuisses. On avait misé sur le petit côté scabreux d'un viol pour attirer les lecteurs. Bien en évidence près du cadavre se trouvaient un petit livret, une montre et des bijoux.

Les lieux – une rivière, des buissons, la position du cadavre – rappelaient l'affaire Blanche Girard. Renaud se souvenait d'avoir lu dès le premier jour, dans *Le Soleil*, qu'un livret de banque avait été trouvé près du corps. Gauthier lui avait confirmé ce renseignement.

Le titre de l'opuscule était un éditorial à lui seul : *La Non-Vengée*. Germaine expliqua :

— John Grace m'a amené cela à l'heure du lunch. C'est à vendre depuis hier. Il m'a montré où on parlait de nous.

— Je vais la lire en entier. Assieds-toi.

Elle prit un fauteuil. Comme le salon lui servait aussi de pièce de travail, il s'installa machinalement derrière son bureau. Ils faisaient vraiment cliente et avocat, à ce moment. Renaud constata combien le style était affreux, ampoulé, le vocabulaire ronflant, mal utilisé. L'homme parcourut l'histoire d'une jeune fille d'une beauté éthérée, vierge, rêvant de devenir religieuse, dans la ville de « X ». Elle portait le prénom évocateur de Blanche. Ses parents adoptifs l'entouraient de leurs soins attentionnés. Cela rappelait autant les films américains mettant en scène des orphelines que l'histoire de Blanche. Celles-là épousaient toujours le prince charmant à la fin, après avoir traversé bien des drames.

Les choses se terminaient très mal dans le cas de cette héroïne. Des jeunes gens de bonnes familles l'avaient remarquée lors d'un pique-nique, ils avaient multiplié les avances à son endroit. Germaine lui avait déjà parlé du pique-nique avec la chorale, près de la rivière Montmorency.

— C'est vrai, cette histoire de jeunes gars riches qui l'auraient approchée à cette occasion ? demanda-t-il.

— Bien sûr que non. Les seuls hommes présents étaient les membres de la chorale. Personne n'est riche parmi eux.

— Mais à part vos camarades, tu n'as remarqué personne ? Aucun inconnu ne tournait autour de votre groupe ? Blanche n'a parlé à aucun individu un peu louche ?

Elle demeura silencieuse, soucieuse de rallier ses souvenirs.

— Non. Nous n'étions pas seuls sur les lieux, évidemment. Mais je ne me rappelle rien de particulier.

— En aucun moment, elle ne s'est éloignée ?

— Peut-être pour aller aux toilettes. Elle a été près de John et moi du début à la fin de la journée, sans s'absenter plus de quelques minutes.

En continuant sa lecture, Renaud sut pourquoi Germaine s'était sentie désemparée. Selon l'auteur, ces jeunes gens riches formaient le Club des vampires, un groupe de dépravés. Il comptait parmi ses membres une jeune femme disposée à participer à toutes les débauches. C'était aussi une amie de Blanche, sa meilleure amie en fait. Les garçons l'avaient chargée de la convaincre de céder à leurs avances. Appelée Julie dans la brochure, elle ne réussit pas à convaincre son amie de s'abandonner à eux.

— Ce personnage de Julie t'inquiète ?

— C'est moi qu'on accuse d'être une débauchée.

— On ne donne pas ton nom, ni aucun indice pour t'identifier.

— Mais j'étais la seule amie de Blanche. Tout le monde à la chorale, au travail, va penser que c'est moi.

Cette situation la mettait vraiment hors d'elle. Renaud savait son attachement à sa réputation.

— Quelqu'un t'en a parlé ?

— John Grace est venu me voir à l'heure du lunch, dès qu'il a eu une minute de libre. Lui m'a reconnu. Il veut consulter un avocat, Thomas Lavigerie, à ce sujet. Bientôt, tout le monde va parler de cette histoire au magasin.

La situation devenait plus complexe. L'homme demanda, intrigué :

— Quelqu'un pourrait te reconnaître, et il consulte un avocat ?

— Lui aussi figure dans cette histoire. Continue de lire.

La suite de la brochure rappelait encore un mauvais film, ou un mauvais roman. Les jeunes richards du Club des vampires avaient un domestique, plus ou moins criminel. Ce complice avait emprunté un camion de boucher et s'était arrangé pour se tenir non loin du lieu où Blanche et Julie/Germaine devaient se rencontrer un samedi, à la fin de leur journée de travail respective. Julie attira Blanche dans le camion. Celle-ci ne se méfia pas de son amie, monta dans le véhicule. Le domestique s'empara d'elle, la réduisit au silence et la conduisit vers une maison isolée, le lieu de réunion du Club des vampires. Là, elle fut violée à plusieurs reprises, torturée et tuée.

— Je vois, fit Renaud.

L'auteur savait sans doute que Blanche avait pour seuls amis à la chorale – et dans la vie – Germaine Caron et John Grace. Il avait construit son histoire de Club des vampires en leur attribuant un rôle dans son triste destin. La brochure faisait clairement de la dernière personne à avoir vu Blanche vivante la complice de son enlèvement. Elle ajoutait en plus John Grace pour faire bonne mesure. Il fallait un homme pour maîtriser la jeune femme et conduire le véhicule.

— On ne peut pas laisser des histoires comme cela circuler, insistait Germaine. Je risque même d'être mise à la porte si les clients me prennent pour cette Julie.

— Nous n'en sommes pas là. Je vais rencontrer l'auteur de cette brochure pour lui demander d'abord un démenti, ensuite un dédommagement. Cela ne sera pas facile, cependant.

— Comment cela? S'il me fait du tort, il doit me dédommager.

Outragée, attachée à sa réputation, elle se voyait déjà devant les tribunaux.

— Ce texte ne donne pas ton nom, ni celui de la ville. Dans un procès, son auteur clamerait qu'il s'agit d'une invention.

— On reconnaît très bien Blanche: orpheline, désirant devenir religieuse. Continue de lire, tu reconnaîtras très bien Québec aussi.

Les dernières pages évoquaient la panique des vampires quand ils s'étaient retrouvés avec un cadavre sur les bras. Heureusement pour eux, le fils du plus éminent habitant de la ville de «X» arriva au Club. L'auteur le désignait de l'initiale «H». Audacieux, il s'engagea à tirer ses compagnons d'affaire. La nuit, il transporta le corps en chaloupe jusqu'à un parc situé sur le cours d'une petite rivière. La finale de la brochure était particulièrement éloquente:

Divers articles, un livret de banque et des bijoux sont trouvés à peu de distance dans les broussailles. Des traces de pas paraissant venues de la rivière sont aussi aperçues sur le terrain plus mou du bord. L'enquête du coroner dura plusieurs jours: de nombreux témoins furent entendus. Tous ceux qui connaissaient Blanche la proclamèrent exempte de tout reproche et digne des plus grands éloges. Le curé de la paroisse de S., appelé à témoigner, fit la superbe réponse suivante à l'avocat qui tentait de ternir la réputation de Blanche: «Sa mort prouve assez en sa faveur: si elle eut été ce que vous tentez de faire croire, elle serait revenue vivante.» Les objets retrouvés sur les lieux, après examen, sont mis de côté comme n'ayant aucun rapport avec le crime. Des traces de pas venant de la rivière, il ne fut pas question. Le verdict fut: « Morte assassinée par des inconnus. »

Plusieurs arrestations furent faites en rapport avec ce meurtre, mais toujours des alibis démontrèrent que la police n'était pas sur la bonne piste.

« H » avait bien travaillé.

— Tu as raison, convint Renaud. À la fin, on reconnaît Blanche. Même le sermon du curé Melançon se trouve là. Quant à la ville, on évoque là le parc Victoria, la rivière Saint-Charles. Les gens arrêtés, ce sont les Germain. Cela vaut la peine de poursuivre l'auteur. Tu connais quelque chose comme le Club des vampires ?

— Comment peux-tu penser que je connais des cochons comme eux ?

Elle avait élevé le ton, visiblement outrée.

— Je ne parle pas de les connaître intimement. Tu n'as jamais entendu parler d'un club de ce genre ?

— Jamais. Les seuls vampires que je connais, je les ai vus dans des films, ou dans des romans.

— Il se peut bien que notre auteur ait pris son idée dans un petit roman à cinq cents. Tu n'as jamais entendu parler d'une association, quelle que soit son nom, où des gens riches font des folies avec des femmes ?

Connaissait-elle le mot « orgie » ? Cela paraissait peu probable.

— J'ai entendu parler des sottises des jeunes garçons riches toute ma vie. Je travaille dans un magasin à deux pas des bordels de la rue Saint-Vallier. Juste un peu plus loin, au coin de la rue de la Couronne, il y a l'hôtel *Saint-Roch*. C'est un repaire de prostituées. Les jeunes richards, comme il dit dans la brochure, on les voit passer fréquemment avec des putains dans leurs autos.

Son cadre de vie lui laissait peu de chances d'ignorer les aspects les plus scabreux de l'existence.

— Mais tu ne connais aucun club, aucune association ?

— Non.

Elle réfléchit un moment avant de demander :

— Qu'est-ce que tu vas faire, exactement ?

— Rencontrer Lavigerie demain pour connaître ses intentions au sujet de Grace. On pourra peut-être s'associer dans une poursuite. Je vais aussi essayer de voir l'auteur, sinon l'imprimeur de ce texte.

— Il n'y a pas de signature.

— À la dernière page, il y a un petit losange dans lequel on peut lire « Imprimé par le *Franc-Parleur* ». Tu connais ce journal ?

Elle réfléchit un moment avant de préciser :

— Cette petite revue paraît une fois par semaine. C'est très catholique. Souvent, quelqu'un vend des numéros à la porte de l'église. Les vieux achètent cela.

— J'irai demain. Un auteur, cela ne doit pas être difficile à trouver dans une ville comme Québec. Veux-tu manger, maintenant ?

Elle donna son assentiment d'un signe de tête. Pouvoir compter sur son compagnon pour s'occuper de ce nouveau développement la rassurait tout à fait. Si l'une de ses connaissances abordait le sujet le lendemain, elle dirait : « Mon avocat s'en occupe. Il va faire payer ceux qui racontent des horreurs sur mon compte. » Cela suffirait certainement pour faire taire les plus taquines de ses collègues. Renaud sortit du pain, du fromage, des viandes froides. Il récupéra deux Coca-Cola bien frais de son réfrigérateur. Elle était très impressionnée par la modernité, le confort de l'appartement. Elle avait l'impression de faire un pique-nique, surtout que la table était tout près d'une fenêtre donnant sur le fleuve.

Tout en mangeant, Renaud lui demanda :

— Tu as une idée de l'identité de ce « H » ?

Elle fit signe que non. Le visage d'Henri Trudel lui passa à l'esprit. C'était tellement ridicule, il chassa cette image.

— Le fils de la personne la plus importante de Québec ? continua-t-il. C'était le cardinal Bégin, non ? Avait-il un fils ?

Elle ne rit pas du tout. On ne se moquait pas de l'Église dans cette ville, surtout pas si cela s'accompagnait d'une allusion à la sexualité. Il poursuivit :

— Je peux toujours vérifier les noms des enfants du maire. Quoique la personne la plus importante de la ville, c'est le premier ministre. Tu connais les noms de ses enfants ?

Évoquer les riches et les puissants dans ce contexte la laissait bien perplexe. Il la reconduisit peu après, sans se montrer entreprenant avec elle. Après avoir vu son logis, elle en venait à regretter de ne pas avoir accepté son invitation, une semaine plus tôt.

~

— Ils savent tout. Ils savent absolument tout.

Antoine Trudel secouait la tête d'un air désespéré. Il relisait encore *La Non-Vengée*. Il avait laissé son fils vert de peur à la maison pour accourir chez le premier ministre dès l'appel de celui-ci. Le père n'avait appris l'existence de cette brochure que cet après-midi, mais Descôteaux en avait un exemplaire à son bureau depuis vingt-quatre heures.

— Comment est-ce possible ? Même le policier Gagnon ne connaissait pas le rôle de mon fils. Il pensait qu'il avait participé au meurtre.

— Quelqu'un a peut-être parlé. Garder un secret à six, cela me semble bien difficile. L'un de ces idiots a pu faire une confession à un meilleur ami, à un prêtre même, et ce sera venu aux oreilles de ces rongeurs de balustrades. Ce torchon vient des ultracatholiques du *Franc-Parleur*.

— Henri m'a dit que personne n'avait parlé. Ils se voient plusieurs fois par semaine, à l'université. Ils ont prêté une espèce de serment entre eux.

Avoir des contacts quotidiens permettait à ces jeunes hommes de réitérer sans cesse leur engagement à garder le silence. Ils se confortaient les uns les autres dans cette résolution.

— Ces jeux de gamins ne sont pas propres à me convaincre, murmura le premier ministre.

Après une pause, il glissa encore :

— L'autre hypothèse, c'est qu'ils ont deviné. Il y a beaucoup de spéculation dans ce texte, l'auteur ne pouvait se tromper tout le temps. Le Club des vampires d'abord. Le plus drôle, c'est qu'il y a au moins vingt clubs parmi les étudiants. J'ai un garçon dans le Club Bridge One. Ils jouent aux cartes ! Mais nos six énergumènes ne forment aucun club. Le rôle d'une amie de Blanche et d'un domestique est une pure invention aussi.

— Ils savent pour la maison isolée, de même que pour la chaloupe utilisée afin de transporter le cadavre.

— Essaie d'imaginer où une jeune fille peut être emmenée pour être violée et tuée. Tu as quelques choix : une maison isolée, une forêt, une île au milieu d'un grand lac. Le plus simple, c'est la maison isolée. Pour disposer du corps dans le parc Victoria, il n'y avait pas de meilleur moyen que la rivière. Si je voulais concevoir une histoire de ce genre, j'y mettrais ces ingrédients.

— Selon toi, ces conservateurs ont pu inventer tout cela ?

— Dans tout leur charabia, il y a du vrai et du faux. Ils se sont trompés en ce qui concerne les deux complices et le club. Ils ont eu raison pour la maison isolée et la chaloupe.

Le ministre demeura songeur un instant, puis il murmura :

— Ils ont raison aussi en ce qui concerne ce « H », son intervention après le crime.

— Le texte parle de son absence, pas du sommeil stupide du drogué. Il désigne aussi le fils de la personne la plus importante de Québec. Crois-tu être la personne la plus importante de Québec ?

— Non !

Si Trudel n'avait pas été vert d'inquiétude, il aurait rougi. Lui aussi s'était demandé de qui on parlait exactement.

Le « H » l'amenait à penser à Henri, mais le premier ministre croyait évidemment être la personne la plus en vue de cette petite ville.

— Je n'ai pas de fils dont l'initiale commence par un « H », murmura Descôteaux. Surtout, je sais très bien où chacun d'entre eux se trouvait ce jour-là.

Le chef d'État ouvrit l'un des tiroirs de son énorme bureau, y jeta rageusement la brochure avant de le refermer à clé.

— Pour conclure, les auteurs de cette cochonnerie ne savent pas grand-chose. Ils connaissent l'existence d'un carnet de banque. C'était écrit dans *Le Soleil* dès le premier jour. Ils ajoutent des bijoux et d'autres objets, ce qui est faux. Ils soupçonnent que les coupables se trouvent parmi les élites de la ville. Cela peut venir du lieutenant Gagnon : quelqu'un a pu recevoir ses confidences avant son internement… ou même après. Mais s'ils connaissaient les noms des personnes impliquées, ils les nommeraient, plutôt que de construire un roman.

— C'est si précis, murmura Trudel.

— Tu écoutes ta peur. Au contraire, tout cela tient de la mauvaise littérature. Je doute qu'ils sachent quoi que ce soit de précis. En déguisant leurs accusations sous la forme de ce pitoyable récit, ils entendent éviter les poursuites en diffamation. Ils poussent la prudence jusqu'à omettre de donner le nom de la ville. Ils répandent une rumeur.

Trudel se calmait juste un peu. Descôteaux possédait des capacités d'analyste et de stratège qu'il ne lui aurait pas reconnues à peine trois mois plus tôt.

— Que doit-on faire ? J'ai pensé dire à Henri de quitter le pays, juste au cas.

— Cela reviendrait à annoncer sa culpabilité en première page de *L'Événement* ! rétorqua son interlocuteur.

Sous la colère, sa voix devenait un peu plus sifflante.

— Tu ne comprends pas ? Tout comportement suspect serait interprété comme un aveu. Ils pourront immédiatement citer les noms, si ces idiots commencent à fuir.

C'était vrai. Trudel se souvenait des conseils de Descôteaux lors de leur dernière rencontre : ne rien faire avant qu'un mandat d'arrêt ne soit signé par un juge. Aucun d'entre eux ne livrerait un document pareil sans avoir des preuves solides. Surtout, aucun magistrat ne prendrait une initiative de ce genre à l'encontre des enfants de membres éminents du Parti libéral sans en parler d'abord de vive voix au procureur général. Il poussa un long soupir. Le suffisant ministre se vidait comme une vieille baudruche.

— Dis-moi ce que nous devons faire, implora-t-il.

— Demain matin, *Le Soleil* va annoncer la tenue d'une enquête *on discovery*. Je suis sûr que toute cette histoire est un ballon électoral. Il y aura des avocats libéraux et des avocats conservateurs. Le directeur de *L'Événement* devra témoigner pour son histoire de mystérieux témoins, le directeur du *Franc-Parleur* devra nous dire qui est son ineffable auteur. Tous ceux qui ont quelque chose à dire pourront occuper le fauteuil des témoins.

— Cela leur donnera l'occasion de présenter des preuves contre les garçons.

Descôteaux essaya de maîtriser son impatience croissante. Les frayeurs de ce gros homme devenaient plus dangereuses que les menées des adversaires conservateurs.

— S'il y avait des preuves, ils le clameraient dans *L'Événement*. Un torchon comme *La Non-Vengée* témoigne de leur ignorance. Il nous faut convaincre tout le monde, nos partisans comme nos ennemis, que nous cherchons la vérité dans cette affaire. Sinon, de simples rumeurs vont nous abattre, à la fin.

Bien sûr, il avait raison.

~

Thomas Lavigerie possédait un bureau rue Saint-Jean. L'endroit était plutôt modeste si l'on pensait à sa renommée. D'un autre côté, sa réputation était celle d'un trouble-fête.

Il n'obtenait jamais de mandats des grandes entreprises ou du gouvernement, qui seuls pouvaient assurer la richesse d'un cabinet d'avocat. Son intérêt pour des cas triviaux lui rapportait sans doute un revenu médiocre. Seule l'existence « d'argent de famille » expliquait son train de vie confortable.

Incapable de payer une secrétaire, il avait répondu lui-même au téléphone. Il avait accordé un rendez-vous à Renaud sans hésiter. Ce dernier frappa à sa porte à midi, comme convenu. L'antichambre était poussiéreuse, avec un bureau inoccupé, de la paperasse dispersée çà et là. Une porte en verre dépoli laissait à l'avocat la possibilité d'observer le va-et-vient des visiteurs tout en s'assurant d'un peu d'intimité. Il vint lui souhaiter la bienvenue dès son entrée.

— Monsieur Daigle, enchanté de vous revoir. Je regrette toutefois que toutes nos rencontres aient un lien avec la malheureuse affaire Blanche Girard.

Le nouveau venu le suivit dans une pièce où régnait un extraordinaire fouillis, avec des documents partout, des classeurs en bois à demi ouverts, les journaux des dernières semaines entassés dans tous les coins. Il prit la chaise que Lavigerie lui désignait. Celui-ci continua en retournant derrière son bureau :

— Car c'est bien l'affaire Blanche Girard qui me vaut votre visite ?

— Une conséquence plutôt désagréable de cette affaire, en effet. Une petite brochure intitulée *La Non-Vengée* prête un rôle des plus désagréables à ma cliente et aussi, je crois, à votre client John Grace.

— Votre cliente s'appelle donc Germaine Caron. C'est une bonne amie à vous ?

— Je dirais plutôt une connaissance. Nous avons sympathisé à l'enquête du coroner, comme vous le savez.

Renaud préférait rester discret, surtout quand il était question de Germaine.

— Monsieur Grace m'a présenté les choses sous un autre jour, glissa Lavigerie avec un sourire. Cela ne change rien à notre affaire. Mon client s'est en effet senti visé par cette brochure. Je ne trahis pas ici le secret professionnel, il m'a autorisé à discuter de la chose avec vous.

— Il en va de même de ma cliente. Je ne vous ferai pas perdre votre temps.

L'allusion à ses rapports avec Germaine lui avait donné envie de ne pas faire durer cette rencontre plus que nécessaire. Il continua :

— Seriez-vous intéressé par une poursuite commune contre l'auteur de cette brochure et l'imprimeur ?

— C'est la même personne.

Face à l'interrogation sur le visage de Renaud, il expliqua :

— L'auteur et l'imprimeur sont une seule et même personne, Raoul Richard. Il publie un hebdomadaire terriblement mal écrit, le *Franc-Parleur*. Juste en regardant le vocabulaire approximatif et le style, on devine tout de suite qu'il a pondu ce mauvais roman. Moi, je le sais car ce gratte-papier me l'a dit.

Lavigerie marqua une pause, puis conclut :

— Pour répondre à votre question, non, je ne poursuivrai pas.

— Comment cela ? Votre client n'a-t-il pas envie de laver sa réputation ?

— Certainement. Cependant, il vaut mieux ne pas poursuivre pour quatre raisons. Premièrement, Grace n'a pas d'argent pour me payer des honoraires raisonnables, et Raoul Richard a plus de dettes que d'avoirs. Nous n'en tirerions rien d'autre que le plaisir de fermer sa boutique. Nous pouvons sûrement nous priver d'un journal si mal écrit, mais lui ne peut pas se priver de son gagne-pain. Deuxièmement, comme vous devez vous en douter avec ce que je viens de dire, ce monsieur m'est connu. Nous nous identifions à ce groupe plus ou moins défini que l'on appelle le Parti conservateur. Raoul est de l'aile grenouille de bénitier, je suis de l'aile nationaliste.

Renaud s'en doutait, la petite politique animait l'auteur de la brochure. En pleine campagne électorale, elle éclaboussait les personnes au pouvoir dans la province. Il affirma pourtant :

— C'est une affaire de diffamation, cela n'a pas de lien avec la politique.

— Ce sera le plus gros scandale politique de l'histoire de la province, si nous arrivons à sortir l'affaire. Raoul ne nous a pas aidés.

L'avocat garda le silence un moment afin de voir l'effet de sa déclaration sur son interlocuteur. Il ne pouvait ignorer sa participation à la présente campagne aux côtés d'Élise Trudel.

— Mais, même en se limitant à la question de la diffamation, poursuivit-il, mon client n'est pas calomnié dans cette brochure. C'est ma troisième raison. Il s'est senti visé seulement parce que votre cliente, dont il est entiché, est assez clairement identifiable. S'il insistait trop, Grace créerait un doute sur son innocence. Qu'il demeure discret. Personne ne reliera ce commis de magasin au domestique de *La Non-Vengée*. Je lui ai demandé deux dollars pour lui dire de ne parler de cela à personne.

C'était en effet le meilleur conseil à donner, Renaud devait en convenir. Il savait maintenant que Grace avait été l'un de ceux qui avaient proposé le mariage à Germaine.

— De toute façon, conclut son vis-à-vis, il est bien plus inquiet du sort de votre cliente que du sien, dans cette affaire.

— Vous aviez une quatrième raison, rappela Renaud.

Lavigerie ramassa *Le Soleil* à côté de sa chaise et le lui tendit en disant :

— Je suppose que vous n'avez pas encore vu cela.

Sur la première page, il lut : « REBONDISSEMENT DANS L'AFFAIRE BLANCHE GIRARD. ENQUÊTE *ON DISCOVERY.* » Lavigerie continuait :

— Vous le savez, la loi prévoit qu'après l'enquête du coroner, des citoyens peuvent demander la tenue d'une enquête *on discovery* si des faits nouveaux surviennent. Le Parti libéral, dans une grande croisade à la recherche de la vérité, en a pris l'initiative. Raoul Richard va être obligé de confesser son délire littéraire, les gens de *L'Événement* vont admettre ne rien savoir de précis. Comme Germaine Caron et John Grace n'ont rien à voir dans cette histoire, ils vont sortir de là lavés de tout soupçon.

Lavigerie lui avait fait ce long discours pour se mettre en valeur, au lieu de lui montrer le journal d'entrée de jeu. Renaud le salua et ajouta :

— Je vais tout de même aller voir ce monsieur Richard.

Il découvrit l'atelier du *Franc-Parleur* dans une petite impasse du quartier Saint-Sauveur. Sur la porte, on affirmait effectuer les divers travaux d'imprimerie au meilleur prix en ville. Le propriétaire produisait sans doute des cartes professionnelles, des invitations aux mariages et des cartes de remerciements suivant les funérailles. Deux travailleurs s'affairaient dans une pièce exiguë, dans le vacarme d'une petite presse. Le plus âgé vint vers le visiteur en essuyant ses mains sur une guenille tachée d'encre.

— Monsieur Raoul Richard ?

L'autre lui fit signe de monter à l'étage et retourna à son travail.

Un escalier étroit conduisait au premier. Renaud aboutit dans une pièce servant de bureau au propriétaire, à l'éditeur et au seul journaliste du *Franc-Parleur*. Des liasses de papier s'entassaient à hauteur d'homme ; des classeurs, une longue table sur laquelle s'étalaient des épreuves en cours de correction encombraient les lieux. Juste en haut de l'escalier, des paquets de *La Non-Vengée*, attachés avec des ficelles, trahissaient leur auteur.

Un petit homme malingre d'une cinquantaine d'années le regarda venir vers son bureau. Il portait une visière verte, transparente, pour protéger ses yeux, et des manchons de grosse toile de baptiste noire du poignet au coude à chacun de ses bras, pour épargner sa chemise des taches d'encre. La précaution était inutile, le vêtement était déjà beaucoup trop maculé pour être encore décent.

— Monsieur Raoul Richard, je présume ?

L'autre s'était levé pour l'accueillir. Quand il tendit la main, plutôt que de la serrer, le visiteur lui remit sa carte professionnelle. Le « Renaud Daigle – Avocat – Professeur à l'Université Laval » fit son effet.

— J'aimerais vous parler de votre dernier succès littéraire, précisa-t-il.

L'imprimeur et journaliste lui fit signe de s'asseoir. Il offrait un tout petit visage osseux, très laid. Toutes les vingt secondes, il faisait un « huhum » pour déloger du mucus dans sa gorge, puis il déglutissait avec un bruit de succion, pour avaler le tout. Agacé par ce tic plutôt répugnant, pour ne pas le regarder, Renaud parcourut la pièce des yeux. Tous les murs s'encombraient de grandes croix noires de la tempérance, de statues de plâtre, d'images pieuses à la fois naïves et grotesques : Notre-Dame-des-Sept-Douleurs, saint Georges terrassant le dragon, etc. La profusion de vierges et de saintes, toutes mortes pour préserver leur vertu, témoignait d'une véritable obsession chez le bonhomme.

— J'ai un mandat de Germaine Caron. Votre écrit *La Non-Vengée* la présente comme une complice de l'enlèvement et du meurtre de Blanche Girard.

— Je ne nomme jamais Germaine Caron.

— Non, mais vous présentez cette complice comme étant la meilleure amie de Blanche. Tous les membres de la chorale pourront témoigner que Germaine Caron était la seule amie de la victime. Elle a admis être la dernière personne à avoir vu celle-ci le jour de sa disparition. C'est aussi le cas de votre personnage. Cela suffit pour porter préjudice à ma cliente.

— Ce récit est une invention. Cela se passe dans une ville inconnue.

Effrayé, le petit homme déglutissait à une vitesse folle.

— Si je prends un plan de la ville avec moi au tribunal et que je lis vos élucubrations à haute voix, tout le monde reconnaîtra Québec. Vos descriptions de la rivière Saint-Charles et du parc Victoria sont très ressemblantes. Vous avez même repris les mots exacts du compte-rendu du sermon du curé Melançon, publié dans *L'Action catholique*.

— De toute façon, que pouvez-vous me reprocher ? J'ai écrit une histoire inventée où il y a des éléments empruntés à la vérité. Mon objectif est d'inciter les jeunes filles à rester vertueuses.

Ce serait sans doute sa défense, devant un juge. Son visiteur afficha la même candeur en présentant ses propres arguments :

— Dans cette histoire, vous attaquez la réputation d'une personne réelle. Tous vos lecteurs un peu au courant de l'affaire vont la reconnaître.

— Je ne peux pas nuire à sa bonne réputation, elle n'en a pas.

Renaud fixa ses yeux dans ceux du petit homme au moment de demander :

— Que voulez-vous dire ?

— Elle vit dans une maison de chambres, et non chez ses parents, elle sort avec des hommes. Je le sais, j'ai fait des recherches.

— Vous avez découvert qu'elle était associée à un Club des vampires ? Qu'elle avait été complice d'un enlèvement ? Vous avez des preuves de cela ?

Il s'était penché sur le bureau, regardant intensément le petit homme, avec un sourire mauvais. L'imprimeur fit signe que non. L'avocat continua :

— Je vous laisse une lettre où je vous présente les attentes de ma cliente. D'abord, cessez de répandre votre torchon. J'aurais pu présenter une demande d'injonction au tribunal tout de suite, mais je me suis dit que si vous étiez assez stupide pour ne pas arrêter immédiatement, cela me permettrait de vous demander un dédommagement valant au moins le double de votre vilaine petite boutique.

— Je ne les distribue plus. Tous les exemplaires qui me restent sont là.

Il désignait les paquets de copies posés en haut de l'escalier.

— La semaine prochaine, je vous verrai à l'enquête *on discovery*. Je suis sûr que vous allez présenter toutes vos preuves là-bas. Ensuite, selon la nature de vos affirmations, je saurai si je vais demander un dédommagement valant deux fois ou dix fois tout ce que vous possédez. Je perdrai peut-être, mais j'irai en appel. Si vous n'êtes pas ruiné par une sentence du tribunal exigeant la mise en vente de votre affaire pour remettre le montant à ma cliente, vous le serez à cause des frais d'avocat. Car personne, même au sein du Parti conservateur, ne vous défendra gratuitement.

Il se leva, lui tendit la lettre dactylographiée, et partit. Arrivé près de l'escalier, il lança encore :

— Même Lavigerie ne vous défendra pas pour rien.

Renaud laissa derrière lui un petit homme effrayé. Déjà, tous les amis politiques de l'imprimeur avaient commencé à le lâcher pour son idée saugrenue d'avoir publié cela. Pourtant, le petit homme demeurait convaincu de la véracité de son histoire, dans ses grandes lignes.

Chapitre 14

Le mercredi suivant, Renaud remarqua que ses étudiants discutaient entre eux de l'enquête *on discovery*. Cette procédure tout à fait exceptionnelle était susceptible d'intéresser les étudiants en droit, puis, surtout, l'événement prenait la forme d'un affrontement entre les libéraux et les conservateurs, en pleine élection fédérale. Comme la majorité d'entre eux se passionnaient pour la politique, ils ne pouvaient s'empêcher de supputer les chances de chacun des partis.

Depuis sa conversation avec Lavigerie, Renaud regardait les journaux avec un peu plus d'attention. À mots couverts, *L'Événement* entendait que les libéraux dissimulaient les coupables à la justice. Cela prenait la forme d'hypothèses, de fines allusions, pour éviter les poursuites en diffamation. *Le Soleil*, de son côté, évoquait le désarroi des conservateurs qui, tirant désespérément de l'arrière dans cette élection, essayaient de créer des scandales de toutes pièces. L'avocat trouvait le point de vue du *Soleil* bien convaincant.

Quelques étudiants semblaient prendre ce développement de l'enquête au tragique. Les membres de la « jeunesse libérale » avaient encore une fois resserré les rangs autour d'Henri dès avant le cours, pour ne plus s'éloigner de lui ensuite. Renaud croyait deviner le sujet de leurs inquiétudes. Ils venaient de familles dont les fortunes devaient beaucoup à des liens étroits avec le pouvoir. Même non fondées, ces rumeurs de scandale leur paraissaient sans doute bien menaçantes. Combien ils se montraient impressionnables ! L'avance des libéraux dans la province s'avérait si grande que rien ne pouvait les affecter, sauf peut-être si Ernest Lapointe était le chef du Club des vampires ! Quand ils étaient à court d'arguments, les libéraux n'avaient qu'à rappeler aux Canadiens français que les conservateurs étaient responsables de la conscription de 1917 pour rallier la majorité. Dans la population de langue anglaise, le même argument avait l'effet contraire.

~

C'est donc sans grande surprise que le professeur trouva une bonne partie de ses étudiants au palais de justice le lendemain matin, dans l'une des plus grandes salles de l'édifice. Attirés par le caractère scabreux de l'affaire au moment de l'enquête du coroner, les curieux avaient cédé leurs places aux fervents de politique. Quant à Renaud, c'était la procédure qui l'intéressait vivement. La présidence de l'enquête avait été confiée au juge Montpetit. Celui-ci s'était distingué l'été précédent en distribuant des peines sévères aux grévistes des manufactures de chaussures arrêtés pour violence sur les piquets de grève. C'était aussi un libéral avoué. Les nominations à la magistrature allaient aux amis politiques. Puisque les libéraux étaient au pouvoir depuis 1897 dans la province, les juges conservateurs se faisaient rares dans les cours de compétence provinciale.

Deux procureurs étaient chargés d'interroger les témoins, l'un libéral, Laurent Marchais, l'autre conservateur, Alain Touchette. Il s'agissait d'avocats connus. Ces deux professionnels allaient procéder chacun leur tour, alternant selon un principe un peu mystérieux : il n'y avait ni poursuite ni défense dans ce genre d'enquête. Ils devaient avoir au préalable tiré au sort le moment de leur intervention.

Le juge Montpetit ouvrit la séance en rappelant les faits importants de cette affaire : la disparition de Blanche Girard, la découverte de son cadavre, la présentation du rapport d'autopsie du docteur Grégoire et les conclusions de l'enquête du coroner. Tout le monde dans la salle se rappelait ces événements, le juge Montpetit ne s'inquiéta pas du tout de faire perdre leur temps aux spectateurs. Le magistrat fit son résumé d'une voix lente et monotone. Il enchaîna ensuite sur la nature de l'enquête qui s'ouvrait :

— Comme circulent, depuis deux semaines, des rumeurs susceptibles de conduire la population à douter du système de justice, à cause de diverses publications, précisa-t-il, le procureur général de la province a décidé de tenir cette enquête. Il a demandé aux responsables de ces publications, les directeurs de *L'Événement* et du *Franc-Parleur*, de joindre leurs noms à cette demande.

Renaud sourit à ces mots. Descôteaux avait été fort habile. En prenant l'initiative de l'enquête, il s'affichait comme le champion de la vérité. En s'associant deux adversaires politiques, il faisait de l'opération une procédure transcendant les différences de parti. Ceux-ci ne pouvaient se dérober sans passer pour de parfaits imbéciles.

Le premier témoin fut le directeur de *L'Événement*, un vieux monsieur distingué, embarrassé de se trouver là. Il prêta serment, puis Laurent Marchais lui demanda :

— Vous avez publié, il y a deux semaines, un article affirmant l'existence de témoins nouveaux dans l'affaire Blanche Girard ?

— En effet.

— Selon cet article, des personnes auraient aperçu Blanche Girard dans une voiture, en compagnie de quelques jeunes hommes, dans la soirée du 3 juillet dernier.

— C'est ce que cet article disait.

L'homme paraissait troublé. Son malaise augmenta avec la prochaine question, facile à deviner :

— Êtes-vous en mesure de donner ici les noms de ces témoins ?

— Non, je ne le puis pas.

Il y eut un murmure déçu dans la salle. Celles et ceux qui s'attendaient à des révélations-chocs commencèrent à désespérer. Le libéral Laurent Marchais leva les yeux au plafond, l'air de dire « Je le savais, ils nous font perdre notre temps. »

Il n'avait pas d'autres questions. Alain Touchette se leva à son tour et demanda :

— Y a-t-il quelqu'un au journal capable de donner ces noms ?

— Bien sûr, le journaliste qui a écrit cet article.

Les conservateurs présents retrouvèrent leur contenance, les libéraux s'agitèrent un peu sur leur chaise, inquiets. Le journaliste fut appelé à témoigner à son tour. Il s'agissait d'un tout jeune homme aux vêtements élimés. Travailler dans un quotidien d'opposition ne devait pas bien faire vivre son homme, à Québec. Il semblait cependant tout fier de se trouver le centre d'intérêt de cette assemblée. C'était son moment de gloire.

— Vous êtes l'auteur de l'article évoqué par mon collègue ? lui demanda Alain Touchette dès qu'il eut prêté serment.

— Oui, c'est bien moi, répondit-il d'un ton défiant quiconque de vouloir lui retirer ce mérite.

— Êtes-vous en mesure de nommer ces mystérieux témoins ?

— Je peux en nommer deux. Cependant, je n'en ai rencontré qu'un seul.

Un air de mystère effleura son visage.

— Comment s'appelle le témoin que vous avez rencontré ?

— Il s'agit de madame Gertrude Fortier.

— Comment avez-vous entendu parler d'un autre témoin ?

— Raoul Richard l'a déniché. Il m'a montré ses notes après l'avoir interrogé.

Renaud esquissa un mauvais sourire à l'allusion au petit imprimeur. Celui-ci devrait bientôt étaler ses sources d'inspiration.

— Votre Honneur, continua Alain Touchette en s'adressant au juge, comme monsieur Richard témoignera plus tard aujourd'hui, je propose que nous nous limitions au seul témoin que notre jeune journaliste connaît.

Le juge Montpetit consulta Laurent Marchais du regard. Le libéral acquiesça. Tout cela avait été convenu à l'avance, afin que les choses se déroulent plus rondement. Il convenait toutefois de respecter le rituel habituel.

— Cela me semble préférable en effet, répondit le magistrat.

Alain Touchette se tourna de nouveau vers le journaliste.

— Dans quelles circonstances avez-vous découvert ce témoin ?

— Je suis allé aux funérailles de Blanche Girard. J'ai entendu des femmes discuter entre elles de l'existence de madame Gertrude Fortier, de ses… « hypothèses ». J'ai sauté dans le même tramway que ces femmes, afin de leur demander l'adresse du témoin.

Le jeune homme présentait les choses comme s'il s'agissait là d'une prouesse extraordinaire. Il y eut quelques rires dans la salle.

— Plusieurs jours se sont écoulés entre les funérailles et la publication de votre article. Comment cela se fait-il ?

— Au début, elle ne voulait pas me parler. Par la suite, j'ai cherché d'autres personnes pour confirmer son histoire.

— Et ces autres témoins, vous les avez trouvés ?

Il afficha une mine déçue au moment d'admettre :

— Comme je le disais tout à l'heure, Raoul Richard en a trouvé un autre.

— J'ai terminé, Votre Honneur.

L'avocat retourna s'asseoir alors que Laurent Marchais s'approchait.

— C'est une enquête remarquable que vous avez faite, jeune homme.

Quoique la voix de l'avocat fût chargée d'ironie, le journaliste rougit de plaisir.

— Vous dites avoir eu du mal à convaincre Gertrude Fortier de vous raconter ce qu'elle avait vu.

— Oui. Je suis allé plusieurs fois chez elle avant de réussir.

— Est-il vrai que vous lui avez donné de l'argent pour entendre son histoire ?

— ... Oui.

Le journaliste avait eu un moment d'hésitation avant de répondre. Une bonne partie de sa fierté disparut. Un murmure parcourut la salle.

— Combien d'argent a-t-elle reçu ?

— ... Cinquante dollars, admit-il après avoir consulté son directeur du regard.

— Cinq fois le salaire hebdomadaire d'une ouvrière de la chaussure !

Laurent Marchais affectait d'être admiratif devant tant de générosité. En réalité, il venait de faire perdre sa crédibilité au témoin suivant, avant même que cette femme se soit assise à la barre des témoins.

Le jeune journaliste céda sa place à Gertrude Fortier, une ménagère frôlant la soixantaine. Maître Touchette lui demanda :

— Madame, qu'avez-vous vu dans la soirée du 3 juillet dernier ?

— Une jeune femme dans une auto, dans la rue Saint-Vallier, avec des jeunes hommes.

Gertrude Fortier avait la diction laborieuse d'une personne pas tout à fait à jeun, mais soucieuse de dissimuler son état. Il n'était pourtant que dix heures du matin.

— Qui était cette jeune femme ?

— Celle qui a été tuée. Blanche Girard.

Un murmure parcourut la salle. Ainsi, le voile se levait sur cette horrible affaire.

— Vous savez qui étaient les hommes avec elle ?

— Je ne connais pas leur nom. C'étaient de beaux messieurs, bien habillés. Des gens de la Haute-Ville.

— Ils étaient nombreux ?

— Trois dans la voiture où se trouvait la jeune fille. Une autre auto suivait, avec trois passagers. Ils étaient ensemble, ils se parlaient d'une auto à l'autre.

Un certain étonnement parcourut la salle, mais Renaud voyait l'inquiétude sur le visage d'Alain Touchette. Malgré ce début, le témoignage ne contenait rien de bien solide. Laurent Marchais se leva avec un petit sourire mauvais.

— Madame Fortier, depuis quand connaissiez-vous Blanche Girard ?

— Je ne la connaissais pas. Je ne l'ai jamais rencontrée.

— Ah ! Comment avez-vous pu la reconnaître dans cette automobile ?

— Il y a eu sa photo dans le journal. Tout le monde l'a vue.

Les journaux avaient reproduit le cliché montrant la jeune femme lors du pique-nique organisé par la chorale de la paroisse Saint-Roch. Renaud s'en souvenait aussi.

— Cette photo a été publiée quel jour ?

— Je ne sais plus exactement. Après la découverte du corps dans le parc.

— C'est-à-dire le vendredi, ou le samedi suivant. Je pense que la première photo a été publiée le samedi 10 juillet. Qu'en pensez-vous ?

La vieille femme marqua une hésitation avant de convenir :

— C'est possible, je ne me rappelle pas.

— Quand vous avez vu cette photographie le 10, vous vous êtes rappelé que c'était la jeune fille aperçue dans une auto le 3 juillet ?

— Oui, c'est ça.

Après une semaine, pensa Renaud. La faille se trouvait là.

— Vous étiez à quelle distance de cette personne ?

— Tout près. J'étais sur le trottoir, elle était à l'arrière d'une auto stationnée.

— Que faisait-elle ?

— Elle était comme penchée. Non, ce n'est pas cela, elle était à genoux sur le plancher de la voiture, entre les deux banquettes, comme si elle cherchait quelque chose par terre.

Dans un monde pétri de bienséance, pourquoi ces garçons la laissaient-ils dans cette posture, au lieu de se charger eux-mêmes de retrouver l'objet égaré ? Le professeur de droit doutait de plus en plus du bien-fondé de ce récit.

— Cette jeune femme paraissait être là de son plein gré, donc. Elle a dit quelque chose ? Elle a appelé à l'aide ?

— Non. Les garçons avaient l'air de la chatouiller. En tout cas, ils la touchaient et ils riaient. Elle leur disait d'arrêter, de la laisser se relever. Elle avait l'air fatiguée de se faire taquiner.

— Si elle était penchée vers le plancher de la voiture, comment avez-vous vu son visage ?

— Elle s'est relevée un moment.

La réponse était mal assurée. Après coup, le témoin paraissait trouver la scène un peu étrange. Comme si sa posture entre les banquettes prenait un sens nouveau.

— Vous avez vu son visage assez longtemps pour vous rappeler ses traits une semaine plus tard. C'est plutôt remarquable. Quelque chose a dû attirer votre attention. Un signe particulier ?

— Elle semblait avoir peur. C'est pour cela que je me suis rappelé d'elle.

Laurent Marchais ne cachait pas son scepticisme. Il alla vers sa table, prit un vieux numéro du *Soleil* et revint vers le témoin. Il lui tendit le journal en disant :

— C'est bien cette photo que vous avez vue ?

Elle fit un « oui » excédé.

— Décrivez-la-moi.

Comme elle levait un regard interrogateur, il précisa :

— Dites-moi ce que vous voyez sur la photographie.

— Une jeune femme dehors. On dirait les chutes Montmorency derrière.

— Est-elle debout, assise, couchée ? Quel genre de vêtements porte-t-elle ?

— Elle est debout. Elle porte une robe.

La vieille dame revêche ne dissimulait plus son impatience.

— Quelle est la couleur de ses cheveux?

— Ils semblent bruns, ou noirs.

— Celle de ses yeux?

— On ne voit pas, c'est en noir et blanc.

Elle regardait l'avocat comme s'il s'agissait de l'idiot du village, pour poser des questions pareilles.

— Est-ce qu'elle sourit?

— Je ne suis pas sûre. La photo n'est pas très claire.

— C'est vrai. C'est tellement flou qu'on ne sait pas si elle sourit.

Laurent Marchais se tourna vers le juge Montpetit en lui tendant une photographie.

— Voici l'original de cette photo, publiée dans *Le Soleil* du 10 juillet. Elle a été prise par John Grace lors d'un pique-nique de la chorale de la paroisse Saint-Roch aux chutes Montmorency. J'en ai aussi une copie pour mon savant confrère. Cette photographie est floue, et la reproduction dans le journal n'améliore pas les choses, au contraire. Elle a sans doute bougé un peu la tête au moment du déclic. On ne voit pas bien les traits du visage.

Il se retourna vers Gertrude Fortier et demanda:

— C'est bien en voyant cette photographie dans le journal que vous vous êtes dit: «Tiens, je connais cette femme! Je l'ai vue la semaine dernière dans une voiture rue Saint-Vallier.»

— Oui, c'est ça.

Elle devenait de plus en plus méfiante.

— Vous l'avez regardée longtemps, pour la reconnaître ainsi une semaine plus tard, grâce à une photographie si floue que vous ne savez pas si elle sourit. Combien de temps?

— Je ne sais pas. Pendant un petit moment.

— Assez longtemps pour fixer dans votre mémoire ses traits, et vous en souvenir en voyant cette mauvaise photo?

— J'ai reconnu aussi sa robe. Elle portait la même que sur la photo, ce jour-là.

La justification porta. Les libéraux perdirent un instant leur sourire triomphant; les conservateurs retrouvèrent le leur. « À sa place, songea Renaud, je dirais que des centaines de femmes doivent posséder la même à Québec. » Marchais parut juste un moment ennuyé, puis joua un coup de dé.

— Quelle était la couleur de sa robe ?

Au moment où Gertrude Fortier posa les yeux sur le journal encore dans ses mains, il ajouta :

— Ne me dites pas que la photographie est en noir et blanc. Vous êtes supposée l'avoir vue le 3 juillet.

Il y eut un long moment de silence.

— Je ne sais plus, siffla-t-elle en colère.

Il y eut un murmure dans la salle, personne ne l'entendit souffler :

— Il y a trois mois que je l'ai vue.

Laurent Marchais affichait un sourire satisfait, accumulant les points en sa faveur. Il n'allait pas s'arrêter là :

— Vous affirmez que les hommes avec cette jeune femme venaient de la Haute-Ville. Comment pouvez-vous dire cela ? Vous les connaissiez ?

— Je ne connais personne à la Haute-Ville. Ils étaient bien habillés et avaient de grosses voitures.

— Mais vous n'avez aucune idée de leur identité.

Elle ne répondit rien. De toute façon, ce n'était pas une question, mais une affirmation. Il continua :

— Vous pouvez au moins nous dire le type de voiture ?

— Non. Je ne m'intéresse pas aux voitures.

— Mais vous savez si une voiture vient de la Haute-Ville ou de la Basse-Ville.

Encore là, ce n'était pas une question. L'avocat continua :

— Que cherchiez-vous dans la rue Saint-Vallier, au moment de faire cette rencontre étonnante ? Vous devez au moins savoir cela.

Il y eut un long silence, suffisamment long pour l'inciter à ajouter :

— Selon des amies à vous, justement celles que notre jeune journaliste a poursuivies dans le tramway, vous cherchiez quelque chose.

— De la bière.

Il y eut un éclat de rire dans la salle.

— Il ne vous en restait déjà plus au début de la soirée ?

Alain Touchette se leva d'un bond pour protester, mais il décida de se rasseoir. « Pourquoi ne demande-t-il pas le retrait de la question ? » se demanda Renaud. Il examinait la dame Fortier attentivement. Avec un sourire, le professeur de droit conclut : « Il ne souhaite pas engager la conversation sur la sobriété de son témoin vedette… Et il a bien raison. »

— Une toute dernière question, dit encore Marchais, vous avez bien reçu cinquante dollars de *L'Événement ?*

— Oui.

Sa voix était blanche de colère. Elle eut envie de s'écrier : « Tous les avocats présents dans cette salle reçoivent bien plus que cette somme. Cela en fait-il tous des menteurs ? » Le juge ne lui en laissa pas l'occasion :

— Vous pouvez regagner votre place, madame Fortier.

Dans la salle, les conservateurs affichaient des têtes d'enterrement, les libéraux jubilaient. Renaud Daigle se tourna vers Thomas Lavigerie, assis dans la rangée derrière lui, pour lui dire :

— Si ce sont là les témoins qui vous sont favorables, je suis curieux de voir ceux de la partie adverse.

L'autre se contenta de lui lancer un regard dépité. Raoul Richard fut ensuite appelé à la barre. Celui-ci déglutissait à un rythme effréné, ses mains tremblaient un peu au moment de prêter serment. Malgré les regards rassurants d'Alain Touchette, cet homme aurait donné cher pour se trouver ailleurs.

— Monsieur Richard, pourquoi vous êtes-vous intéressé à l'affaire Blanche Girard ?

— Cette jeune fille vertueuse a été la victime des mœurs dissolues de certains habitants de cette ville. Tous les bons citoyens désirent que justice soit faite.

— Vous avez alors décidé de prendre les choses en main ?

— J'ai mené ma propre enquête, pour trouver les coupables.

De la part de ce petit homme malingre, affligé d'un tic répugnant, cela paraissait si prétentieux. Dans la salle, plusieurs s'esclaffèrent.

— Qu'est-ce que votre enquête a donné ?

— J'ai découvert un témoin. Cet homme a vu une connaissance de la victime au volant d'un camion, le soir de sa disparition.

— Pourquoi cela vous a-t-il paru important ?

— Si elle avait été enlevée en pleine ville, des témoins s'en seraient rendu compte. Cette pauvre fille a suivi l'une de ses connaissances, en qui elle avait confiance. Cette personne l'a conduite à ses assassins.

Tout le scénario de la petite brochure de Raoul Richard se trouvait dans cette conviction.

— En somme, vous avez conçu une théorie, vous avez joué au détective pour trouver les coupables. Quel fut le résultat de vos efforts ?

— Je n'ai pas trouvé les coupables. J'ai alors écrit une œuvre de fiction, *La Non-Vengée*.

Tout au long de cette explication, Raoul Richard cherchait les yeux de Renaud Daigle dans la salle. Il plaidait sa cause auprès de lui. Alain Touchette poursuivait :

— Mais dans ce texte, vous évoquez des personnes ayant une existence réelle ?

— À la façon d'un romancier inspiré par des personnes de son entourage, sans plus.

— Si quelqu'un s'amusait à chercher dans la réalité les personnages de *La Non-Vengée*, il perdrait son temps ?

Le petit homme regardait le professeur de droit au moment de clamer :

— Évidemment ! Ce sont des personnages inventés. Mon seul objectif était d'attirer l'attention sur la dégénérescence des valeurs traditionnelles canadiennes-françaises, dont l'esprit religieux. L'assassinat de cette jeune fille vertueuse vient de la décadence de nos mœurs.

— Je n'ai plus de question, Votre Honneur, fit Alain Touchette en regagnant sa place.

Laurent Marchais se leva à son tour, plein d'entrain. En se tenant tout près du témoin, pour l'écraser de sa forte stature, il demanda :

— Monsieur Richard, votre brochure a été rédigée de telle façon que des gens ont pu s'identifier, sans trouver cela amusant du tout, à vos personnages inventés.

— Comme dans toutes les œuvres de fiction, j'ai essayé d'être le plus crédible possible. J'ai essayé de combiner des éléments réels avec la fantaisie.

— Votre témoin a vu John Grace au volant d'un camion le soir du 3 juillet, si j'interprète bien votre opuscule. Monsieur Grace vous a servi de modèle pour le domestique responsable du kidnapping de Blanche, dans *La Non-Vengée* ?

L'homme paraissait au bord des larmes. Il insista :

— Non. Monsieur Grace travaille dans un grand magasin. Il n'est pas domestique.

— Vous avez écrit que la meilleure amie de Blanche Girard a été complice de son enlèvement. Lors de l'enquête du coroner, Germaine Caron a affirmé être la meilleure amie de Blanche Girard. Avez-vous utilisé la vraie Germaine Caron pour modèle de votre personnage de Julie ?

— Non, pas du tout.

De nouveau, il cherchait des yeux Renaud Daigle. Sa voix tremblait de plus en plus.

— Votre personnage de Julie est une jeune femme dévergondée. Avez-vous voulu dire que madame Caron n'est pas une femme respectable ?

— Non, absolument pas. Je le jure.

— C'est tout de même curieux. Vous affirmez que Blanche a dû être enlevée avec l'aide de ses connaissances. Vous savez, si vous avez assisté à l'enquête du coroner, ou lu les comptes-rendus à ce sujet dans les journaux, que les deux amis les plus proches de la victime étaient Germaine Caron et John Grace. Ces jeunes gens vous ont donc servi de modèle.

— C'est une œuvre de fiction. Je n'ai pas voulu dire du mal de ces deux personnes. Ce sont des personnages inventés.

Laurent Marchais n'avait aucun motif de se faire l'avocat des deux amis de la victime. Son but n'était pas de rétablir la réputation de Germaine Caron. Renaud comprit sa stratégie à la question suivante :

— Si ces deux personnages, Julie et le domestique, n'ont rien à voir avec la réalité, c'est la même chose avec tous les personnages de la brochure, je suppose. Connaissez-vous un Club des vampires à Québec ?

— Non, pas du tout.

— D'après vous, quelle est la personne la plus en vue de Québec ?

— ... Le premier ministre, fit Raoul Richard d'une toute petite voix après un long silence.

Bien sûr, l'avocat voulait établir l'innocence des riches et des puissants.

— Avez-vous voulu insinuer que le fils du premier ministre avait quelque chose à voir dans le meurtre de Blanche Girard ?

— Non, bien sûr que non. C'est une œuvre de fiction, je vous l'ai dit.

Laurent Marchais tortura encore un long moment Raoul Richard. À la fin, celui-ci se raclait la gorge et déglutissait à tous les deux mots. À sa toute dernière question, on put apprendre qu'un certain Frédéric Martin avait affirmé avoir vu John Grace au volant du camion de livraison d'une boucherie, dans la soirée du 3 juillet.

Ce gaillard vint à la barre des témoins à son tour, visiblement intimidé. Il raconta son histoire à Alain Touchette, l'avocat conservateur. Laurent Marchais lui succéda aussitôt en demandant :

— Où étiez-vous exactement à ce moment ?

— Je sortais d'une taverne, au coin des rues Saint-Joseph et Dorchester.

— Vous êtes certain de l'avoir reconnu ? Vous le connaissiez ?

— Je l'ai revu lors de l'enquête du coroner. Je me suis souvenu de lui à ce moment.

Encore une fois, longtemps après les événements, quelqu'un reconnaissait l'un des protagonistes de cette histoire. Ce récit se révélait aussi fragile que le précédent.

— Il ne s'agit donc pas d'une connaissance personnelle. L'avez-vous vu à d'autres reprises ?

— Non.

— Comment était-il habillé ?

— Comme à l'enquête. Un habit foncé, un chapeau foncé, bas sur les yeux.

— Brun foncé ? Bleu foncé ? Noir foncé ?

Il y eut un éclat de rire dans la salle.

— Je ne me rappelle plus la couleur. C'était foncé, en tout cas.

— Où deviez-vous vous trouver le 3 juillet au soir ?

— ... À la Citadelle, au cachot. J'étais encore dans l'armée, je m'étais battu.

— Vous étiez au cachot, ou à la porte d'une taverne ?

Cette histoire devenait terriblement compliquée. Renaud appréciait combien les autorités comptaient sur cette procédure pour faire taire les rumeurs. Les divagations les plus délirantes paraissaient trouver des oreilles complaisantes, dans cette ville.

— J'étais à la taverne. On me laissait sortir de la prison de la Citadelle.

— Monsieur le juge, j'ai ici une déclaration assermentée du geôlier de monsieur Martin. Il était au cachot à la Citadelle, la porte de sa cellule bien verrouillée. Il en est sorti le

5 juillet. Et, bien sûr, j'ai donné des copies de ces documents à mon distingué collègue.

Laurent Marchais retourna s'asseoir. Même si le témoin semblait vouloir ajouter quelque chose, tout le monde se désintéressait de lui. Le juge consulta l'horloge au mur puis déclara :

— Nous nous arrêtons ici. L'enquête *on discovery* se poursuivra dans cette salle à une heure trente cet après-midi.

Renaud Daigle se leva pour sortir. Cette procédure devenait une véritable farce. Il fallait sans doute se livrer à cet exercice grotesque pour faire taire les rumeurs, mais cela lui paraissait une bien mauvaise façon de dépenser l'argent des contribuables. Il se retrouva à la hauteur de Thomas Lavigerie, qui descendait la rangée derrière la sienne en direction de la porte.

— Qu'allez-vous faire à propos de Raoul Richard maintenant ? demanda l'avocat conservateur. Ce matin, il était complètement terrorisé.

— Ma cliente prendra connaissance des journaux demain, appréciera elle-même si sa réputation a souffert de la brochure, et décidera de la suite à donner.

— Il a tout nié aujourd'hui. Vous n'allez pas vous acharner ?

L'homme perdait un peu de sa superbe. Le professeur de droit s'accorda le plaisir d'une petite leçon :

— Il aurait dû réfléchir un peu avant de s'engager dans son aventure littéraire. S'il doit en subir les conséquences, il n'aura que lui à blâmer.

— Vous allez le ruiner, comme vous l'en avez menacé d'ailleurs. Il a pu agir pour un noble motif.

— Je ne vois rien de noble dans le fait de traiter une jeune femme de dévergondée et de complice du meurtre de sa meilleure amie.

La salle s'était vidée autour d'eux, ils restaient seuls à discuter.

— Là-dessus, vous avez raison. Cependant, tout cela vient de son désir d'obtenir justice pour cette pauvre victime. Le titre de sa brochure, *La Non-Vengée*, n'a pas été choisi au hasard. Notre conviction, à lui et à moi, c'est que les autorités ont dissimulé un ou des coupables, pour éviter tout contrecoup électoral. Ou même, au pire, pour protéger des gens proches du pouvoir.

— Vous revenez avec l'histoire de la personne la plus en vue de Québec. C'est du roman. Votre ami vient de l'admettre lui-même. Du mauvais roman en plus.

— Vous voulez souper avec moi ce soir? Nous pourrons en discuter.

— Je suppose que vous êtes le procureur de Raoul Richard? Si cela peut vous faire plaisir, je veux bien.

À une heure trente, l'assistance se révéla moins nombreuse que le matin. Le scandale, souhaité par les uns et redouté par les autres, n'aurait pas lieu. Avec de pareils témoins, les conservateurs se couvraient de ridicule. Au début des travaux de l'après-midi, le chef de police Ryan se retrouva à la barre. Il faisait rassurant avec son uniforme chamarré, son embonpoint et son sourire.

— Monsieur Ryan, demanda Laurent Marchais, avant aujourd'hui connaissiez-vous les deux témoins vus ce matin?

— Non. Ils ne se sont jamais présentés à la police.

— S'ils étaient allés à vos bureaux, qu'auriez-vous fait?

— La même chose que vous: juger de leur crédibilité. C'est essentiel dans toutes les enquêtes: vérifier si les gens qui nous donnent des informations sont dignes de foi.

Les individus entendus en matinée ne paraissaient guère se qualifier, à cet égard.

— Comment faites-vous pour juger de cela?

— C'est un simple travail de détective. Il faut s'informer de la réputation de ces personnes, questionner leurs proches, leurs voisins, afin de jauger de la recevabilité de leur témoignage.

— Que feriez-vous ensuite ?

— Si nous avions un suspect, nous pourrions organiser une parade d'identification pour madame Fortier, par exemple.

Pareille éventualité semblait toutefois bien peu probable, à en juger par la mine du fonctionnaire.

— Vous voulez dire aligner une dizaine de personnes et lui demander si elle reconnaît parmi elles l'un des individus présents dans les voitures qu'elle affirme avoir vues ?

En formulant sa question ainsi, l'avocat trahissait son propre scepticisme.

— Exactement.

— Dans cette ville, tout le monde se demande pourquoi vous n'avez pas trouvé les coupables de ce meurtre.

— C'est une enquête très difficile. D'abord, nous n'avons aucun informateur. Personne n'a rien vu. Ensuite, le corps a vraisemblablement été transporté dans le parc Victoria après le meurtre. Mais encore là, nous n'avons pas de témoin.

Le chef de police Ryan paraissait tellement désolé de ce mauvais sort.

— Vous avez cependant arrêté des suspects.

— Oui. Nous avions de solides raisons de les croire coupables. Puis ils refusaient de donner leur emploi du temps au moment de la disparition de la jeune femme et pour les jours suivants. Quand ils nous ont dit avec qui ils étaient, nous avons vérifié. Comme l'alibi était bon, nous les avons relâchés.

— Merci bien, monsieur Ryan.

Marchais se retourna vers le juge pour lui dire qu'il n'avait plus de questions à poser à ce témoin. Ce fut au tour d'Alain Touchette de se diriger vers la barre.

— Chef Ryan, entama-t-il, vous avez commencé à nous parler des méthodes d'enquête de la police. Chacun le comprend bien, la meilleure preuve de la culpabilité d'un criminel, c'est d'avoir des témoins de son crime. La possession d'indices n'est-elle pas aussi un excellent moyen ?

— Certainement.

— Pouvez-vous nous expliquer, au bénéfice de l'assistance et de tous les journalistes qui feront rapport à leurs lecteurs, ce qu'est un indice ?

L'avocat conservateur entendait maintenant faire de cette procédure une occasion d'apprentissage.

— Une trace laissée par un coupable : voilà la meilleure façon de décrire un indice. Par exemple, si on trouve les empreintes digitales de quelqu'un sur la poignée d'un couteau enfoncé dans la poitrine d'une victime, c'est un excellent indice. Ou encore si l'on trouve les biens d'une personne victime d'un cambriolage dans la maison d'un voisin. C'est un autre bon indice de la culpabilité de ce voisin.

— Il y avait des indices près du cadavre de Blanche Girard. Les journaux, même les journaux libéraux, n'ont-ils pas parlé de bijoux, de traces de pas, d'un livret de banque même ?

— Il y a eu des informations de ce genre dans les journaux, admit Ryan.

Le chef de police se montrait juste un peu moins souriant tout d'un coup.

— Pour notre malheur, continua-t-il, la scène du crime a été contaminée. Dérangée, si vous préférez. Le corps a été découvert par un jeune garçon à un moment où il y avait des centaines de personnes dans le parc. Comme il est sorti des buissons en hurlant, les gens se sont précipités sur la scène du crime avant l'arrivée des policiers.

— Personne ne se trouvait là pour les empêcher d'approcher ?

— Le vieux gardien Gauthier, un homme de plus de soixante-dix ans ! Le temps qu'il arrive et une foule s'agglutinait. Il n'a pas pu les faire reculer. Les policiers ont incité les gens à s'éloigner un peu quand ils sont arrivés quelques minutes plus tard.

Renaud se souvenait d'avoir parcouru les lieux le lendemain. Les traces de cette affluence demeuraient encore bien visibles.

— Comment cela a-t-il pu contaminer la scène du crime ?

— Tout a été piétiné. La meilleure façon d'amener un corps à cet endroit, c'est par la rivière, mais toutes les traces de pas ont été effacées par la foule. S'il y avait des fils tirés des vêtements du coupable par les buissons, on ne pouvait plus les différencier de ceux arrachés aux vêtements de tous ces curieux. Même chose pour les bouts de cigarettes, d'allumettes. La scène était contaminée par toutes ces personnes.

— Mais les bijoux, le livret de banque ?

— Le lieutenant Gagnon n'a pas trouvé de bijoux. Il y avait bien un livret de banque.

Il y eut un murmure incrédule dans la salle. Les conservateurs trépignèrent d'impatience. Le policier continua :

— Ce livret avait été déclaré volé par son propriétaire avant la découverte du corps. Le coupable du larcin l'a perdu là. S'agit-il de l'auteur du meurtre ou de l'un des curieux, nous ne pouvons le savoir. La seconde éventualité semble la plus probable, car il était en très bon état. Il n'était pas là depuis longtemps.

— Vous avez cru le propriétaire du carnet sur parole ? Il pouvait mentir.

Alain Touchette levait les sourcils comme si la naïveté du policier le laissait pantois.

— Bien sûr que non. Nous nous sommes informés à la banque. Il avait signalé le vol. Puis nous lui avons demandé avec qui il était au moment de la disparition de cette jeune fille. Nous avons vérifié son alibi. Il était à toute épreuve.

— Vous pouvez me donner le nom de cette personne ?

— Objection, Votre Honneur.

Laurent Marchais s'était levé d'un bond. Il continuait :

— Nous l'avons vu aujourd'hui, deux personnes ont subi un sérieux préjudice parce qu'elles avaient le malheur d'être des amies de cette pauvre jeune femme. La justice souffrirait d'une autre rumeur susceptible de salir la réputation d'un innocent.

Alain Touchette répliqua tout de suite:

— Le chef de police vient de nous affirmer que cette personne avait un alibi. Elle ne risque rien.

— Un irresponsable peut encore en faire un personnage de roman, dans une vilaine petite brochure obscène. Personne n'est dupe dans cette salle. Nos amis conservateurs voudraient entendre nommer un libéral pour le traîner dans la boue et essayer de gagner quelques votes.

— Mon éminent collègue convient-il que ce livret de banque appartenait à un libéral?

L'avocat de l'opposition affichait une mine satisfaite, comme au moment d'une grande victoire.

— C'était fort probablement le cas, rétorqua Marchais de sa grosse voix, j'en conviens. Presque tout le monde vote libéral à Québec. La plupart de ces curieux devaient être des libéraux. Je vais même vous faire une confidence: presque tout le monde est libéral à la prison de Québec. Les libéraux ne sont pas plus malhonnêtes que les autres, mais il n'y a presque plus de conservateurs à Québec. Et le chef Ryan envoie en prison les criminels libéraux comme les conservateurs.

Un tonnerre d'éclats de rire, et même quelques applaudissements secouèrent la salle. Le juge Montpetit fit claquer son maillet à plusieurs reprises pour ramener le calme. Il dit enfin:

— Donner le nom d'une personne dont l'alibi a déjà été vérifié ne servirait en rien la justice. Ce serait alimenter des rumeurs malsaines qui font grand tort à notre vie politique.

Les conservateurs grommelèrent un moment, déçus. Maître Touchette secoua la tête de dépit et reprit son interrogatoire en affichant beaucoup moins d'entrain:

— Chef Ryan, nous sommes honorés de vous voir ici. J'aimerais cependant savoir pourquoi nous n'avons pu obtenir le témoignage du lieutenant Gagnon aujourd'hui ?

— Malheureusement, le pauvre homme est interné à l'asile Saint-Michel-Archange depuis plusieurs semaines. J'ai même apporté une copie du rapport qui m'a été envoyé par son médecin traitant.

Il tendit une enveloppe au juge et continua :

— C'est peut-être confidentiel.

Le juge Montpetit parcourut la lettre des yeux. Il déclara après un instant :

— Si vous l'exigez, nous pourrons demander à son médecin de témoigner demain. Je peux toutefois éviter à tout le monde de revenir ici en vous résumant la situation : le lieutenant Gagnon est frappé de démence et son médecin ne prévoit pas que son état puisse s'améliorer un jour.

Alain Touchette exprima son assentiment. Entendre un médecin libéral confirmer ce diagnostic de vive voix ne servirait à rien.

— Est-ce à dire, demanda-t-il encore au chef Ryan, que plus personne ne s'occupe de cette affaire à la police ?

— Pas du tout. Tous les policiers sont au courant de ce dossier et, si quelqu'un a des informations à leur communiquer, ils vont enquêter. Si une personne sait quelque chose, même un tout petit détail, il lui faut venir nous en faire part, plutôt que de s'adresser à des journalistes. Comme cela, on fera l'économie des rumeurs et on ira plus vite vers les coupables.

La fin de la phrase se perdit dans le dos d'Alain Touchette. Non seulement l'avocat en avait fini avec ce témoin, mais il avait terminé sa journée de travail. Un dernier homme fut appelé à la barre, John Grace. Le commis expliqua ne s'être jamais trouvé au volant d'un camion de livraison de sa vie. Bien plus, il ne savait pas conduire. Il tenait à apporter ces précisions, mais même Laurent Marchais, qui posait les questions, n'écoutait plus les réponses.

À la fin de cette déposition, le juge Montpetit demanda si d'autres personnes possédaient des renseignements susceptibles de faire avancer cette affaire. Personne ne se manifesta. Renaud était heureux d'avoir recommandé à Germaine de ne pas perdre une heure de salaire pour venir témoigner. Cela n'aurait servi à rien. Il fallut deux minutes au juge pour classer ses papiers et clôturer la séance par ces mots :

— Rien de ce que nous avons entendu ici aujourd'hui n'a permis d'obtenir des informations nouvelles susceptibles de faire avancer cette enquête. Nous invitons les personnes à l'origine des rumeurs à faire preuve de plus de discernement, et celles qui les entendent à faire montre de moins de crédulité. Avec la collaboration de tous, les forces policières pourront bientôt mener cette enquête à bon terme. À tout le moins, nous devons l'espérer.

Montpetit se leva sans plus de cérémonie, l'assistance avec lui, et il quitta la salle. Les journalistes se précipitèrent vers la sortie afin de préparer leurs papiers pour le lendemain. Thomas Lavigerie dit à Renaud d'un air sombre :

— Au *Grey Owl* à six heures trente ?

Renaud acquiesça. Dans le corridor, il fit la queue à un téléphone public. Il attendit un long moment avant qu'on ne trouve Germaine dans le magasin THIVIERGE. Quand elle répondit, essoufflée d'avoir couru, il lui recommanda de ne plus se faire de souci.

— Pourrons-nous manger ensemble ce soir ? demanda-t-elle.

— Non, malheureusement je dois souper avec Lavigerie. Il souhaite discuter de cette affaire avec moi.

— Je comprends, murmura son interlocutrice avant de raccrocher.

Bien sûr, elle comprenait. L'homme ne semblait toutefois pas bien déçu par ce rendez-vous manqué.

Au même moment, Helen McPhail sonnait à la résidence des Trudel. Elle exprima à la bonne venue ouvrir son désir de parler à Henri. Celle-ci avait constaté l'humeur massacrante du jeune maître depuis plusieurs jours. Plutôt que de lui faire face de nouveau, elle alla plutôt frapper à la porte d'Élise. La jeune femme travaillait à son bureau, dans sa chambre.

— Mademoiselle, dit-elle timidement, mademoiselle McPhail veut parler à votre frère. Je n'ose pas aller le déranger. Il est resté dans sa chambre depuis ce matin…

— Je comprends, répondit Élise en se levant. Je vais m'en occuper. Apportez du thé à mademoiselle McPhail.

Elle alla frapper à la porte d'Henri. Celui-ci ne répondit pas, elle frappa un peu plus fort, ouvrit après avoir entendu un « Oui » impatient. Les rideaux demeuraient tirés. Son frère était étendu tout habillé sur son lit, dans l'obscurité. Elle lui demanda, un peu inquiète :

— Tu es malade ?

La réponse vint après un long silence :

— Pas vraiment. Juste un peu déprimé, sans doute.

— Je ne t'ai jamais vu dans cet état. Il se passe sûrement quelque chose. Tu ne veux pas m'en parler ? Je suis certaine de pouvoir t'aider.

— Seulement un peu de spleen. Cela va passer.

Le garçon faisait un effort pour paraître un peu plus dynamique, mais cela sonnait tout à fait faux.

— Helen McPhail est en bas. Elle veut te parler.

— Ah non ! Je ne veux pas voir son air joyeux et ses bouclettes. Dis-lui d'aller au diable.

— Je ne lui dirai certainement pas cela.

Pourtant, cela ne lui aurait pas vraiment déplu de jeter ces gros mots à la figure de la visiteuse.

— Tu es trop bien élevée. Dis-lui que je suis au lit avec l'une des bonnes. Non, avec deux bonnes. Je la verrai dès que j'aurai fini avec elles.

— Cela te va très bien, de jouer le cynique, fit-elle en quittant la chambre.

Quand elle fut sortie, Henri se tourna sur le ventre et s'enfonça le visage dans son oreiller, jusqu'à manquer un peu d'air. Au cours de la semaine écoulée, à certains moments, il avait espéré mourir plutôt que de se faire arrêter. C'était l'expression de sa frustration, bien sûr : sa vie était chevillée à son corps. Toutefois, la situation lui pesait vraiment. Son père avait beau lui répéter que tout était sous contrôle, il n'en croyait rien. Les autres ne se tracassaient pas trop, certains du caractère indéfectible de la protection du procureur général. Leur optimisme niais l'horripilait. Descôteaux les sacrifierait si cela devenait nécessaire à la sauvegarde des intérêts du Parti.

Aussi, Henri resterait là à attendre des nouvelles de l'enquête *on discovery*. Les informations prendraient un long chemin avant de se rendre jusqu'à lui. Laurent Marchais se précipiterait chez Descôteaux dès la fin de celle-ci. Ensuite, son père irait chez le premier ministre pour avoir des nouvelles. Il viendrait les lui répéter le plus vite possible. Lui devrait les communiquer à ses cinq camarades vers huit heures, quand il les verrait à la *Taverne du Quartier latin*.

Dans un petit salon du rez-de-chaussée, Élise avait rejoint Helen McPhail. Ni l'une ni l'autre ne touchait à sa tasse de thé.

— Il n'a pas voulu descendre, expliqua-t-elle à la jeune fille. Il m'inquiète depuis quelque temps. Je me demande si c'est cela, une dépression.

— Il est peut-être seulement déçu de ne pas être allé à Boston.

Elle paraissait peinée d'être rejetée ainsi, une expérience nouvelle.

— Je ne sais trop. Il m'a fait une scène de jalousie à propos de Renaud Daigle.

— Comment cela ?

— Je ne sais pas, le prestige de l'uniforme, ou celui de l'intellectuel. Je ne le comprends plus depuis ces dernières semaines.

La jeune Irlandaise était à la fois surprise et amusée maintenant.

— Est-ce qu'il y a quelque chose entre toi et ce Renaud ?

— Non. Monsieur le professeur est bien gentil quand nous sommes ensemble, puis il disparaît jusqu'à la prochaine activité politique sans donner signe de vie.

Elle exprimait là un reproche. Helen ne s'en rendit même pas compte.

— Espères-tu voir se passer quelque chose ? Je veux dire, Renaud t'intéresse-t-il pour d'autres raisons que le travail d'élection ?

Élise prit une première gorgée de thé juste pour se donner une contenance. Elle espérait une invitation à souper, ou même à aller voir les oiseaux empaillés de l'Université ou la vieille momie du Séminaire. Elle répondit pourtant :

— Non, pas vraiment. Il est gentil, mais il semble tellement ahuri parfois. Comme si les usages les plus élémentaires de la vie en société lui échappaient.

La plus grande crainte de la jeune femme était, s'il ne se passait rien entre eux, de se voir prise en pitié. Entendre encore : « Pauvre Élise, encore rejetée. Elle va finir toute seule », la rendrait folle de honte. Surtout, cette gamine ne devait jamais dire cela.

— J'avais pourtant cru, commença cette dernière. Selon Henri, ta famille le considère plutôt comme un bon parti.

— Enfin, de quoi se mêlent-ils tous, à faire la chasse au bon parti pour moi ? C'est ridicule à la fin ! Je n'ai rien à faire de ce grand dadais !

Elle était blessée, gênée aussi de se sentir comme une pestiférée. Tout le monde essayait de la caser sans succès. Aucun célibataire ne pouvait apparaître dans cette ville sans susciter un conseil de famille à propos de sa situation amoureuse. Dans ses pires cauchemars, elle voyait son père offrir à un jeune avocat borgne et boiteux un emploi à son ministère et dix mille dollars de prime, à condition qu'il l'épouse.

Sa colère et sa frustration persuadèrent tout à fait Helen McPhail : Renaud ne l'intéressait pas du tout. La jeune visiteuse orienta la conversation sur d'autres sujets, sans parvenir à rendre à Élise un peu de sa bonne humeur. Cette situation dégénérerait en un quiproquo malheureux. Si Henri jalousait Renaud, ce serait une bonne idée de susciter la compétition. Le jeune homme ne désirait rien autant qu'être le premier.

~

Au fond, Renaud avait accepté sans trop réfléchir l'invitation de Lavigerie. Un repas en tête-à-tête avec celui-ci ne le réjouissait pas particulièrement. D'un autre côté il était curieux d'entendre ce que l'autre avait à dire. Étant tous les deux ponctuels, ils se rencontrèrent à la porte du restaurant. Les salutations furent brèves. L'avocat conservateur affichait un visage abattu. Il demanda dès qu'ils furent à table :

— Vous devez être bien heureux de la tournure des événements. Elle favorise tout à fait vos nouveaux alliés politiques.

— Elle favorise surtout la justice et la démocratie. La justice en permettant de restaurer un peu la respectabilité de Germaine Caron. Elle a injustement été traînée dans la boue. Puis il y a de meilleures façons de faire de la politique que de répandre des rumeurs comme celles se profilant dans *La Non-Vengée.*

— Je suis d'accord avec vous pour l'essentiel. Il était très maladroit d'inquiéter cette jeune femme, elle n'a rien à voir avec cette histoire. Si cela avait servi à faire sortir la vérité, je vous dirais que l'on ne fait pas d'omelette sans casser des œufs. Mais là, nous nous sommes fait rosser. Quant à la démocratie, la politique est un jeu viril.

— Mêler le fils du premier ministre à une affaire de meurtre sexuel pour gagner des votes est répugnant. Vous êtes candidat conservateur dans Montmagny, pour le scrutin fédéral actuellement disputé. Vous ne reculez vraiment devant rien pour gagner.

Lavigerie ne sembla pas trop se formaliser de l'accusation.

— S'il s'agissait seulement de nuire à la réputation d'un innocent pour gagner des votes, vous auriez tout à fait raison. Cependant, il est tout à fait légitime de mettre sous les yeux du peuple que la justice a été trahie par le gouvernement.

Le potage arriva sur ce sujet éminemment sérieux, ce qui permit à Renaud de réfléchir à sa repartie. Quand le serveur s'éloigna, il répliqua :

— Si vous me dites que *La Non-Vengée* est pour le Canada français ce que *J'accuse* d'Émile Zola fut pour la France, je m'étouffe de rire.

— C'est pourtant cela. Dans les deux cas, il s'agit de dénoncer un vaste complot des autorités pour soustraire à la justice des personnes proches du pouvoir. C'était l'obsession de l'espionnage en France, les mœurs sexuelles ici. Chaque pays a ses lubies, sans doute attribuables à l'éducation reçue.

Émile Zola avait publié une lettre ouverte dans les journaux pour accuser l'armée et le gouvernement de France d'avoir condamné au bagne un innocent, Dreyfus, pour trahison, et d'avoir ensuite maintenu cette sentence pour protéger à la fois le vrai coupable, ses alliés et les imbéciles à l'origine de l'erreur judiciaire. Que le condamné fût juif accentuait encore les passions : l'affaire s'était déroulée dans un climat de racisme sauvage.

— Vous revenez au point de départ : le fils du premier ministre et ses copains sont soustraits à la justice dans le contexte d'une grande conspiration politico-policière, fit Renaud avec un sourire incrédule.

— Oubliez le fils du premier ministre. Considérez *La Non-Vengée* pour ce que Raoul Richard a dit qu'elle était : une œuvre de fiction. Nous avons été incapables de trouver des preuves assez solides.

— Qu'est-ce qui s'est passé, selon vous ?

— De jeunes libéraux font une connerie. La police ne fait rien pour ne pas indisposer les grands hommes. Le procureur général, aussi premier ministre, tient tous les magistrats dans sa main. Il tire les ficelles, afin d'éviter qu'un scandale ne vienne éclabousser son parti juste au moment des élections.

Renaud demeura songeur un moment, avant de convenir :

— Bien écrite, cette histoire aurait un certain intérêt… en tant que roman. Je n'aime pas cette façon de faire de la politique. Si Meighen surpasse King dans une élection loyale, je vous paierai à boire le soir du 29 octobre, pour fêter votre victoire dans Montmagny. Ferez-vous de même, dans le cas contraire ? Utiliser des rumeurs et la curiosité malsaine de la population pour une histoire scabreuse à des fins partisanes me répugne.

Les deux convives avaient commencé le plat principal. Lavigerie ne répondit pas tout de suite. Il consentit enfin :

— Je vous crois sincère, vous êtes un *outsider*. Vous prenez nos histoires d'élection pour ce qu'elles sont : des épisodes sans conséquence sur le cours de l'histoire. Vous accepteriez de payer à boire aux vainqueurs le 29 octobre, si vous perdiez. Votre fortune personnelle vous procure le luxe d'être indépendant. Combien de vos amis libéraux prennent ces questions d'aussi haut ? Pas même cette charmante Élise Trudel, qui me déteste tant. Vous êtes plus attaché à la justice qu'au Parti libéral, alors je vais vous dire tout ce que je sais.

Renaud avait l'impression de se noyer sous les tonnes de miel déversées sur lui. Il continuait de manger tout en faisant des signes de tête pour signifier son attention :

— Vous accordez autant d'importance à la vie d'une petite vendeuse qu'à la paix de l'esprit de nos élites. Votre intérêt pour Germaine Caron en témoigne.

Son interlocuteur leva un regard mauvais sur son vis-à-vis. La moindre allusion à sa vie personnelle l'irritait.

— Voyons, ne jouons pas. Si seulement la moitié des soupçons de Grace à propos de vos relations est vraie, elle n'est pas seulement votre cliente. Tous ne pensent pas comme vous, dans mon Parti comme dans le vôtre. Ils ne sont pas méchants, ils ont été élevés comme cela : les gens d'en bas ne sentent pas les choses comme les gens d'en haut. Ils souffrent moins de leur misère, ils sont nés pour servir, etc. Ces jugements donnent bonne conscience aux privilégiés. Cette rhétorique n'est sûrement pas étrangère à votre expérience de la Grande-Bretagne.

— Non, elle ne l'est pas, dit Renaud.

Il se souvenait des discours de ses collègues officiers à propos des hommes de troupe menés à la boucherie. Lavigerie prit quelques bouchées, avala la moitié de son verre de bière et reprit son monologue :

— J'ai glané des informations auprès du personnel du poste de police et de l'hôpital Saint-Michel-Archange. Au lendemain de la découverte du corps de Blanche Girard, *Le Soleil* laissait entendre que les coupables seraient arrêtés le soir même, à cause d'un livret de banque. Puis on n'en a plus jamais entendu parler.

Renaud acquiesça. Le lendemain de son arrivée, au moment de serrer la main du vieux Gauthier, le gardien lui avait parlé du carnet. Ses confidences avaient été interrompues par l'arrivée d'un officier de police, Ryan. Lavigerie continuait :

— Autour d'une bière, les policiers soutiennent que ce livret appartenait à quelqu'un d'important. Le chef de police aurait fait pression sur Gagnon pour lui faire abandonner cette piste.

— Ce carnet a été volé. Il venait d'un curieux présent sur les lieux.

— Ce vol, tout comme ces curieux, ont un caractère providentiel dans cette histoire. Avec une pièce à conviction comme cela, on amène le client au poste et on le cuisine, quitte à le laisser aller après avoir constaté son innocence. Ils ont fait cela avec les frères Germain, pas exemple. C'est la procédure.

Cela correspondait aussi à ce que Renaud connaissait des usages de la police.

— Le chef de police, ou quelqu'un d'autre, aurait détourné Gagnon de son devoir ?

— Quand quelqu'un de haut placé dit à un policier de regarder ailleurs au moment de la commission d'un crime, celui-ci obéit pour ne pas perdre son travail.

— Admettons. C'est tout ?

— Pas tout à fait. Gagnon a bénéficié d'un congé inattendu après la libération des frères Germain. Je l'ai vu ce matin-là, il encaissait mal le coup. L'histoire de Blanche lui tenait beaucoup à cœur. Selon ses collègues, il a profité de son absence du poste pour reprendre son enquête de façon clandestine, en partant du livret.

Le policier se trouvait interné à l'asile, se souvint le professeur de droit. À cause de cela, ses initiatives semblaient bien suspectes.

— Comment savez-vous ce qui se passe au poste de police ?

— Je fais beaucoup de droit criminel. Les agents me téléphonent parfois pour me signaler un cas intéressant. J'ai connu de cette façon l'existence des frères Germain, par exemple : je me suis retrouvé leur avocat. Évidemment, ils touchent un petit quelque chose pour servir d'intermédiaires, et je paie beaucoup de bière à ces policiers. Un tas de clients satisfaits me paient la bière à leur tour. Je connais bien le poste de police.

Cela se passait souvent ainsi avec les causes criminelles. Les avocats plus affamés ou plus pauvres campaient littéralement dans les postes de police, avec les journalistes, pour voir des clients potentiels arriver. Ces deux groupes de professionnels connaissaient sans doute mieux les dessous de la plupart des crimes que les jurés au moment de rendre un verdict.

— L'hypothèse la plus populaire, c'est que Gagnon avait soit trouvé les coupables, soit identifié des suspects très probables. Le chef Ryan l'a incité au silence. Le pauvre lieutenant était déjà pas mal perturbé : il a sauté sur le chef en l'accusant de laisser filer des coupables pour protéger les riches et les puissants. En des termes bien plus colorés que les miens, et en hurlant. Il plaidait le droit de Blanche d'obtenir justice, semble-t-il.

— Le délire de quelqu'un frappé de folie ?

— Peut-être. Mais les choses sont allées si vite. Ils ont mis Gagnon dans une cellule, puis l'ont expédié à Saint-Michel-Archange. Quand sa femme a eu le droit de le voir, il ressemblait à un légume.

Pouvait-on disposer si aisément d'un individu ? Renaud en doutait fort.

— Selon votre théorie, il y a eu conspiration dès le départ pour ne pas enquêter sur le propriétaire du livret de banque. Cette conspiration impliquait le chef de police et les autorités judiciaires. Ne lésinons pas : le chef de police, et la tête de ce système, le procureur général de la province, qui se trouve être en même temps le premier ministre. L'homme le plus important de la ville selon votre ami Raoul Richard. Tout cela visait à éviter l'arrestation des amis du régime. Fin de l'acte un.

— C'est exactement cela.

— Acte deux : Gagnon enquête sans parler à personne, en contravention des ordres de son chef, et trouve ces coupables. Comme la Providence a voulu qu'il soit fragile de la tête, il s'énerve et on l'enferme à l'asile. Bien écrit, cela peut faire un bon roman.

L'avocat affichait son scepticisme pour des théories aussi fumeuses. Son interlocuteur rétorqua :

— C'est ce que j'ai dit à Raoul. L'idiot s'est pris pour Zola et il a publié son torchon sans le montrer à personne.

— Acte trois : Thomas Lavigerie arrive sur son cheval blanc, sort Gagnon de l'asile, fait pendre les coupables, fait élire cinquante conservateurs sur les soixante-cinq députés du Québec le 29 octobre prochain. Il obtient ainsi la balance du pouvoir et devient le Lapointe de Meighen, le lieutenant canadien-français du chef conservateur !

— Non. J'ai essayé cela en 1911, en contestant l'engagement militaire du Canada dans l'Empire. On a eu quelques députés, ça n'a pas marché.

L'autre esquissa un sourire dépité à ce souvenir. Pendant moins de vingt-quatre heures, il avait cru toucher au pouvoir politique.

— Acte trois : Lavigerie raconte son histoire à un intellectuel tout juste débarqué d'Europe. Comme celui-ci est proche des libéraux, il compte sur lui pour apprendre quelque chose de nouveau. Naïvement peut-être, il espère voir l'intellectuel faire son devoir s'il apprend des choses incriminantes pour ses nouveaux amis. Le pauvre Lavigerie rentre à la maison et se tient tranquille, car sa santé cardiaque est un peu fragile. À moins de mener une existence plus paisible, il risque de ne jamais toucher la pension de vieillesse promise par King. Mieux vaut éviter de trop fortes émotions.

Cette façon de parler de lui-même à la troisième personne amusait fort l'avocat conservateur. Son interlocuteur opposa :

— Vous n'auriez pas droit à cette pension de toute façon, vous êtes trop riche.

L'homme fut pris d'un grand rire. Il retrouva son sérieux et demanda :

— Qu'allez-vous faire ?

— Je ne crois pas à votre histoire.

— Ce n'est pas grave. Maintenant, elle va vous trotter dans la tête. Observez vos amis, si vous voyez quelque chose, agissez.

— Si je vois des personnes violer et tuer une jeune fille, je serai à la hauteur.

Son ironie trahissait son immense scepticisme.

— Bravo !

Lavigerie avait dit cela assez fort pour attirer l'attention des autres clients. Il revint au ton du murmure qui était le leur depuis le début du repas :

— Je ne vous serre pas la main pour officialiser notre accord, si on nous voyait cela révolterait vos amis libéraux. Je considère toutefois avoir votre parole d'honneur. Je veux vous demander une faveur.

L'homme cessa de mastiquer. Le ton de conspiration de la conversation le déconcertait un peu. Lavigerie continua en lui tendant l'une de ses cartes professionnelles. Quelques mots étaient griffonnés au verso.

— Voici le nom d'un infirmier de Saint-Michel-Archange. Je l'ai défendu dans une histoire de brutalité avec un patient. Il vous attendra demain à onze heures, à l'entrée principale de l'hôpital. Vous vous présenterez sous le nom de Jacques Saint-Pierre. C'est le nom du beau-frère de Gagnon. Posez vos questions. Juste pour voir.

Il fit une longue pause avant de demander :

— Vous irez ?

Renaud se sentait embrigadé à son corps défendant dans une histoire absurde. Lavigerie le regardait avec une certaine anxiété. Il se dit : « Après tout, cela ne peut me faire de mal. » Il soupira finalement

— J'irai.

Pour s'épargner une averse de « mercis », il continua d'un ton plus enjoué :

— Il y a une chose qui m'intrigue. Y a-t-il un Club des vampires à Québec ?

— Bien sûr, fit Lavigerie en riant. Il est même dans le bottin. Un groupe d'étudiants qui jouent des pièces de théâtre effrayantes et qui organisent des bals masqués où les gens vont déguisés en Dracula, Frankenstein, etc. Cette vogue tient aux films d'épouvante, bien sûr. Raoul est vraiment bizarre. Il y a des étudiants drogués, ivrognes. Certains sont connus de toutes les putains de la ville. Il a choisi des jeunes gens entichés des bals masqués pour figurer ses gros méchants !

Le repas se termina sur ce ton plus léger.

Chapitre 15

Beauport était connu dans toute la province pour son hôpital psychiatrique. À onze heures tout juste, tout en se trouvant stupide d'être venu là, Renaud Daigle entrait dans le hall de l'asile Saint-Michel-Archange. Une curiosité malsaine pour le grand hôpital l'animait. Immense, il formait une petite ville de pierre grise à lui seul. S'y trouvaient des fous furieux, des déprimés, des vieillards séniles et aussi toutes les personnes ayant du mal à se plier aux codes de comportements étriqués de la communauté ambiante. Il ne fallait pas beaucoup s'écarter de la norme pour être accusé d'excentricité, et il suffisait d'être un peu anticonformiste pour être taxé de fou.

Le plus intriguant, c'était les rumeurs persistantes d'après lesquelles, avec l'aide d'un médecin complaisant, on pouvait facilement y faire enfermer un parent encombrant. L'oncle à héritage entrait à l'asile en relative bonne santé, après l'intervention d'un magistrat, et ses biens se trouvaient confiés à ses neveux et nièces adorés. Renaud préférait ne donner aucun crédit à ces rumeurs. Tous les médecins ne partageaient-ils pas la même scrupuleuse conscience professionnelle ?

L'avocat ne se sentait pourtant pas tout à fait rassuré dans ce grand hall. Un infirmier vint vers lui en demandant :

— Monsieur Saint-Pierre ?

Renaud eut un moment d'hésitation avant de répondre positivement. L'employé était un gros homme aux cheveux coupés si court qu'il semblait complètement chauve. Son uniforme blanc contenait mal sa masse de graisse et de muscles. Renaud lui tendit la carte professionnelle reçue de

Lavigerie la veille. L'autre la glissa dans sa poche rapidement et dit :

— Suivez-moi. Votre beau-frère vous attend.

En marchant derrière le gros homme, Renaud observa les autres infirmiers. Tous présentaient un semblable gabarit plutôt imposant. À l'embauche, la force physique devait l'emporter sur la compétence médicale ou l'empathie envers les pensionnaires. Ils ressemblaient à des gardes du corps. Quant aux malades, Renaud n'avait aucun mal à les reconnaître. Ils portaient des uniformes en tissu gris affreusement mal taillés, offraient aux regards un crâne rasé, sans doute pour éviter les épidémies de poux. Cependant, le travail avait été fait avec une telle hâte, ou une telle cruauté... Des touffes de cheveux plus longues se dressaient sur la tête de chacun. « On a fait exprès pour que leur apparence physique leur donne l'allure de fous », pensa-t-il. Si l'on ajoutait à cela leurs visages un peu décomposés, les paroles inintelligibles marmonnées, les gestes désordonnés, tous ces patients apparaissaient au mieux comme grotesques, au pire comme dangereux.

Il ne rencontra que des hommes. Les femmes se trouvaient dans une autre aile de l'édifice, avec un personnel essentiellement féminin. Renaud croisa toutefois des religieuses. Elles n'avaient pas l'air modeste et bienveillant de leurs consœurs. Il les trouva plutôt impatientes, sinon brutales, dans leur façon d'aborder les internés. Les congrégations orientaient sans doute les religieuses les plus sympathiques vers des œuvres plus gratifiantes, ou encore les années passées à s'occuper de malades mentaux finissaient par agir sur les caractères les mieux disposés.

À cette époque où la pharmacopée, outre des opiacés, n'offrait pas grand-chose pour agir sur les comportements, contenir des centaines, sinon des milliers de patients avec un personnel très limité ne constituait pas une mince affaire. Renaud voyait certains malades errer dans les corridors avec des camisoles de force. Surtout, il entendait gueuler derrière de lourdes portes closes : on devait limiter les mouvements des plus agités par la force, en attacher certains à leur lit, mettre les autres dans des cellules.

Dans une salle assez grande, Renaud découvrit un pensionnaire assis dans un coin. Il semblait assez jeune, quoique son uniforme et sa coupe de cheveux ridicule rendaient tout jugement sur son âge plutôt risqué. Il y avait devant lui un autre patient accroupi.

— Ernest, mon vieux cochon, que tu fais ici ?

L'infirmier s'empressa de relever cet intrus en le prenant par le collet de son uniforme et il le chassa de la pièce en lui donnant quelques claques derrière la tête. « Il a eu des ennuis avec la justice pour des histoires de violence avec les patients », se rappela Renaud en le voyant faire. « Accusations probablement fondées », songea-t-il encore.

Le patient chassé ainsi ne se pressait pas vers la porte. Il était assez âgé, à en juger par la mince couche de cheveux et la barbe grise de trois jours. Son clin d'œil à Renaud s'accompagna d'une invitation explicite : la bouche en rictus était entrouverte sur des gencives édentées à l'avant et il agitait un bout de langue dans cet interstice.

— Il est toujours comme cela, commenta l'infirmier. Pas violent mais, si on le laisse sans surveillance un moment, on le retrouve entre les jambes d'un patient.

Quand Ernest fut sorti, l'infirmier lui désigna l'autre homme en disant :

— Votre beau-frère, le lieutenant de police Maurice Gagnon.

Renaud se demandait bien ce qu'il devait faire maintenant. Il s'approcha de l'agent, reconnut l'ombre de l'homme aperçu à l'enquête du coroner. Maintenant sans âge, son pantalon portait de longues traînées d'urine. Il sentait la merde et un filet de bave ininterrompu coulait de sa bouche toujours entrouverte. Visiblement, tous ses sphincters avaient repris leur indépendance, et son esprit vagabondait ailleurs. Renaud tira une chaise et se plaça devant lui, pas trop près à cause de l'odeur. Il ne trouva rien de mieux à dire que :

— Lieutenant Gagnon, à qui appartenait le livret de banque trouvé près du corps ?

À son nom, l'autre eut un vague mouvement de la tête. Ce fut du moins l'impression de Renaud, qui essaya de nouveau :

— Maurice Gagnon, à qui appartenait ce livret trouvé près du cadavre de Blanche Girard, en juillet dernier ?

La question démarra bien quelques rouages dans l'esprit du policier. Il commença à chanter quelque chose. Renaud saisissait « Nanana-nanana », sur un rythme répétitif. Il se releva après un moment sans que le policier n'arrête sa mélopée. Quand il rejoignit l'infirmier, il dit :

— Il ne comprend plus rien ?

— Il a reçu des drogues, des bains d'eau froide, on l'a mis dans la chambre noire. Cela les laisse toujours dans un état de stupeur.

— N'est-ce pas…

Renaud chercha ses mots un moment.

— N'est-ce pas un peu agressif, comme traitement ?

— Je ne suis pas médecin, fit l'autre.

— Qu'en pensez-vous ?

L'autre afficha sa surprise. Personne ne lui avait jamais demandé son avis.

— Nos savants médecins ne savent pas ce qu'ils font, la plupart du temps. Ils ne sont pas capables de soigner les fous. Mon père travaillait ici avant la Grande Guerre. Dans le temps, ils utilisaient beaucoup les douches ou les bains d'eau glacée. Des patients restaient des heures dans l'eau froide. J'ignore ce que cela donnait pour la folie, mais l'hôpital se vidait grâce aux pneumonies. Ils utilisaient aussi des caisses complètement fermées, des cellules de « privation sensorielle ». Il n'y a pas vraiment eu de progrès depuis. Ce sont toujours des comportements de sauvages contre de pauvres gens sans défense.

— Gagnon ? Ces traitements étaient indiqués pour lui ?

— Il ne me semblait pas particulièrement déprimé. Il était agité cependant. Si j'avais un diplôme de médecine, une énorme maison et une belle auto, je l'aurais laissé un moment avec la camisole de force, pour voir s'il allait se calmer tout seul. Il n'y avait pas d'urgence. Remarquez, il est très calme maintenant.

Le cynisme de cet employé donnait froid dans le dos. L'avocat murmura :

— Mais il était vraiment malade à son arrivée ?

— Sans doute. Il paraît que son père est mort ici, ces troubles sont souvent héréditaires. Ce client sombrait lentement dans la démence.

À l'autre bout de la salle, le policier continuait de murmurer sa petite chanson. Sa prononciation était devenue inintelligible. Dommage, car les paroles de sa ritournelle, sans cesse répétées, étaient « Un petit meurtre sans importance ». De sa dernière conversation avec le chef Ryan, il ne restait rien d'autre dans son esprit. Renaud demanda encore à l'infirmier :

— Au début, vous compreniez ce qu'il disait ?

— Dès que quelqu'un approchait, il racontait toujours la même chose : la police est pourrie, le gouvernement est pourri. Il disait que les gros, les puissants, enculent les petits. Bien sûr, les mots sortaient un peu de travers, mais c'était clair, quand on se donnait la peine d'écouter. Selon moi, le bonhomme avait entièrement raison, le médecin l'a trouvé complètement fou. Dans ces cas-là, je ne donne pas mon avis, pour ne pas passer chez les fous moi aussi.

— Quand il racontait tout cela, il nommait des noms ?

— Ah ! La vieille obsession de maître Lavigerie. Non, il ne donnait pas de noms. Le seul nom identifiable, dans tout cela, c'était celui de son patron, le chef de police. Celui-là, il ne l'aimait pas du tout.

L'infirmier regarda Gagnon avec une certaine sympathie. Il devait lui aussi partager ce sentiment envers son supérieur immédiat.

— Allons-nous-en, fit Renaud en frissonnant.

Il détestait cet endroit, la chanson du policier lui paraissait de plus en plus lugubre. Ils passèrent par les mêmes corridors. Ceux-ci semblaient suinter encore plus de misère. Près de la sortie, l'avocat s'attira un regard digne du Grand Inquisiteur de la part d'une religieuse. L'infirmier la vit aussi. Il commenta à voix suffisamment haute pour être entendu :

— C'est malheureux, monsieur Saint-Pierre, mais votre beau-frère est toujours dans le même état. Le médecin ne pense pas que cela va s'améliorer.

Le visage de la religieuse se radoucit un peu. Renaud Daigle s'esquiva rapidement, avant que quelqu'un ne se mette en tête de le garder là.

Au cours du mercredi suivant, les jeunes libéraux affichaient des mines plus détendues. Rien de fâcheux ne résulterait de l'enquête *on discovery*. Ce matin-là, ils eurent tous quelques mots pour leur professeur. Henri Trudel lui remit un essai, accompagné de ses plates excuses pour la semaine de retard. Dans le murmure précédant le début de la leçon, Renaud comprit que les jeunes conservateurs, le quart de sa classe peut-être, semblaient toujours croire à une conspiration dans l'affaire Blanche Girard, malgré l'absence d'argument pour prouver leur point de vue. Quant au reste des étudiants, ils gardaient le sourire et accusaient les autres de prendre leurs rêves pour des réalités.

Dans les semaines suivantes, Renaud ne pensa plus aux étonnantes théories avancées par Thomas Lavigerie. De plus en plus engagé dans la campagne électorale d'Ernest Lapointe, il écrivait même des bouts de discours pour lui. Il prit aussi la parole lors de deux assemblées publiques. Élise Trudel en était maintenant aux démonstrations de force. Elle téléphonait, aidée de ses camarades du comité féminin, à toutes les femmes susceptibles de favoriser les libéraux pour les inviter à de grands rassemblements. Elle leur demandait d'amener chacune au moins une amie toujours indécise. Renaud assistait à la plupart de ces réunions où des femmes buvaient du thé et parlaient chiffons ou bébés. Beaucoup venaient accompagnées d'enfants en bas âge et attachaient sans doute plus d'importance au fait de pouvoir sortir de la maison un moment qu'à la campagne de l'onctueux Ernest Lapointe. Celui-ci prenait la parole à toutes ces assemblées, faisant le plein de votes.

Cette belle équipe libérale allait avec assurance vers une victoire. Renaud et Élise avaient laissé tomber les « mademoiselle » et les « monsieur » l'un envers l'autre dans cette fièvre victorieuse, pour s'appeler par leurs prénoms. Ils en étaient toujours au vouvoiement cependant, et Renaud consacrait ses jeudis soirs et ses dimanches à Germaine Caron. Il était aussi retourné au *Chat* pour bénéficier des services de la gentille Lara. C'était finalement une vie agréable de célibataire : il ne regrettait plus son retour à Québec.

Le 29 octobre au soir, l'équipe libérale se trouvait dans la salle de bal du *Château Frontenac* pour attendre les résultats de l'élection. Comme la victoire de Lapointe et des autres candidats libéraux était certaine, on avait trouvé plus simple de se rencontrer tout de suite sur les lieux de la fête. Tout le monde identifié au Parti se trouvait là, y compris Helen McPhail. Renaud ne l'avait pas revue depuis sa dernière visite chez les Trudel. Elle se révélait toujours aussi charmante, avec ses jambes bien droites et ses genoux coquins. Il fallait être bien entiché pour trouver coquines deux rotules dans des bas de soie. Elle vint vers lui :

— Monsieur Daigle, quel plaisir de vous voir. Malheureusement, nous n'avons jamais eu l'occasion de nous rencontrer. Je croyais pourtant, après votre appel de l'été dernier…

Malgré ses dix ans de plus, dans ce jeu son interlocutrice était le chat, et lui la souris. Il regretta de ne pas l'avoir rappelée, après sa première tentative en juillet. Henri Trudel, en grande conversation avec Ernest Lapointe, perdit son sourire un court moment en les voyant ensemble. Blanche Girard s'estompait un peu de son esprit après l'intense angoisse ressentie au moment de l'enquête *on discovery*. S'il s'accordait de nouveau un verre de vin ou de bière tous les deux jours, l'abstinence sexuelle commençait à lui peser. Sa pénitence s'achevait et l'air joyeux, les bouclettes et les yeux bleus de Helen McPhail ne lui tombaient plus sur les nerfs.

— J'ai été particulièrement occupé ces dernières semaines, s'excusa Renaud, au point de négliger les amis peut être.

L'avocat devenait le centre des regards du clan Trudel au complet. D'un autre point de la salle, Élise avait vu leur conciliabule. Elle vint vers eux avec la vivacité de quelqu'un désireux d'empêcher un malheur d'arriver. Sa mère, d'un autre coin de la salle, se dit que cela ne se faisait pas de se jeter ainsi à la tête d'un homme.

La jeune femme lança d'un air exagérément joyeux quand elle fut près d'eux :

— Renaud, j'apprends que vous allez présenter un exposé lors des Belles Soirées.

Elle était heureuse de montrer qu'ils en étaient à l'usage des prénoms.

— C'est vrai, répondit-il dans un sourire, même s'il trouvait son arrivée tout à fait inopportune. Le recteur Neuville a été plutôt explicite, la semaine dernière : les professeurs de l'Université Laval doivent se faire un devoir d'offrir un loisir honnête aux habitants de cette ville, maintenant que le mauvais temps est à nos portes.

Les Belles Soirées, c'étaient des conférences plus ou moins savantes présentées dans les locaux de l'université, par des professeurs le plus souvent. Elles devaient élever le niveau culturel des compatriotes. Le conseiller législatif Thomas Chapais en était un habitué : il présentait des tranches de son interminable histoire du Canada depuis des années.

— De quoi allez-vous entretenir les bonnes gens de Québec ? demanda Helen McPhail avec un brin de mépris pour la petite ville de province.

Si elle trouvait l'intrusion d'Élise un peu envahissante, elle ne le laissait pas voir du tout, sinon en l'englobant dans « les bonnes gens de Québec ».

— J'avais pensé à quelque chose sur le quatrième alinéa du soixante-treizième article de l'Acte de l'Amérique du Nord britannique.

Le sourire des deux jeunes femmes se figea un peu. Il les laissa un moment chercher un commentaire poli sur un sujet aussi ennuyeux, puis se reprit :

— Je blague, bien sûr. Je vais plutôt présenter quelque chose sur les récentes découvertes de Howard Carter en Égypte.

— Vous voulez dire le tombeau de Toutankhamon ? demanda Élise.

— C'est ça. Je ne suis évidemment pas un spécialiste de l'histoire ancienne, mais j'ai expliqué à Mgr Neuville que ce serait cela, ou alors je plongerais l'assistance dans un profond sommeil jusqu'au printemps en lui parlant de droit constitutionnel.

— Vous êtes un familier de ces découvertes ?

— Je me suis intéressé à l'Égypte tout au cours de mes études. J'ai sans doute été séduit par la momie qui est exposée au Séminaire de Québec. J'y suis allé en voyage l'an dernier. J'ai pu participer aux fouilles pendant deux ou trois semaines. Les archéologues acceptent l'aide de quiconque s'il ne leur coûte pas un cent.

— Vous n'êtes pas entré dans le tombeau ?

Helen McPhail ouvrait de grands yeux inquiets. Elle aussi avait entendu parler de cette ridicule histoire de malédiction.

— Oui, comme des centaines de touristes depuis sa découverte. Il est bien plus dangereux de boire l'eau d'une fontaine, en Égypte, que de pénétrer dans le tombeau d'un pharaon.

Élise eut un petit sourire trahissant tout ce qu'elle pensait des petites jeunes filles naïves donnant foi aux histoires de malédiction. Elle posa encore quelques questions sur l'Égypte, jusqu'à ce que Helen s'éloigne pour aller vers d'autres invités. Renaud le remarquait bien, cette jeune femme s'accrochait à lui. Cela devait témoigner de sa fébrilité, dans l'attente des résultats de l'élection. Il ne lui en tenait pas rigueur. La petite Irlandaise l'avait relancé, son orgueil de mâle était flatté, cela lui suffisait pour l'instant.

Les résultats du scrutin arrivaient grâce aux appareils radio placés dans différents coins de la salle. Les invités allaient régulièrement coller l'oreille près des haut-parleurs. Les choses n'allaient pas si bien pour les libéraux dans les Maritimes. Vers neuf heures, l'enthousiasme revint en même temps que les premières informations concernant la province de Québec. CKAC ne tarda pas à souligner l'avance écrasante des candidats de King dans les circonscriptions à majorité francophone. À dix heures, la victoire fut concédée à Lapointe dans Québec-Est. Il y eut des cris de joie dans la salle. Ils se répétèrent souvent dans les minutes suivantes, à chacune des victoires des candidats libéraux de la région. Parfois, on soulignait le nom de l'adversaire défait. Ce fut le sort de Thomas Lavigerie dans Montmagny.

À dix heures et demie, un certain malaise se répandit parmi les libéraux. Quelqu'un avançait vers le milieu de la grande salle, le silence se faisait autour de lui. Quand Thomas Lavigerie se trouva devant Renaud, un verre de champagne dans chaque main, tous les regards convergeaient vers lui. L'intrus donna à l'avocat l'une des coupes, se tourna vers Élise Trudel et lui tendit la main. Bouche bée, elle la prit. L'adversaire s'inclina bien bas, lui baisa les doigts en disant:

— Mes hommages, mademoiselle Trudel. Ma foi, vous êtes de plus en plus ravissante.

Il pivota vers Daigle, leva son verre en disant bien fort:

— Félicitations à vous, pour cette belle victoire.

— J'ai si peu de mérite dans tout cela, répondit l'autre, intimidé par tous les regards fixés sur eux.

— Alors, fit Lavigerie en tournant sur lui-même, félicitations à tous vos amis.

L'homme vida son verre de champagne d'un trait, et s'en alla sans un mot de plus rejoindre les militants de Montmagny. Renaud avala le sien en riant. À côté de lui, Élise tenait sa main droite loin d'elle, comme si elle l'avait mise dans la... enfin, comme si elle était très sale.

— Le rustre. Qu'est-il venu faire ici ?

— Me féliciter, il me semble. Je lui avais promis de faire exactement cela, si les conservateurs l'emportaient dans la province, expliqua Renaud. Je commence à le trouver plutôt sympathique.

Comme Élise lui faisait une mine dégoûtée, il précisa :

— Je ne comprends pas votre agressivité à son sujet. Il me semble plutôt drôle.

— Il ne l'est pas du tout. Il est prêt à raconter les histoires les plus horribles sur n'importe qui, juste pour nuire. Il travaille à détruire la confiance des gens envers nos institutions.

Son compagnon préféra ne demander aucune explication supplémentaire. Dans la salle de bal, les conversations avaient repris, pour commenter l'événement curieux. Ernest Lapointe monta rapidement sur la scène où un orchestre commençait à prendre place. Il n'était pas le genre à laisser l'adversaire profiter de l'effet produit, il lui fallait le récupérer :

— Après ce que nous venons de voir, fit-il, nous devons nous réjouir de notre victoire. L'adversaire reconnait sa défaite.

Des éclats de rire et des applaudissements éclatèrent. Le ministre continua avec une série de remerciements, où Élise Trudel figura parmi les premiers. Elle rougit de plaisir. À la fin de l'intervention de Lapointe, d'autres députés assurés de leur victoire vinrent répéter les mêmes phrases en changeant les noms des personnes évoquées. Les derniers eurent la bonne idée de se faire très brefs, afin de laisser la place à la musique.

La fête avait quelque chose de faux. Les nouvelles de l'Ontario n'étaient pas bonnes. Elles deviendraient catastrophiques quand les résultats de l'Ouest arriveraient. À ce moment-là, la salle de bal du *Château Frontenac* se viderait des derniers fêtards. À l'échelle du pays, Arthur Meighen aurait plusieurs députés de plus que William Lyon Mackenzie King. À cause de la présence de vingt-cinq progressistes, King refuserait de concéder la victoire à son adversaire. Il passerait à travers plusieurs votes de non-confiance grâce à l'appui des membres de ce tiers parti. Ces événements feraient vivre à la population la tension d'une campagne électorale interminable, plus d'un an en fait.

Pendant cette période, l'affrontement entre conservateurs et libéraux ne connaîtrait aucun relâchement ; ni la recherche de scandales.

Deux semaines plus tard, Renaud Daigle entretenait une cinquantaine de personnes, des dames pour la plupart, de l'Égypte ancienne. Ces conférences procuraient un vernis culturel à celles à qui l'on refusait le droit à de vraies études. Car les femmes n'étaient pas même une minorité dans les programmes conduisant à un diplôme de licence, de maîtrise ou de doctorat dans les universités francophones ; elles étaient encore de très rares exceptions. La plupart des auditrices avaient entre trente et cinquante ans, elles venaient des meilleurs milieux. Parmi elles, Élise faisait figure de toute jeune femme et Helen, d'écolière. Toutes deux très bien élevées, elles se retrouvèrent assises l'une près de l'autre : s'ignorer aurait été de la dernière impolitesse.

Son exposé, donné à titre de simple amateur, fut très apprécié. Au milieu de la salle, un énorme projecteur fort bruyant lui permettait de montrer ses photographies. Les questions furent nombreuses, dont une sur la fameuse malédiction de Toutankhamon. Ensuite, tout en ramassant ses affaires, il dut répondre encore aux dames massées près de l'estrade. Certaines lui lançaient des regards appuyés, d'autres minaudaient comme des couventines. Combien elles devaient s'ennuyer, pour en être réduites à cela. Quand elles se dispersèrent enfin, il put se diriger vers la sortie, à l'arrière de la salle.

Il salua ses plus jeunes auditrices, Élise, puis Helen, toujours là.

— Comme tout cela est intéressant, commença cette dernière.

Elle faisait passer son poids d'un pied à l'autre, comme un enfant très intimidé. À la fin elle glissa dans un murmure :

— Vous devriez m'inviter à luncher le prochain dimanche. J'aimerais vous entendre parler encore de ces si beaux voyages.

— … Ce serait avec plaisir.

L'homme rougissait de plaisir. Élise cherchait à mettre son imperméable tout en regardant vers le sol. Elle arrivait mal à contenir sa colère. Cela ne se faisait absolument pas, de s'inviter à manger avec un homme. Cette sotte n'avait aucun sens des convenances ! Pire, cette absence de savoir-vivre était récompensée !

— Élise, s'entendit-elle demander, puis-je vous déposer chez vous ?

Elle combattit son envie de l'envoyer au diable et répondit d'une voix un peu affectée :

— Non, merci bien. Le chauffeur de mon père doit venir me chercher.

La colère l'empêchait de réfléchir. Renaud pouvait prendre une seule passagère avec lui, il lui avait offert cette place. Au mieux, Helen aurait pu utiliser la petite banquette dissimulée dans le coffre, comme une enfant.

— Moi, je suis venue à pied, murmura la jeune Irlandaise.

— Dans ce cas, je peux vous reconduire.

Élise les laissa prendre les devants, rageant contre tous les deux maintenant. Comme elle se trouvait stupide. Elle avait passé la soirée à s'imaginer descendant le Nil, de préférence avec un avocat plutôt… ahuri, mais qui lui plaisait terriblement. Arrivés à la sortie, ils ne virent ni chauffeur, ni limousine. Elle fit semblant de se rappeler lui avoir donné rendez-vous à une autre porte et leur souhaita le bonsoir. Quand ils furent hors de vue, elle demanda au gardien de lui appeler un taxi.

Dans son auto, Renaud appréciait trop la compagnie de Helen pour s'interroger sur l'air renfrogné d'Élise. Il conversa un peu avec elle devant la maison de sa tante. Ils convinrent de se rencontrer le dimanche suivant, un peu avant l'heure du lunch, sur la terrasse Dufferin.

Germaine accepta fort mal l'annulation de leur rendez-vous du dimanche suivant. Renaud rompait avec des habitudes vieilles de plus de trois mois. Elle était d'autant plus fâchée qu'il avait parlé d'« obligations ». La dernière fois, il avait dit pourquoi : son absence tenait à son repas avec Thomas Lavigerie, pour discuter des suites à donner à *La Non-Vengée*. L'absence de précision disait tout.

À la fin de la messe, elle resta un moment sur le parvis de l'église, cherchant tout de même des yeux sa haute silhouette, comme elle l'avait fait si souvent. Elle n'entendit pas John Grace venir la rejoindre. Elle sursauta même au son de sa voix :

— Il ne viendra pas.

Elle rougit violemment et murmura, agressive :

— Je ne l'attends pas.

— Tu n'attends que lui, tu ne vois que lui. Dommage, car il te fait marcher. Cela me peine sincèrement.

— Mêle-toi de tes affaires !

Sa colère était d'autant plus grande qu'elle en arrivait au même constat. Elle partit d'un pas rapide. Il se précipita sur ses talons, ce qui l'obligea à montrer à tout le monde combien il claudiquait.

— Germaine, Germaine, je m'excuse.

Elle ralentit un peu en entendant sa voix plaintive. Il ajouta en lui mettant la main sur l'avant-bras :

— J'espère avoir tort. Mais si j'ai raison, souviens-toi, je suis là. Je serai toujours là, j'attendrai tout le temps nécessaire.

Il n'y avait rien à répliquer à cela. Elle repartit cependant d'un pas très lent, songeuse. Grace la regarda aller. Il mentait, sa plus grande espérance était de voir Daigle la laisser tomber. Il la couverait sans cesse des yeux, sans se lasser. Il commençait à se sentir très optimiste.

~

Renaud se retrouva dans un petit restaurant du Quartier latin avec Helen, à l'entretenir de toutes ses activités depuis leur dernière rencontre. La jeune Irlandaise était au courant de tout. Cette connaissance témoignait de sa fréquentation assidue de la maison des Trudel. Il ne savait pas s'il devait s'en réjouir.

— Et vous, qu'avez-vous fait ? demanda-t-il.

— J'ai vu Élise à quelques reprises. Pas souvent, car l'élection l'accaparait. J'ai vu quelques autres personnes, des relations de mes parents. Cependant, je ne sors pas beaucoup. Je reste avec ma tante.

Donc, elle ne passait pas tout son temps avec Henri. Il prit cependant un air contrit pour dire :

— Votre parente ne se porte pas mieux ?

— Elle ne se portera plus jamais mieux, j'en ai bien peur. Elle est atteinte d'un cancer. Je suis encore capable de m'occuper seule d'elle, mais bientôt il faudra faire appel à une infirmière, je suppose. Je profite de mes dimanches car il y a toujours quelqu'un de ses connaissances pour s'occuper d'elle ce jour-là.

— Je suis désolé. C'est sûrement très difficile pour vous.

— En tout cas, comme je rêvais de devenir médecin depuis des années, cela me donne l'occasion de réfléchir plus sérieusement à la question, répondit-elle avec un demi-sourire.

Elle avait toujours l'âge de faire des projets de ce genre.

— Quel sera le résultat de votre réflexion ?

— Je crois bien le faire. Cependant, j'ai maintenant une vision moins romantique de la chose.

Ainsi, elle risquait de quitter la ville pour au moins quatre ans. La conversation roula sur différents sujets, plus ou moins sérieux. Ils quittaient le restaurant quand elle demanda, le rose aux joues :

— Je voudrais savoir : y a-t-il quelque chose entre vous et Élise ?

Cette audace le laissa abasourdi. Elle ressentit le besoin d'ajouter :

— L'autre soir, quand je vous ai quêté une invitation, elle a eu l'air plutôt fâchée. Vous n'avez pas cru son histoire de chauffeur, n'est-ce pas ?

Il la regardait comme un adolescent qui apprend tout d'un coup les mystères de la vie. La jeune femme dut préciser encore :

— C'était un gros mensonge, par dépit à cause de l'invitation que je vous ai demandée.

— Je l'ai vue beaucoup pendant la campagne électorale. C'est une personne passionnante… et passionnée de politique. Mais il n'y a rien entre nous.

Helen posait ces questions avec la gentillesse d'une amie soucieuse de ne pas blesser Élise en s'intéressant à lui. Son compagnon comprit avoir le choix entre les deux, en quelque sorte. Comment ne pas préférer celle qui se tenait à son bras juste à ce moment, dont il sentait les seins à la hauteur de son coude. Elle se tournait pour chercher ses yeux avec les siens.

— Votre première invitation à La Malbaie devait permettre à la famille Trudel au complet de vous soumettre à un examen, précisa-t-elle, vous le savez bien. Et la seconde, rue Moncton, était une façon de vous remettre votre certificat.

Présentée comme cela, la situation avait quelque chose d'obscène. Il fallait l'indélicatesse d'une jeune orpheline de vingt-deux ans pour dire si crûment les choses. Après le souper de la rue Moncton, les parents et leur fille étaient ouverts aux propositions. La grande demande pouvait suivre après des fréquentations suffisamment longues pour ne pas donner l'impression d'un empressement inconvenant.

— Je dois devenir susceptible, dit-il après un long silence, mais je trouve une certaine vulgarité dans ces stratégies conjugales. Je me sens un peu comme une perdrix un jour de chasse.

La condamnation sans appel de la stratégie éclaboussait la prétendante. Après cela, Helen pouvait poursuivre ses propres fins sans craindre de marcher sur les brisées d'Élise. L'idée de dire à Renaud que, de son côté, elle s'intéressait à Henri et désirait le rendre jaloux n'effleura pas Helen. Si un monsieur de dix ans son aîné ne pouvait se rendre compte de la situation, c'était son problème à lui.

Elle fut en tout point délicieuse, par la suite. Quand elle le quitta au milieu de l'après-midi, il lui demanda s'ils pouvaient se voir le dimanche suivant. Il s'en tenait déjà à une portion congrue de son horaire. Elle accepta sans hésiter, lui plaqua un baiser sur la joue avant de le laisser seul en face de la statue de Champlain, à l'extrémité de la terrasse Dufferin.

Combien il la trouvait charmante, quand elle s'éloignait d'un pas vif, avec sa robe allant de gauche à droite comme si elle était en train de danser ! Et Dieu qu'il était crédule !

Descôteaux avait dit à Henri de nettoyer et d'arranger la maison de Château-Richer de façon à pouvoir y inviter sa mère sans rougir. Le jeune homme s'exécuta en novembre, le jour de l'Halloween. C'était un choix curieux, qui tenait à la fois du défi et du hasard. C'était en fait la première occasion depuis que lui et ses amis se sentaient suffisamment rassurés sur leur sort pour présenter des visages à peu près sereins. Tiraillés entre les remords et la peur, ils étaient devenus assez familiers avec ces deux sentiments pour vivre à peu près normalement.

L'invitation avait été lancée à la ronde parmi les étudiants de la faculté de droit. Renaud ne savait pas à quel titre il avait été invité. Selon Michel Bégin, il était le seul professeur jouissant de cet honneur. Sa première réaction avait été de ne pas s'y rendre. Mais Helen avait été invitée aussi, elle avait fait appel aux services d'une infirmière pour se libérer le temps d'une soirée. Elle comptait sur lui. À la fin, il convint d'y aller, mais il ne se déguiserait pas. Elle irait avec une robe noire lui allant à mi-jambe : pour elle, c'était un déguisement.

Ils se retrouvèrent donc à Château-Richer en début de soirée. Une bonne dizaine de voitures s'alignaient près de la maison. Renaud apprécia l'endroit, réfléchit même à l'intérêt d'avoir une retraite semblable. L'éloignement des cinémas et des restaurants l'en dissuada. Sa vie de célibataire lui plaisait bien, à condition de trouver à distance de marche des lieux sympathiques où prendre ses repas et se distraire un peu.

Ils furent accueillis par Henri. Son maquillage et sa grande cape en faisaient un Dracula fort passable. L'étudiant serra longuement la main de Helen en insistant sur son plaisir de la voir. Cela dura juste assez longtemps pour agacer Renaud. Puis, ils firent le tour de la maison. Ils apprécièrent la grande pièce de séjour avec les vieilles photos de famille et les meubles confortables, la cuisine juste un peu spartiate. Ils se rendirent même à l'étage pour déposer leurs manteaux et risquèrent un regard sur les chambres presque vides, propres et bien éclairées.

— C'est une jolie maison, fit Helen comme si elle s'en imaginait déjà la maîtresse.

Ils comptèrent plus d'une trentaine d'invités, et il devait en arriver d'autres. Renaud reconnut de très nombreux étudiants. Ils étaient tous déguisés, avec un talent plus ou moins grand selon les personnes. Une douzaine de jeunes filles servaient de cavalières aux plus chanceux d'entre eux. Beaucoup d'autres avaient dû s'abstenir à cause de l'inconvenance de la situation. Aucun parent ne serait là pour surveiller, ce qui rendait la sortie compromettante.

Jean-Jacques Marceau portait un déguisement lugubre, susceptible de mettre mal à l'aise le professeur. Il arborait un maquillage blanc sur le visage et le cou, qui contrastait avec ses vêtements noirs, une tenue de deuil en fait. Surtout, il avait sur la gorge les marques noires des crocs de vampires et un filet rouge vif s'écoulait de chacune. Si tous les autres personnifiaient des monstres ou des goules, lui posait en victime. En le voyant, Renaud se souvint de sa confidence, au sujet des sarcasmes de ses compagnons de classe.

Cette réflexion amena le professeur à poser une curieuse question à sa compagne:

— Helen, avez-vous lu *La Non-Vengée?*

— Oui, fit-elle après un moment. Une lecture plutôt désagréable.

— Nous sommes peut-être dans le repaire du Club des vampires. Regardez ces gens autour de nous.

Elle parcourut des yeux l'assemblée de monstres et de fantômes.

— Ne dites pas des choses comme cela. Vous me faites peur.

— Nous nous trouvons dans une maison isolée, propriété du fils de l'un des personnages importants de Québec. Si Raoul Richard voyait cela!

— Ce n'est vraiment pas drôle.

Elle semblait réellement effrayée. Dans cette foule réunie au rez-de-chaussée, quelqu'un devait l'entendre. Jacques Saint-Amant se tenait juste derrière lui. Contrairement à la plupart des autres, il portait un masque plutôt qu'un simple maquillage. C'était heureux, car ainsi personne ne vit l'intense terreur marquer son visage. Il chercha une place pour poser son verre et alla dehors prendre un peu l'air. Pendant ce temps, Renaud se frayait un chemin jusqu'à Jean-Jacques Marceau, suivi de Helen. Il lui présenta sa compagne puis lui serra la main en disant :

— Impressionnant, votre maquillage. Je crois avoir reconnu la plupart des membres de votre petit groupe d'amis. Sauf Saint-Amant et Fitzpatrick.

— Saint-Amant vient tout juste de sortir. Fitzpatrick n'est pas là.

— Comment se fait-il ? Il manque aussi les cours depuis deux semaines.

— On ne vous l'a pas dit ? Il est malade, assez gravement paraît-il.

— Non, je ne savais pas. De quoi souffre-t-il ?

Marceau fut un moment mal à l'aise, surtout à cause de la présence d'une jeune fille. Finalement, il murmura :

— La syphilis. Je ne savais pas combien cela pouvait être grave, et fulgurant. Les premiers symptômes sont apparus il y a trois mois à peine.

Sa mine inquiète amena Helen à intervenir dans la conversation, pour l'orienter vers un sujet plus anodin, le maquillage du jeune homme. Ce dernier lui en fut reconnaissant, car le sort de Fitzpatrick lui faisait trop penser à une punition divine. Pour des êtres pétris de religiosité, tout péché méritait son salaire.

Un peu plus tard, la porte s'ouvrit sur le reste du clan Trudel. Henri avait préféré suivre la directive de Descôteaux à la lettre en invitant sa mère.

— Comme c'est original, faisait celle-ci quand son garçon lui présentait ses amis l'un après l'autre.

Sous leur maquillage, plusieurs devenaient méconnaissables. Elle trouva aussi originale la décoration, la cuisine, le petit bureau. Elle tint à se rendre dans la chambre de son garçon. Elle revint assez satisfaite de son inspection : c'était propre, bien entretenu. Certainement pas un endroit de débauche, comme elle l'avait déjà craint. Quand deux ans plus tôt son fils avait évoqué le désir d'avoir une maison bien à lui pour recevoir ses amis, l'initiative lui était apparue comme bien périlleuse pour son âme.

Après une demi-heure, elle trônait dans le meilleur fauteuil un peu comme une reine mère, très satisfaite : son plus grand était au fond un jeune homme sérieux.

Helen se rendit auprès de madame Trudel pour échanger quelques mots avec elle. Renaud se devait d'aller saluer Élise. Ils ne s'étaient pas parlé depuis le soir de sa présentation sur l'Égypte. Étreinte par la colère et la tristesse, son sourire témoignait de son emprise sur ses émotions. Il lui demanda :

— Croyez-vous que le gouvernement va se maintenir encore longtemps ? Les choses semblent bien confuses du côté d'Ottawa.

Les députés progressistes se détachaient lentement du premier ministre King. Il avait exprimé le désir de convoquer de nouvelles élections, mais le gouverneur général tenait à offrir sa chance au chef conservateur, Arthur Meighen.

— Il y aura une élection bientôt. La population pourra trancher.

— Cette éventualité vous sourit ?

— Si nous la gagnons, je serai satisfaite. Sinon, je m'en passerais bien.

Il y eut un silence. Renaud avait fait un effort suffisant. Si elle n'enchaînait pas, il s'excuserait dans trente secondes. Il avait déjà repéré Michel Bégin des yeux et s'apprêtait à le rejoindre quand elle dit :

— Vous êtes venu avec Helen, je crois.

— Si vous voulez. Elle a reçu une invitation, et moi aussi. Je lui sers de chauffeur, en quelque sorte.

— Une responsabilité qui ne doit pas vous peser.

— Mademoiselle McPhail ne pèse sur personne.

Découvrant avec à-propos son frère dans un coin de la pièce, Élise s'esquiva sans rien ajouter. Une demi-heure plus tard, elle repartirait avec ses parents, docile et résignée.

Renaud entreprit de faire le tour de ses étudiants. Il se fit présenter les couventines les plus audacieuses de la ville, puisqu'elles étaient venues là. Pendant ce temps, les étudiants esseulés tentaient un brin de cour à Helen. Celle-ci se retrouva bientôt en tête-à-tête avec Henri. Le jeune homme lui demanda :

— Notre distingué professeur n'expérimente pas son cours de droit constitutionnel sur vous, avant de nous le donner ?

— Pas du tout. Il est même capable d'aborder une grande quantité de sujets, contrairement à certains autres obsédés par la politique, plus spécifiquement, par leur rôle éventuel en politique.

— C'est l'avantage de ceux qui ont beaucoup lu, de pouvoir parler de nombreux sujets. Les hommes d'action sont condamnés à parler de ce qu'ils ont fait s'ils sont âgés, de ce qu'ils feront s'ils sont jeunes.

— La caractéristique principale des hommes d'action serait de parler d'eux-mêmes ? C'est dommage, car cela donne des conversations terriblement courtes.

Là-dessus, elle tourna les talons pour rejoindre Michel Bégin, dont la gentillesse lui avait valu de parler longuement à toutes les jeunes filles présentes. « Mais c'est vrai qu'il est jaloux de Renaud », se dit-elle avec un petit sourire. Cela lui semblait une bien bonne nouvelle.

Par la suite elle s'arrangea pour prendre souvent le bras du professeur, rire un peu trop fort quand il lui disait quelque chose. Chacun de son côté, ils se réjouissaient d'être ensemble pour l'effet produit sur les autres. Renaud paradait avec la plus jolie fille de l'assemblée, pour susciter l'envie. Helen se pavanait avec un paon, certaine d'attirer l'attention d'Henri. Celui-ci la trouvait plus attirante ce soir que jamais au cours des dix jours passés auprès d'elle l'été dernier, à La Malbaie.

Quand, vers dix heures, Renaud voulut rentrer, affirmant avoir contemplé assez de vampires pour les dix ans à venir, elle le suivit en souriant, même si elle aurait préféré être la dernière à quitter cet endroit.

Le 25 novembre, Renaud revint à la maison tout de suite après son cours. Les étudiants parlaient entre eux d'une fête de la Sainte-Catherine. Cela l'avait fait sourire. S'il y avait eu un pendant masculin aux catherinettes, lui-même aurait été célébré, car il dépassait les vingt-cinq ans. Déjà vieux garçon, la fièvre juvénile des dernières semaines faisait illusion. Le téléphone sonna au moment où il passait la porte.

— Renaud, fit une Élise fort timide quand il décrocha, je peux venir vous voir ?

— Vous voulez dire à mon appartement ?

C'était terriblement incorrect. Elle répliqua pourtant :

— Oui… si cela ne vous dérange pas, bien sûr.

Au fond, elle espérait un refus.

— Je vous attends.

Il fit semblant d'ignorer le sujet de sa visite, tout en préparant du thé. En entendant les étudiants discuter de la Sainte-Catherine un peu plus tôt, il avait pensé à elle. Ce jour-là, elle devait ressentir une irrésistible envie, en même temps qu'une grande terreur, de dire les choses comme elles étaient. Il perçut comme un grattement timide à la porte.

Elle ne voulut pas enlever son imperméable, prétextant en avoir pour une minute seulement. Il posa une tasse de thé sur une petite table près du fauteuil où elle s'était assise et prit place en face d'elle. L'homme n'osait pas commencer la conversation, cela rendait les choses encore plus difficiles pour la visiteuse. Élise jouait avec ses doigts, se mordait la lèvre inférieure, les signes habituels de sa très grande nervosité. Elle commença après un long moment :

— Je me sens tout à fait ridicule de me trouver ici. Je n'ai aucun droit de vous demander cela…

Elle fit une pause et jeta tout à trac :

— Que ressentez-vous pour Helen ?

Renaud se demanda si elle voulait vraiment une réponse. Elle reprit bientôt :

— Cela n'a pas d'importance au fond. Je souhaite vous dire ce que je ressens de mon côté. Je suis amoureuse de vous depuis des mois.

La dernière phrase avait été débitée très vite, faiblement, les yeux fixés sur le sol. Répondrait-il «Moi aussi»? Rien ne vint.

Elle eut le courage de lever les yeux après un moment. Ses paupières enflées trahissaient des pleurs récents. Ceux d'une femme achevant son deuil. Elle continua:

— Quand Armand Bégin et mes parents ont convenu de vous inviter à La Malbaie, j'étais en furie. Ils vous tendaient un piège en quelque sorte. J'ai même fait une remarque que je voulais mesquine, sur votre uniforme. Je vous ai aimé quand vous avez répondu «Je n'avais rien à me mettre.» C'est complètement idiot, n'est-ce pas? Je dis cela sans cesse et personne ne tombe amoureux de moi.

Elle lui adressa un petit sourire. Cela n'avait rien d'idiot, il avait ressenti la même chose pour Helen ce soir-là. «Faux», se dit-il aussitôt. Il n'y avait rien de si terriblement absolu dans son intérêt pour la jeune Irlandaise. Il pouvait tout demander à Élise. Un mot de lui, et elle le suivait dans sa chambre avec un enthousiasme quasi mystique. Cela même lui faisait peur. Pareille union équivaudrait à une conscription: Renaud pouvait s'imaginer avec elle dans trente ans, travaillant à la réélection d'Ernest Lapointe ou, pire, d'Henri Trudel. Devenir membre d'un clan d'arrivistes grâce à un mariage «raisonnable» lui répugnait.

Répondre à Élise qu'il l'aimait aussi était la chose la plus naturelle du monde. Il n'arrivait pas à s'y résoudre.

— Vous ne partagez pas ce sentiment, fit-elle après un moment.

Leurs deux vies se trouvaient maintenant sur deux lignes parallèles. Elles pourraient courir encore cinquante ans côte à côte sans jamais se toucher. Chacun sentait cela au plus profond de lui.

— J'aimerais vous dire encore quelque chose.

Sa voix était très lasse maintenant, en même temps que plus assurée.

— Je ne suis pas la vieille fille desséchée que beaucoup semblent imaginer.

Renaud voulut l'arrêter, dire que personne ne pensait cela. Elle le fit taire d'un signe de la main.

— J'ai eu un fiancé terriblement beau, il y a plusieurs années. Il est mort en mars 1919. Il était né juste assez tard pour échapper à la guerre, il est passé à travers la grippe espagnole, puis il est mort d'un empoisonnement du sang après s'être blessé sur un clou rouillé. On lui a coupé la jambe, mais il était trop tard. La gangrène avait atteint le ventre…

Renaud cherchait quoi dire, ne trouvait rien. Un silence pesant dominait la pièce. La visiteuse continua après un moment, la voix de plus en plus assurée :

— Je me fais pitié ces jours-ci. Deux amours déçus, dont un seul fut partagé, c'est beaucoup dans une vie. Je suis peut-être plutôt chanceuse, beaucoup n'en connaissent aucun. Mais je n'arrive pas à m'en réjouir aujourd'hui.

Elle se leva et se dirigea vers la porte, très digne. Il se leva pour la reconduire. Quand elle eut posé la main droite sur la poignée, elle plaça la main gauche sur la joue de Renaud. Il la trouva très douce, très chaude, presque fiévreuse. Il sentit même une chaleur sourde dans son bas-ventre. Si elle s'était tue et était venue dans ses bras, à la place de parler… Malheureusement, tous les deux disaient les choses avant de les vivre. Elle avait les yeux rivés aux siens.

— Tu sais, Renaud, tu vas souffrir.

Elle le touchait pour la première fois – sauf les poignées de main fréquentes entre eux – et passait naturellement au « tu ».

— Helen sera bientôt dans les bras d'Henri. Ce sera peut-être une passade pour lui, je ne sais pas. Nous allons vers un beau gâchis.

Elle retira sa main et sortit. Renaud savait qu'elle avait raison. Cependant, il choisit de s'apitoyer plutôt sur Élise.

Elle resterait seule désormais, exposée à devenir la maîtresse d'un homme marié, à se contenter de moments volés, à se préoccuper de contraception, à surveiller ses règles. Au mieux, il se pointerait un veuf, avec trois ou quatre enfants.

À la fin, l'homme avait complètement oublié les derniers mots de la jeune femme et se sentait plein de commisération pour elle.

Renaud voyait Germaine le jeudi soir. Tous les dimanches, il se dérobait en invoquant un prétexte, ou ne se donnait même pas la peine de s'expliquer. Elle avait téléphoné deux fois à l'heure du dîner, avec l'intention de raccrocher quand elle entendrait sa voix. Il n'avait pas répondu.

Lâchement, il espérait la voir prendre l'initiative de mettre fin à leurs rencontres. Au début, il lui avait téléphoné après avoir encaissé un refus de la part de Helen. Maintenant, la vendeuse devenait encombrante. Elle allait lui rendre le service de disparaître de sa vie le second jeudi de décembre. Au moment où il lui répétait en la quittant qu'il travaillerait dimanche, elle lui rétorqua :

— Je t'intéresse beaucoup moins que ce travail pressant, n'est-ce pas ?

— Je n'ai pas beaucoup de temps à consacrer à une relation.

— Est-ce parce que je n'ai pas voulu coucher avec toi ?

Elle semblait au bord des larmes.

— Bien sûr que non, voyons.

La culpabilité le fit rougir.

— Ne rappelle plus.

Elle sortit de l'auto et courut vers la porte de la maison de chambres. Renaud mit la main sur la poignée de sa portière, fit le geste de l'ouvrir. Il s'arrêta. Il aurait la décence de se taire, de ne pas bouger, de ne pas rendre les choses plus difficiles qu'elles ne l'étaient pour elle. Bien sûr, le mieux aurait été qu'il s'abstienne dès l'été dernier.

Le dimanche suivant, Renaud allait à la rencontre de Helen d'un pas léger. Comme il faisait un vent terrible, ils se trouvèrent seuls sur la terrasse Dufferin. La jeune fille ne craignait pas le contact physique. Elle se tenait toujours à son bras, lui prenait et relâchait la main au fil de la conversation. Elle ne donnait pas dans la promiscuité pourtant. Chacun de ses gestes semblait tenir de la camaraderie. La jeune Irlandaise agissait de la même façon avec madame Trudel, créant à la fois un malaise et beaucoup de sympathie chez elle.

Ils restèrent quelques minutes à geler sous le vent de la mi-décembre, à contempler les eaux grises du fleuve en bas de la falaise. L'homme se tourna vers elle, lui posa la main sur la joue et chercha ses lèvres avec les siennes. C'était plutôt curieux comme effet, ils avaient tous deux la peau très froide. Elle ne fermait pas les yeux, comme les autres. Au contraire, elle le fixait de ses deux billes bleues, pleines de curiosité. Quand il risqua une langue curieuse sur ses lèvres, elles s'ouvrirent tout de suite. Il sentit les deux rangées d'ivoire de ses dents, sa langue à elle, agile. Il se surprit à se demander combien il y en avait eu avant lui.

Adossée à la grande clôture de fonte qui servait de garde-fou, elle s'abandonnait. Son manteau détaché lui permit de passer une main derrière son dos, de presser sa taille fine. Il sentit les muscles souples sous sa paume, la ligne d'un sous-vêtement, sans doute la ceinture qui tenait ses bas. Quand il appuya sa main au creux de ses reins pour la presser contre lui, elle sentirait son érection contre son ventre. Elle ne se déroba pas du tout, au contraire elle se déplaça pour bien sentir toute la longueur de son sexe.

Un peu choqué de cette audace, Renaud laissa tout de même glisser sa main sur ses fesses rondes, fermes, pour en apprécier toute la superficie. Au moment où il déplaça sa main à la jonction des cuisses, elle sentit le bout de ses doigts sur sa fente, malgré les épaisseurs de tissu. Avec un petit « Oh ! » elle ferma les yeux, tout en se soulevant sur le bout des pieds pour lui donner un meilleur accès.

Il cessa son baiser, mais la garda contre lui au moment de glisser à son oreille :

— Mieux vaut trouver un endroit plus discret, sinon nous serons en première page du *Soleil* demain.

— Tu connais un endroit plus discret ?

Bien sûr, il en connaissait un. L'homme dut attacher son manteau, mettre ses deux mains dans ses poches pour créer une espèce de tente où cacher son érection. Elle riait comme une folle quand ils rencontraient quelqu'un dans la rue Saint-Louis. Elle ne faisait pas tellement « jeune fille ». Il l'aurait préférée un peu intimidée, au moment de se diriger vers l'appartement d'un célibataire aussi indécent qu'un satyre à son bras. Son trouble lui permit de retirer les mains de ses poches en passant devant l'hôtel du Parlement. Son érection était disparue.

Renaud la retrouva dans l'ascenseur, après quelques baisers. Helen entra dans l'appartement sans crainte, laissa son manteau glisser de ses épaules jusqu'au plancher. Elle ne riait plus, enfermée avec lui derrière une porte close, mais elle gardait les yeux grands ouverts. Il la prit par la main pour la conduire jusqu'à sa chambre. Là, ce furent de nouveaux baisers au moment de chercher les boutons dans le dos de sa robe.

Elle ne se laisserait pas déballer passivement comme un cadeau, comprit-il tout de suite. Elle entreprit à sa grande surprise de défaire sa ceinture à lui. Il eut un moment de gêne : même les prostituées ne faisaient pas cela. Il se trouva néanmoins avec son pantalon sur les talons avant qu'elle ne soit en combinaison. Elle tint aussi à le voir sans sa chemise. Après un moment affolant à se battre avec des vêtements, il se retrouva couché en caleçon, bandé au point de craindre le moindre attouchement. Elle se débarrassa de sa combinaison blanche.

Le reste des vêtements disparut au rythme des caresses. Renaud s'extasiait sur la peau très douce, les seins prenant l'allure de pommes, avec une pointe plutôt foncée, les touffes de poils follets sous les bras, le sexe de brune à la peau claire, avec suffisamment de poils pour cacher la fente, sans devenir trop envahissants. Évidemment, il dut se défaire de son caleçon aussi vite qu'elle le faisait du sien. Elle le toucha enfin avec la timidité d'une apprentie toute à sa découverte. La savoir innocente lui importait. Quelques jeux de doigts suffirent pour atteindre un premier orgasme réciproque.

Elle suivait son rythme, avec un homme attentif à ne pas la presser. Il la fit jouir une seconde fois, avec la langue. Elle apprécia beaucoup, tout en refusant absolument de s'investir de la même façon. Elle consentit à utiliser ses mains, avec plus d'application que d'habileté. Son premier contact avec une capote suscita chez elle un intérêt clinique. Il ne la pénétrerait pas. Il en conclut qu'elle était vierge, ce qui était vrai, et qu'elle tenait à le rester jusqu'au mariage. Il se trompait. Elle voulut bien reprendre ses jeux de mains une seconde fois.

À la fin de l'après-midi, ils se trouvaient chacun enveloppé dans un peignoir, un verre de vin blanc à la main. Il essaya toutes les questions indiscrètes lui venant à l'esprit, pour se les faire renvoyer aussitôt. Par exemple :

— Est-ce que tu avais fait « cela » auparavant ?

— Et toi, est-ce que c'était la première fois ?

Ou bien encore :

— As-tu déjà été amoureuse de quelqu'un ?

— Toi, cela t'est déjà arrivé ? Tu sembles avoir une certaine expérience.

Il prit cela pour un compliment quant à ses talents d'amant. Après cinq minutes, il était au cœur d'une confession complète, portant sur le drame amoureux survenu en 1917-1918. Il racontait bien, elle l'écoutait avec intérêt.

— Quand j'ai été ramené en Angleterre après avoir été gazé, j'avais un bandeau sur les yeux. Je suis resté comme cela une longue période, à peu près aveugle. Pendant des semaines, tous les jours, une jeune fille venait me faire la lecture pendant une heure, parfois deux. Elle a découvert que j'aimais la poésie. À la fin, je lui demandais d'apporter un livre familier, et d'aller à tel ou tel poème. Cela l'impressionnait beaucoup: malgré mon éducation française, je lui faisais découvrir de nouveaux auteurs.

— Et toi, tu cherchais à l'épater, je parie.

— Certes. Il y avait dans le lit d'à côté un jeune étudiant en littérature. Lui avait les deux jambes amputées. Il cherchait désespérément de petits chefs-d'œuvre, juste pour l'entendre les lire. Elle avait une voix extraordinaire. Je l'imaginais comme une madone. Quand je demandais à mon voisin à quoi elle ressemblait, il répondait en riant «affreuse, avec trois verrues sur le nez». Je comprenais qu'elle devait être belle.

— Elle l'était?

Helen suivait cela comme une belle histoire d'amour, joliment racontée. Son intérêt était réel, mais superficiel.

— Oui! Elle était là quand ils m'ont enlevé le bandeau. Les marraines de guerre offraient ce genre de service. Cela faisait partie de leur engagement patriotique. Quand le bandeau m'est tombé des yeux, j'ai vu d'abord une masse de cheveux très blonds, avec le soleil derrière. Tu sais comment sont ces Anglaises? Blondes et roses?

— Je sais, je sais, fit-elle avec l'impatience d'une brune plutôt coquette.

— Elle était magnifique. J'étais déjà amoureux de sa voix. Je suis devenu obsédé par le reste. Imagine ma situation: seul dans mon lit d'hôpital, dans un pays étranger, pas certain du tout de retrouver la vue un jour. Son sens du devoir était exemplaire. Elle aidait les jeunes hommes qui avaient risqué leur vie pour l'Empire et pour le roi à recouvrer la santé. Elle méritait la Victoria Cross des marraines de guerre. Dans n'importe quel contexte, elle m'aurait plu, mais dans ce contexte-là elle m'a rendu fou.

— Fou jusqu'à quel point?

— Pendant deux ans, après ma sortie de l'hôpital, je l'ai poursuivie de mes assiduités. Je lui écrivais des lettres, je me pointais à sa porte. Je me souviens d'être resté des heures sous la pluie pour la voir entrer ou sortir de chez elle. Juste un instant, comme ça.

Il fit un signe de la main, pour indiquer quelqu'un qui passe.

— Cela n'a pas fonctionné, ces assiduités, si je comprends bien.

— Oh ! Elle est sortie avec moi, peut-être dix fois en deux ans. C'était par devoir patriotique, sans doute. Elle me réaffirmait sans cesse son amitié, son admiration. Nous n'étions vraiment pas sur la même longueur d'onde.

— Tu as dit « à la folie ».

Aucun mot n'échappait à la curiosité de la jeune Irlandaise.

— Quand la guerre s'est terminée, à l'automne de 1918, son fiancé est revenu en un seul morceau. Elle s'est mariée avec lui.

Renaud marqua une pause, hésita à continuer.

— Je me suis pointé chez elle un peu avant le mariage, je lui ai dit que je me tuerais pour elle. Je jouais un opéra italien sans le savoir. Je savais quand aurait lieu la cérémonie. Je me suis ouvert les poignets au moment où elle disait oui.

Le rose envahissait maintenant les joues du grand jeune homme.

— Juste pour la culpabiliser. Je me trouvais à un endroit où j'avais toutes les chances d'être découvert à temps. En fait, quand on meurt dans un suicide semblable, cela devrait être classé parmi les accidents, tellement ce n'est pas intentionnel.

— Qu'est-ce qui s'est passé ensuite ?

— Rien. Elle a eu des enfants. Parfois elle a sans doute une pensée gentille pour le grand couillon gazé qui a fait une grosse connerie.

Renaud sentait sa tristesse revenir. Toutefois, raconter cela en peignoir, dans un lit, à côté d'une très jolie fille tout aussi sommairement vêtue, lui faisait beaucoup de bien; plus que les confidences formulées des années plus tôt à un analyste affublé d'une barbichette et d'une furieuse attaque de psoriasis.

— N'y pense plus, dit Helen, cela te rend triste. Veux-tu encore un peu de vin ?

Il n'attendait pas une réponse de ce genre. Après tout, même son analyste avait paru plus compatissant. « Elle est bien jeune encore, peu expérimentée, peu éprouvée par la vie », l'excusa-t-il. Une réflexion très désagréable effleura son esprit : « Dans les mêmes circonstances, Élise aurait placé ma tête entre ses seins pour me consoler un peu. »

Cela faisait terriblement œdipien – ce foutu Freud avait gâché beaucoup de bons moments, avec ses histoires –, mais tant pis !

Chapitre 16

Noël serait bientôt là. Renaud commençait à s'inquiéter de son programme pendant le long congé. Chacun serait pris dans un tourbillon de rencontres familiales. Pour la première fois depuis son retour, il regrettait d'être le seul survivant de sa tribu, quelque chose comme le dernier des Mohicans. Son père n'avait ni frère ni sœur, ses plus proches parents se trouvaient être des cousins et des cousines de deuxième ou troisième degré, qu'il n'aurait même pas reconnus dans la rue.

Le statut d'orpheline de Helen en ferait-il une abandonnée des fêtes ? Il s'imaginait passer tout le 25 décembre à jouer avec elle dans sa chambre. Pourquoi sa virginité ne serait-elle pas son cadeau ? Quel grand rêveur ! Le 20 décembre il s'occupa de vérifier la distance entre son rêve et la réalité. Il lui téléphona pour demander :

— Aimerais-tu que l'on fasse quelque chose à Noël ? Je serais bien heureux que tu viennes ici.

Après un silence gêné à l'autre bout du fil, elle répondit :

— Cela aurait été très agréable, sûrement. Malheureusement, depuis une bonne semaine j'ai accepté de me rendre à La Malbaie.

Comme il ne disait rien, elle ajouta après une pose :

— Je voudrais bien demander que l'on t'invite aussi, mais c'est impossible, bien sûr.

Il pouvait se décomposer au bout du fil ou essayer de garder une contenance. Il pencha vers la seconde éventualité, avec un succès limité :

— Bien sûr. Ma présence serait tout à fait déplacée.

Il y eut un autre silence très court, puis il demanda encore :

— Est-ce que je peux compter te revoir dimanche ?

— Non. Je suis désolée, je pars pour Montréal demain. J'ai une abondante parenté d'oncles et de tantes à voir avant Noël. En fait, je ferai le trajet entre Montréal et Charlevoix le 24, d'une seule traite.

Il eut tout juste assez de décence pour ne pas lui demander l'heure de son train afin d'aller lui souhaiter un « joyeux Noël » sur le marchepied de son wagon, quand il arrêterait nécessairement à la gare de Québec pour prendre des passagers.

— Je suppose que l'on ne se reverra pas avant le début de janvier, alors ?

— Je ne pense pas.

Ressentant une petite culpabilité de l'abandonner ainsi, elle demanda :

— Que vas-tu faire pendant les fêtes ?

— Aller à New York, je pense.

Il avait affirmé cela tout d'un coup, afin de dire quelque chose. L'instant d'après, il trouva que ce n'était pas une mauvaise idée.

— Chanceux, fit-elle d'un ton enjoué.

Avait-elle craint d'être la cause d'un autre drame dans sa vie ? En tout cas, elle semblait soulagée.

— Joyeuses fêtes, Renaud.

— C'est ça. Toi aussi.

Il raccrocha tout doucement. Qu'avait dit Élise, exactement ? Il se sentit envahi par une haine profonde. Si quelqu'un lui avait demandé envers qui, il aurait dit Henri Trudel, ou même Helen. En réalité, elle était dirigée contre lui-même. Il n'avait de reproche à adresser à personne d'autre.

Le lendemain, un samedi, Renaud erra un long moment dans les grands magasins décorés pour Noël. La lourde insistance sur les présents à donner à ses proches dénaturait les célébrations à venir. Au Québec, la grande journée des étrennes demeurait encore le 1er janvier. Même s'il trouvait cette mise en marché du bonheur un peu sordide, il traîna tout de même dans les magasins jusqu'à l'heure de la fermeture.

Cet homme demeurait un vieux garçon bien plus désespéré que ne l'était la vieille fille Élise Trudel. Sa voiture se trouvait en face du magasin THIVIERGE. Il était au volant un peu après six heures, à attendre la sortie de Germaine Caron. Il éclata d'un grand rire quand il la vit sortir au bras de John Grace. L'employé l'avait rejointe à l'intérieur du magasin. Ils marchaient tous les deux d'un pas rapide. Le couple n'avait pas beaucoup de temps à perdre : des répétitions interminables à la chorale pour bien maîtriser tous les cantiques de la messe de minuit, puis des fiançailles au réveillon familial de la jeune femme, tout de suite après. Le commis était passé rapidement du statut de prétendant rejeté à celui de promis.

Renaud les regarda s'en aller dans la rue Saint-Joseph, comme soudés l'un à l'autre. Ils seraient mariés au printemps – peut-être peu après Pâques –, dénicheraient un petit appartement correct dans Saint-Jean-Baptiste, juste en haut de la côte, tout près des escaliers. Germaine regretterait le niveau de vie dont elle avait rêvé un moment avec son avocat, mais Grace lui donnerait la relative sécurité du petit employé. Elle dominerait la relation, puisqu'il tenait beaucoup plus à elle qu'elle ne tenait à lui. Derrière son volant, Daigle ne ressentait aucun mépris en évoquant tout cela. De toute façon, ces deux-là s'en tiraient beaucoup mieux que lui.

Malgré ses réserves sur cette commercialisation, Renaud avait acheté un cadeau de Noël, un seul. Un joli livre pour Lara. Il alla directement de chez THIVIERGE au *Chat*. La place était un peu lugubre. À ce moment de l'année, on n'y trouvait que les laissés-pour-compte. Tous les époux et les fiancés éprouvaient une soudaine attaque de fidélité à l'approche des fêtes. Il n'eut pas à attendre longtemps pour la voir. Le visiteur ne fut pas le premier à lui « offrir un petit quelque chose pour Noël », il fut cependant le seul à avoir mis du temps à choisir un présent vraiment pour elle. Cela l'émut un peu. Ils passèrent une bonne heure en tête-à-tête, à parler. Elle suivait le cours de ses histoires amoureuses et le trouvait un peu ridicule. Quant à lui, il se demanda si les prostituées avaient un congé pendant les fêtes. Un très bref instant il songea à lui demander de l'accompagner à New York.

~

Son dimanche se révéla misérable. Aucun de ses livres ne l'intéressait, ses vieilles photographies lui rappelaient trop de mauvais souvenirs. Même la radio se mettait de la partie : le plus souvent la réception était mauvaise. Quand elle était bonne, il entendait des airs de Noël d'une navrante gaieté. Dès le lundi matin, il réserva une place dans le train de New York. Il partirait en fin d'après-midi vers Montréal, et de là il rejoindrait les États-Unis. Comme le voyage se ferait de nuit, il retint une couchette. Cela le mit presque de bonne humeur : partir lui changerait les idées.

Il n'avait pas tout juste raccroché après son coup de fil au Canadien Pacifique, que le téléphone sonna. Il regarda le combiné pendant un moment. Helen, songea-t-il, ou même Élise ? Il devenait idiot. La seule femme à Québec avec qui il n'était pas brouillé, c'était Lara, mais elle ne faisait pas de réclame au téléphone pour ses services. Il décrocha après une demi-douzaine de sonneries.

— Monsieur Renaud Daigle ?

La voix d'homme lui parut familière. Il acquiesça. À l'autre bout du fil, il entendit :

— Jean-Jacques Marceau. Est-ce que je peux vous rencontrer ?

Renaud eut une longue hésitation. Il ne tenait pas à voir l'un de ses étudiants en privé. Puis l'air morose de celui-là depuis septembre laissait présager une rencontre désagréable. Marceau devina ses hésitations, car il ajouta :

— C'est pour une consultation professionnelle, en quelque sorte.

— Je doute que vous ayez une querelle avec Sa Majesté le roi, ou ses représentants au Canada. Vous voulez vraiment parler à un constitutionnaliste ?

Renaud ne se considérait pas comme si incompétent dans les domaines civil ou criminel. Ses réserves tenaient à d'autres raisons : il reniflait la sombre histoire de mœurs et n'avait aucune envie de s'y trouver impliqué.

— Je ne vois personne d'autre à qui m'adresser, plaida Marceau. Avec vous, une partie de la confession a déjà eu lieu : cela m'éviterait de recommencer avec un autre avocat.

Renaud avait bien deviné. S'était-il fait prendre en flagrant délit ? Il eut un moment envie de le référer à Thomas Lavigerie. Ce dernier aurait sans doute aimé secouer la pudibonderie de ses concitoyens. Finalement, il se laissa fléchir :

— Je ne peux vous recevoir ailleurs que chez moi. Et je pars en fin d'après-midi.

— Je peux être là tout de suite. Juste le temps de me rendre chez vous.

Il lui donna son adresse, puis commença à faire sa valise en regrettant d'avoir cédé. Déjà, il avait craint que le dépit d'Élise ne lui fasse perdre son contrat sur l'affaire du Labrador. S'il se retrouvait impliqué, même à titre d'avocat, dans une histoire de flagrant délit de grivoiserie entre deux messieurs, plus personne ne le trouverait respectable. Pas même ses camarades du mess des officiers du Manège militaire, revus une douzaine de fois ces derniers mois. Avec un visage peu amène, il ouvrit à Marceau une heure plus tard.

Le jeune homme n'avait pas une mine plus réjouie. Il se retrouva dans l'un des fauteuils du salon. Renaud, derrière son bureau, ne lui facilitait pas la tâche en lui présentant un air fermé, au bord de l'impatience.

— Vous préféreriez me voir ailleurs, je le sais. Vous n'avez sans doute pas l'intention de commencer une carrière de plaideur, surtout pas avec un client comme moi. D'un autre côté, je ne connais personne à qui m'adresser. Plus précisément, personne n'est au courant de mes… disons de mes préférences personnelles, sans en faire un sujet de moqueries, sinon de remontrances.

Renaud savait être un trop bon garçon. Cela le mettait dans des situations délicates. Peut-être ferait-il mieux de condamner d'emblée tous les pécheurs de la Terre, quitte à commettre certaines de leurs fautes en se dissimulant. Il trouvait curieux que, malgré sa totale indifférence religieuse, il semblât être le seul dans la très catholique ville de Québec à appliquer intégralement l'histoire de la première pierre.

— Je veux bien vous écouter, pour vous référer éventuellement à un avocat spécialiste du droit criminel.

— Oh ! Cela ne concerne en rien le droit criminel. Je ne suis pas devenu totalement vertueux, tout d'un coup. Mais le climat rend les parcs moins fréquentables.

Il eut un sourire, ce dont il n'avait pas l'habitude.

— En fait, je pensais surtout à une poursuite en dommages et intérêts.

Quel lien pouvait-il y avoir entre l'homosexualité et les réclamations d'argent devant les tribunaux ? Cela ne pouvait être lié à une grossesse indésirable, tout de même.

— Je ne vous suis vraiment pas, dit-il.

— Le Code criminel punit les personnes ayant des contacts sexuels avec des enfants ou des adolescents, n'est-ce pas ?

— ... Oui, bien sûr, répondit Renaud qui craignait de commencer à comprendre.

— Les victimes de ces agressions peuvent demander à être dédommagées.

« Sûrement », pensa Renaud. La situation devenait plus scabreuse encore.

— J'essaie de trouver un sens à ce que vous me dites, confia Renaud. Je présume que vous avez été victime d'abus sexuel quand vous étiez enfant.

— C'est exactement cela.

— Le coupable a-t-il été accusé devant les tribunaux, et condamné ?

— Non. Vous êtes la première personne avec qui j'aborde la question. Les coupables, car il y en a plus d'un, n'ont jamais été dénoncés.

— Vous voulez les accuser maintenant et obtenir une condamnation ?

La démarche lui paraissait absurde. Ce serait se couvrir de honte, pour une bien petite consolation.

— Une peine de prison ne me donnerait rien. Je veux un dédommagement et des excuses.

Plus il parlait, moins Renaud comprenait. Marceau présentait un visage exsangue, il évitait de lever les yeux. Cependant sa voix était ferme, assurée.

— Vous connaissez nos collèges et nos séminaires. On y trouve des personnes dévouées, généreuses, aimant s'occuper de l'éducation de jeunes garçons. Parfois, de bons pères ou de bons prêtres s'intéressent de très près à leurs élèves, pour un autre motif que leur enseigner le latin. J'ai été le jouet, c'est le meilleur mot, d'un bon père jésuite. Il m'a partagé avec un collègue.

Après cette tirade, le visiteur marqua une pause. Son interlocuteur resta un long moment sans rien dire. Ce silence fut suffisamment long pour que le jeune homme ajoute :

— Vous croyez que j'invente ?

— Non. Je me souviens de mes années au Petit Séminaire, des soupçons éprouvés à l'égard de certains prêtres. Si nous avions raison une fois sur deux, il y a eu des victimes là aussi. Vous souhaitez une poursuite au criminel ? Voici mon conseil d'avocat, donné gratuitement : essayez d'enfermer cela dans un coin de votre esprit et faites pour le mieux avec le reste de votre vie. Aucun policier ne voudra enquêter là-dessus.

— Je ne pensais pas à une poursuite au criminel, seulement à un dédommagement.

— Faire payer les Jésuites pour ce qu'ils vous ont fait? À combien évaluez-vous le préjudice subi?

— Ma première évaluation, très conservatrice, serait d'un million de dollars.

Marceau accompagna ces mots d'un grand rire.

— Je me contenterais d'un dollar, et d'une lettre d'excuse. Rien de plus.

— Je veux bien l'admettre, c'est une demande raisonnable. Vous essuierez un refus. Le tort fait à l'Église serait trop grand. Elle ne peut risquer de laisser traîner un papier comme celui-là.

— Des excuses exprimées verbalement, alors.

Marceau tenait à son idée. Il en faisait une question de principe. Renaud comprenait jusqu'à un certain point. Pourtant, c'était compromettre tout un avenir pour un profit bien limité.

— Pour des excuses verbales, vous n'avez besoin de personne. Vous allez voir vos agresseurs et vous les demandez. Au pire, ils vous mettront à la porte.

— Vous le pensez bien, j'ai essayé… auprès de l'un d'eux. Il m'a dit que j'inventais. Vous vous rendez compte? En sept ou huit ans, j'ai dû me retrouver dans ses bras des centaines de fois. Mais il est resté là, devant moi, me regardant dans les yeux, me disant que j'inventais tout cela. Il a même ajouté: «Cela ne me surprend pas, tu as toujours été d'un équilibre fragile.»

Le garçon s'énervait. Il revivait ce moment, vieux de quelques semaines à peine. Depuis l'été dernier, il avait décidé de régler quelques comptes avec la vie.

— Que pensiez-vous qu'il allait faire? Dire: «Oui c'est vrai. Je vous ai fait du tort. Je vous demande pardon»?

Renaud vit les yeux de Marceau se fixer sur les siens:

— J'attendais exactement cela, fit-il d'une voix blanche.

— Dans ce cas, il aurait fallu que ce prêtre ait des remords. Ces attentats se sont produits des centaines de fois sur une longue période, dites-vous. C'est donc un criminel d'habitude. Il doit avoir trouvé des dizaines de façons de se justifier. Il doit se dire qu'au fond ce n'est pas si grave, que vous aimiez cela autant que lui, que c'est vous qui avez commencé. Que vous l'avez séduit, en fait.

— Comment savez-vous? Il m'a dit toutes ces choses.

Marceau le regardait avec une certaine frayeur, maintenant.

— Vous le croyez aussi? demanda encore l'étudiant.

— Un homme ne peut répéter sans cesse la même mauvaise action sans se justifier. Vous ne parlez pas d'un imbécile, mais de quelqu'un dont le métier est d'apprendre aux autres la distinction entre le bien et le mal. Je ne devine même pas: il y a tout de même eu des poursuites contre des abuseurs d'enfant. Mes mots se trouvent dans leurs témoignages.

Marceau revint à son autre question:

— Vous croyez que j'ai recherché ce qui m'est arrivé? Que je l'ai séduit? Je n'ai pas toujours détesté cela.

Il avait eu envie d'ajouter: «J'ai été follement amoureux de lui.» Il s'abstint, Daigle n'était pas tolérant au point de vouloir entendre cela.

— Quel était son rôle auprès de vous? Quel âge aviez-vous, au début?

— C'était mon directeur de conscience. J'avais douze ans.

Marceau avait répondu d'une voix timide, comme à confesse.

— Les merveilleux directeurs de conscience de nos collèges, qui s'immiscent dans l'intimité des adolescents. Vous imaginez avoir été à l'origine d'un abus sexuel, à douze ans? Ce directeur de conscience en avait probablement plus de trente. Vous ne deviez même pas savoir ce qui se passait.

— J'avais conscience de préférer les hommes, déjà à cet âge.

— À cet âge, j'étais amoureux d'une voisine âgée de trente ans. Si elle m'avait violé, je ne me sentirais aucune responsabilité.

Évidemment, l'idée n'avait même pas effleuré l'esprit de cette respectable dame. Renaud enchaîna après une pause:

— Que voulez-vous que je fasse?

— Présenter ma demande pour moi. Cela l'impressionnerait, le ferait réfléchir. Il accepterait peut-être.

La situation était sans doute encore plus tortueuse que Marceau ne se la représentait. Ce garçon cherchait à mettre un point final à une grande histoire d'amour, tout abusive qu'elle ait été. Cela sentait le mélodrame à plein nez. Que les protagonistes soient du même sexe, que l'un des deux porte la soutane, venait seulement rendre l'affaire encore plus alambiquée.

— Je ne vais pas me mêler de cela. Ce serait un suicide professionnel. Le messager, dans une histoire pareille, sera l'objet de l'hostilité de l'Église toute sa vie. Juste le fait de vous avoir écouté aussi longtemps serait considéré comme un crime par nos seigneurs les évêques. Selon eux, j'aurais dû vous chasser plutôt que d'écouter des paroles aussi scandaleuses.

Son visiteur ne répondit rien. Il ne fit pas mine de partir non plus. Renaud dut prendre l'initiative de mettre fin à l'entretien. Il se leva en cherchant une façon de ne pas être trop brutal.

— Je peux vous suggérer des noms d'avocats. Mais je n'irai pas plus loin.

L'étudiant comprit enfin que sa visite était terminée. Il se laissa reconduire, la tête basse, jusqu'à la porte. Son professeur dit encore:

— Réfléchissez bien cependant. Rien ne se fait en tête-à-tête à Québec, surtout pas quand il s'agit de l'Église. Vous ne pouvez demander des excuses à un religieux et espérer garder cela secret. Vous risquez d'être chassé de l'université, de ne pas trouver d'emploi dans cette ville, et même dans toute la province. Ce serait comme un suicide.

— Je sais. Merci du conseil.

Le ton contenait une tristesse infinie. L'homme jugea préférable de ne pas ajouter «joyeuses fêtes» en fermant la porte dans son dos. Marceau comprenait la prudence de l'avocat. Pourquoi plongerait-il avec lui? Personnellement, il se sentait de moins en moins préoccupé par son avenir.

~

Renaud prit le train avec un soulagement immense. La belle et catholique ville de Québec lui pesait tout d'un coup. Changer d'air lui ferait le plus grand bien. Il ne serait pas moins seul à New York. Néanmoins l'excitation d'un environnement tout nouveau, et la frénésie d'une très grande ville, lui changeraient les idées. Il put donc passer une semaine à visiter les grands magasins et les musées. Il vit des livres peu susceptibles de se trouver un jour sur les rayons de la librairie Garneau, à cause de la censure, et en acheta beaucoup. Il mangea aussi dans des restaurants où il aurait pu s'amuser à marcher sur les mains sans que cela ne vienne aux oreilles du recteur de l'Université Laval, ni à celles du recteur de l'Université Columbia. La liberté de la grande ville lui parut grisante.

Le 1er janvier, l'homme reprit le train au petit matin, pour rentrer chez lui. Le balancement des wagons sur les rails le fit somnoler pendant des heures. Cependant, il eut aussi le temps de penser au gâchis de sa petite aventure avec Helen. C'était l'expression utilisée par Élise Trudel. Elle décrivait bien la réalité: ces quelques semaines lui avaient procuré une illusion. Celle de réparer le drame des années 1917-1918. Cela n'avait pas été une réussite. Helen ne l'avait pas trompé: son intérêt pour Henri sautait aux yeux dès la première fois qu'il l'avait vue. Une idée le dérangeait surtout: le dimanche où elle était dans son lit, elle avait sans doute déjà accepté de passer les fêtes à La Malbaie.

Il n'appliquait pas aux femmes les mêmes règles de conduite qu'à lui. Helen demeurait une couventine, en comparaison. Si elle se permettait quelques privautés, lui se trouvait au bordel très régulièrement depuis trois mois. Il se sentait gêné bien sûr – il l'était aussi quand il demandait des sous-vêtements au comptoir d'un magasin, surtout s'il avait affaire à une vendeuse –, pas du tout coupable. La culpabilité l'effleurait tout de même un peu quand il songeait à Germaine. Il avait fait avec elle pendant des semaines ce que la petite Irlandaise avait fait avec lui.

Pire, il se demandait encore si Helen voudrait le revoir en janvier. Quand il répondait oui à cette question, c'était pour s'imaginer la rejetant tout de suite, pour se venger. En même temps, une pointe d'intelligence lui disait le ridicule de ce questionnement : elle n'était pas allée chez les Trudel pour la joie d'un Noël en famille. Elle poursuivait un but précis. Il la reverrait de façon fortuite dans la rue ou lors d'activités sociales, et il rougirait plus qu'elle au souvenir de la tournure intime de leur relation un certain dimanche après-midi.

Pendant tout le trajet, il ne voulut pas penser à Élise Trudel. Le vrai gâchis était là. Il était beaucoup trop honteux pour réfléchir à la relation amoureuse sacrifiée, et beaucoup trop orgueilleux pour essayer de réparer.

Il arriva à Québec en fin de soirée, le 1er janvier 1926. Il faisait un froid sibérien dans le taxi non chauffé qui le ramena au Morency. Il trouva ses deux boîtes de livres bien lourdes, avec sa valise en plus. Il dut faire deux fois le trajet de la porte d'entrée à son appartement. Au second, il récupéra son courrier. Presque rien : une carte de vœux de son gérant de banque et une lettre recommandée de Jean-Jacques Marceau.

— Mon Dieu ! Que me veut-il encore ? grommela le professeur.

Heureusement, il n'avait pas écrit « Personnel et confidentiel » en lettres majuscules sur l'enveloppe. Si quelqu'un imaginait une aventure avec le jeune homme, ce serait la déchéance totale. Il prit la peine de retourner la missive en tous sens pour s'assurer qu'elle n'avait pas été ouverte.

Dans son appartement, il commença par se verser un whisky et chercher une station de radio diffusant de la musique. Ensuite, il ouvrit l'enveloppe. Une lettre dactylographiée se trouvait à l'intérieur, trois bonnes pages. Marceau commençait ainsi :

Vous n'allez pas vous impliquer dans cette affaire. Toutefois, je vous en ai à la fois trop dit et pas assez. Ne serait-ce que pour partager mon histoire au moins une fois, je vais vous la raconter.

Les feuillets contenaient le récit des malheurs d'un collégien dont le directeur de conscience s'était entiché. Certains paragraphes étaient particulièrement révoltants, car un homme fait abusait d'un jeune garçon influençable. Le jésuite l'avait convaincu de lui faire part de ses premiers émois sexuels, de lui montrer comment il se touchait. Le religieux présentait leurs activités comme un péché véniel, surtout avec un prêtre consacré... Le texte lui réservait d'autres horreurs : le pédéraste avait « prêté » Marceau à un autre religieux, il avait invité un collégien plus âgé à se joindre à eux.

En même temps, l'histoire se révélait terriblement banale. Une personne en situation d'autorité en utilisait une autre. Cela pouvait être un adulte avec un gamin ou une gamine, Blanche face à ses violeurs, un patron avec une employée dont le salaire était absolument nécessaire à la survie familiale, l'époux forçant sa conjointe à faire son « devoir conjugal » même si une autre grossesse pouvait ruiner sa santé. Si Renaud avait mis de la pression sur Germaine, celle-ci aurait fini par lui céder. Il était allé au bordel à la place, ce qui était à la fois différent et terriblement semblable. Il traitait les prostituées avec beaucoup de tact. Mais Lara, par exemple, s'était assurément retrouvée au bordel sous les pressions conjuguées de bien des hommes.

L'avocat termina sa lecture en colère contre l'Église, le système des collèges, les hommes en général, le directeur de conscience en particulier. En colère contre lui-même, aussi. Si Marceau avait été devant lui, il lui aurait dit de prendre une bonne petite masse de cinq livres, de se trouver un complice, et de réduire en bouillie les deux rotules de son directeur de conscience. Pareille sentence vaudrait celle de n'importe quel tribunal. Le coupable roulerait dans un fauteuil pour le restant de ses jours et aurait beaucoup de mal à sodomiser de nouveau un gamin penché sur son prie-Dieu.

Il lui aurait conseillé de faire cela, mais il n'aurait pas essayé de plaider pour lui. À titre de professeur à l'Université Laval, il était lui-même un employé de l'Église.

Renaud dormit mal, s'éveilla de mauvaise humeur contre la terre entière. À ses haines de la veille s'ajoutait une rancœur tenace contre Thomas Lavigerie. Toute la nuit, Blanche Girard avait hanté ses pensées. Surtout, il était en colère contre lui-même.

Comme la plupart de ses décisions importantes, le professeur prit celle-là sans réfléchir. Il téléphona au presbytère de la paroisse Saint-Roch et demanda à parler au vicaire Pierre Pelletier. Alors jeune collégien, ce dernier avait participé aux ébats sexuels de Jean-Jacques Marceau et du religieux. Le hasard voulait aussi qu'il fût le directeur de la chorale. Il obtint un rendez-vous avec lui à une heure. L'ecclésiastique demeura bien inquiet car Renaud refusa de lui donner le motif de sa visite.

— Cette question est bien trop personnelle pour l'aborder au téléphone, murmura-t-il avant de raccrocher.

Le presbytère de la paroisse Saint-Roch était une grande bâtisse de pierre grise capable d'abriter une armée de prêtres. Des religieuses s'occupaient de l'entretien de la maison et de la cuisine pour tous ces hommes. Dégagés des soucis quotidiens, ceux-ci se consacraient exclusivement à leur sacerdoce. Ils avaient beaucoup à faire pour bien encadrer leurs ouailles : dire la messe, administrer les divers sacrements, visiter toutes les écoles pour confesser, prêcher et distribuer les bulletins des élèves une fois par mois. Tout cela n'était que la pointe de l'iceberg. Il fallait assurer une présence auprès des scouts, des guides, des Filles d'Isabelle, des Dames de Sainte-Anne, des Enfants de Marie, des confréries de la Bonne Mort et de la sainte Famille, des Ligues du Sacré-Cœur, de la section paroissiale de la Société Saint-Vincent-de-Paul. Certains prêtres s'occupaient encore des terrains de jeux l'été, présentaient des films édifiants toute l'année pour contrer l'influence délétère des films américains des salles commerciales. Une multitude de bonnes œuvres devaient permettre à tous les paroissiens de naître, vivre et mourir en bons chrétiens.

Pierre Pelletier se dévouait à beaucoup de ces tâches, mais il appréciait surtout la direction de la chorale. Il avait même un plan de carrière : assumer la responsabilité de la chorale de la cathédrale, un jour. Quand Renaud lui serra la main, il souhaita ne jamais voir quelqu'un lui confier une manécanterie, l'un de ces charmants chœurs composés de jeunes garçons prépubères dont les voix, paraît-il, rappelaient celles des anges. Les anges n'étaient pas censés avoir de sexe, mais tout de même…

Bien sûr, Renaud avait souvent entendu Germaine parler de l'adorable abbé Pierre Pelletier. Il le connaissait pour l'avoir aperçu quelques fois sur le perron de l'église, quand il la rejoignait le dimanche. L'abbé le reconnut aussi et d'une certaine façon fut soulagé en croyant comprendre la raison « personnelle » de ce rendez-vous.

— Monsieur Daigle, fit-il à voix basse, il est trop tard, j'en ai peur. Ils sont engagés maintenant.

— Pardon ? Je ne comprends pas.

Ce fut au tour du prêtre d'afficher sa confusion.

— Vous ne voulez pas me parler des fiançailles de Germaine et John ?

— Non, pas du tout. Il ne pouvait rien leur arriver de mieux.

Renaud n'en était pas absolument certain, mais c'était la chose à dire.

— Alors, je ne vois pas de quoi vous voulez m'entretenir.

Tous les deux se tenaient dans l'entrée du presbytère, quelqu'un pouvait survenir à tout moment.

— Il serait plus convenable de trouver un endroit discret. Je veux vous parler d'une question tout à fait confidentielle.

L'abbé Pelletier cherchait encore. « Il ne veut tout de même pas se confesser », se dit-il. À tout hasard, il l'emmena dans une pièce un peu à l'écart, le pria de s'asseoir et s'installa lui-même derrière un lourd bureau. Il mit ses mains l'une dans l'autre et attendit en les frottant ensemble d'un geste tout à fait clérical. Renaud reconnaissait chez lui toutes les qualités du jeune clerc affable. Les paroissiens le trouvaient sûrement « moderne » ; surtout les paroissiennes. Dans ce milieu ouvrier, les hommes devaient par contre le trouver un peu trop raffiné, une autre façon de dire efféminé. Ils auraient préféré un robuste curé issu de la campagne, aux mains calleuses et dont les narines ne se plissaient pas sous l'effet d'odeur d'étable. Un prêtre pour qui la religion reposait sur l'offre de services, sans en faire toute une histoire : les baptêmes, les mariages et les funérailles.

— Je viens vous voir à titre d'avocat, celui de Jean-Jacques Marceau. Vous le connaissez bien, je crois ?

— Que lui est-il arrivé ? Il y a longtemps que je ne l'ai vu.

— Il ne lui est rien arrivé récemment. Vous pourriez peut-être lui venir en aide, cependant. J'aimerais savoir si vous le connaissez bien.

— Nous fréquentions le même collège. Il est de trois ou quatre ans plus jeune que moi, alors je n'ai jamais été dans sa classe. Mais nous nous sommes connus à ce moment.

Renaud crut voir un certain malaise chez le prêtre. Était-ce une illusion ?

— Vous ne l'avez pas revu depuis le collège ?

— Je l'ai côtoyé assez régulièrement pendant toutes mes années d'études, et très souvent depuis que je m'occupe de la chorale.

— Comment cela ? Il en est membre ?

Renaud affichait une surprise totale.

— Non, pas vraiment. Seulement, il venait très régulièrement jouer du piano lors des répétitions.

— Il a rompu avec cette habitude dernièrement, si je comprends bien. Vous avez dit ne pas l'avoir vu depuis longtemps.

— Depuis le meurtre de Blanche Girard. Cela l'a beaucoup affecté. Il ne fut pas le seul, d'ailleurs. Quelques personnes ne sont jamais revenues à la chorale. Elles ne voulaient plus penser à ce crime, cela les rendait trop tristes.

Il fit une pause recueillie avant de continuer :

— Mais vous n'êtes pas là pour me parler de la chorale, j'en suis sûr. Vous êtes avocat. Est-ce que Jean-Jacques a fait quelque chose de mal ? Cela me semble impossible.

Maintenant, le visiteur devait cesser de tergiverser et aborder le véritable motif de cette rencontre. Heureusement, le jeune abbé n'aurait pas plus envie que lui d'ébruiter leur conversation. L'entretien demeurerait secret.

— C'est plutôt à lui que l'on aurait fait quelque chose. Il est venu me voir avec une requête très délicate, j'ai bien du mal à l'évoquer.

Il y eut une pose. Le visage de Pelletier était intrigué, curieux presque.

— Marceau croit avoir subi un tort considérable pendant ses années de collège, plus exactement de la part du père Grenier. Un autre religieux aurait aussi été impliqué, et une troisième personne.

Le visage de l'abbé Pelletier devint violet, comme chez quelqu'un qui s'étrangle en mangeant. L'effet était impressionnant, Renaud se demanda un instant s'il ne devait pas appeler à l'aide. Après avoir constaté que son interlocuteur respirait à peu près bien, malgré un curieux sifflement, il continua :

— Mon client veut des excuses. Il serait prêt à se présenter devant un tribunal pour les obtenir, je crois.

Il y eut encore un long silence, puis le prêtre réussit à articuler :

— Je ne sais pas du tout à quoi vous faites allusion.

— Je fais allusion à une intimité sexuelle entre un adulte et un jeune garçon. L'adulte est toujours professeur dans un collège. La situation se révèle encore plus délicate, plus odieuse, car il s'agit d'un membre du clergé.

Pelletier ferma les yeux. Son visage gardait sa vilaine couleur. Renaud se demanda s'il pouvait être poursuivi, si jamais l'autre rendait l'âme devant lui. Il l'entendit à peine quand il dit :

— Je n'ai jamais entendu parler d'une histoire comme celle-là.

Ce n'était pas faux : on ne parlait jamais de ces choses. Il continua dans un souffle :

— Il est sacrilège de votre part de la répandre.

— Les avocats parlent toujours de crimes horribles. C'est leur métier. L'odieux n'est pas d'en parler, mais de se taire. Selon monsieur Marceau, vous êtes la quatrième personne impliquée, vous avez été témoin de ses ébats avec le père Grenier au moins à une reprise. Il m'a fourni le lieu et la date approximative de l'événement.

— Je n'ai jamais eu connaissance d'un événement comme celui auquel vous faites allusion. Jamais.

Il avait répété le dernier mot un peu plus fort.

— Si nous en venions à un procès, vous diriez ces mots après avoir prêté serment, la main sur les Saintes Écritures ?

L'abbé Pelletier passa du violet au blanc. Il fixa Renaud dans les yeux avant d'affirmer :

— Oui, sans hésiter.

L'avocat lui répondit par un sourire cynique. Le récit de Marceau était vrai – il n'en avait jamais douté –, l'émotion du jeune abbé le confirmait. Toutefois jamais celui-ci ne témoignerait en faveur de son « ami ». Il se parjurerait même avec l'absolue conviction de servir sa sainte mère l'Église. Pour ce prêtre, les petits péchés de la chair pesaient bien peu, en comparaison de l'importance de protéger l'institution. Toutes ces soutanes feraient front, nieraient avec le même sang-froid qu'une mafia. Tout le monde dans l'appareil judiciaire, même les individus qui avaient enduré les mains envahissantes de directeurs de conscience dans leur jeunesse – il y en aurait certainement quelques-uns parmi eux – les croiraient volontiers.

L'avocat ne dit pas un mot de plus et quitta les lieux. Il remettrait à Marceau son document, avec une note lui disant que personne, surtout pas l'abbé Pierre Pelletier, ne dirait un mot en sa faveur. Il clamerait ne pas vouloir s'en mêler lui non plus. Il n'ajouterait pas un mot sur la justice rendue avec une petite masse en fer. Si jamais ce zigoto le faisait, personne ne l'accuserait de l'y avoir incité. Il prendrait tout de même un cliché de ces documents et en tirerait des photos pleine grandeur, juste au cas.

~

Renaud espérait faire une deuxième visite plus agréable. Il se trompait. Il avait trouvé dans un annuaire l'adresse d'Alcide Gauthier, le vieux gardien du parc. On indiquait « gardien de la paix » comme occupation, ce ne pouvait être que lui. Son appartement se trouvait à l'étage d'une petite maison en brique, dans Saint-Sauveur. Le visiteur frappa et attendit deux ou trois minutes, sans avoir de réponse. Peut-être le vieil employé était-il à une réunion familiale. Avant l'Épiphanie, les réceptions continuaient sans relâche. Il frappa encore, un peu plus fort, juste au cas.

Puis la porte s'ouvrit sur un cadavre. Aucun autre mot ne pouvait mieux décrire le personnage. Comment un homme aussi maigre tenait-il encore debout? Sa peau grise était tendue sur ses os.

— Tiens, le jeune monsieur Daigle, fit-il. Entre, entre, le jeune. Ne fais pas geler la maison.

Gauthier se tassa un peu pour le laisser passer. Il se cramponnait à la poignée de la porte pour ne pas tomber. Il ne la lâcha que pour s'agripper à une chaise. Le malade avait mis bien du temps pour atteindre la porte car il devait s'appuyer sur tout ce qui se trouvait sur son chemin. Chacun de ses pas exigeait un effort inouï.

— Je vais vous aider, fit Renaud en lui prenant le bras.

Le contact de la peau moite se révéla très étrange. Il sentait trop bien les os sous le bout de ses doigts. Même avec de l'aide, le trajet de cinq mètres dura une éternité. Le prendre dans ses bras pour le porter aurait été plus simple : il s'abstint pour ne pas blesser le vieil homme dans sa dignité.

Un petit lit se trouvait tout près d'un poêle à charbon. Quelques journaux, des images pieuses, un crucifix, un chapelet servaient à meubler ses derniers jours. Gauthier s'étendit, essaya avec difficulté de tirer la couverture de laine grise sur lui. Renaud l'aida. Il se sentait terriblement mal à l'aise d'être là.

— Avoir su que vous étiez malade, je ne serais pas venu vous déranger comme cela.

— Ne dis pas de bêtises. Ça fait changement des petites vieilles. Elles viennent me voir dix fois par jour. Penses-tu, un vieux veuf impotent, elles trouvent ça drôle. Elles se vengent sur moi de tout ce que leurs maris leur ont fait endurer. Elles adorent me nourrir à la petite cuillère, comme un bébé, et me passer la bouteille-à-pisser.

Un urinoir placé à portée de main avait servi récemment. Gauthier tutoyait son visiteur. Face à la mort, il se considérait comme l'égal du monde entier. Il parlait vite, d'une petite voix sifflante, entrecoupée de toussotements brefs qui lui mettaient une mousse rose aux lèvres. Il s'essuyait la bouche avec un mouchoir tout taché de sang.

— Je vais mourir, tu sais.

C'était une certitude. Renaud fit un signe d'assentiment. Nier l'évidence dans ces circonstances ne rendait pas les choses plus faciles pour le malade.

— Cancer du poumon, paraît-il, grommela le grabataire. Les médecins sont très utiles : grâce à eux, on sait de quoi on meurt. Partir rapidement, ce n'est pas si pire. Je ne souhaiterais pas cette maladie à mon pire ennemi. Si ce n'était pas péché, je prendrais un raccourci. J'ai encore mon revolver de service.

— Aujourd'hui, je suis fâché avec les curés. Oubliez-les, si c'est votre choix.

— Tu es fâché avec eux seulement depuis aujourd'hui ? Moi, cela fait bien cinquante ans. Depuis qu'ils ont refusé d'enterrer mon père au cimetière. Le bonhomme avait pris un coup avant de se noyer dans la rivière Batiscan. Ils l'ont enterré juste à l'extérieur de la clôture. Tu savais qu'ils pouvaient faire cela ?

Le souvenir le mettait en colère. Une toux cruelle le plia en deux. Après un moment pénible de raclements de gorge sanglants, il reprit :

— Ne mêle pas la religion et les curés. Mais tu n'es sûrement pas venu me voir pour te faire convertir.

Renaud sortit une bouteille de sa poche. Elle était enveloppée dans un sac en papier brun de la Commission des liqueurs.

— Je vous amenais un cadeau. Je ne sais pas si…

— Dans mes commandements de Dieu à moi, on attend son heure pour mourir, mais il n'est pas nécessaire de demeurer à jeun. Va chercher un verre dans la cuisine, prends-en un pour toi. En passant, mets un peu de charbon dans le poêle.

Il faisait bien chaud dans la pièce, mais le vieillard grelottait. Renaud alla chercher les verres dans la cuisine et revint vers Gauthier. Il versa deux doigts de gin à chacun.

— Vous voulez ajouter de l'eau ?

— Ne fais pas ça. Mettre de l'eau dans quelque chose d'aussi bon ! C'est du gin de riche en plus, je gage. Cela va me rappeler mon temps de constable. On voyait des caisses disparaître dans le port et une bouteille tombait dans notre poche.

Il fit un gros clin d'œil, porta le verre à ses lèvres d'une main tremblante. Après s'être rincé la bouche avec une bonne lampée il continua un peu plus fort :

— Les gens de la Haute-Ville, comme toi, payaient un petit peu plus cher leurs bouteilles, et nous autres on régalait la parenté.

Renaud sourit, but à son tour. Il venait chercher une réponse à une question muette. Cinq mois plus tôt, il ne l'avait même pas formulée.

— Tu dois être terriblement seul, pour venir voir un mourant le 2 janvier. Aucune femme dans ta vie ?

— Aucune. Je pensais en avoir une, mais elle est allée passer les fêtes avec un autre.

— Trop de livres, je parie. Tu lisais tellement, quand tu étais jeune. Tu venais te cacher au parc Victoria pour lire des livres défendus. Des fois, quand on lit trop, on ne voit pas ce qu'on a sous le nez.

Ce moment de sagesse fit grimacer l'avocat.

— Si des femmes viennent me faire manger à la petite cuillère, il doit bien y en avoir une qui accepterait de te recevoir. Remarque, je ne suis pas mal dans mon genre. Mais si j'étais toi, jeune et en santé, je me trouverais ailleurs. Qu'est-ce que tu veux ?

— Finir une conversation commencée l'été dernier. Vous vous souvenez ?

— Comme si c'était hier. Moi non plus, je n'aime pas laisser les choses en suspens.

— Avez-vous regardé à qui appartenait le livret de banque ?

— Oui, j'ai regardé.

Gauthier plissait les yeux, il le dévisageait avec un sourire malin. Il continua :

— Je me suis souvent demandé si quelqu'un me poserait encore la question. Le lieutenant Gagnon ne peut plus en parler maintenant. Il ne reste que moi, mais c'est une question de jours.

Il s'arrêta encore, si heureux de le voir se languir.

— Henri Trudel, finit-il par déclarer.

— Seigneur ! murmura Renaud. Nom de Dieu, quelle histoire !

— Cela te fait plus d'effet qu'à moi.

Il n'allait pas lui expliquer la place de la famille Trudel dans sa vie. Comme après un coup de poing dans le front, l'avocat demeurait abasourdi.

— Le livret a été volé, marmotta-t-il après un moment. De plus, l'un des curieux l'aurait perdu sur la scène du crime.

— Possible. Il y avait un nuage de curieux, comme des mouches sur une charogne. Mais c'est comme porter une ceinture et des bretelles.

— Que voulez-vous dire ? demanda Renaud avec un sourire à cette image.

— Trop d'explications. « Ce n'est pas moi qui l'ai perdu, et même si c'était moi, je l'aurais perdu en allant avec les curieux. » On veut trop convaincre, dans cette histoire.

Le vieillard secouait la tête pour souligner son scepticisme.

— D'un autre côté, cela peut être vrai.

— Tout peut être vrai. Peut-être qu'au ciel il y a plein de belles femmes nues.

— C'est le chef Ryan qui vous a dit de ne pas parler de ça ?

— Oui.

Il fit un signe pour demander encore du gin.

— Le matin où il nous a vus ensemble. Le bonhomme revenait de chez les Trudel. Il a été trop gentil avec ce gars. Une enquête, ça se passe différemment.

— Avec ces gens-là, ce n'est pas toujours comme cela ?

— Oui, tu as raison. Mais cela ne devrait pas.

— Pourquoi n'en avez-vous jamais parlé ?

Gauthier parut un peu honteux d'avouer sa faiblesse.

— Ryan a été très clair. J'avais besoin de mon salaire pour vivre. Après, j'ai eu besoin de ma pension. Cette pension, ce n'est pas un droit, c'est un cadeau qu'ils me font pour mes bons services. Cela doit être la même chose pour la famille de Gagnon.

Il ajouta après une pause :

— Et puis, personne ne m'a rien demandé.

Renaud fit une drôle de mimique sur ces derniers mots. Le vieux gardien expliqua :

— Que voulais-tu que je fasse ? Chercher les journalistes du *Soleil* pour le leur dire ? Au début, je ne voulais pas perdre ma pension. Après, je me suis retrouvé malade. Je me sentais trop déprimé pour penser à cela, trop faible.

« Aussi trop intimidé, sans doute », pensa le visiteur. Si toutes les personnes en position d'autorité se dérobaient, que pouvait faire un vieillard malade pour exiger que justice soit faite ?

— Pourquoi me dites-vous cela aujourd'hui ?

— Elle était laide, pauvre, probablement pas très intelligente, mais ce ne sont pas des raisons pour laisser les assassins s'en tirer. Je prie pour elle tous les jours. Le bon Dieu m'a laissé en vie juste assez longtemps pour que quelqu'un vienne me demander à qui était ce livret.

Renaud n'avait rien à répondre à cela. Helen s'était dérobée. Les théories de Lavigerie remontaient à sa mémoire à cause de sa colère contre Henri et tous les libéraux satisfaits, sûrs d'eux. Rejeté du clan, cette histoire revêtait une vague allure de revanche. Le vieux gardien levait le voile sur une toute petite partie du mystère. Sa présence tenait du coup de dé, pas à une intervention providentielle.

— Tu ne peux pas savoir comme j'ai envie de me reposer.

Maintenant, je ne vais plus penser à elle, c'est à ton tour de te torturer.

C'était une façon de le congédier. Le vieil homme brûlait ses dernières forces. Le visiteur se leva pour partir. Il l'entendit encore lui dire :

— C'est une chance, tu as apporté du gin, plutôt que du whisky. La couleur de l'eau. Tu vois la carafe ? Tu vas vider l'eau qu'il y a dedans, mettre le gin à la place, et rapporter ta bouteille vide. Comme cela, je ne risque pas d'être enterré de l'autre côté de la clôture, si je meurs ce soir. Tu vas aussi rincer les verres et apporter une tasse, une grande.

Renaud fit scrupuleusement comme on lui disait. Un opiacé comme le laudanum ferait tout de même mieux l'affaire, tout en étant moins bon, bien sûr. Il emplit à demi une grande tasse, tout en souhaitant que le vieil homme puisse avoir la force de manipuler la carafe.

— Va-t'en, maintenant.

L'homme de la Haute-Ville plaça sa main sur celle du vieux gardien de parc et la tint un long moment. Puis il sortit sans un mot. À l'heure du souper, Gauthier serait mort. Une voisine – l'une de ces vieilles qui s'occupaient de lui – lui fermerait les yeux, demanderait du balcon que quelqu'un appelle le curé. Elle ramasserait la carafe où il ne resterait plus une goutte, l'urinoir à demi plein, et laverait le tout.

~

Noël et le jour de l'An à La Malbaie avaient été pénibles pour la jeune Irlandaise. Moins que si elle était restée à Québec chez sa tante malade, mais tout juste. Élise avait été d'une humeur massacrante… c'est-à-dire, pour une personne si bien élevée, d'une politesse un peu froide. Comme elle savait maîtriser ses émotions, pensa Helen. Bien sûr, la vieille fille lui en voulait d'avoir utilisé Renaud Daigle pour harponner Henri. Si sa rancœur se justifiait, l'invitée n'allait pas la laisser ruiner ses fêtes. Elle la traîna dehors, littéralement, pour lui rappeler lui avoir demandé en termes très clairs s'il y avait quelque chose entre eux. Elle lui précisa avoir pris la même précaution avec Renaud. L'homme avait dit non lui aussi. « Voilà, vous m'avez menti tous les deux. Maintenant, préfères-tu que je prenne immédiatement le train pour retourner à Québec ? » demanda-t-elle.

À la fin, ce fut Élise qui s'excusa de lui avoir fait mauvaise mine.

Les parents Trudel ne se révélèrent pas beaucoup plus amusants que leur fille, au début. Quelle contenance adopter avec la personne qui leur faisait perdre un gendre ? D'un autre côté, elle s'appliquait tellement bien à devenir leur bru ! Ils conclurent finalement que cela était bien dommage pour Élise, mais leur fils devait se caser au plus tôt s'il voulait avoir tous les atouts en main pour les élections provinciales de 1928. Au sein du Parti, des éminences grises planifiaient depuis longtemps son entrée en scène, dans un peu plus de deux ans. Avec un peu de chance, le mariage aurait lieu à l'été. Helen, si jolie, paraîtrait merveilleusement bien au bras du candidat, un bébé posé sur une hanche, un autre en route dans le ventre. Dommage si la fille de la maison restait sans époux mais, après tout, ses parents lui laisseraient suffisamment à leur mort pour la mettre à l'abri du besoin.

Le 28 décembre, le couple Trudel avait tiré ses plans et traitait Helen comme sa future bru. La brunette fit si bien, surtout au moment de demander à un Antoine Trudel ému jusqu'aux larmes de lui donner sa bénédiction paternelle au matin du jour de l'An, car elle était seule dans la vie, qu'elle commença l'année comme un membre de la famille. En plus, il n'y avait pas un gramme de calcul là-dedans ! Elle était née adorable et avec des yeux bleus : cela lui venait naturellement. Même Élise se prit à l'aimer, tout en regrettant que Renaud ait posé les yeux sur elle dès son retour au pays.

Le 2 janvier au matin, quand Henri proposa de la raccompagner à Québec, madame Trudel ne pensa même pas à mal. Quand Helen évoqua devant elle la possibilité de s'arrêter à la maison de Château-Richer afin de s'assurer que tout était en ordre, elle rougit mais ne prononça pas un mot. Le jeune couple serait seul dans une grande maison vide !

Cette suite d'événements les avait conduits dans la petite chambre. Elle avait eu un moment d'angoisse. Le sexe de son compagnon s'entêtait à pointer vers le bas. Celui de Renaud, plus petit peut-être, aurait pu servir de hampe à drapeau. L'objet de sa nostalgie ne connaîtrait jamais cette réflexion fugitive ! Combien il en aurait été fier, pourtant.

Piteux, Henri lui avait expliqué :

— Je n'ai d'intérêt pour rien depuis le drame.

Le mot « rien », dans ce contexte, désignait le sexe opposé. Elle le regardait en silence, un drap ramené sur sa poitrine, dans le lit étroit de la chambre du haut. Malgré la flambée dans le poêle, la demeure demeurait glaciale.

Helen McPhail constatait que les hommes, au lit, avaient tendance à lui raconter leurs malheurs. Était-ce une mauvaise habitude, une tare du sexe fort ? Son expérience limitée ne lui permettait pas de conclure. Pour la seconde fois seulement nue dans un lit avec un homme, elle recevait une nouvelle confession complète.

Henri continua :

— Depuis le jour où mes amis ont amené cette fille ici…

Après avoir passé des mois à craindre les confidences de ses cinq compagnons, il se répandait en paroles. Son angoisse se traduisait par un déluge de mots. Il ne nomma pas une fois Blanche Girard, ni aucun de ses tortionnaires. Ce n'était pas utile, elle devinait. Quand il arriva au matin où il avait trouvé le corps, elle se leva du lit pour se rendre à la fenêtre, enroulée dans le drap. Elle voyait la porte du caveau à légumes à travers les branches dénudées des arbres.

« C'est là que c'est arrivé », se dit-elle. L'endroit paraissait à la fois étrange et tellement banal. Un caveau à légumes ! Au moment de revenir sous les multiples couvertures empilées sur le lit, elle avait les pieds glacés et la pointe des seins dressée. Il pleura à la fin. Elle prit sa tête et la plaça entre ses seins.

— Tu ne sais pas qui a fait ça? Je veux dire le meurtre.

— Non. Je ne sais même pas si c'est une seule personne. Mes soupçons portent sur trois de mes amis. Des fois, j'imagine que les trois ont agi ensemble. D'autres fois, je pense que c'est un seul.

Elle tint sa tête entre ses deux mains, s'arrangea pour que ses yeux soient à deux pouces des siens, et murmura:

— Mais ce n'est pas toi. Tu le sais, et je le sais.

— Après, je les ai aidés. Je ne suis pas innocent.

— Tu es innocent du crime. Après, tu n'as pas voulu gâcher ta vie, celle de tes parents, celle de ta sœur aussi. Tu as fait ça par amour pour eux. Quel profit en aurait tiré cette fille, si tu les avais dénoncés?

Elle disait exactement les mots qu'il voulait entendre. Les mêmes, dans la bouche de son père, ne signifiaient rien. Dans celle de cette charmante jeune femme, tout!

— Elle aurait obtenu justice, rétorqua-t-il.

— Non. Elle aurait obtenu la pendaison des coupables et la ruine de nombreux innocents. Ce n'est pas cela, la justice. Tu ne peux pas te flageller avec ce drame pendant les cinquante prochaines années.

Il avait terriblement envie de lui donner raison. Elle ressentait un impérieux besoin de l'en convaincre. Après avoir épuisé tous les mots, elle se mit à embrasser son visage. Elle le coucha sur le dos, fit glisser ses lèvres sur la pointe de ses seins. Son savoir-faire l'inquiéta beaucoup. La bouche effleurant son sexe le choqua tout à fait. D'un autre côté, sa confession libérait ses hormones de l'emprise des remords. Immédiatement, son membre se dressa.

La jeune Irlandaise s'étendit sur le dos, l'attira sur elle. D'une main à la fois douce et ferme, elle frottait son sexe sur les lèvres mouillées du sien.

— Une capote, fit-il en essayant de se relever.

Elle réussit à le maintenir en place et donna un coup de reins. Abandonnant toute retenue, l'homme se laissa tomber sur elle, entendit un cri quand il la déchira, un second cri étouffé quand elle jouit à son tour.

Tout de suite, une nouvelle culpabilité s'empara de lui. Si elle se trouvait enceinte ? De son côté, elle espérait l'être. Non pas pour le piéger, juste pour s'empêcher de reculer. Sa grossesse, qu'il la quitte ou non, démontrerait son désir de tout lui donner. Elle rêvait d'absolu et ne voyait rien de mieux que de promener un gros ventre pour exprimer la dimension de son amour. Tant mieux s'il était là à ses côtés, tant pis s'il se dérobait.

Une tache de sang rouge clair entre les jambes de sa compagne, et sur le drap, rassura Henri. Elle était vierge, ce qu'il avait pris pour de l'expérience témoignait seulement de la sûreté de son instinct de femme passionnée. À ce moment précis, il décida de l'épouser pour toutes sortes de raisons, des bonnes et des mauvaises. Blanche resterait entre eux. Il s'agirait d'un fantôme assez sympathique, la plupart du temps. Elle serait la preuve qu'il pouvait avoir une confiance absolue en elle, la preuve qu'elle ne le condamnerait jamais, quoi qu'il fasse.

Chapitre 17

Daigle demeurait fort troublé. Ce développement lui semblait ridicule. Henri ne violait pas les jeunes filles au physique ingrat. Cet héritier de la Haute-Ville voyait de très jolies personnes tomber dans ses bras : elles venaient toutes seules à lui. D'un autre côté, Gauthier n'avait pas menti sur cette histoire de carnet bancaire au moment de mourir. Très lucide dans cet instant pénible, ses paroles ne tenaient pas du délire d'un agonisant. L'avocat inclinait à croire l'explication du chef Ryan donnée à l'enquête *on discovery*. Ce bellâtre avait perdu ce document, soit à cause d'un vol ou autrement. Il s'était retrouvé sur les lieux de la découverte du cadavre par un hasard mystérieux.

Cette conviction se trouva renforcée par l'allure satisfaite d'Henri le second mercredi de janvier. Helen était arrivée à ses fins, le professeur n'en doutait pas. L'étudiant présentait la mine d'un homme à qui la vie venait d'apporter une heureuse surprise. Son amabilité avec tout le monde, y compris les étudiants conservateurs, sans une pointe d'ironie dans la voix, tranchait avec son attitude des derniers mois. Renaud pouvait bien lui en vouloir justement à ce sujet, cependant ses succès avec la belle Irlandaise n'en faisaient pas un violeur.

En fait, la seule histoire du carnet de banque ne l'aurait pas troublé autant, tellement sa culpabilité lui semblait improbable. Sa conversation avec l'abbé Pelletier le hantait aussi. À la fin de son cours, Jean-Jacques Marceau était resté patiemment à l'écart en attendant que la salle se vide, puis il s'était approché pour lui dire :

— Merci pour avoir parlé au vicaire.

— Il vous l'a dit ?

— Vous étiez à peine sorti du presbytère que notre gentil curé sautait sur le téléphone. Il m'a menacé de l'enfer, puis m'a supplié de me taire, successivement. Comme vous le disiez dans votre missive, ce ne serait pas un bon témoin pour ma cause.

— Qu'allez-vous faire maintenant ? demanda Renaud.

Cet étudiant pouvait ameuter l'opinion publique. Les retombées affecteraient de multiples personnes, y compris le professeur imprudemment engagé dans cette histoire.

— Rien du tout. Cela ne donnerait rien, vous m'en avez convaincu, finalement. Surtout, je ferais un tort considérable à ma mère, sans rien obtenir en retour.

— Vous avez continué de voir l'abbé Pelletier jusqu'à tout récemment, d'après ce que j'ai compris.

Marceau saisit cette allusion à la chorale. Il demeura songeur un moment.

— Oui, finit-il par dire d'un ton assez léger, je pourrais vous dire que nous avons des intérêts artistiques communs. Cependant, dans les faits, nous avons maintenu des rapports plus intimes pendant des années. Quand le jeune abbé Pierre Pelletier fait des sermons sur la chasteté du haut de la chaire, j'espère qu'il rougit un peu.

L'étudiant s'en alla là-dessus. Renaud demeura un moment seul dans le grand amphithéâtre. En convenir l'embêtait, mais Raoul Richard avait eu raison sur deux points. D'abord, il y avait bien une pièce à conviction reliant une personne en vue de la Haute-Ville à Blanche Girard, même s'il ne s'agissait pas du fils du premier citoyen de Québec. La police n'avait guère traité Henri en suspect ; elle aurait dû. Ensuite, l'imprimeur avait mis le doigt sur « Julie ». Le lien entre Blanche et des suspects de la Haute-Ville, c'était Jean-Jacques Marceau. Si une personne avait été capable de la convaincre de le suivre jusqu'au Club des vampires, c'était bien lui : elle le voyait toutes les semaines à la chorale. Cependant, quel était l'intérêt de Marceau dans l'affaire ? Sûrement pas un désir sexuel pressant.

Finalement, Renaud ramassa ses papiers en secouant la tête. Tout cela n'avait pas de sens. Si Lavigerie avait connu ces faits, il serait parti en croisade, puisque l'avocat conservateur avait la réputation d'être un dangereux agitateur peu soucieux de briser des réputations injustement, si cela pouvait servir ses intérêts politiques.

Au cours des semaines suivantes, le professeur ne pensa pas trop à l'affaire Blanche Girard. En fait, il soignait ses plaies. Pendant tout l'automne, plusieurs femmes étaient passées dans sa vie et il avait ruiné toutes ses chances. Avec une certaine régularité, il se rendait au *Chat* pour raconter ses malheurs à Lara. Elle écoutait attentivement, heureuse de rompre la routine infernale du bordel. Pour Renaud, cela valait sans doute aussi bien que les services d'un analyste, tout en revenant moins cher. La situation n'était même pas exceptionnelle : une prostituée devenait facilement la confidente de ses clients moroses.

Après le long récit de ses histoires avec Helen, Germaine et Élise au plus froid de février, l'homme se découvrit un intérêt nouveau pour Lara. Un samedi sibérien, il demanda :

— Est-ce que tu sors d'ici, parfois ?

— Ce n'est pas un cloître. Il m'arrive de mettre le pied dehors.

Elle dit cela d'un air de fausse gaieté, sachant très bien où il voulait en venir. De nombreux clients cherchaient à fuir ces murs déprimants afin de donner un peu de normalité aux rencontres sexuelles.

— J'aimerais t'amener autre part. Que dirais-tu de venir au cinéma, puis de manger ensuite avec moi ? Ou manger avant, si tu préfères.

— Que veux-tu, exactement ? Me sortir, ou me baiser ailleurs qu'ici ?

C'était une bonne question. Sortait-on avec une prostituée ? De très nombreux hommes d'un certain âge, en Angleterre, entretenaient une jeune femme, s'affichaient parfois avec elle. C'était aussi de la prostitution : une femme obtenait le niveau de vie d'une petite employée, parfois celui d'une épouse d'un homme assez prospère, en échange de services intimes et d'une compagnie. Les plus chanceuses d'entre elles vivaient un peu comme les épouses d'un voyageur de commerce ou d'un marin, sauf que celui-ci ne restait à peu près jamais toute la nuit. Tant qu'à voir toujours la même prostituée, se disait Renaud, un arrangement de ce genre serait moins scabreux et plus satisfaisant. Il ne voulait brûler aucune étape, cependant.

— Je voudrais juste me trouver ailleurs avec toi. Je te raconte ma vie, sans jamais m'intéresser à toi.

— Très bien. Quel jour te convient le mieux ?

— Tu peux sortir comme cela, quand tu veux ?

— Pas tout à fait. Mais Berthe m'aime bien. Les autres tricotent ou brodent, ou bayent aux corneilles dans leurs moments libres. Elle est très impressionnée parce que je lis. Elle rêve de me voir la remplacer un jour.

« Dans ce domaine aussi, on peut avoir un plan de carrière », songea-t-il. Il répliqua :

— Tu serais beaucoup mieux qu'elle. Tu es beaucoup trop bien pour cet endroit. Tu n'as jamais eu envie de chercher une maison plus…

Renaud chercha un mot qui ne serait pas blessant. Il voulait dire respectable. Il opta pour :

— … dispendieuse.

— Nous ne sommes pas comme les avocats, qui vendent leurs services librement. Je suis en quelque sorte la propriété de quelqu'un, un peu comme un étalon dans une écurie de chevaux de course. Je dois rapporter à mon propriétaire.

Renaud ne sut quoi répondre à cela. Les journaux publiaient de nombreux articles sur les réseaux de prostitution, notamment sur la « traite des Blanches ». Des groupes organisés enlevaient ou asservissaient autrement des jeunes femmes pour les forcer à se prostituer dans des « pays exotiques ». Les jeunes femmes recrutées dans la province ne devaient jamais rien voir de plus exotique qu'un touriste américain. Cependant, il songea pour la première fois qu'elles pouvaient être soumises à une situation proche de l'esclavage. Il se sentit soudainement beaucoup moins bien dans sa peau de client.

— Par exemple, murmura-t-il, pourrais-tu m'accompagner demain ?

— Je crois bien que oui. Le dimanche est une journée plutôt tranquille. Les clients doivent sanctifier le jour du Seigneur.

Elle eut un petit rire cynique.

— Est-ce que je dois... en parler à Berthe ? Lui donner quelque chose ?

— Je comprends que tu veux simplement sortir ?

Il lui fit signe que oui.

— Dans ce cas, je vais te consacrer mon jour de congé.

Bien sûr, ces femmes ne pouvaient faire ce travail sans aucun jour de repos. Renaud se sentit touché qu'elle accepte de le voir ce jour-là. À sa place, jamais il n'aurait rencontré un client pendant son jour de relâche. Finalement, ils s'entendirent pour se retrouver à la porte du cinéma de la place D'Youville le lendemain, pour la séance de l'après-midi.

~

Arriverait-elle vêtue de façon indécente ? Renaud l'imagina en courtisane, avec tous les regards outrés ou concupiscents posés sur elle. Il se demanda aussi si certains clients ne la reconnaîtraient pas. Dans ce cas, une réaction publique était peu à craindre, mais il serait sûrement fustigé en privé pour oser se promener au bras d'une femme de mauvaise vie. Si des maisons « de tolérance » existaient, c'était justement pour les soustraire à la vue des personnes respectables. S'exposer en public avec l'une d'elles était du plus mauvais goût. Le professeur regretta presque de l'avoir invitée.

Puis il se trouva stupide quand il la vit. Vêtue comme tout le monde, c'est-à-dire sans ses « habits de travail », il la reconnut difficilement. Elle portait un manteau élégant, avec un col relevé bien haut à cause du climat polaire, un chapeau « cloche » tout à fait à la mode. Ce couvre-chef laissait passer une ou deux boucles rousses. Il lui tendit le bras avec un sourire contrit, un peu honteux pour toutes ses inquiétudes, et entra dans le cinéma avec elle. Son sourire à elle lui fit comprendre qu'elle devinait très bien ses craintes.

Quand elle détacha son manteau, au moment de prendre place dans des fauteuils du balcon, elle révéla une robe bien plus longue que toutes celles de Helen. Il découvrait une femme très jolie, très élégante et très réservée. Quand les lumières s'éteignirent, il prit sa main, elle appuya son épaule contre la sienne. Rien de lascif dans tout cela, seulement la complicité.

Le film, c'était *The Kid*, avec Charles Chaplin. Une bonne moitié de la salle, Lara parmi elle, se trouva en pleurs. Des pleurs mêlés aux éclats de rire, bien sûr. Renaud trouvait cela un peu ridicule. À la fin de la représentation, ils se retrouvèrent dans un restaurant du Quartier latin. Alors que Lara lui disait combien elle avait apprécié le film, il lui fit observer :

— Tu ne trouves pas que les ficelles étaient un peu grosses ?

— Comment cela ?

— Il était certain d'émouvoir avec une histoire d'enfant à placer dans un orphelinat. En fait, en mettant la caméra devant le visage d'un enfant et en lui pinçant une fesse pour le faire pleurer, il était sûr de faire brailler les foules à l'unisson.

— Ce n'est pas une situation originale, j'en conviens. Un enfant placé à l'orphelinat, c'est plutôt banal. Il y a justement un orphelinat près d'ici. À deux minutes du cinéma, en fait.

Il l'avait vexée. Elle continua bientôt:

— Cependant, toutes les personnes qui ont vécu la réalité de l'orphelinat, comme parent ou comme enfant, savent bien toute l'horreur de ces maisons. Des prisons où des bourgeoises essaient d'inculquer leurs valeurs à des armées d'enfants, à coups de fouet, bien souvent. Va voir un orphelinat de près, tu viendras me dire si c'est banal ensuite.

— Je ne voulais pas te…

Il n'eut pas le temps de finir, elle l'interrompit:

— C'est un peu comme la mort, n'est-ce pas? Mets une caméra sur le visage d'un mourant, tu vas émouvoir les foules. C'est encore plus commun que l'orphelinat: cela arrive à tout le monde. Tu vas me dire que c'est banal?

Cette fois, il attendit d'être sûr qu'elle avait terminé avant de reprendre:

— Je ne voulais pas te blesser. C'est vrai, je ne connais pas du tout cette situation.

Surtout, il le devinait, compte tenu de son métier, ce sujet pouvait lui être très familier. Son sourire revint devant son air contrit. Elle lui demanda:

— Tu penses que c'est un film sur l'enfant d'un vagabond menacé d'être enfermé dans un orphelinat?

Elle le regardait avec un air espiègle maintenant.

— Oui. C'est ça l'histoire…

— Comme tu es naïf.

Elle disait cela comme si elle lui trouvait une grande qualité. Il fut tout de même vexé à son tour.

— Je ne trouve pas. Les gens disent que je suis cynique, d'habitude. Mais je suis sûr que tu vas m'expliquer le vrai sens de ce film.

Elle le contempla avec le même sourire, son chapeau si bas sur les yeux qu'elle semblait le regarder par «en dessous». Ses yeux étaient tout brillants.

— L'histoire de l'orphelinat, c'est un prétexte. Même si cela devait toucher Chaplin, dont la mère a été internée et qui lui-même, je crois, a été placé en institution…

— Oh ! Tu lis aussi les biographies de vedettes…

Elle eut un petit air impatient, comme avec un élève têtu. Il se croisa les doigts et se fit attentif.

— C'est tout de même un prétexte. Comme ces histoires d'amour tourmentées dans les autres films. Tu n'as jamais remarqué, il joue toujours la même histoire ? Le même costume, le même chapeau, le même personnage en fait, d'un film à l'autre.

— Bien sûr que j'ai remarqué. La recette fonctionne très bien, pourquoi changerait-il ?

Elle le traitait comme l'idiot de la classe, songea le notable.

— C'est vrai que tu peux être cynique. Je préférais le naïf. Si tu veux voir les choses de cette façon, tu as raison. Si cela a fonctionné une fois, recommençons jusqu'à ce que cela ne paie plus. Comme je suis plutôt une bonne fille, je lui laisse le bénéfice du doute. Il exprime un message très simple, toujours le même dans différents contextes, toujours avec humour, parce que cela doit lui plaire, comme cela plaît aux spectateurs à qui il s'adresse.

— Quel est ce mystérieux message que je dois être le seul à ne pas comprendre ? demanda Renaud, cette fois un peu intrigué.

— Que cela vaut la peine d'affronter les riches, les puissants. De petites victoires demeurent possibles. Dans chaque histoire, un petit vagabond voit ses droits, plus précisément son droit d'être heureux, être bafoués par les détenteurs du pouvoir. Dans le film que nous venons de voir, les puissants, ce sont les grosses dames de l'orphelinat, les juges, les policiers. Les mêmes personnes reviennent dans tous ses films, avec de petites variantes. Tu as certainement remarqué que les gens entassés au parterre ont plus de plaisir que ceux de la mezzanine. Ce n'est pas nécessairement à cause de leur vulgarité qu'ils rient plus fort.

Renaud fit un petit signe d'assentiment, fasciné. Elle continua :

— Quand il donne un coup de pied ou un coup de poing à ces représentants du pouvoir qui les écrasent, les petites gens rient. Eux n'habitent pas la Haute-Ville. Ils pensent à quelqu'un à qui ils voudraient donner un coup de pied au cul. Quand Charlot le fait, tout le monde le fait avec lui. Les gens des balcons ne comprennent pas combien il est facile de détester les personnes qui placent les enfants dans les orphelinats, combien il est amusant de voir un vagabond leur donner un bon coup de pied.

C'était un bien long exposé. Plein de bon sens, Renaud le savait bien. Trois heures plus tôt il craignait qu'elle ne lui fasse honte avec des vêtements indécents. Elle retenait l'attention des personnes attablées près d'eux avec un exposé de gauche et des gros mots murmurés. Non seulement elle lisait, une activité à la portée de la première imbécile venue, mais elle comprenait. Il ne trouva rien de mieux que de répliquer :

— Il n'est pas nécessaire de vivre dans la Basse-Ville pour avoir envie de donner des coups de pied.

— C'est vrai. Tu as connu de nombreux malheurs ces derniers temps. Tu les donnerais à qui, tes coups de pied ? Tu as le choix entre trois femmes et un homme ? Deux hommes ? Ceux qui ont pris tes femmes ?

Elle avait dit cela à voix très basse.

— Je pense être le seul à mériter des coups, dans mon histoire, déclara Renaud avec un sourire un peu triste.

— Je suis contente de te l'entendre dire. Cela doit être le commencement de la sagesse.

Le joli visage exprimait une certaine sévérité. Elle continua :

— Cependant, tu devrais aller coudre des semelles de chaussure dans une des manufactures du bas de la ville, dans lesquelles tu dois posséder des actions, d'ailleurs. Le pied te démangera pour des raisons autrement plus sérieuses que ton amour-propre froissé. Encore mieux, imagine être la personne condamnée à cinq mois de prison pour avoir donné un coup sur le nez du *scab* qui t'a volé cet emploi misérable. Ces jours-ci, les ouvriers condamnés l'été dernier sortent enfin du cachot.

— Je ne suis pas idiot au point d'ignorer ce qu'est la vraie misère, ajouta Renaud en se sentant un peu mal à l'aise.

Il ne possédait pas de ces actions, mais l'argent reçu en héritage de son père venait en partie des usines de chaussures.

— Si tu l'étais, je ne serais pas assise en face de toi.

Elle lui offrit un petit sourire très gentil, très rassurant.

— Charles Chaplin n'obtient pas de bien grands résultats, résuma-t-il. Les choses ne changent pas.

— Dans tous ses films, ses efforts lui procurent de petites victoires : garder son enfant avec lui dans celui de ce soir, gagner l'amour d'une femme dans un autre. Des succès modestes, réalistes. Comme ceux des gens autour de nous. Parfois. Que voudrais-tu qu'il fasse, le petit Charlot, se promener avec un drapeau rouge ?

— Pourquoi pas ? Tout recommencer à neuf, comme en Russie.

Cette fois, la jeune femme rit franchement.

— Tu es bolchevique ? dit-elle un ton plus bas. Moi qui te prenais pour un bourgeois de la Haute-Ville.

— En Europe, ces questions sont beaucoup discutées. La gauche est puissante en France et en Allemagne. Les fascistes ont pris le pouvoir en Italie. En Allemagne, un petit groupe marginal, le parti national-socialiste, a tenté un coup d'État à Munich, sans succès. Cela va bouger beaucoup dans les prochaines années. Je me demande parfois si la meilleure chose à espérer ne serait pas une redistribution des rôles. Un peu comme quand on redistribue les cartes au poker, ce qui redonne sa chance à tout le monde.

Renaud trouvait très curieux d'évoquer ce genre de chose avec une prostituée. Les discussions de ce genre se déroulaient d'habitude avec des étudiants de gauche, assez nombreux à Oxford.

— J'aime mieux les petites victoires. L'ouvrier occupé aujourd'hui à coudre des semelles à la manufacture de chaussures de Ludger Duchaîne saurait-il prendre la place de Descôteaux demain ? Le mettre là coûterait beaucoup de souffrances, puis il deviendrait simplement l'un de ceux à qui il faudrait distribuer des coups de pied.

— C'est vrai qu'à côté de toi je ne suis pas cynique, je suis naïf, dit-il.

— Je suis à un bout de l'échelle sociale où il est très difficile d'avoir une bonne opinion du genre humain.

Ni l'un ni l'autre ne tenait à prolonger la discussion sur ce sujet. Aussi trouvèrent-ils plus intéressant de parler des livres lus récemment. Après un moment, il ne put résister à la tentation de lui demander, avec bien des précautions, car il se rappelait sa susceptibilité :

— Tu sais, je me demande toujours comment tu arrives à être si bien informée, sur la politique, les livres, les films. Tu m'as déjà dit que tu savais lire. Tout de même, tu ne sais pas que lire. Tu es allée à l'école longtemps ?

— Assez longtemps. Pour une femme, je suis plutôt instruite.

— Tu es allée au couvent ?

— Oui. Pas le cours classique. Mes parents n'avaient pas les moyens de payer cela à une fille, à Montréal de surcroît. Le cours supérieur.

Cela lui faisait tout drôle d'entendre parler des parents d'une prostituée. C'était ridicule, bien sûr. Elle devait venir d'un milieu assez aisé pour s'exprimer aussi bien, être allée à l'école jusqu'à dix-huit ans.

— Tu n'as pas appris à connaître le cinéma ou les bolcheviques au couvent.

— Je dors huit heures. J'en travaille peut-être six, sept tout au plus. Que veux-tu que je fasse le reste du temps ? Je n'ai pas grand-chose en commun avec mes camarades de bordel. Alors, je lis ce qui me tombe sous la main : journaux, revues, livres. Et je réfléchis.

— Comment se fait-il que…

L'inévitable question: dès qu'un client ressentait un peu de sympathie pour une prostituée, il demandait: «Comment se fait-il?» Car pour chacun, si une femme avait la plus petite qualité humaine – intelligence, tact, culture, beauté même –, elle ne devrait pas se trouver dans cette condition. Renaud se retenait depuis des semaines. Dès le premier jour, en fait. Pour échanger avec quelqu'un, il fallait le considérer comme un être humain. Comment ensuite imaginer un être humain dans une situation plus misérable que travailleuse de bordel?

— Je préfère ne pas aborder ce sujet, dit-elle timidement.

Ce n'était qu'à moitié vrai. Il est difficile de ne pas parler de soi quand on est heureux; malheureux, c'est impossible. Puis Renaud affichait une réelle sympathie.

— Tu m'as écouté pendant des heures, rétorqua-t-il.

— Tu me payais pour cela.

— Paie-moi, alors.

Elle ne put s'empêcher de sourire. L'idée n'était pas sans l'amuser.

— Je ne suis pas bien riche, fit-elle.

— Je te ferai crédit, répondit-il sur le même ton.

— Ici?

Des yeux, elle désigna les gens autour d'eux. Comme ils avaient fini de manger, ils sortirent. Sur le trottoir, l'homme déclara:

— Viens à la maison.

Elle voulut protester.

— Je suis capable de t'écouter sans sauter sur toi, précisa-t-il.

Dans l'auto, elle commença à lui expliquer que deux avenues conduisaient à la «déchéance». D'abord, la plus extrême misère de la famille. Cela n'arrivait pas très souvent. Il y avait ensuite l'isolement. Quand une jeune fille se trouvait coupée de sa famille, sans amis, sans relations, il ne fallait pas beaucoup de temps avant qu'un homme ne vienne à son secours.

— Comment cela? demanda Renaud.

— Tu sais pourquoi des associations comme le YWCA ont des bureaux dans les gares? Si une jeune fille arrive de la campagne, un peu perdue, elle va se faire aborder par un joli cœur. Il va l'emmener dans une maison de chambres, la sortir. Elle acceptera, car personne d'autre ne lui accorde la moindre attention. Plus ou moins rapidement, plus ou moins brutalement, il l'entraînera dans un réseau.

— Le YWCA offre une chambre aux plus chanceuses de ces jeunes filles, il peut lui trouver un emploi parfois, et garder un œil sur elle.

Sa compagne approuva d'un signe de tête. Dans son appartement, elle accepta un verre, prit place avec lui sur la causeuse.

— Toutes les petites filles de la campagne ne sont pas si menacées, dit Renaud pour relancer la conversation.

— Non. Elles ont habituellement une armée de tantes pour s'occuper d'elles.

— Qu'est-ce qui s'est passé avec toi?

— Je me suis retrouvée enceinte.

Elle lui fit une grimace, comme si cet aveu lui pesait beaucoup.

— Personne ne s'est occupé de toi?

— Non. Je me suis retrouvée à la rue, toute seule.

— Ta mère, ton père? Ils n'ont rien fait?

— Mon père m'a mise enceinte. Il m'a ensuite chassée en me traitant de dévergondée. Ma mère devait être d'accord avec lui: elle n'a pas dit un mot.

Renaud la serra contre lui. Maintenant, sa compagne tenait à terminer son récit. Fille d'un gros marchand de Rimouski, son père avait abusé d'elle au moment où elle sortait du couvent, après des années en pension. Il lui tenait ensuite des sermons sur la chasteté. Par son silence, sa mère se faisait complice. Elle devait préférer que son mari trouve son plaisir à la maison, et non à l'extérieur. Bientôt son ventre avait enflé sans qu'elle comprenne trop pourquoi. Il l'avait traitée de putain et l'avait mise dans le train.

À la gare de Québec, après des heures passées sur un banc, terrifiée, un bon Samaritain était venu vers elle. Il s'était occupé de tout. Maintenant, elle remboursait.

Il n'osa pas l'interroger sur le sort du bébé. Une vieille femme, dans une cuisine, s'en était sans doute chargée avec de longues broches à tricoter. Au mieux, un médecin peu scrupuleux trouvait un revenu supplémentaire avec ces malheureuses. Dans ce cas, il y aurait eu un peu d'éther et de meilleures conditions d'hygiène. Renaud la tint longuement contre lui sans prononcer une seule parole.

Vers dix heures, elle manifesta le désir de rentrer. Il ne savait pas trop comment présenter la chose. Il dit seulement :

— Si tu ne veux pas y retourner, je peux aider.

— Tu veux partir en guerre contre la prostitution ? Nettoyer la ville ?

— Non. Seulement obtenir une toute petite victoire.

Elle fit non de la tête. L'homme ne sut pas lui expliquer qu'une très bonne action, pour une fois, vu son remarquable manque de discernement des derniers mois, lui ferait du bien. Inutile d'insister. Trop d'hommes lui avaient fait faire des choses contre sa volonté, depuis des années. Il la reconduisit donc en voiture jusqu'à la porte du *Chat*. Alors qu'elle ouvrait la portière de l'auto, il prit sa main gauche dans les siennes et répéta :

— Je suis sérieux. Le jour où tu voudras quitter cet endroit, je serai là pour aider. J'aiderai aussi longtemps que ce sera nécessaire.

Elle fit encore non de la tête. Il ajouta :

— Je vais venir plus souvent.

Il lut de l'inquiétude et de la reconnaissance dans ses yeux. Elle lui donna un baiser très rapide sur la joue et se précipita vers le bordel. Il ramena l'auto dans l'écurie qui lui servait de garage depuis la venue du mauvais temps. Ce soir-là, il prit une grande quantité de whisky avant de se coucher. Il ne dormit pas mieux pour autant mais, au moins, cela anesthésia sa colère.

~

Renaud faisait de son mieux pour chasser Blanche Girard de son esprit. Impossible de croire que des gamins de la Haute-Ville enlevaient et tuaient une jeune femme, avec un homosexuel comme entremetteur en plus. La victime se rappela à lui. À la fin du mois de février, les journaux libéraux constatèrent avec effarement qu'au mépris de la justice la plus élémentaire on avait relancé les folles hypothèses du mois de septembre. L'enquête *on discovery* avait pourtant été on ne peut plus claire : toutes ces histoires tenaient de la sottise, seule une stratégie criminelle du parti d'opposition pour discréditer les libéraux justifiait leur existence.

Les événements politiques se précipitaient. La loi des pensions de vieillesse adoptée par les Communes avec l'appui des progressistes avait été défaite par le Sénat à majorité conservatrice. Ce troisième parti retirait son appui au premier ministre King. Celui-ci n'avait d'autre choix que de retourner en élections : chacune des organisations fourbissait ses armes.

Parmi leur arsenal, les conservateurs hésitaient à placer l'affaire Blanche Girard. Dans un discours livré à Montréal lors d'une assemblée politique, Thomas Lavigerie accusa pourtant les libéraux au pouvoir à Québec d'avoir soustrait les coupables de ce meurtre à la justice. À la lecture des journaux, Renaud se souvint en souriant que l'avocat avait affirmé ne plus vouloir se mêler de cela à cause de sa santé déclinante. À ce moment, le curieux personnage lui confiait même la mission de faire avancer les choses. Devant son inaction, l'autre ressentait probablement la nécessité de reprendre le flambeau.

Le Soleil souligna avec horreur une autre intervention. Un petit journal tout à fait marginal de Montréal, *The Spike*, offrait cinq mille dollars pour la capture des assassins de Blanche Girard. Ce faisant, il racontait toute l'histoire à sa façon, accusant lui aussi le Cabinet, premier ministre en tête, de soustraire les coupables à la justice. Pourquoi un journal anglais de Montréal proposait-il de l'argent aux personnes susceptibles d'aider au règlement de l'affaire ? Conséquente, cette somme pouvait raviver des souvenirs et, éventuellement, relancer l'enquête. Toutefois, *The Spike* risquait peu de toucher des témoins potentiels, et aucun journal de la ville de Québec ne commit l'imprudence de relayer la nouvelle.

L'organe du Parti libéral y fit pourtant allusion au moment où le rédacteur de cette mystérieuse petite feuille fut sommé de comparaître devant l'Assemblée législative le dernier jeudi de février, pour subir un véritable procès.

Par un curieux hasard, les procédures relatives à l'affaire Blanche Girard se dérouleraient encore le lendemain du cours de Renaud. Le professeur héritait de la responsabilité de répondre à ses étudiants désireux de vérifier ses connaissances de la procédure, ou d'augmenter les leurs. Aussi, plutôt que de répondre dix fois à la question : « M'sieur, c'est quoi une convocation devant l'Assemblée ? », il en fit l'objet d'un aparté, puisque cela touchait un peu au droit constitutionnel.

— Si vous allez demain assister aux débats de l'Assemblée, vous verrez une chose assez rare. La Chambre peut convoquer devant elle une personne qui lui a grossièrement manqué de respect. Elle peut même l'emprisonner pour cela, jusqu'à la fin de la session en cours.

Voilà qui était assez clair, mais il n'échapperait pas aux questions. La première vint d'Henri Trudel :

— Monsieur Daigle, savez-vous si on a déjà emprisonné quelqu'un pour cette raison au Québec ?

Habituellement, l'étudiant espérait piéger le professeur. « Je suis désolé, je ne sais pas » le comblait de joie. Renaud ne lui fit pas ce plaisir :

— Cela n'est jamais arrivé au gouvernement du Québec. Cependant, dans les années 1830, le fils de l'écrivain Philippe Aubert de Gaspé a été condamné pour avoir insulté un député. À peine sorti de prison, il est allé répandre une substance très malodorante sur le poêle de l'Assemblée du Bas-Canada, forçant un arrêt momentané des débats pour ouvrir les fenêtres. Ensuite, le farceur se cacha dans la seigneurie de son père, à Saint-Jean-Port-Joli.

Dans l'hilarité générale, même Henri Trudel parut satisfait de la réponse. Depuis l'annonce de ses fiançailles, il était plutôt charmant avec son professeur. Il y eut une autre question, celle-là d'un étudiant conservateur :

— En quoi la publication d'un article de journal peut-elle être irrespectueuse pour l'Assemblée ? Cela ressemble à un effort pour museler l'opposition. On a même changé la loi, afin d'allonger la peine de prison prévue, pour l'appliquer à ce journaliste.

— Vous allez peut-être penser que je défends un parti, commença Renaud avec un sourire entendu, mais il n'est pas impossible de trouver irrespectueux un article affirmant que le chef du parti majoritaire à l'Assemblée, et les membres du Cabinet issus de ce même parti, ont empêché la mise en accusation des coupables d'un meurtre crapuleux.

En disant cela, le professeur regardait ses cinq jeunes libéraux. Les jeunes gens ne lui semblaient pas particulièrement inquiets. Ils ne devaient rien avoir à se reprocher ; penser le contraire était ridicule. Renaud mentait un peu afin de voir leurs réactions. En vérité, les arguments juridiques de l'Assemblée se montraient fort douteux et, vraiment, son initiative ressemblait assez à une tentative d'intimider l'opposition. En vertu de l'amendement adopté par la majorité libérale, le journaliste risquait de se trouver emprisonné pendant toute la prochaine campagne électorale fédérale. Cela devait être le véritable objectif visé.

Le lendemain, les fauteuils réservés aux spectateurs à l'Assemblée législative se trouvaient tous occupés. Les journalistes utilisaient la plupart d'entre eux. Renaud avait dû en appeler au ministre Antoine Trudel pour en obtenir un. Celui-ci demeurait souriant quand il le croisait dans les corridors de l'hôtel du Parlement. Les projets conjugaux de son fils lui faisaient oublier le sort de sa fille. Puis, d'homme à homme, pouvait-il en vouloir à Renaud de s'être entiché lui aussi de la charmante Helen? «Ah! Moi aussi, si j'avais vingt ans de moins...», se disait-il parfois.

Au grand dam du professeur, le hasard le plaça de nouveau juste à côté de Thomas Lavigerie.

— Je suis surpris que l'on vous ait laissé entrer, fit-il. Vous êtes comme le loup dans la bergerie.

— Vous me flattez. Je suis plutôt le mouton au milieu de la meute, rétorqua son voisin en riant. Le chef de l'opposition bénéficie de quelques sièges réservés pour tous les événements importants. Il a accepté de m'en accorder un. Je tenais à voir cette procédure de près.

— Que voulez-vous dire? Votre tour s'en vient?

— J'ai dit la même chose que Robert Jones.

— Alors, pourquoi lui et pas vous? Je me demande si une seule personne de Québec a déjà mis la main sur un exemplaire de son journal. Il ne doit pas être très dangereux.

Aux yeux du professeur, la poursuite ne faisait qu'attirer l'attention sur un texte qui, autrement, serait vite tombé dans l'oubli.

— D'abord, son article risque d'être repris au Canada anglais. Cette menace doit déplaire à Descôteaux. Ensuite, son journal n'est pas une publication ordinaire.

— Comment cela?

— Vous connaissez les journaux de chantage?

À l'air intrigué de Renaud, il continua:

— *The Spike* publie seulement quelques dizaines d'exemplaires, au mieux quelques centaines. Robert Jones tire son argent des «dons» que des lecteurs lui envoient pour se faire oublier. Ces oboles préviennent la publication de nouvelles plus explicites, en fait.

— Je ne comprends pas du tout, fit Renaud.

— Imaginons quelque chose d'impossible. Descôteaux a une maîtresse et il mange avec elle dans un restaurant de Montréal. Notre journaliste pourrait publier un entrefilet disant : « Le premier ministre a été vu en excellente compagnie, à tel endroit, à telle heure, tel jour. » Il envoie son papier à Descôteaux, qui répond par un petit don afin d'orienter le contenu de la prochaine édition. Dans celle-ci on apprendra que cette « excellente compagnie » était le président de la Shawinigan Power.

Le professeur écarquilla les yeux de surprise.

— Et cela fonctionne ?

— Sans doute, puisqu'il est encore en affaires, avec un tout petit tirage et presque pas de publicité.

— Il aurait voulu faire cela avec l'affaire Blanche Girard ?

— Peut-être. À qui s'adressait vraiment l'offre de cinq mille dollars ? À un témoin mystérieux, ou à Descôteaux ? Je parie que Jones a indiqué ainsi le prix de son silence.

Un comportement aussi tordu demeurait possible. Renaud conclut :

— Cela n'a pas marché dans ce cas-ci. Le bonhomme se retrouve sous les projecteurs.

— Il n'a aucun renseignement précis. C'est souvent le cas, je suppose. L'important dans ce commerce n'est pas de savoir quelque chose. Il suffit de semer l'inquiétude chez sa victime. Le sentiment de culpabilité et la peur du scandale font le reste.

— Donc, Descôteaux ne ressentirait ni culpabilité ni peur, puisqu'il répond si fermement à la menace.

L'avocat était heureux de mettre cela sous le nez de son interlocuteur.

— Plus probablement, il sait que ni moi ni ce journaliste ne savons quelque chose de précis.

Les procédures commencèrent, guère compliquées. Robert Jones se retrouva à la barre près de la porte de l'Assemblée. Descôteaux résuma en une demi-douzaine de phrases les accusations contenues dans *The Spike*. Il lui demanda des preuves pour les étayer.

— Nous sommes dans une société démocratique, répondit le journaliste. La presse a le droit de publier des articles sans rendre de comptes aux personnes au pouvoir.

C'était la seule défense possible.

— Une société démocratique ne peut tolérer de voir ses institutions les plus fondamentales traînées dans la boue de façon irresponsable.

Descôteaux disait cela sans s'énerver, sans trahir la moindre inquiétude.

— Vous avez le droit de dire dans vos journaux que vous n'aimez pas mes articles. Vous ne pouvez pas contrôler le contenu de l'information.

— Sans aucune preuve de ce que vous avancez, ce n'est plus de l'information, mais de la diffamation.

— Poursuivez-moi en diffamation alors.

Robert Jones affichait un immense mépris pour le premier ministre, comme pour l'Assemblée. Ce dernier aurait sans doute eu gain de cause devant un tribunal civil. Toutefois, il ne cherchait guère à obtenir une compensation financière.

— L'Assemblée a l'autorité requise pour traiter cette question.

Descôteaux enchaîna en se tournant vers le président de l'Assemblée :

— Je propose que monsieur Robert Jones soit incarcéré jusqu'au dernier jour de la législature.

Chacun des députés présents avait déjà devant lui une copie écrite de la proposition. Le vote s'effectua très rapidement. La plupart des conservateurs votèrent avec les libéraux. Traîner les institutions dans la boue ne servait les intérêts d'aucun politicien, quelle que soit son allégeance. Robert Jones sembla tout surpris de voir les événements se précipiter. Il allait passer les prochains mois à la prison des plaines d'Abraham. En sortant il parlerait bien haut des droits de la presse dans une société démocratique. Mais il n'aborderait plus l'affaire Blanche Girard.

— Je ne m'imaginais pas les choses ainsi, murmura Renaud dans le corridor. Je rêvais de longs débats sur la liberté de presse. Vos amis conservateurs sont restés très silencieux.

— Ce type est répugnant pour les deux partis. Si on prend l'habitude de lancer des accusations comme celles-là contre le gouvernement, sans preuves, les conservateurs souffriront eux aussi de la situation.

— L'institution parlementaire prévaut sur les intérêts de parti. Je suis tout à fait de cet avis, mais je m'étonne de vous l'entendre dire. Vous êtes devenu très raisonnable.

Lavigerie lui adressa un sourire contraint avant de protester :

— Ne prenez pas les histoires de vos amis sur mon compte trop au sérieux. Ils aiment me décrire comme Attila le Hun. Nous n'avons pas de preuve de ce complot.

— Cela ne vous a pas empêché de dire la même chose que Robert Jones lors d'une assemblée politique à Montréal.

— L'excitation du moment nous emporte parfois, puis on regrette ensuite. Ajoutez à cela les quelques verres destinés à diminuer la nervosité avant de prononcer un discours. Je me suis réveillé le lendemain avec son nom en première page des journaux. La cérémonie d'aujourd'hui m'était un peu destinée. Si je n'avais pas eu un laissez-passer du chef de l'opposition, je l'aurais reçu de Descôteaux !

— Il s'agirait d'un avertissement pour vous dire de faire attention ?

Lavigerie fit signe que oui. Il ne pouvait pas s'en aller sans poser une dernière question :

— Avez-vous appris des choses sur l'affaire Blanche Girard ?

Renaud hésita un long moment. Finalement, comme c'était la seule personne à qui il pouvait en parler, il se décida :

— J'ai du nouveau, en effet.

— Vous connaissez le nom du propriétaire du livret de banque ?

Son interlocuteur le regardait à la fois avec surprise et avec envie.

— Je connais son nom. Mais ce livret a été perdu par l'un des curieux du parc Victoria.

— Cette histoire du vol du livret n'a pas de sens. Vous savez autre chose ? Je suis sûr que vous savez autre chose, cela paraît sur votre visage.

Renaud le contempla avec curiosité.

— Ne me dites pas que mon visage est comme un livre ouvert. Je sais simplement qui est Julie.

La révélation en imposait à ce flagorneur. Celui-ci le regarda avec de grands yeux incrédules. Il murmura après un moment :

— Vous savez tout alors. Absolument tout. Comment avez-vous fait ? Dites-moi les noms.

— Je bois rarement, je vais me coucher quand cela arrive, plutôt que de faire des discours politiques. Ce secret est en sécurité avec moi. Vous le confier nous mènerait à la catastrophe. Surtout, ce que je sais n'a aucun sens pour le moment.

Thomas Lavigerie n'allait pas prendre cette rebuffade pour une réponse définitive.

— Voyons, vous ne me ferez pas cela. Je vous ai dit tout ce que je savais.

— Vous ne saviez rien. Vous connaissiez l'existence d'un livret de banque dont il a été question dans *Le Soleil*, ce que le chef Ryan a confirmé à l'enquête. Tout le reste était une pure spéculation, empruntée à votre ami Raoul Richard. Car cet imprimeur a émis le premier l'hypothèse que Blanche connaissait quelqu'un parmi ses assaillants.

— Vous savez le nom du ou des coupables ?

L'avocat conservateur demeurait bouche bée.

— Présentement, je ne sais qu'une chose : une personne de cette ville permet de faire un lien entre la victime et des personnes en vue de la Haute-Ville, pour reprendre les mots de votre ami Raoul Richard. Je ne sais absolument pas si ces personnes sont impliquées dans sa mort. Cela me semble improbable, sinon impossible.

— Si vous me dites les noms, je pourrai enquêter de mon côté.

— Si je vous dis les noms, je les retrouverai dans une petite publication marginale, ou vous les lancerez du haut d'une tribune. Je ne crois pas que ces gens soient liés à cette affaire.

Il le laissa, fulminant, à la porte de côté de l'hôtel du Parlement et rentra chez lui. Fermer le caquet du trublion le mettait d'excellente humeur. Non seulement il était informé du nom du propriétaire du livret et de celui d'une personne connue de la victime et de lui, mais un autre élément le troublait fort : la maison de Château-Richer pouvait être le lieu du crime. Il demeurait cependant deux difficultés. D'abord, pourquoi ces jeunes gens auraient-ils fait cela ? Ils pouvaient avoir tout ce qu'ils voulaient, y compris les femmes. Ensuite, pourquoi emmener le cadavre dans le parc Victoria, alors qu'il aurait pu être enterré sous une plate-bande du grand terrain de Château-Richer, être déposé dans une forêt, ou jeté au fleuve ?

~

Il allait voir Lara deux fois par semaine maintenant. Il ne la touchait plus, sinon il se serait senti coupable. Le client avait adopté une nouvelle approche : il téléphonait à Berthe les soirs de grande affluence afin de réserver ses services pour une heure. Comme cela, il lui procurait des pauses. Elle semblait apprécier. Ce que lui aimait moins, c'étaient les clins d'œil complices de la tenancière. Romantique, celle-ci devinait une idylle et mélangeait les rôles de vieille maquerelle et de mère d'une fille à marier.

Ce jeudi, Renaud monta à la chambre de Lara et la trouva un livre à la main. Entre eux, impossible de converser sur ses activités depuis leur dernière rencontre, alors il l'interrogeait sur ses lectures. Ce soir-là, l'homme n'écoutait aucune réponse. Il lui démangeait de poser des questions plus délicates. Il se décida enfin :

— Tu accepterais de me parler de certains clients de la maison ?

— Tu veux savoir jusqu'à quel point je suis déchue ?

Ce genre de réponse était prévisible. Elle avait les nerfs à vif.

— Je n'ai absolument rien de ce genre à l'esprit, lui dit-il en lui prenant la main. Je ne peux pas te dire pourquoi, mais tu dois me faire confiance. Je veux seulement savoir si tu connais quelques personnes. Si c'est le cas, j'aimerais entendre ton opinion sur eux.

— D'accord.

— Est-ce que le nom d'Henri Trudel te dit quelque chose ?

— Oui.

— C'est quel genre de client ?

Renaud était terriblement déçu qu'elle le connaisse, mais il avait décidé de ne pas s'en formaliser.

— Tranquille. Jamais personne ne s'est plaint de lui.

Elle préférait cette formule impersonnelle.

— Michel Bégin ?... Jean-Jacques Marceau ?... Jacques Saint-Amant ?...

À chacun de ces noms, elle lui adressa un signe de dénégation. Se pouvait-il que Trudel aille au bordel sans emmener ses jeunes amis libéraux avec lui ? Elle changea tout à fait de visage quand il nomma William Fitzpatrick.

— Coup double ? fit-elle avec dépit.

Elle continua en voyant ses sourcils levés :

— Il veut toujours deux filles avec lui. Non pas que son appétit soit si grand. Comme cela, il se sent riche. Ou ça l'excite.

Cette jeune femme connaissait sans doute des détails étonnants sur plusieurs notables de la ville. Il lui demanda :

— Est-ce que tu l'as eu comme client ?

— Oh, Renaud ! fit-elle alors que la tristesse se peignait sur son visage.

— Je pose la question parce qu'il se meurt de la syphilis.

Sa figure changea tout de suite :

— Les pauvres filles.

Cette maladie tuait rarement si rapidement, mais l'issue devenait souvent fatale, et l'infection ruinait toujours les existences. Il nomma le dernier nom de sa liste :

— Romuald Lafrance ?

Elle ne dit rien d'abord. Puis elle murmura :

— Il est dangereux.

— Que veux-tu dire ?

— Son jeu préféré, c'est de mettre des objets dans le ventre des filles.

C'était lui ! Selon le docteur Grégoire, une torture de ce genre avait tué Blanche. Cela ne pouvait être un hasard. Pour trois d'entre eux – Bégin, Saint-Amant, Fitzpatrick –, il ne savait pas. Un lien existait toutefois entre Blanche et trois jeunes hommes : Trudel, Marceau et Lafrance.

— Est-ce qu'il t'a déjà ?...

Lara ne put même pas se formaliser de la question, tellement son inquiétude paraissait sur son visage.

— Non. D'ailleurs, il ne mettra plus les pieds ici. Cela ne serait pas bon pour sa santé, répondit-elle avec un petit sourire.

— Comment cela ?

— Dans des maisons comme ici, nous sommes assurées d'une certaine sécurité. Il a blessé une camarade, il ne viendra plus en ces lieux.

Cela le rassura à moitié. Un autre fou pouvait, dans une demi-heure, se pointer dans cette chambre et estropier Lara, même la tuer. Un peu pour chasser cette pensée, il demanda :

— Est-ce courant de connaître les noms des clients ? Tu connais trois personnes parmi celles que j'ai nommées.

— Oui et non. Dans le cas de Trudel, on l'a reconnu à cause d'une photo dans le journal. Son père s'est engagé dans une campagne pour la tempérance. Cela nous a fait bien rire. Ce garçon n'avait rien d'un membre des ligues Lacordaire lors de ses visites. Il a cessé de venir l'été dernier. Comme nous descendons toutes ensemble pour accueillir des clients, quand l'une sait un nom, les autres l'apprennent.

Celui de Renaud risquait d'être tout aussi familier à ces femmes. L'idée le rendit un peu honteux.

— Dans le cas de Fitzpatrick ?

— Même chose. Nous ne le voyons plus depuis des mois. Lui aimait dire son nom pour montrer son importance. Certains se comportent comme cela.

— Pour Lafrance ?

— Lorsqu'il a commencé à avoir des exigences bizarres, une fille a fouillé son portefeuille pour trouver son nom et avertir les autres. Nous nous donnons ces renseignements entre nous.

Ces moyens de défense paraissaient si dérisoires.

— Depuis combien de temps se fait-il discret ?

— Quelques mois. Son comportement est devenu étrange l'été dernier, au point de faire peur à celles avec qui il montait.

Après un échange aussi troublant, le couple ne trouva guère un sujet de conversation anodin. Ils restèrent silencieux, l'un à côté de l'autre, assis au bord du lit. Renaud lui demanda encore si elle voulait sortir de « là » avant de la quitter, réitérant son assurance que cela pouvait se faire sans difficulté. Elle secoua la tête de gauche à droite d'un air triste.

— Peux-tu au moins sortir encore d'ici pour quelques heures ?

— Berthe m'aime bien. Je peux la convaincre que j'ai mes règles deux fois par mois, pour avoir des congés.

— Dimanche ?

— Ce jour convient le mieux. En amis ?

— Bien sûr.

L'homme lui adressa un sourire piteux.

— Dans ce cas, je vais aller chez toi.

Même interrompues par les visites de Renaud, Lara trouvait les soirées de plus en plus longues, de plus en plus difficiles à supporter. Évoquer les clients dont le comportement était au mieux saugrenu, au pire dangereux, ne favorisait pas sa sérénité. S'évader dans ses livres ne suffisait plus : avant longtemps elle commencerait à s'anesthésier avec du gin dès le lever, pour s'endormir tous les soirs avec quelques verres de plus. En fin de soirée, Berthe sentit son découragement. Elle lui tendit son verre de lait chaud en rappelant :

— Je suis sérieuse, tu sais. Bientôt, je vais laisser tomber : tu pourrais commencer tout de suite à apprendre le métier.

Le statut de tenancière représenterait une amélioration très nette de sa condition.

— Je dois quitter cet endroit. Je ne veux plus y rester, même pour faire le ménage.

— Ton jeune notable à lunettes te met des idées folles en tête.

Berthe avait baissé le ton pour échapper aux oreilles indiscrètes. Il y avait suffisamment de sympathie dans sa voix pour que Lara ne s'en formalise pas.

— Je n'ai besoin de personne pour avoir envie de partir.

— Tout de même, il te plaît, n'est-ce pas ? Après ses visites, tu sembles plus déprimée. Il t'a proposé de t'installer dans un petit appartement pour avoir l'exclusivité ?

— Non. Il est seulement gentil. Avec lui, j'arrive à croire qu'il est possible de voir un homme sans toujours se coucher sur le dos.

— Avec les hommes, on finit toujours sur le dos, ou sur le ventre. Va demander aux ouvrières, aux secrétaires…

Elle reprenait là sa vieille lubie : quant à avoir les hommes aux fesses, autant leur faire payer le maximum.

— Tu peux demander aux épouses, aussi !

— Dans ce cas, autant se passer d'eux complètement. Je vais me coucher.

Berthe s'élança sur ses talons, la rattrapa au bas de l'escalier pour demander à voix basse :

— L'autre fois, tu es sortie avec lui ?

Lara ne répondit pas. Incapable de mentir à sa seule amie, elle ne voulait pas lui dire la vérité non plus.

— Fais attention à Ovide.

La jeune fille baissa la tête, se mordit la lèvre inférieure. Elle murmura en montant l'escalier :

— Dimanche, j'irai voir un film.

Berthe ne fut pas dupe, mais préféra ne rien dire. Si la gamine arrivait à s'envoler, tant mieux pour elle.

~

Une certitude, ce n'est pas une preuve. Renaud se demandait comment en obtenir une. Pour la police, peu après le crime, cela n'aurait pas été très difficile. Après plus de six mois, aucune piste ne devait encore exister.

L'avocat pensa au lieutenant Gagnon. Si celui-ci avait profité d'un congé pour faire une enquête personnelle – une hypothèse de Lavigerie –, peut-être avait-il parlé de ses découvertes à quelqu'un, ou laissé des notes. Dès le lendemain matin, il chercha le nom de Maurice Gagnon dans un annuaire de la ville. Cette démarche lui procura l'adresse du policier. Il avait habité tout près du Morency, dans Saint-Jean-Baptiste. Quelques minutes plus tard, Renaud se rendait rue Roberval, une artère fort agréable, avec ses grands arbres de chaque côté et ses solides maisons en brique de deux ou trois étages.

Sa femme devait encore habiter là. Aussi, quand quelqu'un répondit à la porte, il demanda :

— Madame Gagnon, je présume ?

— Oui.

Il lui tendit sa carte, portant son nom et sa profession.

— Je m'appelle Renaud Daigle. J'aimerais vous parler de votre mari.

L'inquiétude marqua son visage. Elle craignait un problème avec le versement de la pension. Comme la femme ne disait rien, il osa :

— Je peux entrer ?

Elle s'écarta pour le laisser passer, ferma la porte derrière lui. Heureusement, les enfants se trouvaient à l'école. Si cet homme apportait des mauvaises nouvelles, elle aurait le temps de se calmer et de prendre un air assuré avant leur retour. Il ne fallait plus les inquiéter, le départ brutal de leur père les avait assez perturbés comme cela. Elle l'invita à s'asseoir dans le petit salon, posa le bout des fesses sur un fauteuil. Ses mains se posaient naturellement sur l'arrondi de son ventre. Le bébé serait là bientôt. Elle réussit finalement à articuler :

— Est-ce qu'il y a un problème ?

Devant une inquiétude si nue, Renaud se sentit coupable.

— Mais non, pas du tout. Je m'excuse de vous avoir laissé penser cela. En fait, je voulais savoir si vous saviez quelque chose de la dernière enquête de votre mari. Le chef Ryan lui avait donné quelques jours de congé avant... avant qu'il ne tombe malade. Il s'est sans doute occupé de Blanche Girard ?

L'épouse respira mieux. Cet avocat avait parlé au chef Ryan, il désirait des renseignements sur cette malheureuse affaire. Des articles de journaux évoquaient encore régulièrement ce crime, s'étonnaient de l'absence de toute arrestation. Sa voix affichait une certaine assurance au moment de répondre :

— Oui, cette histoire le préoccupait beaucoup. Cela a beaucoup nui à sa santé. Vous savez ce qui lui est arrivé ?

— Oui, je sais. C'est affreusement triste. Je suis allé le voir à l'hôpital. Il vous a parlé de cette affaire ?

Cet homme s'était donné la peine d'aller voir son mari à l'hôpital. Elle ressentit une véritable sympathie pour lui. Maintenant désireuse de l'aider, elle dut pourtant convenir :

— Il ne me parlait pas de ses enquêtes. En réalité, je ne voulais pas connaître les détails de cette histoire affreuse.

— Je vous comprends. Moi aussi j'ai du mal à imaginer que des êtres humains fassent des choses comme cela. Votre mari craignait de voir les coupables échapper à la justice. Il n'a pas laissé des notes écrites, un rapport ?

— Vous le savez sûrement, il a remis son rapport au chef de police.

— Bien sûr.

Il aurait dû y penser. Renaud se sentait mal à l'aise de manipuler ainsi les bons sentiments de cette femme. D'un autre côté, il devait savoir.

— Son rapport n'était pas bien détaillé. Je me suis demandé s'il n'y avait pas des notes.

— Il n'aimait pas le côté paperasse de son travail. Ses rapports devaient être bien courts… Je ne pense pas qu'il y ait des notes.

Elle n'était pas certaine du sens à donner à ce mot, dans ce contexte. Elle continua néanmoins :

— Il travaillait toujours avec de petits carnets dans ses poches, afin de tout écrire. Il craignait d'oublier. Vous savez, dans sa condition…

L'épouse marqua une pause assez longue, puis murmura :

— Au moment de rédiger son dernier rapport, il a mis ces carnets autour de la machine à écrire. Il occupait toute la table de cuisine.

Renaud ressentit une émotion étrange, un mélange de joie et de grande tristesse.

— Vous possédez ces carnets ? Cela me rendrait service de vous les emprunter.

— Je ne sais pas si je peux…

Elle eut un moment de doute, puis cela lui sembla tout à fait naturel. Cet homme venait de la part du chef Ryan.

— Je reviens tout de suite.

Il ne lui fallut pas plus de deux minutes. Elle revint avec une boîte à chaussures en carton contenant tous les papiers importants du couple. Quatre petits carnets avec des couvertures noires paraissaient incongrus parmi les autres documents. La femme les lui tendit en disant :

— Il y en a sûrement d'autres au poste de police. Il avait ceux-là le jour avant…

Elle s'arrêta un moment, des larmes quittèrent le coin de ses yeux, glissèrent sur ses joues. Elle se reprit après avoir échappé un long soupir :

— Le jour où il a écrit son dernier rapport.

— Voulez-vous que je vous les rapporte ? Je n'en aurai pas besoin longtemps.

— Ce n'est pas nécessaire. En réalité, j'aimerais mieux ne pas les avoir ici. Cela ne concerne pas notre vie, seulement cette enquête.

— Je vous remercie beaucoup, madame Gagnon.

Elle allait bientôt éclater en sanglots. Il s'enfuit sans lui serrer la main, un peu comme un voleur.

~

Madame Gagnon resta un long moment assise au bord de son fauteuil, caressant des doigts le contrat de mariage, les quelques autres documents les concernant, elle, son mari, les enfants. Après avoir rangé la boîte à sa place, un doute s'insinua dans son esprit. Au début, ce ne fut qu'un petit malaise, un inconfort. Bientôt, l'évidence s'imposa à elle : pourquoi un professeur de droit de l'Université Laval voulait-il les carnets de son mari ? Maurice était policier, la Ville embauchait ses propres avocats.

Plus le temps passait, plus son malaise croissait. Ce fut avec l'inquiétude d'une enfant troublée qu'elle téléphona au chef Ryan. Très occupé, le fonctionnaire répondait pourtant tout de suite à ses communications.

— Daniel, un avocat est venu demander des renseignements sur l'affaire Blanche Girard.

Elle avait commencé à l'appeler Daniel quand il l'avait aidée à inscrire les enfants dans une nouvelle école. Toutes ces démarches lui paraissaient très compliquées, en septembre dernier. Lentement, elle en prenait maintenant l'habitude.

— Qui ça ?

Au son de la voix dans le cornet, elle sut tout de suite avoir fait une gaffe.

— … Renaud Daigle.

— Je ne le connais pas. Que lui as-tu dit ?

— Rien. Je ne connais aucun détail sur cette affaire. Je n'ai même pas lu tous les articles des journaux.

Sa voix se faisait chevrotante. Ce ne serait pas la dernière mauvaise nouvelle de la journée, l'officier de police le devinait. Malgré sa peur, il réussit à maîtriser le timbre de sa voix. Cette femme l'émouvait tellement, il ne voulait pas la voir malheureuse à cause d'une affaire à laquelle elle ne comprenait rien. Quand il enchaîna, ce fut d'un ton très doux, presque paternel :

— Qu'est-ce qu'il y a ? Tu ne me dis pas tout, n'est-ce pas ?

— Je conservais quelques carnets de l'été dernier. Tu sais, des petits carnets à la couverture noire.

— Il les a regardés ?

— Il… il est parti avec.

Ryan aurait voulu hurler une volée de jurons. Cependant, il réussit à garder le même ton posé pour dire :

— Tu as bien dit Renaud Daigle ? Ces carnets seraient mieux au poste. Je vais m'arranger pour les récupérer. Ne t'en fais pas. Et puis sais-tu ce que je ferai cet après-midi ?

La jeune femme n'osa pas risquer une hypothèse.

— J'irai chez toi et nous regarderons ensemble s'il subsiste autre chose dans l'appartement au sujet des enquêtes de Maurice. Plus personne ne te dérangera avec cela.

Ils échangèrent encore quelques phrases. Quand la femme raccrocha, elle se sentait beaucoup mieux. Ryan, de son côté, poussa un long soupir. Les ennuis s'amoncelaient au-dessus de sa tête. C'était sa faute, pas celle de cette pauvre... veuve. Aucun terme ne la désignait mieux, en réalité. Nettoyer son appartement aurait dû figurer parmi ses priorités. Comment avait-il pu oublier que Gagnon semait ses petits carnets noirs autour de lui ?

En aidant cette femme de son mieux, le policier arrivait à réduire son sentiment de culpabilité. Parfois, il prenait conscience avec gêne qu'il se préoccupait plus de son sort que de celui de ses propres filles. D'un autre côté, ses filles n'avaient pas un mari à Saint-Michel-Archange un peu par sa faute. Ryan se prenait même à espérer qu'un jour leur relation prendrait un caractère plus intime. Cela n'arriverait sans doute jamais, mais juste d'y penser lui plaisait beaucoup.

Chapitre 18

Quatre petits carnets noirs au creux de sa main. Pouvaient-ils contenir toutes les réponses à ses questions ? En les feuilletant, l'avocat se rendit compte de la difficulté à leur donner un sens. Gagnon paraissait en prendre un au hasard le matin en allant travailler, noircissait les pages, puis en utilisait un autre le lendemain. Au moins, les renseignements relatifs à une journée d'enquête se trouvaient à la suite les uns des autres. Chacune des pages commençait par une date. Il inféra en effet que « 13 a. » signifiait 13 août, « 1 s. » 1er septembre, et ainsi de suite.

Le professeur entendait procéder avec méthode. Il dégagea la surface de son bureau, arracha une à une les pages paraissant en lien avec l'affaire Blanche Girard et entreprit de les classer dans un ordre chronologique. Au bout d'une heure, il y avait une cinquantaine de ces petites feuilles, le plus souvent couvertes de quelques mots griffonnés à la hâte. Parfois, le lieutenant avait pris la peine de s'appuyer sur une table, sur le capot d'une voiture, ou sur une autre surface dure pour s'appliquer un peu à rédiger un début d'hypothèse.

L'opération l'émouvait quelque peu, car elle permettait de reconstituer une réflexion, ce que Gagnon ne pouvait évidemment plus faire. Sous ses yeux, il possédait la première allusion à Blanche Girard : la visite du couple Germain au poste de police. Venait ensuite la découverte du corps dans le parc Victoria. Une note très brève se montrait pourtant éloquente : « livret bancaire d'Henri Trudel. Coupable ? ? ? » Dès le lendemain, le policier avait noirci une bonne page sur la visite effectuée rue Moncton avec le chef Daniel Ryan. Le récit se terminait avec une annotation en lettres majuscules: «LIVRET VOLÉ. REGARDER AILLEURS. ORDRE DE RYAN.»

Une conspiration entre Ryan et les autorités inspirait-elle cette directive? Peut-être pas. En fonctionnaire prudent, le chef de police pouvait avoir pris seul cette initiative. Une précision fit à Renaud l'effet d'un coup au cœur: «Le 3, HT était avec C. Bégin, J. St-Amant, R. Lafrance, W. Fitz. et J. J. Marceau.» Tous ces jeunes libéraux étaient ensemble le jour de la disparition.

Ensuite, au moins vingt-cinq pages concernaient la poursuite inutile de la piste des frères Germain. L'avocat apprit ainsi que Blanche et sa sœur avaient été abusées dans leur famille adoptive. Une série de jurons bien sentis, au fil des pages, lui fit comprendre que le policier souffrait de cette situation. Successivement, celui-ci évoquait sa conviction que les frères Germain étaient les coupables, puis l'intervention de Thomas Lavigerie pour les innocenter. L'avocat conservateur avait sans doute commencé à soupçonner une conspiration dès ce moment. Les rumeurs circulant au poste de police devaient atteindre les oreilles de ce plaideur.

Puis les carnets parurent mis de côté pendant plusieurs jours. Au moment de la visite à Château-Richer, l'écriture du lieutenant semblait hésitante, maladroite. Renaud se demanda si la graphie traduisait le délabrement de l'esprit de l'enquêteur. Il apprit la visite au bureau de poste, puis chez le voisin de Trudel. La description répugnante de l'intérieur de la maison ne correspondait guère au souvenir de l'avocat. Au moment de la réception de l'Halloween, les lieux lui avaient semblé impeccables. Le policier évoqua un premier indice: des vêtements brûlés dans le poêle. Surtout, la description du caveau à légumes et des traces de sang occupait plusieurs feuillets.

Deux questions figuraient sur la dernière petite feuille: «Tous coupables, ou certains d'entre eux?»; «Pourquoi le corps dans le parc Victoria???»

Le professeur de droit connaissait les grandes lignes de la suite. Gagnon avait rédigé son rapport sur la table de la cuisine de son appartement. Le lendemain, il l'avait soumis au chef Ryan. Après, il était disparu à l'hôpital Saint-Michel-Archange. Cet homme ne témoignerait jamais sur l'enquête menée en toute discrétion. Renaud resta un bon moment devant son bureau, les dizaines de petits feuillets sous les yeux. Comment des jeunes gens en tous points normaux en arrivaient-ils à faire cela ?

L'avocat se leva, mit son manteau et ses bottes, pressé de se livrer à une petite expédition. Au moment de se rendre dans son garage de location, il ne remarqua pas qu'on le surveillait.

~

La conduite en hiver, dans les rues de Québec, se révélait des plus difficiles. À la suite de chaque bordée de neige, les voies les plus importantes étaient dégagées manuellement. Après quelques jours, les camions de livraison, les taxis et les voitures particulières arrivaient à se déplacer. Les rues les moins importantes pouvaient rester des semaines enneigées, accessibles seulement aux piétons et aux traîneaux tirés par des chevaux.

À l'extérieur de la ville, son expédition prit l'allure d'une aventure, quoique le chemin du Roy, de Montréal jusqu'à La Malbaie, fût la route la mieux entretenue de la province. Heureusement, amateur de promenades, Renaud avait fait mettre des chaînes à ses pneus. Il conduisait sur une couche de neige durcie, simplement aplatie sur la route avec un énorme rouleau. Quelques journées plus chaudes, suivies d'une vague de froid, permettaient aux roues de la petite voiture de tenir sur la surface gelée sans s'y enfoncer. Arrivé à Château-Richer, il reconnut sans peine la maison éloignée de la route. Comme la longue entrée, battue par les vents, était dégagée, l'intrus se permit même de rouler jusqu'à la maison. La porte du caveau à légumes demeurait bien visible, au flanc du talus.

Comme Gagnon était fou, pouvait-il avoir inventé tout cela ? Deux motifs vinrent à l'esprit de l'avocat, sans le convaincre vraiment. Premièrement, peut-être cherchait-il à obtenir de l'argent pour son silence. Robert Jones n'était certainement pas le seul maître chanteur de la province. Deuxièmement, peut-être sa folie l'entraînait-elle sur une pente révolutionnaire. Lara avait été éloquente sur les frustrations populaires, le désir de certains individus de rendre quelques coups. Le contenu des carnets aurait permis de créer de grands désordres.

Renaud résistait toujours devant l'évidence. Il se souvenait des six étudiants placés côte à côte au début de l'année scolaire, dans le grand amphithéâtre. Ces jeunes gens avaient-ils tué une femme ? Tout au plus, il les avait soupçonnés de former une petite bande un peu dérangeante pour les autorités universitaires. Le professeur fit demi-tour et reprit le chemin de Québec. Sa petite expédition ne devait pas avoir été remarquée. Il était resté absent de son appartement à peine plus de deux heures en tout, avec le trajet du retour.

La porte de son appartement était déverrouillée. Pareille distraction n'était pas bien grave : un concierge limitait les allées et venues dans le grand édifice. Renaud changea tout à fait d'idée quand il mit les pieds dans son salon. La surface de son bureau ne portait plus aucun feuillet. Non seulement les carnets étaient disparus, mais tous ses papiers avaient été remués. Les tiroirs de son bureau demeuraient entrouverts, comme ceux de son classeur. La scène se répéta dans la chambre. Le matelas avait été laissé de guingois après avoir été déplacé pour voir dessous, tous les tiroirs de la commode se trouvaient sens dessus dessous, la garde-robe était en désordre.

La première réaction du locataire fut la colère. Il descendit pour demander à un concierge ébahi :

— Il y a des gens qui sont venus chez moi ?

En entendant le timbre accusateur de sa voix, l'employé passa tout de suite à la défensive :

— Oui, deux policiers. Ils m'ont affirmé avoir pris un rendez-vous par téléphone, alors je les ai laissés monter.

— Je n'étais pas là.

— Je… je ne savais pas.

— Vous leur avez ouvert la porte de mon appartement ?

Cela paraissait bien indélicat, assez pour entraîner un congédiement immédiat.

— Non, bien sûr que non. Il y a eu un vol ?

— Oui… C'est-à-dire non, pas vraiment.

La disparition de carnets obtenus de façon tout à fait irrégulière attirerait peu de sympathie devant un tribunal. Le concierge demanda d'une voix timide :

— Vous voulez que j'appelle la police ?

Au regard furibond de Renaud, l'homme conclut que ce n'était pas nécessaire.

L'avocat remonta chez lui. Il récupéra ses deux armes dans le tiroir du bas de sa commode, mit des balles dans le barillet de son revolver et le garda à portée de main toute la soirée. Non seulement il venait de perdre la mince preuve de la culpabilité de ces fils de notables, une preuve bien fragile d'ailleurs, mais la police ne s'était pas embarrassée des moyens légaux pour la récupérer. Ces visiteurs avaient simplement crocheté sa serrure. Au bout du compte, il se trouvait réduit à l'impuissance, alors que les autorités connaissait ses soupçons. Désormais, il serait une cible sans avoir les moyens de répliquer.

~

Savoir que des inconnus pouvaient entrer dans son appartement n'améliora en rien la qualité du sommeil de Renaud.

En conséquence, il se leva tard sans être vraiment reposé et passa la majeure partie de la journée à s'inquiéter de sa situation. L'idée d'une conspiration impliquant la police le laissait abattu : personne n'assurerait sa protection. Devrait-il se barricader dans son appartement jusqu'à la fin de ses jours, une arme près de lui ?

L'avocat se résolut à sortir en fin d'après-midi, pour souper. Se retrouver dans un restaurant familier, avec ses journaux, lui procurerait l'impression d'un retour à la normalité. Ce fut peine perdue : les articles sur la probabilité d'une nouvelle élection lui rappelèrent indirectement l'affaire Blanche Girard. Au moment du retour à la maison, dans Grande Allée bien éclairée, il avait retrouvé un sentiment relatif de sécurité. Comme ils possédaient les carnets, ces conspirateurs n'avaient plus rien à craindre de lui, ils le laisseraient désormais tranquilles.

Rasséréné, il arriva à proximité du Morency. Un individu se tenait près de la porte. Cette personne devait attendre un taxi, ou quelqu'un. Renaud commença à s'alarmer un peu quand l'homme s'approcha de lui.

— Monsieur Daigle ? J'ai un message pour vous.

L'inconnu lui tendait une enveloppe tout en s'approchant. L'avocat fit un pas dans sa direction pour la prendre. Il l'avait à peine effleurée quand l'autre fit un mouvement vif de la main droite, à la hauteur de sa poitrine. Quelque chose refléta les lumières de l'entrée, le tissu crissa. Une intense brûlure partant du sein gauche irradia toute sa poitrine.

Un rasoir pliant. L'agresseur le tenait bien haut maintenant, à la hauteur du visage de sa victime, comme s'il voulait le défigurer d'un autre coup, ou le tuer, s'il visait la gorge. De sa main gauche, il accrocha Renaud par le revers de son manteau et lui murmura, en le tirant vers lui :

— Pour votre santé, monsieur Daigle, oubliez Blanche Girard.

Ensuite, l'inconnu s'éloigna rapidement, traversa la rue, déserte à cette heure, et disparut dans la pénombre.

Renaud ressentait toujours la brûlure dans sa poitrine, extrêmement douloureuse. Tiède, son propre sang imbibait lentement ses vêtements. Une longue coupure traversait le devant de son manteau, d'un côté à l'autre. Ses genoux tremblaient sous son poids, fléchissaient un peu. Il eut la présence d'esprit de se pencher pour ramasser l'enveloppe, puis il se dirigea vers la porte. La chaleur de l'entrée le fit se sentir plus faible. Il dut appeler pour attirer l'attention du concierge. L'employé le considérait avec méfiance depuis la visite des policiers la veille. Le blessé s'appuya d'une main sur son bureau. Son gant imbibé de sang laissa une grande empreinte sur le sous-main.

— Appelez un médecin immédiatement. C'est un coup de couteau.

L'autre le dévisageait, hébété. Le blessé se dirigea ensuite vers l'ascenseur d'un pas mal assuré. Il dut s'appuyer au mur de la petite cabine, le temps d'atteindre son étage. Dans son appartement, il alla tout de suite vers la salle de bain. Mieux valait enlever ses vêtements dans une pièce au plancher en tuile, pour éviter de tout salir. Son paletot atterrit dans le bain, de même que son veston. Le devant de sa chemise blanche était englué de sang. Il eut beaucoup de mal à l'enlever car les mouvements de ses bras sollicitaient les muscles de sa poitrine.

Devant la glace, il apprécia l'étendue des dégâts. La lame du rasoir avait tracé une fine coupure partant de la pointe du sein gauche pour s'allonger à l'horizontale sur plus de quinze centimètres. Plutôt superficielle mais très douloureuse, la coupure présentait peu de gravité. Son épais paletot et son veston avaient encaissé une bonne partie du coup. Autrement, il aurait été ouvert jusqu'aux côtes. Une serviette pressée sur l'estafilade arrêta l'écoulement de sang.

Assis sur le couvercle de la toilette, la tête lui tournant un peu, il attendit l'arrivée du médecin. La faible quantité de sang perdu ne pouvait expliquer son état. Celui-ci tenait plutôt au choc nerveux. Une bonne dizaine de minutes après être revenu à son appartement, le blessé entendit crier dans l'entrée :

— Il y a quelqu'un ?

— Dans la salle de bain.

Un vieux monsieur apparut devant lui, un sac de cuir à la main. Le praticien avait pris le temps d'enlever son manteau dans le vestibule.

— Oh ! Vous ne vous êtes pas fait cela en vous rasant.

Dans les circonstances, Renaud trouva cet humour déplacé. Il répondit néanmoins :

— C'est pourtant le résultat d'un coup de rasoir.

Le nouveau venu enleva la serviette de la blessure et, après avoir regardé autour de lui, l'expédia dans la baignoire avec les vêtements. Il en mouilla une autre et essuya le sang sur la poitrine.

— Voilà une coupure bien nette, pas trop profonde. Vous ne garderez pas de séquelles. La seule chose à faire est de nettoyer et de recoudre.

Si cette blessure n'inquiétait guère le médecin, Renaud la trouvait diablement douloureuse. Les choses n'allaient pas s'arranger. L'autre lui demanda :

— Ce ne sont pas quelques points de suture qui vont vous effrayer, si j'en juge par cette cicatrice.

Il désigna la boursouflure d'un rose malsain au côté du blessé, tout en sortant son fil chirurgical.

— Alors, j'avais perdu conscience. Les chirurgiens ne m'ont pas ranimé juste pour me recoudre à froid.

— Bof ! Ce sera un mauvais moment à passer.

Ce vieil homme avait débuté sa carrière à l'époque où les produits anesthésiants commençaient tout juste à s'imposer. À ses yeux, l'innovation se révélait peu utile. Renaud trouva la douleur à peine tolérable. Quand le médecin eut fini, son teint présentait la pâleur d'un drap et la sueur mouillait son front. Il se laissa enduire d'iode, demeura passif au moment où le praticien entoura sa poitrine d'un large pansement.

Les soins dispensés, le médecin se sentit autorisé à satisfaire sa curiosité.

— Des rasoirs utilisés dans de simples bagarres, on ne voit jamais cela. Que vous est-il arrivé ?

— Je rentrais dans l'édifice quand un inconnu s'est approché de moi. Je me suis retrouvé dans cet état.

— Il ne vous a rien dit ? Il ne vous a pas volé ?

— Non, pas un mot, pas de vol.

Le blessé n'allait pas lui raconter toute l'affaire. Demain, l'incident alimenterait les conversations dans Grande Allée.

— Vous avez été attaqué comme cela, sans raison, par un maniaque ?

Le médecin semblait profondément sceptique.

— Je ne vois pas d'autres explications. À moins que ce soit une erreur sur la personne.

— Il faudra aller à la police. Quelqu'un doit arrêter ce fou furieux au plus vite.

Le praticien rangeait ses instruments et les rouleaux de bandage dans son sac. Il ajouta :

— Je vais vous laisser une petite solution à base d'opium. Sans cela, vous ne fermerez pas l'œil de la nuit. Mettez quelques gouttes dans un verre d'eau, en respectant la posologie sur la bouteille. Je vous enverrai ma facture.

— Prenez une carte sur mon bureau, en sortant, pour avoir mon nom et mon adresse.

Renaud amorça le geste de lui tendre la main. Il s'arrêta en constatant qu'elle était pleine de sang. Le médecin trouva le chemin de la sortie tout seul. Le blessé demeura un long moment immobile, toujours assis sur le couvercle de la toilette. Quand la douleur devint plus supportable, il se leva pour se débarbouiller. Il trouva dans l'entrée l'enveloppe remise par son agresseur. Elle ne portait aucun nom de destinataire. À l'intérieur se trouvait un simple petit rectangle en carton noir : la couverture de l'un des carnets de Gagnon.

Philippe-Auguste Descôteaux avait espéré ne plus entendre parler de l'affaire Blanche Girard après l'épisode de Robert Jones et du journal *The Spike*. Ce petit bandit avait imaginé faire un peu d'argent en utilisant des rumeurs : il lui avait réglé son compte sans difficulté. Thomas Lavigerie, quant à lui, criait toujours au loup. L'avocat conservateur avait dénoncé tellement de scandales imaginaires qu'il ne soulevait plus d'intérêt. La politique se faisait maintenant avec la radio, la presse quotidienne et même le cinéma, grâce aux petits films d'actualité avant les longs-métrages. Les accusations brumeuses du haut d'une tribune ne faisaient plus recette.

Puis Daniel Ryan s'était pointé chez lui ce samedi soir, sans s'être annoncé. La nouvelle que Renaud Daigle avait rencontré l'épouse du policier Gagnon le laissa interloqué.

— Sous un faux prétexte, il l'a amenée à lui remettre des carnets relatifs à cette malheureuse affaire.

La mine désespérée du policier lui fit saisir le sérieux de la situation.

— De quels carnets parlez-vous ?

— Le lieutenant prenait des notes au fur et à mesure, en menant ses enquêtes. Il utilisait de petits carnets pour cela. Certains se trouvaient encore à son appartement.

— Vous ne les aviez pas détruits ?

Le reproche teintait la voix de Descôteaux. Ryan jouait avec son képi et regardait le plancher. Cela ne servirait à rien de le traiter d'imbécile. Ils étaient devenus des complices, liés de façon plus indissoluble que s'ils avaient été les meilleurs amis du monde.

— Ce sont des documents dangereux ?

— Toute la visite à Château-Richer s'y trouvait décrite. Dans les grandes lignes bien sûr, les éléments dont il tenait à se rappeler. Mais je les ai récupérés !

Le policier avait ajouté cela avec l'espoir de faire oublier sa négligence.

— Vous les lui avez demandés, et il vous les a remis ?

— Non.

Il eut un long moment d'hésitation, puis il expliqua :

— Je me suis rendu moi-même à son appartement, en compagnie d'un petit voyou qui me doit quelques services. Il était absent. Le concierge nous a laissés monter quand nous nous sommes présentés comme des policiers. Nous sommes entrés dans son appartement pour reprendre ces notes. Je les ai détruites. L'avocat a tout juste eu le temps de prendre connaissance de leur contenu.

— Vous me dites être entré chez lui illégalement. Pire encore, vous avez indiqué votre profession en entrant. Vous teniez à signer votre forfait ?

Descôteaux n'en revenait pas de tant de stupidité.

— Je me suis tenu à l'écart, mon col relevé et mon chapeau sur les yeux. Le concierge ne pourrait pas me reconnaître. Vous auriez préféré lui laisser les carnets ? Il n'a aucun autre papier relié à cette histoire, je m'en suis assuré.

Que faisait Daigle dans cet imbroglio ? Pour aller chercher des documents chez la femme Gagnon, il connaissait bien cette intrigue. Bien sûr, mieux valait les récupérer.

— Je vous remercie de me tenir au courant, dit le premier ministre pour lui signifier la fin de l'entretien.

Cette fois, il n'allait certes pas le remercier pour son bon travail.

— Ce n'est pas tout, fit Ryan, de plus en plus mal à l'aise.

— Qu'y a-t-il encore ?

Le ton de Descôteaux traduisait plus de colère que d'inquiétude. Cela n'était pas pour rassurer le policier.

— Le petit truand venu avec moi se nomme Ovide Germain. Il s'agit du fils du père adoptif de Blanche Girard. Il connaît un peu Renaud Daigle. C'est un client assidu d'un bordel qu'il fréquente aussi. Où il a des intérêts, plus précisément.

— Pourquoi impliquer cet homme ?

— J'avais besoin d'aide. Il me fallait quelqu'un pour surveiller les allées et venues de Daigle et je préférais ne mettre personne du poste dans la confidence. Nous pourrions poursuivre ce truand pour de multiples raisons, tellement nous en savons sur lui. Cela nous assure de sa discrétion.

— Plutôt que de vous associer un policier, vous avez préféré l'aide d'un bandit ! Je ne suis plus certain de comprendre votre stratégie.

« Cette fois, réfléchit le chef de police, il me faut jouer prudemment. » Son emploi tenait à son habileté à livrer les dernières informations.

— Je ne peux empêcher mes hommes de murmurer des hypothèses. Le délire de Gagnon, le jour de son internement, demeure dans quelques mémoires.

— Vous me disiez que le lieutenant attirait l'inimitié de ses collègues.

Ryan haussa les épaules, écarta les mains pour signifier son impuissance. Enfermé, Gagnon attirait plus de sympathie maintenant que l'été précédent.

— Germain est très sûr, continua-t-il. Nous pourrions l'accuser du viol de Blanche Girard et de sa sœur Marie-Madeleine. Il désire autant que nous voir cette affaire sombrer dans l'oubli.

Une nouvelle pause laissait présager le pire. Descôteaux attendit une autre mauvaise nouvelle, le visage crispé de colère.

— Il a attaqué Daigle tout à l'heure. « Pour faire sûr qu'il ne se mêlerait plus de rien », m'a-t-il dit.

— Il… il a attaqué Renaud Daigle ? Il est…

— Une simple blessure, pour souligner le sérieux de son message. Cela ne doit pas être trop grave.

Un bref moment, Descôteaux se demanda si la bénignité de l'attaque était une bonne ou une mauvaise nouvelle. Si l'avocat avait été vraiment réduit au silence… Il chassa bien vite cette pensée de son esprit : Daigle appartenait à son milieu, habitait à cinq minutes de chez lui. Sa mort éventuelle le troublait plus profondément que celle d'une petite vendeuse, ou l'internement définitif d'un policier. Parfois, le premier ministre se prenait à regretter de ne pas avoir livré ces gamins à la justice, l'été précédent! Arrivé au pouvoir en 1920, il avait projeté de purifier les mœurs politiques et de faire de la province un territoire moderne et prospère. Depuis, les compromissions s'additionnaient. Avec cette affaire, il était devenu rien de moins qu'un criminel. La déception devenait amère.

— Ne prenez plus aucune initiative sans m'en parler.

Daniel Ryan quitta la grande demeure avec joie. Une seule chose le rassurait: dans tout ce complot, il n'avait pris aucune initiative, sauf celle de récupérer les carnets. Si tout s'effondrait, d'autres perdraient bien plus que lui.

Une fois seul, Descôteaux demeura longuement à réfléchir. Livrer ces idiots lui apparaissait maintenant comme impossible. Si jamais cette affaire se retrouvait devant les tribunaux, il serait vu comme un complice depuis le premier jour. Sa seule chance demeurait de continuer, de multiplier les efforts pour dissimuler la vérité. La mort dans l'âme, il se résolut à convoquer les deux Trudel à son domicile. Ils accoururent et, à onze heures, ils se trouvaient dans son bureau. Avec une seule petite lumière allumée dans un coin de la pièce, les trois hommes, à la lueur des flammes du foyer, ressemblaient à des conjurés. L'hôte mit rapidement ses complices au courant des derniers événements.

— Qu'est-ce que Renaud Daigle peut bien venir faire dans cette histoire? demanda Antoine Trudel à haute voix, traduisant la préoccupation des deux autres.

— Il ne m'aime pas, mais cela n'explique rien, murmura Henri.

Il n'eut pas besoin d'apporter des précisions, les deux autres savaient.

— Pourrait-il avoir des intérêts politiques? demanda Descôteaux.

— Cela paraît bien improbable, déclara le ministre. Ce n'est pas un vrai libéral, mais ce n'est pas un conservateur non plus. Ces questions le laissent plutôt indifférent.

— Il a tout de même fait la connaissance de Lavigerie, dit Descôteaux.

— Tout le monde fait la connaissance de Lavigerie, tôt ou tard. C'est une plaie de notre belle ville, comme les hivers trop froids.

Le ministre marqua une pause, plus il reprit :

— Vous avez entendu parler du verre que ce trou du cul est venu lui offrir le soir des élections ? Daigle s'était engagé à faire la même chose s'il l'emportait dans Montmagny, à ce qu'on m'a dit. Il vend ses compétences, comme tout bon avocat.

— L'amour de la justice, alors ? demanda Descôteaux. C'est noble, mais cela peut être dangereux. Il en sait beaucoup. Son initiative d'aller chez la femme de ce policier le démontre.

— Son métier lui permet de comprendre que les théories de Gagnon ne constituent pas des preuves, opina Antoine Trudel.

— Malheureusement, nous ne connaissons pas ses intentions. Nous devrons attendre qu'il se manifeste.

Le premier ministre marqua une pause, s'agita sur sa chaise avant de murmurer :

— La curiosité le motivait peut-être. Toutefois, une petite mésaventure survenue ce soir risque de l'indisposer à notre égard. Il en fera une affaire personnelle, désormais.

L'homme raconta à ses visiteurs ce qu'il savait de l'agression contre Daigle.

— Peut-être s'occupera-t-il de ses affaires, désormais, comme on le lui a dit, intervint le ministre la voix chargée d'espoir.

— Tout comme il peut considérer avoir maintenant un compte à régler avec nous ! Il devine certainement notre rôle.

Descôteaux ne paraissait pas optimiste du tout.

— Prenons les devants, proposa Trudel. Si vous le contactiez…

— Ce serait un aveu de culpabilité. Actuellement il ne peut avoir que des doutes. Ne lui donnons pas une certitude.

Tous les trois songeaient à la même chose : si Renaud Daigle disparaissait, tout rentrerait dans l'ordre. L'initiative d'Ovide Germain ouvrait des perspectives nouvelles.

~

S'endormir serait s'exposer toute la nuit à une nouvelle agression. Rester éveillé avec une arme à portée de la main ne disait rien à Renaud. Sans l'opiacé, la douleur chasserait le sommeil. S'il prenait son médicament, quelqu'un pourrait de nouveau forcer sa porte et le trouver sans défense.

Il savait maintenant qu'il était le seul à connaître les noms des auteurs de l'assassinat de Blanche Girard, à part les coupables et les complices de cette conspiration, bien sûr. Le décès de Gauthier, l'enfermement de Gagnon, l'ignorance de sa femme et la disparition des carnets lui donnaient cette certitude. Un coup de rasoir porté à sa gorge tirerait ces hommes de leur guêpier. Comment savoir à quelle extrémité ils se sentaient acculés ?

L'avocat ne ferma l'œil qu'au lever du jour. Épuisé, à midi il se trouvait dans l'un de ses fauteuils, un petit-déjeuner et une tasse de thé sur une petite table près de lui. Il sursauta quand le téléphone sonna. Les yeux sur le combiné, il n'osait répondre. Il se décida après une demi-douzaine de coups, pour entendre le concierge lui dire :

— Il y a une personne ici pour vous. Une jeune femme.

Cet idiot de concierge laissait passer les cambrioleurs, mais arrêtait les jeunes femmes. Renaud pensa tout de suite à Lara.

— Laissez-la monter !

Quelques minutes plus tard, la jolie rousse se tenait devant lui, terriblement émue. Elle avait craint qu'il ait complètement oublié son invitation… et sa promesse. Un sac de voyage pendait au bout de son bras droit. Il ne comprit pas d'abord. Elle dut préciser :

— Je n'en peux plus…

Deux grosses larmes coulaient sur ses joues. Il lui ouvrit les bras. Elle se précipita contre lui pour entendre un grand cri au moment de se presser contre sa poitrine.

La jolie rousse s'arrêta, interdite. À ce moment, elle aperçut la crosse du revolver dépassant de la poche de sa robe de chambre. Il ferma enfin la porte de l'appartement derrière elle en disant :

— J'ai été attaqué.

L'homme entrouvrit sa robe de chambre pour lui montrer le grand pansement lui couvrant la poitrine. Quand le verrou fut poussé, il posa sa main sur son cou, juste sous l'oreille gauche, et lui dit en la regardant dans les yeux :

— Tu es décidée, tu ne remets plus jamais les pieds là-bas ?

— Jamais. J'aimerais mieux mourir.

D'autres larmes suivaient les premières. Le mélange de désespoir et de résolution dans sa voix l'émut beaucoup. Il l'embrassa sur chaque joue, essuyant ses larmes avec ses lèvres. Ce genre de tendresse n'était pas pour calmer l'émotion de la jeune femme. Il réussit à la serrer un peu contre lui, sur le côté, ce qui provoqua tout de même une grimace de douleur.

— Tu as amené tes choses ? Je ne porterai pas ta valise, j'essaie de ne pas utiliser mes muscles, aujourd'hui.

— J'ai dû laisser mes livres, mes revues. J'ai mis quelques vêtements dans ce sac et je l'ai jeté d'une fenêtre, ce matin. Je ne voulais pas sortir avec une valise à la main, je me serais fait attraper aussitôt.

— Tu n'as pas eu de difficulté ?

— Pas vraiment. J'ai pris l'air le plus naturel possible pour dire que j'allais au cinéma. J'ai récupéré mon sac dans la neige et je suis allée prendre un taxi à la gare. Mais j'ai eu très peur en bas. Je pensais que tu m'avais oubliée.

Il lui adressa un sourire contrit avant d'admettre :

— Avec ce qui s'est passé hier, mes idées sont un peu emmêlées. Mais je ne t'avais pas oubliée.

Ce n'était pas tout à fait vrai.

Elle ouvrit sa robe de chambre et passa un doigt léger sur le pansement. Du sang avait taché les pièces de gaze.

— Qu'est-ce qui t'est arrivé ? fit-elle, transférant sur lui toute son angoisse.

— Quelqu'un m'a donné un coup de rasoir hier soir, juste comme je rentrais ici.

— Mais pour quelle raison ?

Dès qu'elle eut enlevé son manteau, il l'invita à s'asseoir et entreprit de lui raconter les derniers événements, tout en confessant son intérêt pour l'affaire Blanche Girard. Il ne donna pas trop de précisions, ni les noms des coupables. Il se contenta de conclure :

— Ce sont des personnes importantes. La police a décidé de les protéger plutôt que de les poursuivre.

Elle ne protesta pas, cela ne lui semblait pas du tout impossible, ni même improbable. Lara se contenta de dire tout en touchant encore le pansement :

— Les policiers ne travaillent pas de cette manière. Ils préfèrent les matraques. Je connais des virtuoses du rasoir… non, plutôt un seul. Tu peux me le décrire ?

— Il faisait sombre. Je l'ai juste vu un court moment quand il s'est avancé sous les lumières de l'entrée. Il portait un chapeau noir enfoncé sur les yeux. Son visage était marqué de cicatrices, comme les gens victimes de la picote ou souffrant d'acné. Il avait le nez un peu de travers aussi.

— Ovide Germain.

Les mots tombèrent un peu comme une sentence. Elle murmura encore :

— Je suis pas mal certaine que c'est lui.

— C'est le fils des parents adoptifs de Blanche Girard ? Comment sais-tu cela ?

Elle le regarda un moment, hésitante, puis expliqua enfin :

— Il est régulièrement au bordel. Il a recruté plusieurs filles et touche sa part des profits. Il s'occupe aussi de contrebande d'alcool ou d'opium. On le retrouve dans toutes les activités criminelles, en réalité.

Ce voyou l'avait recrutée le premier jour, à la gare. Elle préféra ne pas l'évoquer.

— Je ne comprends pas le motif de son attaque. Il a lui-même été soupçonné de ce meurtre. Il devrait être heureux que je trouve les coupables.

— L'initiative ne doit pas venir de lui. Il avait un alibi solide pour le meurtre de Blanche Girard. Cet événement ne doit pas l'inquiéter. Le salaud doit faire le boulot d'un autre.

— Pour le compte de qui ? Des meurtriers ?

— Selon toi, la police est impliquée pour protéger les coupables. Ne cherche pas plus loin. Personne de la Haute-Ville n'est venu lui demander de faire un travail de ce genre.

Elle lui parlait d'un monde étrange, dangereux. Des policiers capables de recruter des criminels pour attaquer d'honnêtes citoyens, cela ne se voyait que dans les films noirs ou les romans de gare. Pourtant, la jeune femme évoquait cela tout naturellement. Elle avait vu des constables prendre une petite enveloppe des mains de Berthe, ou encore monter gratuitement avec une fille, contre la « protection » accordée au *Chat*. Cette obole levait la menace de descentes intempestives, jamais les policiers ne harcelaient les clients. Bien sûr, pour calmer les bonnes âmes, ils arrêtaient des prostituées une fois de temps en temps.

Contre la promesse de détourner les yeux de certaines activités illicites, des agents pouvaient certainement convaincre un voyou de faire pression sur un citoyen.

Lara lui expliqua tout cela en cherchant de quoi manger dans la cuisine et en refaisant du thé. Tout ce temps, la jeune femme réprimait ses propres craintes. Au moment de s'enfoncer dans un fauteuil, en face de lui, rouge de honte, la prostituée demanda :

— Tu as dit vouloir m'aider. Qu'avais-tu en tête ?

— Devrais-je payer quelqu'un, Berthe par exemple, pour qu'on te laisse tranquille ? Je ne connais pas ce monde.

— Je ne crois pas. Elle a toujours été correcte avec moi.

— Tu m'as dit devoir rembourser la personne qui t'a recrutée. Celle-ci ne risque pas de se manifester ?

Son hésitation dura un bon moment. Elle souffla :

— C'est possible. Je ne pense pas.

Elle se mordit les lèvres. Lara taisait ses inquiétudes, car elle ne voulait pas le voir changer d'idée. Puis Renaud était quelqu'un d'important, il devait être hors de l'atteinte des petits criminels. Elle était incapable de retourner là-bas. Quant à lui, il considéra la question comme réglée : jamais il ne la laisserait partir. Il reprit :

— Le mieux serait de te louer un logement quelque part. Je te soutiendrai le temps nécessaire pour que tu puisses te débrouiller toute seule. À Québec ou ailleurs, selon ce que tu préfères.

— Pourquoi ? Tu agis comme Dieu : tu arrives et tu règles mes problèmes ?

— Un tout petit Dieu. Je ne déclenche pas d'ouragan ou de tornade et je ne fais monter personne au Ciel. Je suis plus proche de ton Charlot que tu ne penses, sans doute.

— Mais pourquoi ?

Il ne savait pas exactement pourquoi. Il se décida pour la candeur :

— Je trouve épouvantable qu'une gentille fille comme toi se soit retrouvée dans un bordel. En t'offrant un coup de main, je me donne bonne conscience.

La réponse ne satisfaisait pas la jeune femme entièrement. Elle devrait toutefois s'en contenter. Son compagnon ne voulait pas lui donner l'impression de désirer gagner une maîtresse reconnaissante et docile. Il crut néanmoins utile de préciser :

— Si tu le permets, cependant, nous allons remettre à un peu plus tard la recherche d'un logement pour toi. Je me sens un peu limité dans mes mouvements. Tu n'as pas à craindre que je devienne trop entreprenant. Si cela se produit, tu me frapperas juste ici.

De la main, il lui indiqua son sein gauche. Le mamelon coupé en deux faisait terriblement mal. Il ajouta après un moment :

— Depuis hier, je n'ai pas osé prendre le médicament pour ne pas sombrer trop profondément. Maintenant que tu es là, je vais céder à la tentation.

— Bien sûr. Je vais même te le préparer, ce médicament. Je connais.

Elle avait vu la bouteille dans une armoire de la cuisine.

— Sais-tu te servir d'une arme ? Si je m'endors…

— Si tu m'expliques, peut-être. Cependant, la meilleure protection, c'est que je peux crier très fort.

Il lui donna tout de même une petite leçon sur l'utilisation de son revolver, en espérant qu'elle ne se tirerait pas dans le pied. Cette précaution ne lui paraissait pas vraiment nécessaire. Depuis qu'il n'était plus seul, l'anxiété relâchait son emprise.

~

Il dormit finalement tout l'après-midi, tandis que Lara fouillait dans ses livres au son de la radio. Comme il n'avait aucune envie de mettre les pieds dehors, elle s'assura qu'ils auraient de quoi souper avec le contenu de son réfrigérateur. Puis elle finit par remplir le bain jusqu'au bord pour se laisser tremper une bonne heure dans l'eau chaude. L'arme se trouvait sur une chaise près d'elle, pour faire face aux méchants de l'extérieur. Elle ne s'inquiétait pas du tout du grand blessé qui ronflait dans la pièce à côté.

Ils passèrent la soirée à discuter de choses et d'autres. Il essayait de ne rien dire qui lui fasse penser au *Chat* et elle essayait désespérément de ne pas y penser. Il y eut juste un certain flottement à l'heure du coucher. Il proposa de s'installer sur la causeuse, elle riposta en disant que ce serait elle. Lara imposa son point de vue en menaçant de le frapper sur sa blessure. Finalement, après une heure à essayer de trouver une position confortable tout en disant tous les gros mots de son répertoire, la jeune femme abandonna la partie et vint s'étendre près de lui. Se faisant toute petite sur un bord du lit, elle soupçonnait toutefois qu'un coup de canon ne l'aurait pas réveillé. Le somnifère le plongeait dans un état d'hébétude.

Dormir à côté d'un homme lui parut très curieux. Cela ne lui était jamais arrivé.

Renaud se trouvait dans un petit pub appelé le *Russell*, à Londres. Il aimait venir manger là le midi, non pas que la nourriture y fût tellement bonne – elle ne l'était nulle part dans ce pays –, mais les murs en chêne, les décorations en laiton, les poignées des pompes à bière en porcelaine bleue, les banquettes bien rembourrées, tout cela lui plaisait. Comme l'endroit se trouvait à deux pas du British Museum, il y côtoyait quantité d'intellectuels en veste de tweed. Parfois, il liait de longues conversations avec eux.

De sa banquette près d'une fenêtre, il vit entrer un ouvrier, casquette sur la tête, vareuse sur le dos. Ce n'était pas la clientèle recherchée par la maison, aussi les prix demeuraient juste assez hauts pour éloigner les travailleurs. Celui-là acheta pourtant une pinte de lager et vint vers la table de Renaud. Il s'assit devant lui en disant :

— Heureux de vous voir, lieutenant.

Renaud s'assit en criant. À côté de lui, Lara sursauta. Grâce à la lumière blanche venue de la fenêtre, elle vit son visage effrayé. Elle alluma une petite lampe près du lit, se tourna vers lui :

— Qu'est-ce qui ne va pas ? C'est la blessure ?

Renaud la regardait sans la voir vraiment. Il lui fallut un moment avant de reprendre vraiment conscience.

— Je… j'ai fait un mauvais rêve.

Elle le poussa en mettant ses deux mains sur ses épaules, pour l'allonger de nouveau. Elle déboutonna son pyjama, passa un doigt léger sur le pansement. Il n'y avait pas de sang.

— Tu as rêvé d'Ovide Germain ? demanda-t-elle.

Elle rêvait souvent de lui, et s'éveillait alors en sursaut, le visage couvert de sueur.

— Non. Je rêvais à... à quelqu'un que j'ai connu à la guerre.

Lara s'était assise le dos vers le pied du lit, pour lui faire face. Elle réussit à remonter les couvertures sur lui, puis prononça d'une voix très douce :

— Cela ne devait pas être un ami, à en juger par ta réaction.

— Un homme sous mes ordres. Ce n'était pas un ami, les officiers n'avaient pas d'amis parmi les hommes de la troupe.

Il y eut un long silence, puis il ajouta :

— Je l'ai tué.

Ce souvenir affreux le hantait toujours. Lara se tassa juste un peu pour qu'il sente la chaleur de sa jambe contre lui. Elle se retrouva avec un pied sous son bras. Elle prit sa main gauche dans les siennes et demanda :

— Tu veux en parler ?

Il laissa échapper un long soupir et commença après un moment, d'une voix tremblotante :

— C'était un gentil garçon, l'ami de tout le monde...

Il raconta l'attaque tout à fait inutile, menée en traînant Timmy derrière lui. Ce genre de situation se répétait assez fréquemment : les soldats se trouvaient tellement terrorisés qu'ils refusaient d'avancer, préférant courir le risque d'être fusillé pour insubordination. Les médecins évoquaient le *shell shock* – le traumatisme causé par les explosions des obus. Renaud enchaîna en parlant de la blessure de Timmy, de ses hurlements, de ses amis prêts à se faire tuer l'un après l'autre pour l'aider. Il pleurait quand il lui expliqua que, finalement, pour mettre fin au massacre, il l'avait lui-même tué.

— Il n'avait aucune chance, tu sais, et il souffrait atrocement.

La justification venait d'un homme désespéré d'obtenir un pardon.

Lara comprenait. Elle avait suffisamment lu sur cette guerre, notamment *Les Croix de bois*, pour pouvoir se faire une idée de l'horreur. Renaud lui expliqua aussi combien ses hommes le détestaient après cela. Suffisamment pour que l'un d'eux lui tire dans le dos.

— Avais-tu un autre choix ? lui demanda-t-elle dans un souffle.

— Attendre, essayer encore de le sauver...

Il cherchait une réponse.

— Cela aurait-il été préférable ? N'as-tu pas fait pour le mieux ?

— Je l'ai tué.

Il y eut un long silence.

— Tu rêves souvent de lui ?

— Peut-être une fois par semaine. Une scène revient sans cesse. Je suis dans un endroit public, il entre et vient vers moi.

— Il te dit quelque chose ?

Lara avait une voix terriblement rassurante, ou était-ce l'effet du médicament ?

— Il commence. Alors, je panique... je me réveille, comme tout à l'heure.

— Parle avec lui.

— Voyons, il est mort !

Il la regardait, un peu inquiet.

— Pas pour toi. Tu le gardes vivant dans ton esprit. Autant écouter ce qu'il a à dire, non ? Quels reproches peut-il t'adresser que tu ne t'es pas déjà fait à toi-même ?

Elle se recoucha, plaça doucement les couvertures sur sa poitrine et le regarda un moment. Il finit par fermer les yeux et se rendormir. C'était la première fois : d'habitude, il veillait jusqu'au lever du jour. Quand elle fut certaine de son sommeil, elle referma la lumière.

~

Renaud revint dans le pub. Il se rendit compte qu'il était en pyjama, mais personne ne le remarquait. C'était un songe curieux : dans un état de demi-conscience, l'homme savait rêver. Timmy avalait sa bière tout en le regardant dans les yeux. Après un moment, il ne put plus résister et demanda :

— Tu m'en veux ?

— De m'avoir sorti de la tranchée ? Certainement. Mais tu devais le faire.

— Je t'ai tué. Tu dois me détester pour cela.

L'avocat entendait sa propre voix, un murmure étrange.

— J'avais le choix entre mourir après deux, trois heures de souffrance, ou en finir tout de suite. Puis les copains se faisaient tuer un à un….

— La majorité d'entre eux a été tuée, de toute façon.

— Pour prendre la mitrailleuse ? C'était leur boulot.

— Les survivants n'ont pas apprécié. Il y en a un qui m'a tiré dans le dos !

— Tu en es certain, lieutenant ? Un nouveau trop nerveux a peut-être chié dans son pantalon et pressé la détente tout ensemble, en entendant une balle siffler à son oreille. Tu ne sauras jamais, et moi non plus.

La part consciente du vétéran appréciait le ridicule de la situation : parler à un mort ! Timmy semblait de bien bonne humeur.

— Tu es sûr que tu ne m'en veux pas ?

— Je ne peux pas dire que je suis heureux d'être mort. Mais ni toi ni moi n'avons déclenché cette guerre. On se trouvait dans la même merde.

— Pourtant quand tu reviens, les tripes pendantes parfois…

— Hé, lieutenant, c'est toi qui me fais revenir comme cela, les nuits où tu te sens particulièrement coupable. Cette nuit, comme tu fais une bonne action avec la gamine, tu me ressuscites une bière à la main. Occupe-toi d'elle et laisse les fantômes dormir. C'est une belle fille.

L'étrange revenant avait utilisé le terme *lassie**. Le pub s'effaçait, les murs de la chambre se matérialisaient sous ses yeux. Timmy vida sa pinte de bière, posa le verre vide sur la petite table en chêne, puis partit. Le pub disparut complètement.

Renaud regarda Lara dormir un long moment en pensant au petit soldat de Newcastle. Dorénavant son fantôme se montrerait le plus souvent sympathique. Elle avait eu raison, mieux valait parler à ceux qui nous hantent.

Au matin, la jolie rousse dormait près de lui. Elle avait utilisé une de ses chemises en guise de vêtement de nuit. Boutonnée jusqu'au menton, elle offrait l'image d'une petite fille pudique plutôt touchante. Il remonta les couvertures jusque sur ses épaules et alla réfléchir à sa situation dans la pièce voisine. Comment lever un peu la menace pesant sur ses épaules ? Un seul argument paraissait susceptible de calmer le jeu : menacer de tout rendre public si quelque chose lui arrivait.

Une heure après, Lara traversa la pièce pour aller à la salle de bain en lui faisant un signe de la main. Elle revint un peu plus tard plus loquace et souriante.

— Tu fais très jolie avec mes chemises, lui dit-il.

Elle s'assura de la décence de sa mise. Le vêtement lui allait presque aux genoux, cela pouvait aller.

— Tu te portes mieux, pour faire des remarques comme celle-là.

---

* Fille.

— Douze bonnes heures de sommeil depuis hier après-midi ont suffi pour à me remettre un peu les idées en place.

— Comment va ta blessure ?

— Ça ira. Je voulais te demander ton avis. Je songe à envoyer une lettre à Ryan précisant que s'il m'arrive malheur, quelqu'un révélera toute l'affaire. Cela l'incitera-t-il à rappeler son chien méchant, selon toi ?

— Peux-tu vraiment le faire ? Tu as un ami à qui confier toute cette histoire ? Je ne peux jouer ce rôle, je suis aussi facile à atteindre que toi.

— Oui, je crois. Je ne peux me fier à Thomas Lavigerie : ce séditieux ne saurait garder le moindre secret. Toutefois, je connais un homme à Montréal, un vétéran lui aussi. Je pourrais lui remettre une lettre cachetée, à rendre publique en cas de malheur. Je lui préciserai même le nom de quelques journaux où l'envoyer.

La jeune femme demeura songeuse. Elle murmura :

— Tu n'as pas d'autre moyen, n'est-ce pas, à moins de fuir à l'autre bout du monde. Toutefois, pourquoi t'adresser à ce policier ? C'est un simple exécutant dans cette affaire. Va à la tête, à celui qui donne les ordres.

Elle était assise sur la causeuse, lui, derrière son grand bureau. Comme sa chemise remontait sur le côté, elle lui montrait une belle longueur de cuisse, sans s'en rendre compte. Elle était vraiment jolie.

— Où est la tête, dans cette affaire ?

— Au *Chat*, tu m'as nommé une demi-douzaine de garçons de la Haute-Ville en me demandant ce que je pensais d'eux. Ce sont eux, tes coupables, je suppose.

— Ce sont eux.

Elle remarqua son regard sur sa cuisse.

— Dans ta liste, tu avais deux fils de ministre, commença-t-elle en se levant. De qui le chef Ryan prend-il ses ordres, dans les circonstances ?

Sur ce, elle alla chercher un peignoir dans la chambre. Elle revint tout de suite vêtue jusqu'aux chevilles. Elle avait fait deux fois le tour de sa taille avec la ceinture et l'avait nouée devant.

— Nous mangeons quelque chose, où tu entreprends tout de suite le récit de tes aventures de détective amateur?

— Autant déjeuner maintenant. Je réfléchirai au ton à donner à ma lettre.

Plus tard dans la matinée, Renaud rédigea un compte-rendu de l'affaire. Le nombre de muscles mobilisés pour simplement écrire, y compris dans la poitrine, l'étonna. Heureusement, Lara retrouva assez vite l'habitude de la machine à écrire: elle avait appris la «clavigraphie» au couvent, parmi de nombreuses autres choses. L'anglais faisait problème. Renaud entendait confier ce récit à un officier connu sur les champs de bataille, James Gartner. Quand cet homme était retourné chez lui à Montréal, il lui avait fait promettre de lui donner de ses nouvelles. Il serait surpris de se voir conscrit dans une pareille entreprise. Cet homme n'avait aucun lien avec le gouvernement du Québec. Il en allait de même des journalistes de langue anglaise à qui refiler l'affaire, si cela devenait nécessaire.

Le plan de Renaud était très simple. Si Gartner ne recevait pas de nouvelles de lui chaque samedi, il enverrait les enveloppes scellées à deux journaux de Toronto et à Thomas Lavigerie. Si ce dernier apprenait que la seule façon de connaître la vérité était de faire disparaître Renaud Daigle, il ne résisterait sans doute pas à la tentation de s'en charger lui-même. Lara dut donc reproduire le rapport en quatre copies. Chacune se retrouva dans une des quatre enveloppes séparées dont Renaud signa le rabat, bien scellées et adressées à leur destinataire respectif. Le tout serait envoyé dans une enveloppe plus grande.

L'avocat dactylographia la dernière missive lui-même. Seul le premier ministre avait pu orchestrer une conspiration pour soustraire ces jeunes à la justice. Dans une enveloppe sur laquelle il ajouta la mention «Confidentiel» sous le nom du destinataire, il glissa ce mot:

Très honorable premier ministre,

Voici ce que je sais: HT, WF, MB, RL, JJM et JSA à Château-Richer. S'il m'arrive quelque chose, le tout sera rendu public par des voies échappant totalement à votre contrôle. En fait, si je ne me manifeste pas régulièrement pour empêcher la diffusion, tout se mettra en branle automatiquement.

Il faudra nous rencontrer dans quelques semaines – un peu de réflexion s'impose – pour régler tout cela.

Labrador

Autant ne pas signer son nom, mais l'allusion à son contrat serait limpide pour Descôteaux. L'exercice lui faisait penser à une assurance sur la vie. Le premier ministre devait devenir très intéressé à le garder en bonne santé.

Ils eurent fini assez tard dans l'après-midi. Il fallait maintenant se rendre à la poste. Renaud revêtit sa chemise la plus ample. Il trouva toutefois le poids d'un paletot sur sa poitrine difficile à supporter. Néanmoins, le grand air lui fit du bien. Tout le long du trajet avec Lara pendue à son bras, il eut l'impression d'être surveillé. Pourtant, Ryan avait pris très au sérieux la directive de Descôteaux de laisser l'avocat tranquille. Quand la grande enveloppe fut oblitérée et jetée dans un sac postal, il déclara à voix basse:

— Mon sort est maintenant entre les mains de la Poste royale canadienne.

— C'est fiable, ça? demanda sa compagne.

— Si elle ne l'est pas, il n'y a plus qu'à mettre fin à nos jours. Ce sera la fin du monde civilisé.

Elle se réjouit de le voir retrouver un certain humour. Au comptoir, il s'était informé de l'heure de la dernière levée du courrier, et du moment où la lettre recommandée arriverait à destination. On l'assura que ce serait mercredi matin. Cela lui permettrait de donner son cours avec un sentiment de sécurité relatif. En revenant vers le Morency, il arrêta à la grande maison des Descôteaux, rue Grande Allée, pour laisser sa seconde missive à un domestique. Le premier ministre pourrait en prendre connaissance avant de passer à table. Il espérait qu'elle lui vaudrait une sévère indigestion.

~

S'il n'eut pas de malaise, le premier ministre n'avala presque rien. Il quitta la table rapidement pour rejoindre les deux Trudel dans son bureau. Il les voyait beaucoup trop souvent à son goût ces derniers temps. Il montra la lettre aux deux hommes défaits.

— Quel règlement peut bien désirer ce prétentieux ? lança Antoine Trudel.

Il fulminait contre celui qu'il avait un moment espéré avoir pour gendre.

— Au lieu de te mettre en colère, tu devrais te réjouir. À sa place, Lavigerie aurait réservé les plus grandes salles de la ville pour raconter son histoire dès hier midi. Tu aurais des camelots à tous les coins de rue avec des éditions spéciales de *L'Événement*. Daigle n'a rien dit encore, et il nous indique souhaiter prendre son temps. C'est une excellente nouvelle.

Descôteaux affichait un optimisme un peu exagéré. Toutefois, l'avocat abordait la situation comme un homme de bon sens.

— Il nous menace de tout rendre public ! tonna le père Trudel.

— Pas du tout. Il nous dit de le garder en bonne santé. Que veux-tu qu'il fasse ? Un maniaque lui a donné un coup de rasoir à deux pas de sa porte. S'il a mis autant de soin à préparer cette petite assurance sur la vie qu'à fignoler ses rapports sur le Labrador, nous faisons mieux de le laisser tranquille.

Henri sortit de son mutisme pour demander :

— Que peut-il entendre par « régler tout cela » ?

— Effrayé, il voudra une garantie pour sa sécurité, expliqua le premier ministre.

— S'il veut les livrer à la justice?

Antoine Trudel tolérait de plus en plus mal toute cette tension. Il se massait le haut du bras gauche et ses lèvres prenaient une teinte bleutée. Allait-il se retrouver avec un ministre cardiaque, maintenant? Il crut utile de lui dire:

— Tu devrais prendre une période de repos. As-tu vu ton médecin récemment?

— La semaine dernière. Il me dit la même chose. Seigneur! Mon fils risque de se retrouver en prison. Comment veux-tu que je me repose?

— Nous le rencontrerons bientôt. Neuville me dit qu'il aime son travail à l'université et le fait bien. Pourquoi souhaiterait-il tout ruiner? Nous connaîtrons bientôt ses attentes. Si au moins nous savions qui a tué cette fille…

Les derniers mots de Descôteaux firent sursauter Antoine Trudel.

— Tu sacrifierais cette personne?

— Ce ne serait pas un sacrifice. S'il avait été possible de se débarrasser des coupables sans ruiner la vie des innocents, l'été dernier, tu ne l'aurais pas fait?

En réalité, dès le début, le politicien avait pensé à sauver Henri Trudel et la réputation du Parti. Ses yeux fouillaient ceux du jeune homme, en disant cela.

~

Ils avaient acheté des aliments en revenant à la maison. Renaud récupérait de sa blessure, sa terreur s'amenuisait. Quant à Lara, elle savourait sa nouvelle liberté. Dix-huit heures après sa désertion, le ciel ne lui était pas tombé sur la tête. Elle commençait à croire que les choses se régleraient d'elles-mêmes. Elle allait se faire une nouvelle vie et reléguer dans un coin reculé de sa mémoire les trois ans passés au *Chat* à recevoir au moins six clients par jour, six jours par semaine.

Elle résistait à l'idée de multiplier ces chiffres par cent cinquante semaines. Cette comptabilité lui donnait le vertige.

Et pourtant, elle se sentait un peu gênée de sa nouvelle intimité avec Renaud Daigle. Elle connaissait les hommes sous leur jour le moins favorable. Là, elle découvrait que l'on pouvait manger, parler, écouter de la musique avec eux. Quand en fin de soirée il alla revêtir son pyjama, elle prépara son médicament. L'idée de mettre quelques gouttes de plus que nécessaire, pour l'endormir comme une bûche, l'effleura.

Au moment où il avalait cette mixture, Lara évoqua le confort de la causeuse. Elle passa dans la chambre pour mettre l'une de ses chemises, la boutonner jusqu'au cou. Elle revint dans le salon avec une couverture pressée contre elle. Il la lui enleva des mains en disant :

— Je ne ferai jamais rien contre ta volonté. Tu ne vas pas te rompre les reins à dormir là-dessus ? Je n'avais pas prévu que les choses se passent comme cela, mais je ne le regrette pas. Nous te chercherons un logement très bientôt.

Elle accepta la main tendue et le suivit dans la chambre. Un long moment, elle se tint bien droite dans le lit, un bras pendant dans le vide tellement elle se trouvait près du bord. Elle s'endormit comme cela, mais se réveilla sur le côté, tout contre lui, au milieu de la nuit. Son érection au creux de ses reins éveilla ses craintes. Elle allait se lever pour se coucher dans le salon quand il se mit à lui ronfler dans l'oreille. Elle se trouva un peu ridicule et se rendormit bien vite. À son réveil le lendemain matin, l'homme se trouvait déjà à son bureau.

Toute la journée du mardi, il s'affaira à préparer son cours. Elle passa au travers de ses photos, rêva de voyages, lut un peu. Ni l'un ni l'autre n'aborda la question de leurs frayeurs respectives. À l'heure de se coucher, personne n'évoqua la causeuse. Au lieu de prendre place au bord du lit, elle s'étendit sur le côté et se trouva naturellement contre lui. De nouveau elle sentit l'érection contre ses reins, l'impression de chaleur se communiqua à son ventre. Elle fut presque fâchée quand il s'endormit. Il avait posé un bras sur elle. Elle se sentait bien. Au milieu de la nuit, elle le secoua pour le réveiller. Il avait l'air ahuri quand elle lui dit :

— Je n'ai jamais fait l'amour. Veux-tu me montrer ?

Elle savait très bien ce que signifiait se faire baiser. Mais faire l'amour fut une découverte pour elle, tout comme son premier orgasme.

Chapitre 19

Ensuite, elle ne put fermer l'œil. Dès la première visite de cet homme au *Chat*, elle avait pressenti cette situation. Malgré ses efforts pour réprimer cet espoir, elle y avait pensé sans arrêt après être sortie avec lui. Au cours des semaines passées à entendre parler de ses déboires amoureux, cela lui avait semblé un espoir complètement fou. Renaud avait rêvé de filles élevées chez les riches et les puissants. Seule Germaine lui paraissait un peu familière. D'origine modeste, son compagnon l'avait simplement utilisée pour tromper son ennui. Que ferait-il d'une prostituée, le pire parti imaginable ?

Quand le jour blanchit la fenêtre, elle se leva, se rendit dans le salon. Elle était trop bouleversée pour se rendormir.

L'homme s'éveilla une heure plus tard. La place à côté était déjà froide. Renaud s'inquiéta un moment de ne pas la voir. Il la trouva debout devant la fenêtre du salon. Elle regardait la neige tomber sur le fleuve. Elle avait la tête un peu penchée en avant. Rien de plus émouvant que la nuque d'une femme, cet espace de peau douce, fragile, avec des cheveux follets. Sans faire de bruit, il s'approcha et l'embrassa là. Elle eut comme un frisson et son corps vint s'appuyer sur lui. Les deux mains sur son ventre, il la colla contre lui. Immédiatement, son érection lui réchauffa le creux des reins.

— Je… je me manifeste parfois de façon intempestive.

Elle pivota pour lui faire face.

— Serre-moi contre toi.

Elle avait des larmes sur les joues. La plus vive des peines d'amour serait le paradis, comparé à son passé. Si cela se terminait ainsi, tant pis ! Pendant la nuit, elle avait acquis la certitude qu'elle ne retournerait plus au bordel. Renaud respecterait sa promesse. L'homme dut s'arracher à son corps car il devait donner son cours ce jour-là. Il regarda le devant de son pyjama et lui dit :

— Heureusement, il semble faire froid, cela va me calmer un peu.

~

À huit heures quarante, le professeur se trouvait dans son amphithéâtre. Il s'efforça de ne pas fixer des yeux les jeunes libéraux. Cette désignation s'effaçait de son esprit, remplacée par une nouvelle : les « violeurs ». Ils semblaient tout à fait détendus. Comme d'habitude, certains d'entre eux vinrent lui dire quelques mots : Bégin, Marceau et Saint-Amant. Lafrance présentait sa mine habituelle d'étudiant stupide. Seul Henri Trudel affichait une attitude différente. Le diplômé sûr de lui et le fiancé arrogant disparaissaient derrière un masque d'inquiétude.

Renaud expliqua qu'il n'utiliserait pas le tableau noir à cause d'un petit accident l'empêchant de lever le bras et de bien écrire. À ce moment, Henri Trudel se pencha sur ses papiers. « Il sait donc », pensa le professeur. Peut-être avait-il commandé cette agression ? À tout le moins, il en avait été informé.

Avec cette pensée en tête, il donna un cours morne, se perdant souvent dans ses notes. C'était sa pire performance depuis septembre. Il récita le tout en restant assis, ne répondant que brièvement aux questions. À la fin de son exposé, il reçut les souhaits de « Bonne semaine » habituels en répondant à peine ; personne ne s'attarda autour de son bureau pour entamer une discussion.

~

Quand il remit les pieds dans son appartement, un peu après midi, il entendit des sanglots depuis la porte. Lara se tenait recroquevillée sur la causeuse, se faisant toute petite, les épaules secouées par ses pleurs. Elle avait la lèvre inférieure enflée, fendue, avec un peu de sang sur le menton. Son air d'enfant terrorisé le toucha au cœur. Il la serra contre lui pour la calmer un peu. Elle prit de grandes respirations, puis expliqua après un moment :

— Il m'a vue. Il a tenté de me ramener.

— Qui ?

— Ovide Germain.

Le réfrigérateur étant vide, elle avait décidé d'aller faire des courses. Le proxénète l'avait aperçue de son camion. Il avait tenté de la faire monter de force. Elle s'était débattue au point de lui faire abandonner la partie. Son désespoir était tel, à cet instant, qu'elle se serait fait tuer sur place plutôt que de le suivre.

— Il m'a dit qu'il me retrouverait, balbutia-t-elle dans de nouveaux sanglots. Il ne peut te toucher, toi, mais je suis sa propriété !

Renaud enregistra l'information. Les ordres du premier ministre avaient atteint ce voyou. Cependant, il avait aussi fait le lien entre lui et Lara.

— Comment se fait-il qu'il sache que c'est moi ?

— Tu es venu au *Chat* depuis septembre, toujours pour moi. Tu étais un sujet de conversation dans la maison.

— Qu'est-ce que c'est, cette histoire de propriété ?

Renaud comprit en prononçant le mot. Elle répondit en baissant les yeux :

— Je lui rapportais de l'argent…

— J'aurais dû le payer pour te laisser partir ?

Il avait bien fait cette suggestion, mais Lara l'avait repoussée. Elle expliqua entre ses pleurs :

— Il lui arrive de laisser une fille partir en lui donnant un cadeau. D'autres fois, il refuse, sans raison, méchamment. Il suit l'humeur du moment.

Si son humeur se révélait cruelle, il pouvait faire disparaître des filles. Les autres se souvenaient de ces « exemples ».

— Il faudra te cacher, conclut son compagnon. Ici, cela peut devenir très dangereux.

La terreur envahissait ses yeux. Elle désirait rester près de cet homme, même si cela voulait dire demeurer à portée de main d'Ovide Germain.

— Demain, tu iras dans un endroit discret à Montréal, continua-t-il. Je ne sais pas où, mais je vais trouver.

L'immense inquiétude dans les grands yeux verts l'amena à ajouter :

— Je m'occuperai de ma propre affaire, et de la tienne. Fais-moi confiance, je vais trouver une solution. Ces gens-là ont trop à perdre pour me refuser un service.

S'il l'exigeait, tout le service de police de Québec se mobiliserait pour empêcher ce petit criminel de nuire.

À Château-Richer, du côté des coupables, l'ambiance n'était pas meilleure que chez les victimes. Fort discrètement, Henri Trudel avait convoqué ses amis à une petite réunion. Seul Fitzpatrick manquait à l'appel, trop malade pour se déplacer. Pour la première fois depuis le meurtre, ils se retrouvaient seuls ensemble dans cette maison. Leur présence à l'Halloween ne comptait pas : les autres invités, tout comme les costumes, avaient donné à ces lieux un air étrange, différent. Aujourd'hui, malgré le fait que la maison restait impeccable depuis le grand ménage de la fin de l'été, ils replongeaient tous dans l'horreur du passé.

Henri Trudel leur confia que Renaud Daigle avait percé leur secret. La confidence fut précédée d'un long récit, celui de la visite illégale du policier Gagnon, de ses soupçons, de son internement. Autrement, le rôle du professeur serait demeuré incompréhensible. L'« accident » auquel Daigle avait fait allusion le matin même en commençant son cours prit tout son sens. Certains ricanèrent, amusés. Il termina en précisant :

— Il a écrit un message au premier ministre Descôteaux, lui donnant le lieu du crime et nos six noms.

— Au premier ministre ? Pourquoi donc ? grommela Lafrance.

Celui-là ne comprenait même pas le rôle joué par le premier ministre pour les protéger.

Aucun ne mesurait vraiment combien ils étaient passés près de se faire prendre. Tous s'étaient crus à l'abri, certains que plus rien ne pouvait survenir. Leur terreur dépassait maintenant celle de l'été précédent.

— Dommage, le salaud a survécu au coup de lame, ajouta encore Lafrance.

Comme les autres le regardaient sans comprendre, il ajouta :

— Daigle. S'il avait été tué, nos problèmes seraient réglés !

Henri s'était fait la même réflexion ; il était pourtant scandalisé de l'entendre formulée à haute voix par un autre. Son camarade laissait libre cours à sa peur et il cherchait une solution pour s'en libérer.

— Rien ne nous empêche de nous occuper de lui, ajouta-t-il, personne ne nous soupçonnerait.

— Il y a eu une morte de trop déjà, ragea Marceau. S'il arrive la même chose à Daigle, je te dénoncerai sans hésiter une seconde.

Sa voix recelait une autorité qu'ils ne lui connaissaient pas. Il ajouta encore pour être bien compris :

— Un crime, c'est déjà beaucoup trop. Il n'y en aura pas d'autre.

— Je suis aussi de cet avis, déclara Michel Bégin. Si nous avons été trop lâches pour nous livrer l'été dernier, moi, j'aurai ce courage pour empêcher un nouveau meurtre.

— De toute façon, il a prévu le coup, interrompit Henri. Il s'est arrangé pour que toute l'histoire soit rendue publique s'il lui arrivait quelque chose.

La tournure de la conversation surprenait le jeune homme. Il espérait encore que le coupable se confesserait spontanément dans un élan de générosité pour sauver les autres.

— Il n'a pas de preuve, fit encore Lafrance. Ce ne serait qu'une rumeur de plus. Autant l'arrêter tout de suite.

L'étudiant têtu ne renonçait pas à son idée : si le professeur disparaissait, il en irait de même de la menace.

— Ça ne fonctionne pas très bien dans ta tête, cria Henri Trudel. Tu ne vois pas que la meilleure preuve contre nous, ce serait justement qu'il lui arrive quelque chose ?

— Le mieux, glissa Jean-Jacques Marceau, ce serait que le meurtrier se livre à la justice.

Le silence s'appesantit sur eux. Leur ruine se profilait sous leurs yeux... à moins que l'assassin ne prenne tout le blâme et innocente les autres. L'auteur d'un homicide crapuleux commettrait-il une action tellement altruiste : se rendre à la police pour accepter toute la responsabilité ? Henri formula son rêve impossible :

— Le coupable devrait écrire une confession et disparaître ensuite.

Un silence accueillit la proposition saugrenue, puis Bégin demanda :

— Disparaître comment ?

— Partir, passer la frontière discrètement et chercher un navire en partance pour n'importe quel point éloigné du globe. À New York, par exemple.

— Cela demanderait des moyens financiers importants, dit encore Bégin.

— Tous ensemble, nous ne sommes pas démunis. Les autres l'aideraient. Nous pourrions sûrement assurer un nouveau départ à quelqu'un.

Henri Trudel avait pensé souvent à cela, les réponses lui venaient sans hésitation. L'idée ne lui paraissait pas mauvaise. Marceau gâcha en quelque sorte son plan en proposant une version simplifiée :

— Le mieux serait une confession, puis un suicide. Ce ne serait que justice. Une vie pour une vie.

— Vas-y, tonna Lafrance. C'est toi qui l'as fait monter dans l'auto. Tu es le premier responsable. Qui nous dit que tu ne l'as pas tuée aussi ?

Marceau le regarda un long moment avec des yeux mauvais.

— J'ai une grande responsabilité dans cette histoire. Mais je n'ai tué personne. Je ne me sacrifierai pas pour sauver le monstre.

— C'est peut-être Fitzpatrick, répliqua immédiatement Lafrance, un peu effrayé par la violence du ton. Il signerait peut-être une confession. Il va mourir, de toute façon. Il n'a plus rien à perdre.

Henri Trudel doutait que Fitzpatrick désire se charger de ce crime pour sauver un membre de sa famille. Il en parlerait à son père, toutefois. Ils se quittèrent finalement habités d'une méfiance les uns pour les autres qui confinait à la haine.

~

Renaud et Lara ne connurent pas leur meilleur après-midi. Il tenta de la rassurer de son mieux, mais l'éventualité de passer une période d'une durée indéterminée à Montréal, toute seule, ne la réjouissait guère. Elle devait toutefois lui faire confiance, son destin se trouvait entre ses mains.

Finalement, un peu pour lui changer les idées, il lui demanda :

— Tu ne m'as jamais dit ton nom. Comment t'appelles-tu ?

Cela réussit à ramener un demi-sourire sur ses lèvres.

— Tu ne vas pas te moquer ?

— Je ne me suis jamais moqué de toi.

— Je m'appelle... Virginie.

Il y eut une petite pause, puis elle ajouta en le regardant :

— C'est ridicule, n'est-ce pas, pour une prostituée. J'ai emprunté un nom de comédienne, risible lui aussi, mais au moins ce n'était pas le mien.

Que répondre à cela ? C'était comme de s'appeler Blanche et d'être la victime d'abus sexuel, puis finalement de viol. La vie se permettait des ironies cruelles.

— Et ton nom de famille ?

— Ce n'est pas beaucoup mieux… Sanfaçon.

Cette fois, il n'essaya même pas de retenir un grand rire. Elle eut l'air vexée un moment, avant de s'esclaffer aussi. Il passa la soirée confortablement assis avec Virginie Sanfaçon contre lui. Il s'assura qu'elle avait un compte en banque et des papiers d'identité en ordre. Elle possédait tout cela.

Le lendemain, ils récupérèrent sa voiture et firent un long arrêt devant sa succursale bancaire. En revenant, il lui remit une enveloppe épaisse. Elle y trouva quelques centaines de dollars comptant et des titres pour plus de deux mille dollars, le tout au nom de Virginie Sanfaçon. Elle lui rendit tout de suite le paquet en disant :

— Je ne veux pas d'argent.

Elle désirait son amitié, sinon plus, mais deux ans de salaire d'une secrétaire lui donnaient le vertige.

— Je ne te le donne pas. Tu me le remettras dès qu'on se reverra. Je te le confie pour un moment.

— C'est une fortune. J'ai un peu d'argent à moi.

— Tu vas m'écouter attentivement. Je ne pense pas courir grand risque, maintenant, mais on ne sait jamais. Toi, tu es en danger à Québec. En te confiant cette somme, au moins je ne m'inquiéterai pas pour toi. Je vais avoir l'esprit tranquille. De ton côté, tu pourras faire face à tous les imprévus.

Elle demeura songeuse, murmura après un moment :

— Ce n'est pas une façon de te débarrasser de moi ?

— Il y aurait une façon très simple de me débarrasser de toi.

Il lui suffisait de la déposer devant la porte du *Chat*. Elle comprit.

— Je ne veux pas m'en faire pour toi au moment où je dois chercher un moyen de me sortir de cette histoire.

— Je vais te revoir ?

— Tu vas me revoir. Il ne m'arrivera rien.

Elle n'était qu'à demi convaincue. En même temps, elle savait devoir apprendre à se débrouiller seule. Ils n'avaient jamais évoqué ensemble un avenir commun. Elle ne pouvait tout de même pas espérer…

L'homme se mit en route vers Trois-Rivières après lui avoir remis l'argent, qu'elle rangea finalement dans son sac quand ils furent rendus à Donnacona. La mettre dans le train à Québec lui paraissait imprudent. Tant Ovide Germain que Daniel Ryan pouvaient avoir des informateurs à la gare. La discrétion lui faisait préférer quatre ou cinq heures de route, emmitouflé dans de nombreuses couches de vêtements car il faisait un froid sibérien dans le véhicule. Il ne remarqua même pas le camion Ford derrière lui. Pourtant ce véhicule l'avait déjà suivi jusqu'à la banque.

Les conditions routières étaient si difficiles qu'aucun autre véhicule à moteur ne semblait circuler sur la route ce jour-là. Seuls des traîneaux vinrent le ralentir plusieurs fois. Son inattention témoignait de son trouble.

Ils arrivèrent à Trois-Rivières vers quatre heures, juste à temps pour le train. Cela présentait au moins deux avantages. D'abord, les adieux seraient brefs. Ensuite, Renaud s'assurerait que personne ne monte derrière elle. À Montréal, elle irait dans un petit hôtel dont la publicité disait qu'il convenait parfaitement aux femmes voyageant seules.

Quand Renaud sortit de la gare, Ovide Germain venait juste de repérer son auto devant l'édifice. Le truand avait eu du mal à le suivre dans la ville. Il hésita un moment sur la stratégie à adopter. Il ne pouvait espérer aller aussi vite que le train, compte tenu de l'état des routes, pour cueillir sa victime à destination. Puis, elle pouvait tout autant vouloir se perdre dans une grande ville comme Montréal que s'arrêter dans un village. La meilleure façon de procéder était d'obtenir de Renaud Daigle qu'il l'informe du lieu de sa cachette.

Pourquoi cette petite putain s'incrustait-elle dans la vie de ce bourgeois ? Lui l'avait trouvée froide, prétentieuse, étrange. Puis la salope le regardait de haut, se croyait meilleure que lui, incapable malgré sa terreur de dissimuler son mépris. Le voyou lui enseignerait le respect. Comme la plupart des autres trouvaient Lara attachante, y compris Berthe, ce ne serait pas un mauvais calcul de lui régler son compte. La leçon porterait. Il serait tranquille avec son écurie pour au moins deux ou trois ans. Il avait commencé à terroriser les jeunes filles chez son père, celles que ce dernier avait adoptées. Il le faisait maintenant avec suffisamment de talent pour en faire un gagne-pain.

Ovide Germain rageait contre le chef Ryan. Le policier lui avait ordonné de ne plus approcher Renaud Daigle. Ce revirement de situation lui paraissait incompréhensible. Dans un premier temps, il l'avait emmené avec lui fouiller l'appartement, puis son petit coup de rasoir avait horrifié le fonctionnaire. Ce dernier se montrait audacieux une journée, tout peureux le lendemain.

— Si Daigle se trouve sur mon chemin pour une affaire de prostitution, grommela le truand, cela ne regarde plus ce gros cochon.

Debout sur le trottoir devant la gare, Renaud contempla le ciel un moment. Il ne serait pas à Québec avant le milieu de la soirée, les restaurants n'abondaient pas le long de la route. Il décida de manger avant de repartir. Quelques magasins et des restaurants s'alignaient dans la rue des Forges. Seul à une table, il parcourut les pages de l'ennuyeux *Nouvelliste*, le quotidien de la ville. Son repas, ou l'odeur d'œufs pourris répandue par les usines de papier, le laissèrent un peu nauséeux. Il reprit la route vers six heures trente, après avoir un peu erré dans les rues.

Une fois hors de Cap-de-la-Madeleine, le voyageur se trouva en pleine campagne, sur une route déserte. Depuis le coucher du soleil, le froid avait durci encore plus la couche de neige glacée. L'homme devait rouler lentement, se fier à la lumière de ses phares pour contourner une ornière trop profonde ou un amoncellement de neige. Heureusement, sa voiture était haute sur ses roues, suffisamment pour éviter que le fond du véhicule ne heurte la surface gelée quand Renaud glissait dans une ornière laissée par les lisses des traîneaux. Son auto passait dans ces creux et ces bosses sans souffrir. Le fleuve Saint-Laurent se trouvait sur sa droite et des fermes sur sa gauche, jusqu'au village de Champlain.

La route s'éloignait ensuite du fleuve, les maisons se faisaient plus rares. À cet endroit, un petit camion choisit de le dépasser. Renaud se tassa volontiers pour favoriser la manœuvre : il était un peu las d'être aveuglé par les phares éclairant son rétroviseur.

Avant d'arriver à Sainte-Anne-de-la-Pérade, un bout de chemin sombre et désert était coupé par un cours d'eau encaissé. Le pont se révéla terriblement étroit. Le camion s'immobilisa juste de l'autre côté, de façon à bloquer complètement le passage.

— Un problème mécanique, je suppose, murmura Renaud.

Le conducteur du camion descendit pour se diriger vers la Chevrolet, un objet dans la main droite. L'avocat ne se méfia pas du tout d'abord. Quand il reconnut l'homme au rasoir, il chercha son arme dans la poche de son manteau. Trop tard : Ovide Germain pointait un gros revolver vers son visage. La victime pensa bien un moment engager la marche arrière et fuir en reculant. Il ne le fit pas : une balle lui arracherait la moitié de la tête avant qu'il n'ait fait deux mètres.

— Descends ! cria l'homme en faisant un mouvement avec son arme.

Renaud choisit d'obtempérer. Il aurait une petite chance de bouger, de fuir peut-être, plutôt que de se faire exécuter assis dans son automobile. Si cela se terminait mal, il se consola en pensant au plaisir de Thomas Lavigerie quand il recevrait une copie de son petit rapport. Ce serait à lui d'essayer de faire quelque chose. Aussi, ce fut avec une extrême surprise qu'il entendit Ovide Germain lui demander :

— Où se trouve la putain ?

Pendant un moment, il ne comprit même pas de qui il parlait. L'autre dut répéter :

— Lara ? Où se trouve-t-elle ? Tu vas me le dire, ou je te crève !

Finalement, ce dénouement n'aurait rien à voir avec Blanche Girard ?

— Va au diable, trou du cul !

Les mots lui firent du bien. Il les regretta un peu quand l'autre lui abattit son arme en plein milieu du front. La douleur lui fit lever les deux mains pour se protéger le visage, il présenta son dos à son agresseur. Les coups s'abattirent sur sa nuque. Ses genoux plièrent un peu sous lui alors qu'il s'accrochait au garde-fou du pont.

— Tu vas me dire où elle se trouve, oui ou non !

Renaud ne révélerait jamais à ce fou l'endroit vers où se dirigeait Virginie. Celui-ci porta un troisième coup, sur l'une de ses épaules.

— Je t'emmerde !

Son agresseur changea de stratégie. Il lui passa une main entre les jambes pour le soulever. Renaud comprit tout de suite qu'il comptait le jeter en bas du pont. Il s'accrocha à la rambarde de fonte, mais les coups reçus, tout comme sa récente blessure à la poitrine, réduisaient considérablement ses forces. Ovide Germain lui avait soulevé les deux pieds de terre. Il ricana :

— Tu es amoureux de la putain, ma parole !

Renaud se dit que cela se pouvait bien.

— Pourtant, ce n'est pas une affaire au lit. Je le sais, j'y ai été avant toi. Elle ne vaut pas la peine de crever. Tu me dis où elle est, ou tu plonges.

— Sac de merde ! Tu sens, d'ailleurs.

Ce n'était pas la bonne réponse. Germain lança une volée de jurons et fit passer la majeure partie du poids de son adversaire de l'autre côté du garde-fou. Sa victime se cramponna. Il sentit un liquide chaud mouiller sa poitrine : le sang coulait de sa coupure. Il n'arriva pas à se retenir, son poids passa complètement par-dessus la rampe. En s'agrippant, il put seulement éviter de tomber tête première. Son corps demeura à l'horizontale. La sensation de chute arracha un grand cri de sa poitrine, qui s'éteignit dans un « arghh ! » étouffé.

Le cours d'eau se trouvait à seulement quatre mètres du tablier du pont. Son menton contre sa poitrine, la tête de l'homme ne heurta pas la surface. Cependant, des épaules aux pieds, son corps s'affaissa lourdement. La glace s'enfonça un peu sous lui, de trois ou quatre centimètres, dans un grand craquement. De longues lignes coururent en étoile autour de lui et l'eau noire envahit la surface glacée. Le liquide monta de quelques centimètres tout autour de son corps, l'obligeant à reprendre ses esprits très rapidement. Il dut faire un immense effort de volonté pour retrouver son souffle.

En se fracturant sous lui en de grandes plaques et en s'affaissant un peu, la glace avait amorti sa chute. Renaud voyait très bien le haut du corps d'Ovide Germain au-dessus de lui, penché sur le garde-fou, une silhouette éclairée par la lune. Il l'entendit même lâcher un « Christ » déçu. Il distingua surtout la main tenant le revolver se découper contre le ciel.

L'homme réussit à rouler sur lui-même, sous le tablier du pont. La première balle souleva un peu d'eau et de glace en frappant à sa gauche. Il y eut trois autres détonations rapides. Il tourna sur lui-même jusqu'à être hors de portée, sous le tablier du pont. Ovide Germain devrait descendre sur la rive pour l'abattre. Le voyou jurait en s'engageant sur le côté gauche du pont.

Renaud se releva difficilement, récupéra enfin le pistolet dans sa poche en espérant que la chute ne l'ait pas mis hors d'usage, et il se dirigea vers la droite. La glace craquait en s'enfonçant sous ses pieds d'un ou deux centimètres. L'eau envahissait la surface terriblement glissante. Surtout, il offrait une cible parfaite, une déchirure dans les nuages le laissant visible sous la lune. Germain avait encore deux balles dans son revolver. Assez pour le tuer deux fois.

L'avocat fit passer une cartouche dans le canon de son Luger et se tourna vers son assaillant. Celui-ci se trouvait au milieu de la pente raide conduisant au cours d'eau. Il descendait lentement, de peur de perdre l'équilibre et de rouler jusqu'en bas. Renaud leva son arme et tira sur la gauche d'Ovide Germain, assez haut pour faire siffler la balle près de ses oreilles. L'autre fit feu sans viser, un réflexe dû à la peur. À ce jeu, il n'avait aucune chance contre un vétéran habitué à marcher vers les mitrailleuses allemandes. Renaud tira encore deux fois à gauche du truand, au sol, soulevant une poussière de neige.

— Va au milieu du cours d'eau, ou je te descends.

À mi-chemin de cette pente, il voyait mal sa silhouette.

À ce moment, les deux pieds de Germain glissèrent en même temps. Il tomba lourdement sur le sol, ce qui fit tonner son arme encore une fois. Le voyou roula ensuite jusqu'à la surface glacée en jurant. Il se releva avec difficulté, marcha vers le centre de la glace. Dans un craquement, il se retrouva dans l'eau jusqu'à la ceinture. Se débattant avec l'énergie du désespoir, il n'arriva pas à se tirer de l'élément glacé. Renaud ramassa machinalement les trois douilles éjectées par son Luger avant de marcher avec précaution vers Ovide Germain. Celui-ci avait percé la glace exactement là où celle-ci s'était fracturée au moment de la chute de sa victime depuis le pont.

Son agresseur se trouvait dans un trou de moins de deux mètres de diamètre. Il s'accrochait à des morceaux de glace trop petits pour supporter son poids. Ils se retournaient plutôt et il retombait à l'eau. À mesure que ses vêtements s'alourdissaient, il se sentait irrémédiablement entraîné vers le fond.

— Aide-moi ! cria-t-il, pris de panique. Je vais me noyer !

Renaud s'approcha tout près. Il ne craignait pas trop une rupture de la grande surface de glace sur laquelle il se trouvait. La ligne de fracture demeurait bien visible, comme une frontière entre la sécurité, où il se trouvait, et la mort. Germain avait réussi à se rendre jusque-là. Il avait les deux bras sur la surface solide, sans avoir la force de se hisser. Son corps s'inclinait, le courant allait bientôt le faire passer sous la glace.

— Aide-moi !

Sa voix devenait larmoyante. Renaud remit la sécurité sur son Luger et se mit à quatre pattes pour s'avancer au bord de la grande plaque. Il tendit le canon du pistolet à Germain, lequel s'y accrocha à deux mains.

— Tu sais comment s'appelle la fille que tu cherches ?

L'autre essayait de se sortir de l'eau en tirant sur le canon de l'arme. Il fixait de grands yeux incrédules sur l'avocat.

— Je te demande son nom. Vite, tu ne tiendras pas bien longtemps.

— Lara. Elle s'appelle Lara. Tire-moi de là.

La panique se lisait sur son visage.

— Non, non. Son vrai nom. Tu te rappelles de son vrai nom ?

— Non. Aide-moi à sortir, par pitié.

Il pleurait, maintenant.

— Virginie. Virginie Sanfaçon. Je te souhaite bonsoir au nom de Virginie. Elle va oublier ton nom très vite, elle aussi. Adieu au nom de Blanche, aussi. Tu n'as pas été très gentil avec elle. J'espère qu'il y a un enfer, juste pour toi.

Renaud lâcha la crosse du Luger. L'autre arrondit les yeux, ouvrit la bouche toute grande pour crier, mais aucun son ne sortit. Son corps s'inclina de plus en plus. L'eau caressa bientôt sa nuque, le sommet de son crâne. Ses deux bras décrochèrent. L'avocat, toujours à quatre pattes sur la glace couverte d'une pellicule liquide, le vit passer entre ses deux mains, entre ses jambes. Le truand avait l'air très surpris. Il se cramponnait toujours au canon du pistolet.

L'avocat jeta dans l'eau les trois douilles récupérées. Il ne vit nulle part l'arme de Germain. Elle devait être tombée dans la rivière. Il gagna la rive à quatre pattes. Inutile de tenter le sort plus longtemps. Il explora la pente abrupte, toujours pour trouver le revolver, sans succès, mais il découvrit le chapeau de Germain, un borsalino noir. L'homme le mit sur sa tête le temps de remonter jusque sur le pont, puis le jeta dans la cabine du camion Ford.

Aucun véhicule n'était passé pendant leur affrontement. Rien pour l'étonner, à cette heure et en cette saison. Le moteur du camion tournait toujours. Il embraya en première, appuya sur l'accélérateur et braqua les roues vers la droite dès que le pont fut bien dégagé. Les roues mordirent la neige juste assez pour envoyer le véhicule dans le fossé. Il éteignit les phares puis regagna son automobile. Trempé jusqu'aux os, sa poitrine lui faisait terriblement mal. La pneumonie devenait une menace, car sa merveilleuse petite décapotable, même avec la capote bien fixée, se révélait beaucoup plus froide que son réfrigérateur. Pourtant il continua jusqu'à Québec, au-delà des rivières la Pérade et Donnacona, traversant plusieurs villages. À son arrivée dans la ville, une neige lourde et humide tombait du ciel. L'homme stationna sa voiture dans son garage de location, puis alla s'étendre dans un bain brûlant.

Les yeux clos, enfin réchauffé, il réfléchit longuement. Aucun remords ne l'effleurait quant au sort d'Ovide Germain. Le sauver aurait été si facile. D'un autre côté, l'air de Québec devenait plus sain, tout d'un coup. Surtout, pourquoi avait-il été prêt à se faire tuer pour protéger Virginie ? Ce dévouement l'étonnait lui-même.

Au cours des semaines à venir, personne, pas même ses frères, ne s'inquiéterait de ne pas voir le proxénète revenir. La découverte de son camion ferait penser à un règlement de compte. Ce petit criminel trempait dans un si grand nombre d'affaires dangereuses… En mai, quand un corps atterrirait près de Rivière-du-Loup, personne ne penserait à lui.

Lafrance,

Je sais que c'est toi. Il faut que nous nous parlions en privé.

Marceau

La lettre avait été déposée chez les Lafrance dans l'après-midi du vendredi.

Marceau l'avait vu près du puits, en train de se laver, cette nuit-là. Au moment de retourner seul dans la grotte, vers trois heures du matin, Lafrance avait pris la précaution d'y laisser tous ses vêtements. La fraîcheur de la nuit sur sa peau nue l'avait excité. Le garçon n'avait pas l'intention de la tuer. Il désirait juste s'amuser un peu. Elle était là, à sa disposition. Les choses s'étaient produites toutes seules, comme dans une étrange ivresse. Le déroulement exact des événements se dérobait à sa mémoire.

Le lendemain, Romuald Lafrance avait été aussi surpris que les autres à la vue de la mare de sang, de la bouteille enfoncée dans le sexe. Il se souvenait pourtant très bien des longues minutes passées à faire disparaître toute trace rouge de son corps. Marceau était alors appuyé à un mur de la maison, pour le regarder. Cette présence ne l'avait pas vraiment inquiété, à ce moment. Il s'était simplement dit :

« Le pédé se rince l'œil. »

Les jours suivants, aucun remords ne l'avait assailli. Les curés racontaient de telles sottises ! Toutefois, la peur de se faire prendre le tenaillait. Des nuits complètes, il imaginait la corde autour de son cou. Selon ses lectures, ou les récits d'avocats familiers avec les exécutions, on ne souffrait habituellement pas. Un craquement sec des vertèbres, c'était tout. Parfois, le bourreau faisait mal son travail. Alors, le condamné s'étranglait lentement au bout de la corde. Cela pouvait prendre plus de cinq minutes, parfois dix. Lafrance se voyait avec délice devenir le bourreau de la province. L'idée de participer à la représentation en assumant l'autre rôle ne lui plaisait pas du tout. La peur oui, il connaissait ; les remords, non.

Parfois, il regardait les souliers et les bas de Blanche, conservés dans sa chambre. Les mettre sous une vieille couverture dans le coffre de l'auto de Fitzpatrick avait été facile. Il avait eu beaucoup plus de mal à les récupérer discrètement.

Marceau ravivait toutes ses peurs. N'avait-il pas évoqué le suicide du coupable, après des aveux ? Cette pédale pouvait en rêver. Tous pouvaient en rêver ! Il profita d'un moment de solitude pour téléphoner à Marceau, à la fin de l'après-midi. Il échangea des banalités avec la mère de son camarade – elle le trouvait charmant – avant de parler à son fils.

— Qu'est-ce que c'est que cette lettre stupide que tu viens de m'envoyer ?

— Je t'ai vu cette nuit-là. Quand tu es retourné te coucher, je suis allé dans le caveau voir ton beau travail.

C'était vrai, Lafrance n'en douta pas. Son ton était un peu plus poli au moment de demander :

— Que veux-tu ?

— Te parler de tout cela. Pas au téléphone. Face à face.

— Il n'y a rien à discuter.

— Je suis certain que tu préféreras discuter avec moi. L'autre possibilité, c'est la police.

Cette fois aussi, Lafrance comprit le sérieux de la menace.

— D'accord. Mais ça ne changera rien. Où ça ?

— Tu peux me prendre devant chez moi demain, en fin d'après-midi ?

— Oui. À quatre heures.

Seul avec Marceau : Lafrance voyait là une possibilité. Pourquoi ne pas rédiger une confession où Marceau expliquerait tout ? Cette enveloppe jetée dans la boîte postale de la maison pouvait très bien avoir contenu une confession. Aux yeux des policiers, l'homosexuel ferait un coupable très présentable. Son suicide constituerait un aveu supplémentaire. Arriverait-il à placer ses souliers et ses bas dans la chambre de Marceau ? Sans doute.

Le garçon voyait venir la fin de ses angoisses.

Jean-Jacques Marceau gardait un souvenir toujours ensoleillé de ses premières années, avant le collège, à l'époque où il avait un père. Toute la journée de ce samedi, en attendant l'heure du rendez-vous avec Lafrance, il se remémora ces moments. Quand il entendit la Coach Overland de ce dernier s'arrêter devant chez lui, il sortit tout de suite sans faire de bruit, désireux de ne pas attirer l'attention de sa mère. La première salutation de Lafrance fut :

— Où va-t-on ?

Si le scénario des événements à venir lui paraissait encore brumeux, un endroit discret lui semblait nécessaire.

— Près du fleuve, peut-être ?

— Oh ! Presque un rendez-vous galant, alors ?

La circulation dans les rues de Québec devenait de plus en plus facile. Quelques beaux jours, ces dernières semaines, avaient fait disparaître la neige dans les principales artères de la ville. La prudence demeurait de mise, car le pavé restait couvert de glace en certains endroits. Machinalement, Lafrance alla rejoindre le chemin Sainte-Foy, le suivit jusqu'à la rue Saint-Jean. Il se dirigea vers la Basse-Ville pour atteindre le bassin Louise. Pendant la majeure partie du trajet, tous deux gardèrent le silence. Près du quai, Marceau demanda :

— Tu te souviens de la conversation, à la grotte? Tu es prêt à écrire une lettre et à disparaître au loin?

— Quelle idée stupide, irréalisable. Dans sa belle maison de Château-Richer, Henri s'imagine colon sur un lot en Abitibi. Je n'irai jamais me perdre au fond des bois.

— Pourtant, avec plusieurs milliers de dollars, il serait facile pour toi d'aller dans un autre pays. L'Australie, par exemple. Je n'ai pas beaucoup d'argent, mais je suis prêt à te donner ce que j'ai reçu de mon père à ma majorité.

Cet argent n'existait plus. Les frais de scolarité à l'Université Laval avaient réduit à néant ce petit magot.

— Pourquoi tu ne le fais pas, toi? Tu as fait monter cette fille dans l'auto. Au fond, tout est de ta faute. Sans toi, nous nous serions soûlés bien gentiment à Château-Richer, ce soir-là.

— J'ai une part de responsabilité, je suis même prêt à partir avec toi.

— Tu me demandes en mariage, ou quoi?

Marceau ne réagit pas. Ces moqueries, il les trouvait tellement absurdes maintenant. Lafrance reprit après un silence:

— Pars, toi. Écris une confession et va au bout du monde.

— Je ne laisserai pas un meurtrier derrière moi. Mais je suis prêt à t'accompagner. À l'autre bout du monde, ou dans l'autre monde.

— Qu'est-ce que tu racontes?

— L'idée du suicide, tu ne te rappelles pas?

Lafrance secoua la tête, émit un ricanement mauvais.

— Je n'ai pas envie de mourir. Ne te gêne pas, cependant.

— La vie ne sera pas très drôle pour l'assassin, quand cela va se savoir. Dans les prisons, on s'occupe des meurtriers de femmes ou d'enfants. Puis, ce sera la corde. Pour faire oublier que le coupable est le fils de l'un de ses organisateurs politiques, Descôteaux va sans doute plaider lui-même pour l'accusation. Comme ça, les gens vont lui pardonner. Il plaidait très bien, dans le temps.

Lafrance passa un doigt entre le col de sa chemise et son cou. Jusqu'à dix minutes, lui avait-on dit, à giguer au bout de la corde.

À cette heure, un samedi, les environs du bassin Louise étaient déserts. Il enleva le frein de la voiture, roula jusqu'au bord du quai. Il laissa le moteur tourner pour avoir un peu de chaleur. Quelques mètres plus bas, l'eau sombre s'encombrait encore d'énormes blocs de glace.

— Personne ne connaît les détails de cette affaire, dit-il. Les policiers ne peuvent rien contre moi.

— Je connais toute l'histoire.

— Tu me dénoncerais ?

— Sans hésiter. Déjà, tu évoques le meurtre d'autres personnes, comme Daigle. Ma bonne action, pour compenser mon rôle dans cette triste histoire, sera de t'empêcher de tuer une autre personne.

Lafrance pensa sauter au cou de Marceau pour l'étrangler tout de suite. Il pourrait ensuite lui mettre une corde et l'accrocher à un arbre. Une confession écrite à la machine suffirait à donner le change. Mais son compagnon ne se laisserait pas faire.

— Quel est ton plan ? Tu as tout réglé dans ta petite cervelle, j'en suis sûr.

— J'ai laissé une confession à la maison, mentit Marceau. Tous les détails, avec nos noms en bas. Nous sommes les deux coupables. Moi, pour l'avoir fait monter dans l'auto, toi, pour l'avoir tuée. J'innocente les autres dans ce texte.

— C'est la partie la plus sympathique de ton plan, je suppose. Ensuite ?

— On se suicide tous les deux. J'ai un pistolet.

Le sang se retira du visage de Lafrance. Son compagnon sortit une arme de sa poche pour la lui montrer.

— C'est un .22.

L'homosexuel semblait hypnotisé par cet objet.

— Le mieux est de se tirer dans la bouche.

Il arma le pistolet en disant :

— Tu feras la même chose à ton tour.

Il ouvrit la bouche, appuya le canon sur son palais. Son compagnon regardait, fasciné. Il réfléchissait déjà à la façon d'entrer dans la chambre de son camarade pour voler la fameuse confession et la remplacer par celle qu'il rédigerait, avec un seul nom à la fin.

Marceau retira le pistolet de sa bouche en disant :

— Tu vas me laisser crever tout seul, je parie. Tu le fais le premier, moi ensuite.

Il lui tendit le pistolet en le tenant par le canon. L'autre le prit, interloqué, puis il éclata d'un grand rire en pointant l'arme sur la tempe du passager de l'automobile. On se suicidait aussi de cette façon.

— Non seulement tu es stupide, souffla-t-il, mais tout le monde va se souvenir de toi comme d'un violeur et d'un tueur.

Lafrance appuya sur la détente. Clic. Il refit le geste de mettre une cartouche dans le canon et tira de nouveau. Clic. Marceau éclata de rire.

— Je savais que tu ferais cela ! réussit-il à articuler. Aux Olympiades de 1928, présente-toi pour la médaille de la stupidité. Elle est pour toi.

L'autre se précipita, chercha à prendre son camarade à la gorge, sans succès. Marceau réussit assez facilement à lui immobiliser les deux bras. Tous deux devaient se tourner à demi pour lutter. Chanceux, ses mouvements moins limités par le volant, le passager put porter un coup à la tête du conducteur, assez fort pour l'étourdir, avant de frapper encore de nombreuses fois. En se pressant tout contre Lafrance, il put avoir accès à la pédale d'embrayage, passa en première, leva le pied. La Coach Overland avança lentement vers le vide.

Son adversaire prit conscience du danger. Sur le plancher de la voiture, leurs pieds se livraient à un curieux duel. L'un essayait de rejoindre la pédale de frein, l'autre essayait de l'en empêcher tout en cherchant l'accélérateur. Il l'effleura, la voiture fit un bond en avant.

L'auto heurta l'eau dans un grand plouf, le pare-chocs en premier, défonçant la glace. Les deux passagers furent projetés vers l'avant, donnèrent rudement dans le pare-brise. Marceau réussit à empêcher Lafrance d'ouvrir la portière pour sortir. L'eau entrait rapidement dans le véhicule. Elle était si froide qu'ils sentirent comme une main serrer leurs cœurs. « Finalement, ce n'est pas une mauvaise façon de s'en aller », songea l'homosexuel. Ses dernières pensées le ramenèrent encore aux premières années de sa vie, avant que la honte et les remords ne deviennent ses compagnons habituels. Puis, le vide.

Chapitre 20

Un mouchoir dans la main, car son long trajet dans des vêtements trempés l'avait laissé enrhumé, Renaud alla chercher les journaux et son courrier, lundi matin. Il laissa les quelques lettres de côté en apercevant les visages de deux de ses étudiants en première page du *Soleil*. Les photos de Marceau et Lafrance se trouvaient sous le titre *Un drame affreux*. Il parcourut rapidement l'article.

Samedi dernier, deux familles avantageusement connues de cette ville ont eu la douleur de perdre chacune un enfant. En effet, l'inquiétude la plus vive a touché le cœur des Marceau et des Lafrance quand Jean-Jacques et Romuald ne se sont pas présentés au repas du soir. Madame veuve Jules Marceau a contacté la police pour faire part de son inquiétude à la tombée de la nuit.

Le lendemain, les policiers ont découvert les corps des deux jeunes hommes. On ne saura jamais comment leur auto s'est retrouvée dans le bassin Louise. D'après le médecin légiste, tous deux sont décédés d'un arrêt cardiaque en touchant l'eau, très froide en cette saison.

La mort fauche deux étudiants de la faculté de droit, talentueux, appréciés par leurs professeurs et promis à un brillant avenir, nous a assuré le recteur, Mgr Neuville…

— Heureusement, aucun journaliste ne m'a demandé mon avis sur Lafrance, songea Renaud au souvenir de ce parfait imbécile.

Il se sentait néanmoins envahi de pitié pour Marceau, même si le rôle de celui-ci dans l'affaire Blanche Girard – rôle qu'il pouvait au mieux deviner – l'avait fait passer dans son esprit de la catégorie des victimes à celle des bourreaux. Ces deux décès le laissaient songeur. Un accident de ce genre paraissait tellement improbable.

Quand l'avocat eut parcouru les journaux, il passa à son courrier.

— Jésus-Christ! fit-il en saisissant l'une des enveloppes trouvées dans son casier.

Elle venait de Jean-Jacques Marceau, comme en témoignait l'adresse de retour. C'était comme recevoir un message d'outre-tombe. Il hésita un moment avant de se résoudre à l'ouvrir. Deux pages d'une écriture appliquée s'offrirent à lui, la communication d'un individu arrivé au terme de son existence. La missive était datée du vendredi précédent, la veille du mystérieux «accident». Renaud sut à quoi s'en tenir à ce sujet dès les premières lignes:

Monsieur Daigle,

Quand vous recevrez cette lettre, je serai décédé, avec le meurtrier de Blanche Girard. Je ne sais pas encore comment cela se réalisera: il me reste environ une quinzaine d'heures pour trouver. Cela devra avoir l'air d'un accident, afin d'épargner à nos deux familles la honte et toutes les difficultés liées à un suicide ou à un meurtre.

Qu'avez-vous deviné, au regard de la mort de Blanche Girard? J'aimerais bien entendre vos hypothèses… Je connaissais cette femme, puisque je fréquentais assidûment la chorale. Ce jour-là, je l'ai fait monter avec nous. Je suis donc à l'origine de ce qui s'est passé, peut-être le plus grand responsable. Pourtant, je voulais simplement signifier à mes camarades que je connaissais des femmes, montrer patte blanche, donner le change… Les choses ont dégénéré si vite. Je ne comprends pas comment, l'ivresse n'explique rien.

Aucun d'entre nous n'aurait fait cela seul, ou dans des circonstances différentes. Cela ressemblait à la fièvre, une frénésie soudaine. L'un faisait un geste, l'autre se sentait obligé d'aller plus loin. Même moi, j'ai finalement participé. Vous vous rendez compte? Je ne veux pas diminuer notre responsabilité. Toutefois, nous étions dans un état étrange. Comme si chacun devait participer à un rite de passage pour accéder à une mystérieuse communauté. Curieusement, cela me fait penser à un sacrifice humain.

Ce dont nous sommes collectivement responsables, Bégin, Lafrance, Fitzpatrick, Saint-Amant et moi, c'est du viol. Romuald Lafrance est le seul meurtrier. Il s'est relevé pendant la nuit, pour retourner dans le caveau à légumes et lui faire… Vous savez comment elle est morte. À son retour, j'ai vu ce salaud laver le sang sur son propre corps. Je me suis rendu seul dans le caveau ensuite. Blanche râlait. Je l'ai vue mourir.

Nous sommes tous coupables du viol, sauf Henri Trudel. Il dormait, assommé d'opium. Sa seule implication a été de disposer du corps avec l'aide de Michel Bégin. Nous étions tellement terrorisés ! Lui-même ne devait pas être dans un état normal : il l'a emmené au parc Victoria. C'était vraiment dangereux de faire cela, je me demande si au fond il ne désirait pas se faire prendre. Déposer le corps dans un endroit public !

Que ferez-vous ? À vos yeux, tous les criminels doivent se retrouver devant un tribunal. Dans ce cas-ci, laissez tomber, justice a été faite. Fitzpatrick va mourir. Lafrance et moi aussi. La culpabilité et la peur des trois autres me semblent une punition suffisante. Imaginez nos familles, si cela est rendu public. Mais vous demeurerez le seul juge, maintenant. Je suis heureux de ne pas avoir à prendre cette décision. Je vous laisse.

Amitiés et merci d'avoir écouté, et lu, mes états d'âme.

Jean-Jacques Marceau

C'était donc cela, toute cette affaire. Des jeunes avaient enchaîné une action après l'autre, aucun ne voulant arrêter le jeu. Cela lui faisait penser à une bande d'adolescents se mettant au défi, pour savoir qui allait grimper le plus haut, plonger du point le plus élevé, être le dernier à s'enlever des rails à l'arrivée d'un train. Des jeux de garçons, comme de savoir qui pissait le plus loin ou avait le sexe le plus long. Avec l'alcool, on allait juste un peu plus loin, on prenait des risques plus grands. Des jeux de ce genre se terminaient parfois par un drame. Renaud comprenait bien ce scénario. Le courage, à la guerre, s'alimentait à la même logique : ne pas reculer pour éviter de subir la réprobation des autres. Cette fois, au lieu de détruire des ennemis se livrant au même exercice, il y avait eu une victime innocente.

Cette lettre d'outre-tombe donnait au meurtre une allure à la fois banale et atroce. Un accident, en quelque sorte, prétendait Marceau. Un concours de circonstances bien étrange, un niveau d'excitation frénétique, la conjugaison de personnalités faibles, un esprit de compétition pervers : tout cela s'était mêlé pour conduire au viol. Une société étriquée, engluée dans ses bondieuseries, servait de toile de fond. Parmi eux, le seul faisant figure de chef au sein de ce petit groupe dormait. Celui-là aurait pu les arrêter sans craindre pour son prestige.

Renaud passa tout le reste de la journée à s'interroger sur la suite des choses. Tout cynisme mis à part, où se trouvait la justice dans cette affaire ? On en était à trois morts, quatre, si on établissait un lien entre le sort de William Fitzpatrick et ces événements. Une punition divine, le Dieu vengeur armé du glaive de la syphilis ! Cinq, si l'on considérait le sort de Gagnon, condamné à pourrir dans un asile. La justice exigeait-elle de gâcher d'autres vies ?

Sa révolte lui inspirait le désir de voir les coupables devant un tribunal. Sinon la vie des petites vendeuses aurait pesé moins lourd que celle des fils de notables. Puis sa propre situation lui revenait en mémoire. Son passage sur le front lui valait de vivre avec un lot de cadavres, et pas tous allemands ! Surtout, où se trouvait la justice dans la mort d'Ovide Germain ? Sur le grand écran de son esprit, il revoyait son visage surpris passer sous la couche de glace.

Marceau lui abandonnait la tâche de juger. Le mandat lui pesait déjà.

De plus, il devait tenir compte de sa propre sécurité. Renaud passait sa main sur sa poitrine, caressait les bandages épais pour mesurer combien les gens mêlés à cette conspiration tenaient au silence. Ces notables avaient trop à perdre, cela en faisait des désespérés. Une urgence le tenaillait, mettre un terme définitif à l'hécatombe. Autrement, il pouvait devenir la sixième victime dans cette affaire.

En soirée, un plan alambiqué germait dans son esprit. Il sortit son équipement de photographie et prit des clichés de la lettre de Marceau, avant d'en réaliser des agrandissements presque aussi grand que l'original. Avant tout, il allait semer des copies de la confession d'outre-tombe. Ce serait sa police d'assurance.

~

Le lendemain matin, il déposait une photographie de la lettre de Marceau dans son coffret, à la banque, avec un résumé de toute l'affaire et de sa propre implication. Une autre photographie irait à Philippe-Auguste Descôteaux dans quelques jours. Il avait aussi préparé deux autres envois postaux, composés chacun d'une page de la lettre originale de même que d'une photographie et du négatif de l'autre page, avec en plus son résumé. Une fois conscientes de l'existence de ces documents, les personnes soucieuses de garder cette affaire secrète comprendraient que, pour cela, il fallait le conserver en bonne santé. Dans le cas d'un accident ou d'une disparition soudaine, toute l'histoire serait connue.

Quand il eut terminé, il se rendit au *Château Frontenac* pour téléphoner à Virginie. Mieux valait le faire d'une cabine téléphonique du grand hôtel et payer le prix de la communication au comptoir. Les appels effectués de chez lui pouvaient plus facilement être entendus, un lieu public lui procurait un certain anonymat.

Il obtint rapidement la communication, demanda la jeune femme à l'employée au bout du fil. Celle-ci vint bientôt et s'enquit d'une voix anxieuse :

— Renaud, c'est toi ?

— C'est moi. Tu aimes ton petit hôtel ?

Sa voix détendue lui fit comprendre que la situation s'était améliorée.

— Plein de vieilles dames. Elles se demandent bien ce que je fais seule, sans mes parents, dans la grande ville. Qu'est-ce qui se passe pour toi ? As-tu parlé avec... celui qui me cherchait ?

— Tu n'as plus rien à craindre.

Le ton était définitif.

— Qu'est-ce qui s'est passé ? Tout est arrangé, tu en es sûr ?

— Absolument. Le mieux est de ne plus aborder ce sujet. Surtout au téléphone.

— ... Je comprends. Je peux revenir, alors ?

Il y avait une nouvelle inquiétude dans sa voix.

— Oui. L'autre affaire me tracasse encore un peu, mais cela va se tasser bien vite. Peut-être serait-il prudent que tu restes là-bas encore quelques jours. Je te laisse décider.

— Je préfère revenir. Si cela te convient, évidemment.

La même inquiétude perçait encore dans le ton.

— Cela me convient. J'ai très hâte de te revoir.

— Aujourd'hui ?

— Un train fait le trajet en fin de journée, j'ai vérifié tout à l'heure.

— Tu seras là ?

— Sans faute, je te le promets. À tout à l'heure.

L'homme raccrocha le cornet de l'appareil, troublé au point de demeurer un instant dans la petite cabine. Entendre sa voix lui faisait mesurer combien elle lui manquait. Tout d'un coup, il se sentit terriblement seul. La vie sociale construite depuis l'été dernier s'effritait.

~

Il reprit son travail en après-midi. Les recherches sur le Labrador étaient terminées, l'année universitaire s'achevait. Le professeur entendait bien boucler son cours. Quand le téléphone sonna à l'heure du souper, il hésita un moment avant de répondre. À sa grande surprise, il entendit la voix de Helen :

— Renaud, puis-je venir te voir, tout de suite ?

— Je… bien sûr. Je t'attends.

Voilà la dernière personne qu'il attendait. Que pouvait-elle bien vouloir ? L'annonce de son mariage avait déjà été publiée dans les journaux. S'il se rappelait bien, cela devait avoir lieu en avril. Plutôt rapides, ces épousailles faisaient sans doute jaser dans les salons. La jeune femme arriva une dizaine de minutes plus tard, visiblement intimidée, sans son air frondeur habituel. Elle ne voulut pas enlever son manteau, prit place dans un fauteuil et chercha longuement ses mots. Finalement, elle risqua une question :

— Qu'est-ce que tu vas faire ?

Renaud ouvrit de grands yeux. Voulait-elle s'informer de ses états d'âme face à son mariage prochain ? Cela paraissait bien improbable.

— Que veux-tu savoir exactement ?

— Que vas-tu faire à propos du meurtre de Blanche Girard ?

Elle avait dit ces mots d'une voix timide. Une inquiétude maladive semblait s'emparer d'elle maintenant, toute dissimulation devenait impossible.

— Henri n'a aucune responsabilité là-dedans, affirma-t-elle avec précipitation. Il m'a tout expliqué. Les tueurs sont sans doute morts. Dans la voiture…

Donc, l'heureux fiancé s'était confié à sa future épouse. Avait-il vraiment tout avoué ? Un peu cruellement, Renaud lui dit :

— Il n'est tout de même pas blanc comme neige. Disposer d'un cadavre, conspirer pour que la justice ne soit pas rendue…

— Que voulais-tu qu'il fasse ? Ruiner toutes ces familles ?

— Une jeune femme a été tuée. Cela compte moins à tes yeux que le confort de la famille Trudel ?

Elle baissait les yeux, toute pâle.

— Il regrette de ne pas être allé à la police tout de suite. C'est vrai, je te jure… Ensuite, il n'a plus eu le courage. L'instinct de conservation a joué, sans doute. Je t'en prie, ne dis rien.

Jusqu'où irait-elle pour le protéger? Lui offrirait-elle de l'argent? Son corps? Elle portait l'une de ses petites robes un peu trop courtes, mais ses yeux enflés et rougis lui enlevaient beaucoup de son charme, ou lui en donnaient un autre. Elle faisait moins fillette. Toute cette histoire devait la propulser un peu brutalement dans le monde des adultes. Tout d'un coup, une bouffée de sympathie monta en lui.

— Tu l'aimes tellement? demanda-t-il plus doucement, en s'inclinant vers l'avant, comme pour se rapprocher d'elle.

— Oui. Depuis l'été dernier, quand madame Trudel m'a invitée à La Malbaie. C'était tout juste après ces événements… Il paraissait à la fois si fort et si torturé…

Elle s'arrêta, demeura coite un moment, puis précisa:

— Je suis enceinte.

Cela ne paraissait pas. Henri l'ignorait encore, mais elle avait un mois de retard, lui expliqua-t-elle. Cette gamine n'en pouvait plus de s'inquiéter. Renaud murmura:

— Je ne compte pas faire de nouvelles victimes avec cette affaire. Je veux juste avoir la paix, me mettre à l'abri des ennuis. S'il m'arrivait quelque chose, la plus petite égratignure, Henri et tous ses gentils camarades plongeraient. Tu peux lui répéter exactement ce que je viens de te dire?

Elle fit signe que oui. Comme elle n'ajoutait plus rien, il regarda sa montre et se leva:

— Je m'excuse. Je dois aller chercher quelqu'un à la gare.

Elle se laissa reconduire à la porte. Les yeux dans les siens, elle dit encore:

— Je te remercie, Renaud. Tu es généreux. Je n'ai jamais voulu te faire du mal…

— Si j'ai eu du mal, tu n'en es pas responsable. Tu répéteras bien mes paroles à Henri?

Elle l'embrassa sur la joue avec une certaine brusquerie, bredouilla un «merci» et sortit.

~

Renaud arpenta le quai de la gare pendant de longues minutes. Le train avait juste un peu de retard, mais il se prit à imaginer les pires scénarios. La locomotive s'arrêta finalement près du quai. Virginie Sanfaçon descendit, un chapeau cloche enfoncé sur la tête, un manteau un peu plus long que la mode ne le demandait sur le dos, un sac de voyage à la main. Elle le chercha des yeux, il s'empressa de la rejoindre.

La jeune femme se précipita dans ses bras avec empressement et se serra contre lui. Elle resta lovée suffisamment longtemps pour attirer des regards réprobateurs des autres passagers. L'homme la repoussa un peu.

— Tu as fait un bon voyage?

La question était banale, le ton l'était moins.

— Oui, quoique j'étais un peu inquiète.

Elle le regardait attentivement. Elle vit le bleu au milieu de son front.

— Qu'est-ce que c'est? dit-elle en touchant l'endroit où Ovide Germain lui avait donné le premier coup, avec la crosse du revolver.

— Un souvenir de celui qui te cherchait. Il n'embêtera plus personne.

Il avait dit ces mots très bas, à cause des voyageurs autour d'eux.

— Il est?...

Elle n'osait pas continuer.

— Un accident, en quelque sorte. Ne parlons plus jamais de lui.

Puis il ajouta sur un autre ton:

— Tu viens?

Auparavant, elle fouilla dans son sac, sortit l'enveloppe reçue au moment de son départ, la mit dans la poche intérieure de son paletot avant de continuer:

— J'aime mieux te rendre cela. Tout est là, ou presque. Il me manquait quelques vêtements, puis le coût de l'hôtel...

Renaud prit son sac et ils quittèrent la gare. Vingt minutes plus tard, ils se trouvaient au Morency. Elle était allée directement à sa porte, lui continua un peu plus loin dans le corridor, jusqu'à un autre appartement. Elle le rejoignit, troublée, alors qu'il entrait dans un logis identique au sien.

— J'ai loué cet endroit au nom de Virginie Sanfaçon, pour les six prochaines semaines.

Il posa le sac de voyage sur le plancher, près de l'entrée, et la conduisit jusqu'au salon en lui tendant la fameuse enveloppe dont elle ne voulait pas.

— Demain, tu iras payer le concierge. Maintenant, il faut ressusciter Virginie. Elle ne peut vivre avec un célibataire sans ruiner sa réputation. Tu ouvriras un compte bancaire dans les environs, tu te feras voir dans les rues. Tu es la fille d'un commerçant important de Rimouski, tu as fait des études chez les Ursulines. Tu viens à Québec pour les raisons que tu inventeras. Bien sûr, je te laisse un double de la clé de mon appartement. J'espère prendre tous mes repas avec toi, et passer autant de nuits que tu le voudras en ta compagnie.

En écoutant toutes ces directives, elle paraissait au bord des larmes.

— Mais dans six semaines ?

Elle ne put formuler autrement ses préoccupations.

— Je vais partir en voyage. J'aimerais que tu m'accompagnes. Si tu préfères rester ici, tu prendras mon appartement. Si tu choisis d'aller dans une ville où tu ne risques pas de croiser des anciens clients dans la rue, nous nous arrangerons.

— Tu vas partir en voyage...

Elle semblait ne rien avoir entendu d'autre.

— Et j'aimerais que tu viennes avec moi. Je ne sais pas où encore. Si tu décides de venir, il faudra demander un passeport. Mais tu es libre de faire ce qui te convient le mieux.

Elle resta pensive. Son compagnon avait absolument raison. Elle devait laisser Lara disparaître, pour redevenir

Virginie, une personne respectable, ni prostituée ni concubine. À quel titre voyagerait-elle avec lui ? Lui-même ne le savait sans doute pas encore. Les choses se clarifieraient toutes seules. Elle lui prit la main et demanda :

— Tu viens visiter ma chambre ?

— Il n'y a pas de draps, de couvertures…

— Nous devrons nous déplacer vers ton appartement pour manger et dormir, alors.

Dix jours plus tard, Renaud recevait deux télégrammes, l'un de Paris, l'autre de Londres. Il attendait cela pour se rendre chez Philippe-Auguste Descôteaux. Quand il lui téléphona pour avoir un rendez-vous, le politicien lui répondit de venir immédiatement.

Une demi-heure plus tard, l'avocat se trouvait à l'hôtel du Parlement, assis dans un fauteuil de cuir. Le premier ministre se trouvait de l'autre côté de son grand bureau, en train de relire la lettre de Jean-Jacques Marceau. Plus exactement, les deux grandes photographies de cette lettre. Il déclara en déposant celles-ci devant lui :

— Vous avez mis les originaux en sûreté, je suppose, avec une stratégie compliquée selon laquelle cette missive sera rendue publique s'il vous arrivait quelque chose ?

— Bien sûr. En fait, l'une des pages est à Londres, l'autre à Paris, chez des notaires, avec des photographies identiques à celles que vous avez vues et un résumé de toute cette affaire. Si je n'envoie pas de mes nouvelles régulièrement, ces hommes de loi ont des instructions précises pour communiquer le tout à des agences de presse.

— Un scénario bien dangereux. Si vous oubliez de donner de vos nouvelles ? Si vous êtes tué dans un accident ?

Le visiteur adressa un sourire ironique à son interlocuteur, avant de préciser :

— Ce sont des risques avec lesquels vous vivrez. Cela vous retiendra de me faire subir de mauvais traitements.

— Vous pouvez me faire confiance. Une entente entre *gentlemen*...

— Voulez-vous voir la cicatrice sur ma poitrine ?

Renaud amorçait le geste de déboutonner sa chemise.

— Je vous l'assure, ce fut l'initiative d'un jeune bandit. Personne ne lui a demandé de faire cela.

Descôteaux pinçait le nez, comme si l'allusion à cet événement sentait mauvais. Il continua après une pause :

— Les coupables de ce meurtre sont disparus. Que comptez-vous faire maintenant ?

— Rien. En fait, je veux avoir la paix. C'est pour cela que j'ai pris mes précautions. Je veux avoir l'assurance de retrouver mon poste à l'Université Laval dans un an. Je compte aussi voir le gouvernement recourir à mes services dans mon domaine de compétence. Entendons-nous bien : je ne veux aucun avantage particulier, je ne suis pas en train de vous faire chanter. Seulement, mon rôle dans ce drame ne doit pas devenir un prétexte pour m'écarter.

— Si vous respectez votre partie de l'entente que nous sommes à sceller, ce sera le cas, je vous l'assure. Votre travail a été très apprécié. J'ai même ici un chèque, le paiement final de vos honoraires, puisque j'ai reçu une copie de votre rapport sur le Labrador.

Le bout de papier portait un montant très exagéré, Renaud en fit la remarque.

— C'est un dédommagement pour certaines difficultés que vous avez éprouvées.

En disant cela, le premier ministre pointait sa poitrine. Il continuait :

— Vous avez bien dit un an ?

— Oui. Je vais me permettre un long voyage. L'année a été un peu difficile. Je pousserai l'audace jusqu'à vous demander d'expliquer à Mgr Neuville que je ne reprendrai pas mon cours en septembre prochain, mais que je serai là en septembre 1927.

— Je lui dirai que je vous ai envoyé en mission. Le pauvre ecclésiastique s'est posé bien des questions à votre sujet, au moment de décider s'il laissait votre contrat se renouveler. D'un côté il a apprécié votre conscience professionnelle, mais il se demande encore où vous allez à la messe.

Dans une petite ville comme Québec, le recteur avait discuté de l'un de ses professeurs avec le premier ministre !

Descôteaux fit une pause avant de demander encore :

— C'est tout ce que vous voulez de moi : l'assurance que rien ne va nuire à votre vie professionnelle et une petite intervention auprès de Mgr Neuville ?

— J'ajouterai seulement ceci : je trouverais peu rassurant de voir l'un des trois jeunes hommes encore vivants accéder à une fonction publique.

— Cela m'inspirerait le même sentiment, soyez-en certain.

Renaud se leva, soudainement très las de toute cette histoire. Il avait juste hâte de passer à autre chose. Le premier ministre se leva aussi, le reconduisit à la porte de son bureau. Il lui tendit la main en disant :

— Bonne chance, monsieur Daigle. Nous nous reverrons dans un meilleur contexte bientôt, j'en suis sûr.

L'avocat accepta la main tendue et s'en alla.

~

Les semaines passaient dans une tranquillité relative. Renaud donnait ses derniers cours et se préparait à administrer l'examen final. Henri Trudel n'était pas revenu en classe. Michel Bégin et Jacques Saint-Amant avaient été absents le mercredi suivant la mort de Lafrance et Marceau, pour réapparaître ensuite, une grande morosité sur le visage. Leurs camarades expliquaient leurs mines déprimées par les décès récents. Trois de leurs amis venaient de disparaître en peu de temps. En effet, Fitzpatrick avait rendu l'âme. Sa mésaventure eut une conséquence inattendue : pendant quelques mois, les étudiants se raréfièrent dans les bordels, sensibles tout d'un coup aux informations qui circulaient sur les dangers de la syphilis.

Dans un autre ordre d'idées, Renaud pensait à Virginie. Tous les deux craignirent d'abord qu'on la reconnaisse. Ils imaginaient que, tôt ou tard, dans l'ascenseur du Morency par exemple, un homme la pointerait du doigt en disant :

— Lara, tu n'es plus au *Chat* ?

Cela ne se produisit pas, un peu par chance, beaucoup parce que ses robes sages, son chapeau cloche et ses cheveux de plus en plus longs faisaient un excellent déguisement. En plus, un peu myope, ses lunettes à monture d'écaille au milieu du nez lui conféraient l'allure d'une institutrice adorable, pas d'une femme de mauvaise vie.

Surtout, Renaud s'interrogeait. Elle était la plus rassurante des maîtresses, émue par toutes les manifestations de tendresse. Jamais elle n'affichait l'ombre d'un gramme de curiosité pour les autres hommes. Elle se révélait agréable à vivre, se réjouissant des choses les plus routinières : s'occuper d'un appartement, préparer un repas, lire, parler, aller voir un film. Tout au plus souffrait-elle fréquemment de longues absences, plongée dans son passé. Un peu comme les vétérans revivant leur séjour au front, elle se remémorait son passage au *Chat*. Dans ces moments, découvrit Renaud, le mieux était de ne rien dire et de lui masser doucement le dos et les épaules. Elle se détendait bientôt et lui disait un petit « Merci » dans un sourire.

Après trois semaines, l'homme aimait s'endormir en la tenant contre lui et s'éveiller de la même façon. Quand il prenait à la jeune femme la fantaisie de coucher dans son appartement, il s'ennuyait ferme. Lors de ses nuits d'insomnie, une grande question lui trottait dans la tête : « Épousait-on une prostituée ? »

Certaines d'entre elles se mariaient. Jamais à un notable. Une union comme celle-là pouvait faire de lui un paria. Peut-être pas, s'il réussissait à garder le secret. Puis Virginie était pudique, sensible, généreuse, cultivée. Il était terriblement tenté de courir le risque. Surtout en jour de la fin d'avril où, après avoir fait l'amour – il avait embrassé toutes les taches de rousseur sur son corps –, ils somnolaient dans un bain chaud, elle appuyée contre sa poitrine, au creux de ses bras. Il affichait un sourire béat quand elle murmura:

— Je suis si heureuse.

Il y eut un long silence, puis elle ajouta:

— Tu sais que je suis amoureuse de toi?

Elle le disait pour la première fois. Il n'hésita presque pas avant de répondre:

— Moi aussi, je t'aime.

Si les femmes avaient ronronné, ce serait arrivé à Virginie à ce moment précis. Il ajouta:

— Ce voyage sera une bonne occasion pour se connaître, loin de tout ça.

«Tout ça», c'étaient Blanche Girard, la peine d'amour, les menaces, le bordel. Il voulait avoir la chance de connaître Virginie dans un contexte totalement différent, loin de tous les fantômes habitant Québec, pour savoir quelle serait la meilleure décision.

— Tu ne crains pas de voyager avec moi? Ta réputation?

Elle trouvait à la fois rassurant et inquiétant d'aborder enfin sa préoccupation des dernières semaines.

— Là où personne ne nous connaît, cela peut aller.

— Je porterais une alliance et tu me ferais passer pour ta femme? Ou alors il faudrait prendre des chambres séparées, comme avec nos appartements?

— Ce n'est pas un si mauvais arrangement.

— C'est vrai, admit-elle. Ce serait tout de même compliqué, tu aurais peur que l'on rencontre quelqu'un d'ici. Puis tu te demandes toujours si je suis la bonne personne.

— Que veux-tu dire?

Les yeux fermés, étendue contre lui dans un grand bain, son cœur battait pourtant la chamade.

— L'avantage que j'ai sur toutes les femmes, c'est que tu me disais tout de toi, quand tu venais au *Chat*. J'ai été ta confidente. Va voir Élise Trudel. Quand tu reviendras, tu me parleras de nouveau de ton projet de voyage. Je te répondrai alors.

La vraie difficulté était là. Virginie était prête à accepter le rôle de maîtresse, à la condition qu'il ne se demande pas dans trois mois s'il voyageait avec la bonne personne.

Elle avait accepté tout de suite, malgré la surprise d'entendre sa voix. Quand il frappa à la porte de la grande maison de la rue Moncton, elle vint ouvrir elle-même. Comme le mois d'avril se révélait aussi beau que le mois de mars avait été mauvais, elle lui demanda de s'asseoir avec elle sur la galerie.

— J'aimerais mieux qu'il ne vous voie pas.

Comme il levait les sourcils, elle expliqua :

— Vous ne le saviez pas ? Il a fait un infarctus. Il va se remettre, selon le médecin. Il vous accuse d'être la cause de tout.

— Je ne comprends toujours pas. Qui a fait un infarctus, et de quoi suis-je responsable ?

— Mon père a fait un infarctus lors du mariage d'Henri. Il se remet assez bien, mais il devra laisser son ministère.

La jeune femme marqua une pause, le temps de voir si quelqu'un les écoutait.

— Quant à ses reproches à votre sujet, Descôteaux lui a dit qu'Henri ne devait pas s'attendre à une circonscription sûre aux élections de 1928, comme il s'y était engagé dans le passé.

— Qu'est-ce que j'ai à voir là-dedans ?

— Selon mon père, cela ferait partie de vos conditions pour vous taire.

Elle connaissait toute l'histoire. Même s'il avait exprimé un avis en ce sens à Descôteaux, il se défendit :

— Je n'ai rien à voir dans les stratégies du premier ministre.

Après tout, il n'avait pas vraiment « exigé » cela.

— Je vous crois. Mon père en viendra sans doute à cette conclusion aussi. Ce serait si mesquin, je ne crois pas que ce soit votre nature.

Il eut un moment d'hésitation avant de dire :

— Vous savez tout, alors.

— Je l'ai sans doute su avant vous. Il l'a dit à Helen, Helen s'est confiée à moi. Je vais dire quelque chose de méchant : il ne la mérite pas. Il ne pense qu'à lui. Il se trouve très malheureux, très malchanceux. En réalité, il s'est comporté très mal et il s'est entouré de personnes qui ne méritaient pas sa confiance.

— Que va-t-il faire ?

— Il se trouve à Montréal pour visiter la parenté de Helen. Ils vont repasser ici avant de se diriger vers Boston. Mon frère souhaite parfaire ses études de droit là-bas. Il a décidé de devenir riche. Helen rêvait de médecine, mais, avec un bébé au sein, je doute que ce soit en septembre prochain.

Surtout, un séjour aux États-Unis lui permettrait de rompre tous les liens avec ses anciens amis.

— Et vous, demanda Renaud, qu'allez-vous faire ?

Renaud regardait cette belle femme un peu fatiguée déjà.

— Je suis le dernier politicien du clan Trudel. Une nouvelle élection est imminente, je vais reprendre le collier. Si mon père va mieux, je me rendrai à Ottawa, pour travailler. D'après Ernest Lapointe, cela pourra se faire.

— Je vous le souhaite.

— N'ayez pas pitié de la vieille fille.

Elle eut un rire amer et, pour la première fois depuis qu'il la connaissait, l'homme lui trouva un air de vieille fille.

— Je n'ai aucune pitié. Le cours des choses m'attriste. Les dieux se sont joués de nous.

— J'ai beaucoup pensé à cela. Helen a été séduite par l'air torturé d'Henri, en juillet dernier. L'aurait-elle trouvé trop prétentieux, s'il n'avait pas été terrorisé par cette affaire ? Elle a aimé Henri, vous avez aimé Helen, je vous ai aimé. Si nous nous étions croisés sur la terrasse Dufferin, ou au thé dansant du *Château Frontenac*, qui sait ?

— Vous êtes assurément l'une des femmes exceptionnelles que j'ai rencontrées dans ma vie.

Élise le regarda longuement avant de murmurer :

— L'une des femmes ?

— Oui.

— L'autre a beaucoup de chance.

Qu'ajouter ? Renaud avait toutes les réponses à ses questions. Il se leva, son interlocutrice aussi. Il mit les mains sur ses épaules et l'embrassa sur les deux joues.

— Je vous souhaite de trouver ce que vous cherchez. Je vais être très indiscret et réitérer mon conseil puis en ajouter un autre. Éloignez-vous du clan. Allez à Ottawa ou achetez un billet pour une croisière autour du monde. N'importe quoi, mais sans votre famille.

Il avait beaucoup trop parlé. Il descendit les marches de l'escalier deux par deux, la laissant des larmes dans les yeux.

Descôteaux trônait derrière son grand bureau de premier ministre. Il essayait d'en imposer au jeune député assis devant lui. Il lui avait montré le fauteuil un peu plus bas que les autres, pour qu'il se sente écrasé. Ces petits trucs faisaient de lui un chef.

— Alors, mon cher jeune collègue, croyez-vous devenir le chef des conservateurs de la province ?

Devant lui, Camilien Houde s'était calé dans le fauteuil trop bas comme s'il détestait s'asseoir à une hauteur normale.

La succession d'Arthur Sauvé, chef des conservateurs du Québec, ne lui était pas acquise. Il déclara pourtant avec une belle assurance :

— Ne craignez rien, vous ne ferez pas face à un autre chef de l'opposition que moi. Ensuite, je prendrai votre place.

— J'admire votre bel optimisme. Cela vous prendra du temps, si vous y arrivez jamais.

— Je suis jeune. C'est un avantage, en politique. Vous avez le temps de commettre bien des erreurs avant que je prenne ma retraite.

La conversation ne prenait pas du tout la tournure attendue par le premier ministre. Il se sentit soudainement mal à l'aise au moment de demander :

— Votre Parti a-t-il l'intention de se servir des rumeurs sur l'affaire Blanche Girard lors de la prochaine élection ?

— Nous y avons longuement réfléchi. La population doit conserver son respect pour les institutions politiques et pour l'appareil judiciaire. Le Parti n'y fera pas référence. De toute façon, cette histoire s'est terminée il y a quelques semaines, n'est-ce pas ?

Que pouvait bien savoir ce gros homme vulgaire ? Rien ! Il devait avoir entendu des rumeurs sur les deux jeunes gens décédés : il en avait circulé de toutes sortes. Descôteaux conclut :

— Le fracas sur l'affaire Blanche Girard a déjà nui beaucoup à la réputation de tous les politiciens.

— Il y a eu des maladresses de part et d'autre. Plus de votre part, puisque vous êtes au pouvoir, que de la nôtre. Vous tirez les ficelles, après tout.

Houde regardait le premier ministre avec un sourire amusé.

— Une commission d'enquête sur l'administration de la justice, où votre Parti nommerait l'un des deux présidents, ramènerait la confiance des citoyens.

— Des témoins et des avocats des deux organisations viendront assurer que, dans cette affaire, tout s'est fait selon les règles... Puis, les journaux des deux côtés affirmeront que notre système est parfait...

Descôteaux n'aimait pas vraiment cette façon de présenter les choses, mais il ne pouvait que répondre :

— C'est ça.

Un long silence pesa sur lui. Il dut demander :

— Vous êtes d'accord ?

Houde pinçait son double menton en réfléchissant. Il déclara enfin :

— C'est convenu.

Le député se leva vivement, vint vers le premier ministre et tendit la main. Descôteaux scella leur accord en l'acceptant. Le visiteur serra trop fort ses doigts, et il les retint un long moment pour dire :

— Cela prendra peut-être cinq ans, peut-être dix ans, mais nous vous aurons sur un scandale. Pas l'affaire Blanche Girard, c'est promis. Mais vous ferez bien d'autres sottises, et nous vous aurons.

Il s'en alla rapidement vers la porte.

Renaud avait terminé ses corrections. Sur la copie de l'examen de Michel Bégin, une note retint son attention : « Je vais entrer en communauté cet été. » Renaud se dit que, si c'était pour expier, cela ferait un mauvais religieux de plus. D'un autre côté, cela valait peut-être mieux que de devenir notaire à Saint-Malachie, comme dans le cas de Saint-Amant.

Le professeur partit enfin, après avoir fait entreposer ses quelques meubles, ses livres et son auto. Il ne savait trop où. Le couple allait commencer par Montréal, puis New York. À ses côtés, Virginie regardait son alliance avec des yeux incrédules.

— Tu n'as pas de regrets, j'espère ?

Elle le traita d'idiot et se cramponna à son bras. Cela n'avait pas été une mince affaire d'avoir l'autorisation pour un mariage rapide. Il avait même fait jouer des influences politiques, puis il avait payé une dispense à l'Église. La cérémonie, célébrée dans la plus grande discrétion, avait eu lieu dans une toute petite chapelle. Il n'avait plus de famille et Virginie n'avait pas tenu à inviter la sienne.

Le clan Trudel s'était révélé trop étouffant pour s'y allier en demandant la main d'Élise. L'inculture de Germaine, plus que son origine sociale, lui avait inspiré du mépris. En vérité, n'était-ce pas ce qu'il avait ressenti ? Puis il avait choisi d'épouser une jeune prostituée cultivée et seule au monde ! Aurait-il pu exprimer avec plus de véhémence son dépit face à la tribu de la Haute-Ville ?

Sa compagne apportait avec elle douze ans de couvent, l'expérience de l'inceste et trois ans de bordel. Partager sa vie serait tout, sauf ennuyeux. À cette pensée, il fut pris d'un grand rire et serra Virginie contre lui.

En guise de postface

Du fait divers au roman

Titres et en-têtes d'articles du *Soleil.* Les capitales sont du journal.

LÂCHE ASSASSINAT D'UNE JEUNE FILLE. Le cadavre de Blanche Garneau, disparue mystérieusement depuis jeudi dernier, est découvert tout mutilé dans un buisson près de la rivière Saint-Charles. Tout fait croire qu'on est en présence d'un meurtre brutal. DES ARRESTATIONS SERAIENT FAITES SOUS PEU. (29 juillet 1920.)

LE MEURTRE DE BLANCHE GARNEAU EST LE PLUS MONSTRUEUX QUI AIT ÉTÉ COMMIS À QUÉBEC. Le rapport du médecin autopsiste révèle que la victime a été frappée puis étranglée – Il y a eu lutte entre elle et l'agresseur – Un jeune homme lui aurait fait des menaces. ON S'ATTEND À DES ARRESTATIONS D'UN INSTANT À L'AUTRE. (31 juillet 1920.)

RÉUSSIRA-T-ON À METTRE LA MAIN SUR L'ASSASSIN DE BLANCHE GARNEAU ? Il pourrait s'écouler encore quelques jours avant qu'une arrestation ne soit faite – L'activité des détectives ne se ralentit pas – Comment il est prouvé que les rumeurs qui courent depuis quelque temps nuisent plutôt au travail qui se fait. SERAIT-CE L'ŒUVRE D'UN FOU PLUTÔT QUE D'UN CRIMINEL ? (1er août 1920.)

UN MYSTÈRE IMPÉNÉTRABLE ENTOURE LA MORT DE BLANCHE GARNEAU. Le mystère entoure de plus en plus le meurtre de Blanche Garneau. L'enquête du coroner qui s'est terminée, ce midi, n'a rien révélé qui puisse éclairer la justice – Un jeune homme explique ses allées et venues. (3 août 1920.)

ON N'EST PAS PLUS AVANCÉ QUE LE JOUR DE LA DÉCOUVERTE. (4 août 1920.)

À l'été de 1977, je commençais mes études de maîtrise en histoire à l'Université Laval, entiché d'un sujet de recherche «passionnant»: la «catholicisation» des syndicats nationaux des travailleurs de l'industrie de la chaussure de la ville de Québec. Une source me paraissait prometteuse: la presse quotidienne. Je me résolus donc à parcourir tous les numéros des principaux journaux de Québec, *Le Soleil*, *L'Événement* et *L'Action catholique*, de la fin du XIXe siècle à 1930, à la recherche du moindre renseignement sur mes syndicats. Bien sûr, je perdais la moitié de mes journées à parcourir des articles sur des sujets divers qui, sans lien avec ma recherche, me permettaient néanmoins de préciser le décor de mon essai.

C'est ainsi que je suis tombé sur l'«affaire Blanche Garneau», dont les péripéties se sont étalées dans les journaux pendant quelques années:

- Le 22 juillet 1920, Blanche Garneau disparaissait sur le chemin du retour à la maison. On trouvait son cadavre une semaine plus tard près de la rivière Saint-Charles. Pendant plusieurs jours, les journalistes affirmèrent que le tout serait réglé très vite;
- L'enquête du coroner ne révéla rien. Dès ce moment, l'impuissance de la police à dénicher un fautif fit jaser: on murmurait les noms de deux prétendus coupables,

les fils de députés libéraux, que l'on dérobait à la justice. Une enquête *on discovery* tenue pour faire écho à ces rumeurs ne permit aucun progrès;

- La rumeur prit la forme d'une curieuse petite brochure, *La Non-Vengée*, attribuée à Raoul Renaud. Cet auteur présentait une version intéressante des faits, en impliquant le fils « de l'un des hommes les plus en vue de Québec » ;
- On ne faisait pas que murmurer. Sans doute aiguillonné par son sort de candidat conservateur défait lors de l'élection fédérale de 1921, Armand Lavergne accusait du haut d'une tribune le gouvernement Taschereau de protéger les coupables. John Roberts faisait de même dans un petit journal obscur, *The Axe*. Taschereau le fit comparaître devant l'Assemblée législative pour avoir attenté à la dignité de cette noble institution, et fit amender la loi pour la rendre plus sévère. La législation allait s'appliquer rétroactivement à Roberts : il se retrouva suffisamment longtemps en prison pour ne pouvoir intervenir dans l'élection provinciale de 1923 ;
- Deux personnes furent accusées du meurtre de Blanche Garneau et traduites devant un tribunal malgré leur alibi très solide. Armand Lavergne s'occupa de la défense de l'un d'eux. La police se couvrit de ridicule pour avoir si mal mené son enquête, et le bureau du procureur général, pour avoir montré un tel empressement à poursuivre ces faux coupables. Cela ne pouvait qu'alimenter les rumeurs sur une conspiration des autorités politiques pour protéger les vrais assassins ;
- Enfin, libéraux et conservateurs participèrent à une grand-messe : une commission royale d'enquête sur l'administration de la justice dans l'affaire Blanche Garneau, où l'on convint que tout avait été fait dans les

règles. Un exorcisme, en quelque sorte, au sujet d'une histoire qui empoisonnait la vie politique depuis trois ans.

Cette histoire, c'était du bonbon pour quiconque avait des prétentions littéraires. J'en caressais justement. J'avais publié, de 1972 à 1976, quatre romans destinés à un public adolescent. Les trois premiers donnaient dans la science-fiction, le dernier dans le roman historique. Quoi de mieux, pour quitter le domaine du roman « jeune public », que ce fait divers ? À ce moment, les crimes célèbres faisaient recette, particulièrement les récits sur le triste sort de Cordélia Viau ou Wilbert Coffin. En fait, l'histoire de Blanche Garneau était si intéressante que j'en étais encore à glaner des articles quand Réal Bertrand publia *Qui a tué Blanche Garneau ?* Sur le mode historique, tout était dit, et bien dit, dans ce livre. Il me restait donc le mode littéraire.

Mais les exigences du doctorat, puis le début d'une carrière dominée par le *publish or perish*, prirent tout mon temps, y compris les loisirs. Je revins sur le sujet avec le désir de m'inspirer librement du fait divers. Très librement en fait, au point de changer le nom de la victime et de tous les protagonistes de l'affaire, l'année du meurtre… et presque tout le reste. En fait, je ne retins que ceci :

- Le prénom de Blanche, si évocateur, et des éléments de sa vie personnelle ;
- Le fait que l'un des policiers enquêteurs s'est retrouvé à l'asile psychiatrique – en 1923, puis de 1925 à sa mort en 1974. Cela ne s'invente pas, cette fragilité policière ;
- La tenue d'une enquête *on discovery* et la publication de *La Non-Vengée*. Dans mon roman, je simplifie le scénario de Raoul Renaud, et je remplace le prénom de son personnage, Henri, par « H » ;

- Et surtout la sourde rumeur d'une conspiration pour soustraire des coupables à la justice.

Tout le reste, c'est une « histoire inventée ». Afin de ne pas laisser d'ambiguïté à ce sujet, j'ai même changé les noms de personnages historiques connus. En même temps, j'ai voulu rester toujours dans le vraisemblable. Je me suis absorbé dans les annonces classées et les articles des journaux, et dans le catalogue Eaton. Je sais combien Élise payait ses bas de soie, ce que Renaud déboursa pour sa radio Marconi et son phonographe RCA Victor. Je sais même ce qu'il écoutait à la radio : la programmation se trouvait dans les pages du *Soleil.*

Parfois je me suis amusé avec les faits. Renaud habite au Château Saint-Louis parce que l'édifice me plaît ; comme il n'accueillit ses premiers locataires qu'en 1926, j'ai changé son nom. Je confesse avoir déplacé de quelques semaines le décès du cardinal Bégin, par caprice. Je me suis permis de faire du *Soleil* un journal du matin, alors qu'il paraissait le soir. Quant aux rapports entre hommes et femmes, je me suis inspiré de documents d'archives ou d'études historiques, dont le fort intéressant *From the Front Porch to the Back Seat. Courtship in Twentieth-Century America* (Beth L. Bailey).

Voilà, j'ai voulu livrer une « histoire inventée » dans un décor réaliste.

En terminant, un immense merci à mes premiers lecteurs – Céline Cloutier, Pounthioun Diallo (malheureusement décédé depuis), André Girard, Jean-François Cardin, Marc-André Éthier –, pour leur temps et les commentaires gentils qui furent autant d'encouragements à continuer. J'ai envers eux une dette de prose et de reconnaissance.

JEAN-PIERRE CHARLAND
5 février 1998
25 avril 2009